W9-BVK-418
CAR

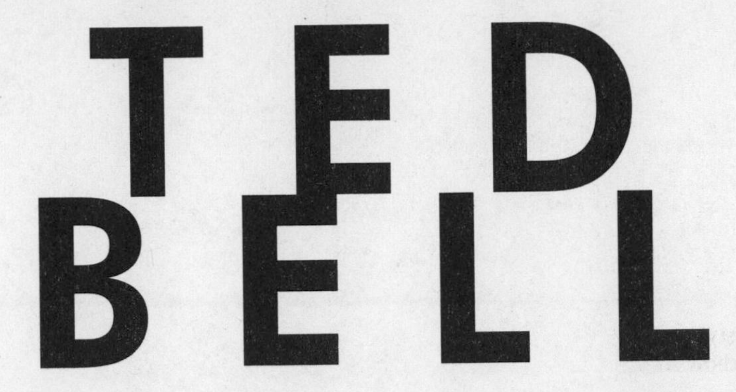

Przekład
MACIEJ PINTARA

Redakcja stylistyczna
Anna Tłuchowska

Korekta
Jolanta Kucharska
Anna Tenerowicz

Ilustracja na okładce
Alan Ayers

Druk
Opolgraf SA

Ponowna oprawa
Wojskowa Drukarnia w Łodzi Sp. z o.o.

Tytuł oryginału
Tsar

ISBN 978-83-241-4163-0

Warszawa 2012. Wydanie I

Wydawnictwo AMBER Sp. z o.o.
02-952 Warszawa, ul. Wiertnicza 63
tel. 620 40 13, 620 81 62

www.wydawnictwoamber.pl

Dla Page Lee Hufty
z wyrazami wiecznej miłości i dozgonnej wdzięczności

„Nie potrafię przewidzieć działań Rosji.
To zagadka owiana tajemnicą, ukryta wewnątrz enigmy.”

Winston Churchill, 1939

PROLOG

Październik 1962

Koniec świata był bliski: rakiety wyrastały na kubańskich polach trzciny cukrowej, amerykańskie i radzieckie okręty wojenne krążyły po południowym Atlantyku. Młody prezydent Stanów Zjednoczonych, John Fitzgerald Kennedy, miał cholernie ciężki tydzień.

Kreml słał wściekłe groźby, sytuacja wymykała się gwałtownie spod kontroli. Moskwa i Waszyngton bombardowały się wojowniczymi oświadczeniami, po obu stronach puszczały nerwy. Zabiegi dyplomatyczne dawno przestały skutkować, stare sprawdzone reguły zimnej wojny już nie obowiązywały.

Nie było już zasad, żadnych, odkąd radziecki premier Nikita Chruszczow oznajmił ambasadorom państw zachodnich: „Pogrzebiemy was!", waląc butem w mównicę w siedzibie ONZ-u, a sto czterdzieści pięć kilometrów od Miami, na Kubie, odkryto radzieckie międzykontynentalne pociski balistyczne sprowadzone przez Fidela Castro.

Niezwyciężona dotąd twierdza Camelot, bogate, spokojne państwo przystojnego młodego króla i jego pięknej małżonki, zaczęła się kruszyć i pękać. Jack Kennedy wiedział, że wciąż poszerzająca się szczelina to droga do piekła.

Obaj główni przeciwnicy wycelowali w siebie łącznie ponad piętnaście tysięcy głowic jądrowych. Na granicy Europy Zachodniej stało dziewięćdziesiąt radzieckich dywizji gotowych do ataku. W amerykańskich wojskach lądowych, marynarce wojennej i eskadrach bombowców Dowództwa Strategicznych Sił Powietrznych po raz pierwszy w historii zarządzono drugi stopień gotowości obronnej. Wojna światowa wisiała na włosku. Trwało to cały tydzień.

Dwa bezradne olbrzymy bały się odetchnąć.

Aż do tej chwili.

W to deszczowe popołudnie późnego października 1962 roku Jack Kennedy zrozumiał, że nuklearna zagłada świata nie jest tylko koszmarnym snem, ale może nastąpić lada chwila.

Szybciej niż nadejdą święta Bożego Narodzenia.

W Białym Domu panował ponury nastrój. Każdy, kto pracował przy Pennsylvania Avenue 1600, starał się funkcjonować jeszcze przez godzinę, przez dzień, w cieniu zbliżającej się nieuchronnie katastrofy. Ustawione na biurkach oprawione w kolorowe ramki zdjęcia radosnych dzieci, ulubionych zwierząt domowych i ukochanych osób nie pozwalały jednak zapomnieć, co można stracić w każdej chwili.

Stany Zjednoczone miały tylko trzydzieści pięć minut na reakcję w wypadku ataku radzieckich rakiet, rozmieszczonych na Kubie. Nieliczni szczęściarze spośród personelu Białego Domu i wysocy rangą generałowie mieli siedem minut na zajęcie miejsc w helikopterach odlatujących do Skały, supertajnego podziemnego bunkra, wydrążonego wewnątrz pewnej góry w Maryland.

Pozostali musieliby po prostu złapać fotografie, zamknąć oczy i dać nura pod biurka jak uczniowie w reklamach telewizyjnych obrony cywilnej. Biurko przeciw bombie. Chore.

Jack Kennedy wszedł do zaciemnionego pokoju w Zachodnim Skrzydle i zażył dwa percodany. Dokuczała mu choroba Addisona, miał stargane nerwy i bolały go plecy. Jego brat Bobby czekał na niego w nienaruszalnym sanktuarium prezydenta, Gabinecie Owalnym, ruszył więc w kierunku schodów.

Właśnie przed chwilą wyszedł z Sali Sytuacyjnej po kolejnym gorącym spotkaniu z szefami połączonych sztabów. Pentagońskie jastrzębie chciały dokonać wyprzedzającego uderzenia nuklearnego w samo serce Rosji. Kennedy nie ustąpił. Obstawał przy tym, że blokada morska Kuby to największa nadzieja Stanów Zjednoczonych na to, by zmusić Chruszczowa do pokazania kart i zapobiec wojnie światowej.

Za zamkniętymi drzwiami Gabinetu Owalnego, przed płonącym kominkiem, Kennedy pozbył się oficjalnej miny. Ta prywatna twarz prezydenta wyrażała niepokój i grymas bólu.

– Słyszałeś o tej cholernej „czerwonej pałce", Jack? – spytał Bobby starszego brata.

– Tak, tamci tylko o tym chcą teraz rozmawiać. Znaleźli kij na mnie i zamierzają go użyć.

– Co takiego?

– Pentagon ocenia, że przy obecnej szybkości rosyjskiego konwoju sowieckie okręty dotrą do naszej zewnętrznej linii obrony za niecałe trzy doby. Ale według najświeższych informacji, które dostajemy od wywiadu brytyjskiej marynarki wojennej, sprawy mogą przybrać niebezpiecznie korzystny obrót dla rosyjskich eskortowych okrętów podwodnych.

– Dlaczego?

– Ruscy mają jakiś nowy podwodny system akustyczny, SOFAR, który służy do określania pozycji i odległości dźwięku, zaawansowaną technicznie boję sonarową o kryptonimie „Czerwona Pałka". Podobno mogą wyłapać odgłosy śruby naszego okrętu podwodnego z odległości tysiąca mil morskich. Jezu,

Bobby, jeśli to prawda, to w naszej blokadzie jest pełno dziur. Po prostu jest do niczego. O tym mnie przekonują od wielu dni szefowie połączonych sztabów.

Bobby, z rękami głęboko w kieszeniach, przygarbiony zmęczeniem i niepokojem, stał przy oknie i patrzył na mokry od deszczu ogród różany. Nie wiedział, ile jeszcze złych wiadomości może znieść jego brat. Uśmiechnął się i odwrócił do Jacka.

– Słuchaj, tym się zajmują Angolę. My robimy wszystko, co w tej chwili możemy zrobić.

– Nie odzywali się? Od świtu czekamy na informacje z ich okrętu podwodnego. Nie kontaktują się z nami zbyt często.

– Centrala wywiadu morskiego w Londynie właśnie dzwoniła do naszego Departamentu Obrony. Brytyjski okręt podwodny „Dreadnought" płynie z maksymalną szybkością do Szkocji po jednego z ich najlepszych agentów. Facet nazywa się Hawke. Okręt ma dotrzeć do wyspy Scarp na Hebrydach o szóstej czasu Greenwich. Hawke zostanie przerzucony w pobliże sowieckiej arktycznej bazy „Czerwona Pałka" sześć godzin później. Jeśli przeniknie do środka i wycofa się stamtąd żywy, będziemy wiedzieli coś pewnego o parametrach „czerwonej pałki", jej zasięgu, czułości akustycznej, możliwościach telekomunikacyjnych i...

– Do diabła z czułością akustyczną! Muszę wiedzieć, ile jest tych cholernych urządzeń i gdzie są zlokalizowane! Jeśli gdzieś blisko teatru naszych działań wojennych, chcę też wiedzieć, jak szybko możemy je unieszkodliwić.

– Angole obiecują, że dostaniemy informacje za dwanaście godzin.

– Dwanaście godzin? Bobby, do cholery, te informacje są potrzebne natychmiast. Jeśli Ruscy rozmieścili „czerwone pałki" na południowym Atlantyku, to znaczy, że śledzą każdą operację, jaką prowadzą tam siły podwodne admirała Dennisona.

– Podobno Hawke to ich najlepszy człowiek. Jeśli w ogóle można coś zrobić, to tylko on to potrafi.

– W Bogu nadzieja, że się nie mylą. – Kennedy opadł na ulubiony bujany fotel z wiklinowym siedziskiem i żółtym obiciem na drewnianym oparciu.

Kołysał się, patrzył w ogień i rozpaczliwie starał pogodzić z faktem, że nagle powierza los świata jakiemuś cholernemu Anglikowi, o którym nigdy nie słyszał.

Przetarł zaczerwienione oczy i podniósł wzrok na Bobby'ego.

– Hawke? Kto to jest, do diabła?

Z karabinem zawieszonym na plecach i pojedynczym nabojem w kieszeni Hawke, bezlitosny żołnierz zimnej wojny, która nagle zrobiła się gorąca, zabijał czas przed kolejnym zadaniem, tropiąc ogromnego jelenia na mokrych wrzosowiskach wyspy Scarp. Władca Shalloch wymykał mu się od lat. Ale dziś palec na spuście mówił mu, że to może być dzień, gdy człowiek i zwierzę w końcu się spotkają.

Gdy tak maszerował z uniesioną głową wzdłuż nadmorskiego urwiska, sam przypominał czujnego jelenia. Był 1962 rok. Hawke miał dwadzieścia siedem lat i spore doświadczenie w pracy agenta wywiadu marynarki wojennej. Po wielu miesiącach patrolowania wód brytyjskich na pokładzie niszczyciela Królewskiej Marynarki Wojennej w poszukiwaniu radzieckich okrętów podwodnych sam poczuł zasięg sowieckiej potęgi i zagrożenie z jej strony. Miał zwyczaj oddawać cios. Wyglądało na to, że teraz nadarza się okazja, by przelać trochę rosyjskiej krwi.

Przybył na zapomnianą przez Boga i ludzi wyspę Scarp dwa dni przed planowanym zabraniem go stąd przez okręt podwodny Królewskiej Marynarki Wojennej. Jego zadanie, operacja „Czerwona Pałka", było tak tajne, że w szczegóły miał być wprowadzony dopiero na pokładzie „Dreadnoughta" podczas rejsu na północ od koła podbiegunowego. Na norweskiej wyspie Svalbard znajdowała się jakaś tajna rosyjska stacja nasłuchowa. Tylko tyle wiedział.

Reszty mógł się domyślić. Dostanie rozkaz przeniknięcia do placówki, ustalenia, co się w niej dzieje, i zniszczenia jej. Na odprawie nie dowie się, jak stamtąd uciec. Wszystko to będzie bardzo niebezpieczne.

No nie. Jeszcze żyje. Okręt pojawi się dopiero za kilka godzin. Wielki jeleń jest gdzieś na wrzosowiskach lub na urwisku poniżej. Na pojedynczym pocisku w kieszeni Hawke wygrawerował jego imię. Zaczął schodzić ostrożnie w dół. Czuł przenikliwe zimno. Od morza nadciągała mgła, nie widział właściwie nic.

Wśród wrzasku mew i rybitw wyróżnił dziwny dźwięk. Spojrzał w górę. Do licha, to zabrzmiało jak strzał z karabinu dużego kalibru!

Czyżby ktoś jeszcze tropił władcę Shalloch? Niemożliwe. Na tej nędznej wyspie mieszkają tylko owce i farmerzy. Nie wybraliby się na polowanie w taki paskudny dzień...

Chryste! Skurwiel znów strzelił. Tym razem nie było wątpliwości, do kogo. Hawke dał nura za wypiętrzenie skalne. Czekał z walącym sercem, z trudem zachowując spokój. Pocisk gwizdnął mu tuż nad głową. A potem następny.

Dostrzegł błysk promieni słońca gdzieś powyżej, pewnie światło odbiło się od szkieł lornetki tamtego. Mężczyzna wspinał się, a Hawke był niebezpiecznie odsłonięty. Rozejrzał się gorączkowo w poszukiwaniu jakiejś kryjówki. Jeśli tamten wdrapie się jeszcze wyżej, będzie go widział jak na dłoni. Kępa drzew na skalnej półce w dole wygląda bardzo dobrze.

Hawke oderwał się od bezużytecznej już skalnej osłony i skoczył. Wylądował na półce i przetoczył się między drzewa. Trzydzieści metrów pod nim rozbijało się o skały zimne i zamglone morze.

Kolejnych pięć strzałów. Pociski trafiały w pnie brzozy nad jego głową, rozrywały liście, odłamywały gałęzie, zasypywały go kawałkami drewna. Strzelec celował na ślepo, wiedział, że teraz sam jest odsłonięty.

Hawke wyjął z kieszeni pojedynczy nabój o czerwonym wierzchołku, wsunął go do komory karabinu i zaryglował zamek.

Wziął głęboki oddech, zatrzymał na chwilę powietrze w płucach, odprężył się psychicznie i fizycznie. Był wyszkolonym snajperem. Wiedział, jak to zrobić. Odległość do celu – jakieś sto siedemdziesiąt metrów; kąt padania – mniej więcej trzydzieści siedem stopni; wilgotność – sto procent; szybkość wiatru – pięć do dziesięciu kilometrów na godzinę, z lewej strony pod kątem czterdziestu pięciu stopni. Jeden nabój, jeden strzał. Trafisz albo nie.

Jelenie szczęśliwie nie odpowiadają ogniem, jeśli się chybi.

Przycisnął mocno kolbę do ramienia i przywarł do niej policzkiem. Przyłożył oko do lunety i zobaczył cel na przecięciu krzyżujących się linii. Zagiął palec na spuście z naciskiem dokładnie dwóch trzecich kilograma, ani grama więcej. Trzymaj go lekko... teraz odetchnij głęboko... zwolnij do połowy... czekaj.

Krzyżujące się linie spoczęły na twarzy przeciwnika. Dokładnie tam trzeba trafić. Między oczy. Pocisk musi przebić tę część czaszki, to spowoduje natychmiastową śmierć.

Strzelił.

Pojedynczy pocisk utkwił w celu.

Przeciwnik leżał twarzą w dół, pod tym, co zostało z jego głowy, rosła kałuża ciemnej krwi. Był w stroju myśliwskim, mocno znoszonej nieprzemakalnej kurtce i spodniach z diagonalu. Hawke spojrzał na buty mężczyzny i zobaczył, że są identyczne jak jego, zrobione na zamówienie u Lobba w Saint James. Anglik? Przeszukał kieszenie spodni martwego faceta. Kilka funtów, amerykańska zapalniczka marki Zippo, kartonik zapałek z Savoy Grill z londyńskim numerem telefonu, nabazgranym wewnątrz kobiecą ręką.

W wewnętrznych kieszeniach starej kurtki tylko amunicja i mapa turystyczna Hebrydów Zewnętrznych, niedawno kupiona. Hawke ściągnął trupowi buty i podważył nożem myśliwskim obcasy. W lewym znajdowała się profesjonalnie zrobiona skrytka.

Hawke wyjął z niej mały ceratowy pakiet. W środku znalazł cienki skórzany portfel ze znajomą odznaką KGB przedstawiającą miecz i tarczę. Dobrze wiedział, co symbolizują: tarcza broni wielkiej rewolucji, miecz gromi jej wrogów. W portfelu były też dokumenty napisane cyrylicą, najwyraźniej wystawione przez Komitet Bezpieczeństwa Państwowego, KGB.

W portfelu tkwiło też całkiem dobre zdjęcie Hawke'a, zrobione niedawno w ogródku pewnej paryskiej restauracji. Towarzyszyła mu piękna amerykańska aktorka z Luizjany, Kitty. Chwilę po zrobieniu tego zdjęcia poprosił ją o rękę.

Czy to tylko zaplanowana próba zamachu z powodu jego dawnych grzechów, czy też KGB wie o operacji „Czerwona Pałka"? Jeśli wie, to jest spalony. Rosjanie na mroźnej arktycznej wyspie czekają na niego. Utrata elementu zaskoczenia zawsze sprawia, że zadanie staje się bardziej ryzykowne.

Hawke patrzył na martwego Rosjanina i w jego głowie zaświtał pomysł. Whitehall mógłby natychmiast wysłać zaszyfrowaną fałszywą wiadomość na kanale monitorowanym regularnie przez Rosjan.

„Okręt dotarł do punktu spotkania o szóstej. Na miejscu znaleziono dwa ciała: brytyjskiego agenta i zamachowca z KGB. Najwyraźniej pozabijali się nawzajem podczas walki. Operacja odwołana".

Warto spróbować.

Miał w plecaku składaną łopatkę. Zsunął z ramion parciane pasy, wyjął saperkę i znacznie podniesiony na duchu przyłapał się na tym, że pogwizduje *Gdy słowiki śpiewały na Berkeley Square...*, raz za razem wbijając łopatkę w zlodowaciałą ziemię.

Czasem człowiek po prostu musi pogrzebać swoją przeszłość i iść dalej.

I

BŁĘKITNE DNI

1

Bermudy, czasy współczesne

Wojna i pokój. Hawke wiedział z doświadczenia, że życie zwykle sprowadza się do jednego albo drugiego. Podobnie jak jego nieżyjący ojciec, również Alexander, podczas zimnej wojny bohater, odznaczany wielokrotnie za odważne akcje przeciwko Sowietom, Hawke wolał pokój, ale po mistrzowsku opanował sztukę prowadzenia wojny. Ilekroć gdzieś na świecie były potrzebne jego nietypowe umiejętności, chętnie tam wyruszał. Jak w filmie płaszcza i szpady bez wahania rzucał się w wir walki. Miał trzydzieści trzy lata, nie za mało i nie za dużo według jego własnej oceny. To dobry wiek, młodość i doświadczenie w równowadze.

Promieniowała z niego siła. Atak był dla niego czymś naturalnym, od razu cały się zapalał. Krótko po wrzaskliwych narodzinach bardzo angielski ojciec Aleksa powiedział do jego równie amerykańskiej matki: – Wiesz, Kitty, ten chłopiec przyszedł na świat gotów na wszystko. Zastanawiam się tylko, co zrównoważy tę krwiożerczość.

Krew w żyłach Hawke'a, zwykle opanowanego i raczej obojętnego, bardzo szybko osiągała stan wrzenia. Dziwne, postronny obserwator nie umiałby go rozgryźć. Ktoś, kto spotkałby go przypadkiem, powiedzmy podczas wieczornego spaceru na Berkeley Square, uznałby go za przyjaźnie usposobionego, wręcz radosnego faceta. Alex mógł nawet pogwizdywać piosenkę o słowikach czy coś w tym rodzaju. Zachowywał się z wdziękiem i wesołą nonszalancją, dzięki czemu ludzie czuli się przy nim swobodnie.

Ale to przede wszystkim zniewalający uśmiech Hawke'a sprawiał, że żadna kobieta i większość mężczyzn nie mogli się oprzeć jego urokowi.

Alex przyciągał uwagę. Mierzył ponad metr osiemdziesiąt, miał bujną kruczoczarną czuprynę, wysokie czoło, niebieskie oczy, prosty nos i mocno zarysowany podbródek. W kącikach kształtnych ust czaił się cień okrucieństwa, na twarzy o regularnych rysach odcisnęły piętno przeżycia. Dużo ćwiczył i utrzymywał się w doskonałej formie.

W codziennym życiu prezentował beztroską minę, ale potrafił szybko spoważnieć i nagle nadać nawet zwykłej sprawie nowe doniosłe znaczenie.

Mężczyźni chętnie stawiali mu drinki, choć kobiety wolały go w pozycji horyzontalnej.

Zdrzemnął się na nieskazitelnie czystej bermudzkiej plaży prawie godzinę. Dzień był gorący, niebo błękitne. Lekkie ruchy powiek i uśmiech na suchych od soli wargach Hawke'a zdradzały, co mu się śni. Obudził go nagły dźwięk w górze, przypominający pisk delfina. Może to petrel bermudzki z długim ogonem. Hawke uniósł jedną powiekę, potem drugą i uśmiechnął się na myśl seksualnej rozkoszy, która jeszcze pozostała gdzieś głęboko w zakątku jego mózgu.

Pulchne, różowo-kremowe nimfy z erotycznej wizji szybko zniknęły, gdy uniósł głowę i spojrzał czujnie zmrużonymi niebieskimi oczami na jasność rzeczywistego świata. Niemal na linii raf łopotał biały żagiel i halsował ku zawietrznej. Po chwili mały zgrabny slop znów skręcił pod wiatr i Hawke usłyszał ponad wodą daleki trzask wydymanego wiatrem żagla.

Tak, to dobre miejsce i dobry czas w moim życiu, pomyślał, patrząc na łagodne fale przyboju. Mój błękitny raj.

Na słonecznej środkowoatlantyckiej wyspie panował pokój. Wreszcie nadeszły „błękitne dni", do których tak tęsknił. „Czerwony" okres w jego życiu, z szaleńcem nazywanym Papą Topem i armią żołnierzy Hezbollahu ukrytą głęboko w Amazonii, szczęśliwie zamazywał się w pamięci. Każdy nowy błękitny dzień odsuwał przerażające wspomnienia w głąb świadomości. Hawke był za to naprawdę wdzięczny.

Odwrócił się na plecy. Czuł na nagiej skórze ciepło piasku podobnego do różowawego talku. Najwyraźniej zasnął po ostatnim pływaniu. Hm. Złączył dłonie pod głową i oddychał głęboko, napełniając płuca świeżym słonym powietrzem.

Słońce stało wysoko na lazurowym bermudzkim niebie.

Uniósł rękę, żeby spojrzeć leniwie na zegarek do nurkowania. Druga po południu. Uśmiechnął się na myśl o tym, jak spędzi resztę dnia. Nie miał żadnych planów na wieczór, poza kolacją o ósmej ze swoim najlepszym przyjacielem Ambrose'em Congreve'em i jego narzeczoną Dianą Mars. Zlizał z warg suchą sól, zamknął oczy i pozwolił słońcu grzać nagie ciało.

Za schronienie służyła mu zatoczka o krystalicznie czystej turkusowej wodzie. Drobne fale zalewały różowawy piasek, cofały się i znów omywały brzeg. Zatoczka miała jakieś sto metrów szerokości i była niewidoczna z nadmorskiej szosy. South Road wydrążono w koralowcach i wapieniu wieki temu i poprowadzono wzdłuż wybrzeża do Somerset i stoczni Królewskiej Marynarki Wojennej.

Otoczony bujną zielenią półkolisty raj Hawke'a nie różnił się od innych niezliczonych zatoczek, ciągnących się na wschód i zachód wzdłuż południowego wybrzeża Bermudów. Miały one dostęp tylko z morza. Po miesiącach odwiedzania zatoczki, gdzie nikt go nigdy nie niepokoił, Hawke zaczął ją uważać za swoją i nazwał Bezimienną Zatoką.

Hawke starannie wybrał Bermudy. Uznał je za idealne miejsce do leczenia ran i psychiki. Archipelag leży na środkowym Atlantyku mniej więcej w takiej samej odległości od Waszyngtonu i Londynu. Wyspy są ucywilizowane, mają ciepły klimat i zadowolonych z życia mieszkańców. Poza tym niewielu jego znajomym, zarówno przyjaciołom, jak i wrogom, przyszłoby do głowy, by go szukać właśnie tu.

Rok wcześniej, podczas pełnego przygód pobytu w amazońskiej dżungli, Hawke nabawił się kilku chorób tropikalnych i omal nie przypłacił tego życiem. Ale po sześciu miesiącach pławienia się w ciepłym morzu i słońcu stwierdził, że nigdy w życiu nie czuł się lepiej. Mimo codziennych niewielkich porcji eliksiru pana Goslinga, zwanego przez tubylców „czarnym rumem", udało mu się zrzucić wagę do „bokserskich" osiemdziesięciu dwóch kilogramów przy stu osiemdziesięciu paru centymetrach wzrostu. Był opalony, miał płaski brzuch i czuł się po prostu świetnie, jakby niedawno przekroczył dwudziestkę, a nie trzydziestkę.

Mieszkał w małym, nieco zaniedbanym domu przy plaży, starym młynie do mielenia trzciny cukrowej. Stał on – ktoś mógłby powiedzieć, nieco niebezpiecznie – nad morzem, kilka kilometrów na zachód od „jego" zatoczki. Hawke miał zdrowy obyczaj codziennego pływania na tę odludną plażę. Pokonywanie pięciu kilometrów dwa razy dziennie nie było dla niego nadmiernym wysiłkiem i stanowiło dobry dodatek do ćwiczeń składających się z kilkuset pompek i podciągnięć na drążku, a także podnoszenia ciężarów.

Mając zaś zapewnioną prywatność, zdejmował spodenki kąpielowe po przybyciu na miejsce i wieszał je na gałęzi pobliskiego namorzynu. Potem opalał się kilka godzin *au naturel*, jak mawiają Francuzi. Był człowiekiem przyzwoitym, ale nie mógł sobie odmówić przyjemności czucia chłodnego wiatru i słońca na tych częściach ciała, które zwykle są zasłonięte. Tak się do tego przyzwyczaił, że sam pomysł noszenia spodenek w zatoczce wydawał się niedorzeczny. I… A to co?

Patrzył z niedowierzaniem.

Co to jest, do cholery?

2

Uwagę Hawke'a przykuł mały prostokąt czegoś niebieskiego, leżący na piasku kilka metrów na prawo od niego. Oparł się na łokciach i przyjrzał tej dziwnej rzeczy. Czy morze to wyrzuciło? Nie, na pewno nie. Wyglądało na to, że kiedy spał spokojnie w swoim *sanctum sanctorum*, jakiś intruz rozłożył na plaży niebieski ręcznik.

Tajemniczy przybysz rozciągnął go starannie na piasku prostopadle do przyboju i przytrzymał na rogach czterema różowymi konchami. Pośrodku ciemnoniebieskiego ręcznika widniała fantazyjnie wyhaftowana błyszczącą złotą nicią litera K. Nad inicjałem Hawke rozpoznał znajomy symbol dwugłowego orła. Plażowy ręcznik bogacza.

I ani śladu właściciela. Gdzie się podział bezczelny pan K.? Pewnie pływa. Dlaczego zarzucił kotwicę akurat tutaj? Jest tyle innych miejsc. Chyba widok śpiącego spokojnie na piasku nagiego mężczyzny powinien, na litość boską, zniechęcić intruza, tego K., kimkolwiek jest, do diabła, i skłonić do poszukania sobie innej odludnej plaży?

Ale najwyraźniej tak nie było.

I właśnie wtedy pojawiła się kobieta. Nie jakaś tam kobieta, tylko najcudowniejsza piękność, jaką Hawke kiedykolwiek widział. Wyszła z morza, ociekając wodą. Wysoka, długonoga, opalona na jasny odcień kawy z mlekiem. Nie była całkiem naga. Miała jasnoniebieską maskę do nurkowania zsuniętą na wysokie czoło i małe trójkątne białe majteczki, ale pełne piersi w idealnym kształcie, z różowymi sutkami, były odsłonięte.

Mokre pukle złocistych włosów opadały na brązowe ramiona. Hawke nigdy jeszcze nie widział takiego naturalnego piękna. Obecność nadchodzącej kobiety przyprawiła go o zawrót głowy.

Zatrzymała się w pół kroku i przyglądała mu przez chwilę taksująco. Potem skrzywiła pełne wargi w uśmiechu, którego znaczenia Hawke nie umiał rozszyfrować. Rozbawienie z powodu jego kłopotliwego położenia?

Zerknął ostrożnie na krzew, rosnący jakieś dziesięć metrów od niego. Spłowiałe czerwone spodenki kąpielowe zwisały z nagiej gałęzi wśród grubych, okrągłych zielonych liści. Kobieta powiodła wzrokiem za jego spojrzeniem i się uśmiechnęła.

– Nie przejmowałabym się strojem pływackim – powiedziała. Szeroko rozstawione zielone oczy zalśniły w słońcu.

– Dlaczego?

– Bo koń i tak już wyszedł ze stajni.

Hawke patrzył na nią przez dłuższą chwilę i parsknął śmiechem.

– Co pani robi na mojej plaży?

– Pańskiej plaży?

– No tak.

– A na co wygląda to, co robię?

Trzymała przezroczystą plastikową torbę ściąganą sznurkiem. W środku były różowe muszelki i inne rzeczy. Hawke zauważył też linkę wokół talii, na której wisiało kilka rybek. Za bardzo zaprzątało go wspaniałe ciało dziewczyny, by mógł dostrzec harpun w jej prawej dłoni.

– Niech pani posłucha – zaczął – wzdłuż tego wybrzeża jest mnóstwo takich samych zatoczek. Chyba mogła pani wybrać…

– Tutaj są wyjątkowe muszle – odparła i uniosła torbę, w której odbiło się słońce. – Te nazywają się „różowy Chińczyk".

– Coś takiego – odparł Hawke. – Czerwoni też się zdarzają?

– Chińczycy? Dowcipniś z pana.

Roześmiała się, bezskutecznie próbując zachować poważną minę.

Hawke po raz pierwszy usłyszał słowiański akcent w jej skądinąd doskonałej angielszczyźnie. Rosjanka? Na pewno, pomyślał, gdy przypomniał sobie dwugłowego orła nad monogramem, dawny symbol carskiej Rosji.

Kobieta nadal patrzyła na jego nagie ciało. Poruszył się z zażenowaniem. Intensywność jej nieruchomego spojrzenia wywoływała znajomą reakcję. Miał ochotę zasłonić się rękami, ale zdał sobie sprawę, że jest już za późno i że wyglądałby jeszcze śmieszniej. Mimo to chciał, żeby przestała mu się przyglądać. Czuł się jak owad przyszpilony do tablicy.

– Ma pan niezwykle piękne ciało – oznajmiła, jakby stwierdzała fakt naukowy.

– Naprawdę?

– W interesujący sposób przyciąga światło.

– A to co znaczy? – zapytał Hawke, marszcząc brwi. Ale ona odwróciła się na pięcie.

Podeszła wdzięcznie po piasku do niebieskiego ręcznika i usiadła na nim. Oszczędność ruchów sugerowała, że jest tancerką lub akrobatką. Skrzyżowała długie nogi przed sobą w stylu jogi, otworzyła torbę i wyjęła paczkę papierosów Marlboro. W jej dłoni pojawiła się wąska złota zapalniczka. Stary dunhill, pomyślał Hawke. Bogata dziewczyna, dodał do swojej skąpej bazy danych. Zapaliła papierosa i wypuściła smużkę dymu.

– Cudownie. Chce pan? – spytała, spoglądając na niego spod oka.

Jasne, że chciał. I to bardzo.

– Chyba nie zauważyła pani znaku – zakaz palenia, który ustawiłem w falach przyboju.

Nie odpowiedziała. Wyciągnęła z torby jedną z wściekle różowych muszli, rzuciła na piasek obok siebie i zaczęła ją rysować w małym kołonotatniku. Pogwizdywała cicho i sprawiała takie wrażenie, jakby zupełnie zapomniała o Hawke'u.

Ponieważ uważał, że skąpe białe majteczki dają jej nieuczciwą przewagę, odwrócił się na brzuch, położył głowę na przedramieniu i obserwował dziewczynę. Chętnie zapaliłby papierosa albo zrobił cokolwiek, żeby się uspokoić. Przyłapał się na tym, że nie może oderwać od niej oczu. Pochylała się teraz do przodu, wydmuchiwała dym, łokcie opierała na kolanach, sterczące pełne piersi z koralowymi sutkami unosiły się i kołysały lekko, gdy zaciągała się papierosem.

Za każdym razem, gdy dziewczyna wykonywała ruch, by poprawić muszlę lub strząsnąć popiół, Hawke czuł, jak jego serce zamiera, a potem tłucze się w klatce piersiowej, uciskając ją coraz bardziej.

Dokończyła papierosa, nie zwracając na niego uwagi, i spoglądała w zamyśleniu na morze. Potem znów wyciągnęła ołówek i wróciła do rysowania. Jak zahipnotyzowany Hawke ledwo usłyszał, że dziewczyna mówi do niego.

– Jestem tu co dzień – rzuciła niedbale przez ramię. – Zwykle bardzo wcześnie rano, bo wtedy mam dobre światło. Dziś się spóźniłam, bo... nieważne dlaczego. Po prostu. A pan?

– Mam popołudniową zmianę.

– Aha. A kim pan jest?

– Anglikiem.

– To oczywiste. Turystą?

– Tymczasowym mieszkańcem.

– Gdzie pan mieszka?

– Mam skromną kwaterę na cyplu przy zatoce Hungry.

– Naprawdę? Myślałam, że są tam tylko paskudne czepiaki, co trajkoczą wśród dzikich bananowców.

– Został jeden domek. Nazywa się Teakettle Cottage. Zna go pani?

– Tak. To dawny młyn cukrowy. Myślałam, że został zmieciony z powierzchni ziemi trzy huragany temu.

– Nie, nie, ocalał – odparł Hawke. Z niewiadomego powodu przyjął pozycję obronną w sprawie swojego skromnego siedliska.

– Pewnie mieszka pan tam nielegalnie. To szczęście, że policja jeszcze pana nie wyrzuciła. Włóczędzy bardzo psują wizerunek Bermudów.

Hawke puścił tę uwagę mimo uszu. Znów patrzyła na niego natarczywie, pożerała go wzrokiem. Unikał spojrzenia szmaragdowych błyszczących oczu, przyglądał się morzu, badał horyzont, szukając tam Bóg wie czego.

– Ma pan strasznie dużo blizn jak na plażowego leniucha. Co pan robi?

– Uprawiam zapasy z aligatorami i ujeżdżam pantery.

Nie roześmiała się.

– Jeśli tak bardzo się pan wstydzi, niech pan pójdzie po swoje spodenki. Nie będę patrzyła.

– To bardzo uprzejme. – Hawke się nie ruszył.

– Jak się pan nazywa? – zapytała nagle ostrym tonem.

– Hawke.

– Ładnie. Krótko i do rzeczy.

– A pani?

– Korsakowa.

– Jak ten słynny rosyjski kompozytor, Rimski-Korsakow?

– Jesteśmy lepiej znani z podboju Syberii.

– A na imię?

– Anastazja. Ale mówią do mnie Azja.

– Niezwykle kontynentalnie.

– To pewnie świetny dowcip w pańskich kręgach, panie Hawke.

– Staramy się.

– Uhm. Jest Hoodoo, mój szofer. Jak zwykle punktualny.

Wyjęła cienki stanik białego bikini ze swojej magicznej torby i włożyła weń kolejno blade drżące piersi. Hawke nie potrafił stracić ani sekundy z cudownego przedstawienia. Zdał sobie sprawę z tego, że zaschło mu w gardle i oddycha płytko i szybko. Różowe sutki odznaczały się wyraźnie pod cienkim materiałem, bardziej uwodzicielskie teraz, gdy zostały ukryte.

Hawke znów poczuł erekcję i nagle dotkliwie zabrakło mu spodenek kąpielowych. Szybko przywołał na myśl przegrany sromotnie mecz krykieta z odległej przeszłości między szkołami Eton i Malvern na londyńskim stadionie Lord's Cricket Ground, kiedy miał dwanaście lat. Bolesne wspomnienie zawsze skutecznie studziło jego pożądanie nie w porę i modlił się, żeby nie zawiodło go i teraz.

Najwyraźniej nieświadoma tych męczarni zebrała szybko rzeczy i zerwała się na równe nogi, gdy do zatoczki wpłynął mały zodiac. Za sterem stał elegancki siwy czarny mężczyzna, szczupły i wysportowany. Hoodoo był ubrany na biało w koszulę z krótkimi rękawami, bermudy i tradycyjne podkolanówki. Uśmiechnął się i pomachał do pięknej blondynki, kierując dziób pontonu na piasek. Do rufy łodzi przyczepiono dwa duże silniki. Na pewno czterosuwowe, pomyślał Hawke, bo pracowały tak cicho, że nawet nie usłyszał zbliżającego się pontonu.

Hoodoo wyskoczył na brzeg i czekał na swoją pasażerkę. Przypominał młodego Harry'ego Belafonte, który przedwcześnie posiwiał.

Azja Korsakowa zatrzymała się i popatrzyła uważnie na Hawke.

– Oczy też ma pan ładne. Niesamowicie niebieskie. Jak zamarznięte kałuże arktycznego deszczu.

Nie odpowiedział. Uśmiechnęła się.

– Miło mi było pana poznać, panie Hawke. Przepraszam, że zakłóciłam panu spokój.

– Mnie też było bardzo miło panią poznać, Azja – zdołał wykrztusić Hawke i uniósł się, żeby ją pożegnać.

– Nie, nie, niech pan nie wstaje – rzuciła ze śmiechem przez ramię. – Niech pan tego nie robi, na litość boską!

Hawke uśmiechnął się i patrzył, jak Azja przytrzymuje Hoodoo za rękę, wchodzi z gracją do kołyszącego się zodiaca i siada na drewnianej ławce na rufie. Na krzywiźnie dziobu widniał napis „Car". Hawke przypuszczał, że ponton należy do wyposażenia dużo większego jachtu.

– Do widzenia – zawołał, gdy mała łódź zawróciła w kierunku pełnego morza i Hoodoo wypłynął z zatoczki.

Nie wiedział, czy Anastazja go usłyszała, ale się nie obejrzała. Choć jej wtargnięcie na plażę bardzo go zirytowało, teraz żałował, że się już rozstają. Zawsze go zdumiewało to, że twarz pięknej kobiety pozostaje w pamięci mężczyzny, choć nigdy nie wiedział dlaczego.

Śledził małego białego zodiaca, dopóki kilwater nie zniknął za skałami.

Wstał, otarł piasek z nagiego ciała i wziął spłowiałe spodenki kąpielowe. Włożył je i wszedł szybko do przezroczystej błękitnej wody. Kiedy sięgnęła mu do kolan, zanurkował i skierował się silnymi ruchami ramion w stronę pierwszej linii raf koralowych i domku za nimi stojącego na nadmorskim wzgórzu.

Pod koniec życia Twain napisał z Bermudów do przyjaciela: „Idź do nieba, jeśli chcesz; ja wybrałbym pobyt tutaj".

Może to nie jest niebo, pomyślał Hawke, ale niewiele do tego brakowało.

3

Moskwa

Helikopter prezydenta Rosji zszedł do lądowania na dachu nowego kompleksu GRU. Skrót, oznaczający Gławnoje Razwieditielnoje Uprawlienie, czyli zarząd wywiadu, bawił prezydenta Władimira Rostowa. Każdy nowy reżim zmieniał nazwy i akronimy instytucji, co było pozostałością po starych czekistowskich czasach: tajemnice wewnątrz tajemnic.

Wszyscy w Moskwie wiedzieli, że budynek jest kwaterą główną KGB.

Władimir Władimirowicz Rostow był szczupłym mężczyzną, wyższym co najmniej o głowę od większości Rosjan, o ponurym wyglądzie i długim szpiczastym nosie niczym szekspirowski błazen. Chodził przygarbiony, jakby z fałszywą uprzejmością, a jednocześnie dystyngowanie, co często parodiowano za jego plecami.

Jego przezwisko, Szara Eminencja, mówiło wiele.

Patrzył teraz na bezbarwne ulice Moskwy przez mokrą od deszczu ze śniegiem szybę helikoptera z posępną i zmęczoną miną. Przekroczył już siedemdziesiątkę. Choć przyznanie się do tego byłoby politycznym samobójstwem, czuł w kościach wiek, kiedy wracał do stolicy po długiej podróży. Obserwował manewry marynarki wojennej na Morzu Barentsa.

W czasie trwającego bez końca lotu do Moskwy na pokładzie bombowca strategicznego Tu-160 było mu zimno i niewygodnie. Ale w sumie był zadowolony. Spędził dwa przyjemne dni, przyglądając się ćwiczeniom wojskowym. Odrodzona rosyjska Flota Północna okazała się zaskakująco skuteczna podczas dawno oczekiwanych gier wojennych. Rosyjska marynarka, jak miał wkrótce zameldować w GRU, powróciła do sprawności po dziesięciu latach przerwy.

Nocą z mostka krążownika atomowego „Piotr Wielki" prezydent śledził startujące z lotniskowca nowe myśliwce Suchoj w lodowatym deszczu. Następnego ranka o świcie zobaczył to, co było prawdziwym powodem jego wizyty – wystrzelenie międzykontynentalnego pocisku balistycznego z „Jekaterynburga", rosyjskiego atomowego okrętu podwodnego najnowszej generacji.

Rakieta, odpalana z morza wersja topol-m, nazwana buławą, była jak dotąd najpotężniejszą rosyjską bronią ofensywną, która wyprzedzała o co najmniej trzy lata wszystko, co znajdowało się w amerykańskim arsenale. Przenosiła dziesięć naprowadzanych niezależnie na cele głowic jądrowych i miała zasięg ośmiu tysięcy kilometrów.

Wystrzelenie buławy, ku wielkiej uldze obecnych, okazało się sukcesem. Rosjanie dysponowali teraz bronią zdolną do przeniknięcia przez amerykańskie systemy obrony rakietowej.

Wieczorem przy kolacji w kabinie admirała dowodzącego flotą na pokładzie jego okrętu flagowego oficerowie uczestniczący w programie „Buława" mówili o tym, że prędkość początkowa nowego pocisku sprawia, iż wszystkie amerykańskie systemy obrony rakietowej są przestarzałe. To wielki skok naprzód, i tę właśnie wiadomość prezydent Rostow wiózł z zadowoleniem do Moskwy.

Wszystko poszło doskonale, pomyślał prezydent i rozparł się wygodnie na wyściełanym siedzeniu helikoptera. Raport, który przedstawi na porannym ściśle tajnym spotkaniu z hrabią Iwanem Korsakowem i członkami Dwunastki, będzie pozytywny i pełen optymistycznych wieści. Rostow wiedział, że to dobrze. Hrabia Korsakow to najpotężniejszy człowiek na Kremlu, który nie znosi złych wiadomości. Na początku ich znajomości Rostow przekonał się, że dla hrabiego najwyższym priorytetem jest porządek.

Tamtego pamiętnego dnia Korsakow odciągnął go na bok w mrocznym kremlowskim korytarzu i szepnął mu do ucha, że Putin znajdzie się wkrótce bardzo, bardzo daleko. I że on, Władimir Rostow, stanie się drugim najpotężniejszym człowiekiem w całej Rosji.

– Drugim? – spytał Rostow z charakterystycznym nieśmiałym uśmiechem.

– Tak. Będziesz prezydentem. No bo wszyscy wiemy, kto naprawdę rządzi Rosją, prawda, Wołodia? – Korsakow roześmiał się i położył mu ojcowskim gestem dłoń na ramieniu.

– Oczywiście, ekscelencjo.

Korsakow, nazywany Mrocznym Jeźdźcem, rządził potajemnie w Rosji żelazną ręką. Ponieważ nie miał żadnego oficjalnego tytułu ani stanowiska, tylko garstka ludzi na najwyższych szczeblach władzy wiedziała, że jest w rzeczywistości szarą eminencją.

Kiedy wojskowy helikopter Mi-8 usiadł na mokrym od deszczu dachu, prezydent zobaczył, że idzie go przywitać minister obrony Siergiej Iwanow. Grudniowy kapuśniaczek zamieniał się w śnieg i podmuch od rotora szarpał płaszczem szczupłego mężczyzny. Mimo to Iwanow uśmiechał się szeroko. Radość sprawiała mu jednak jego nowa kwatera główna, a nie widok prezydenckiego helikoptera.

W siedzibie Iwanowa, która kosztowała około dziewięciu i pół miliarda rubli, mieściła się centrala GRU, rosyjskiego wywiadu. Budynek powstał w ciągu zaledwie trzech i pół roku. Cud, jak na moskiewskie warunki. Nic dziwnego, że minister się cieszył.

Dwaj mężczyźni uścisnęli sobie dłonie i poszli szybko w deszczu do oszklonego wejścia.

– Przepraszam za spóźnienie – powiedział Rostow do swojego dawnego towarzysza z KGB.

– Nie ma za co, panie prezydencie – odrzekł Iwanow. – Zdążymy jeszcze obejrzeć obiekt przed spotkaniem z Korsakowem. Obiecuję, że nie będę pana zanudzał.

Nową kwaterę główną GRU z widokiem na stare lotnisko Chodynka przy szosie Choroszewskiej postawiono na miejscu dawnego brzydkiego budynku KGB nazywanego żartobliwie „akwarium", ponurego wspomnienia starej Rosji. Nowa konstrukcja ze szkła i stali miała powierzchnię ponad sześćdziesięciu dwóch tysięcy metrów kwadratowych, na których zainstalowano wszystko, co było najnowszego w każdej dziedzinie techniki. Sam minister obrony Iwanow dopilnował tego. Ostatecznie to nowa Rosja!

W budynku był wręcz nadmiar drogich skrytek i najnowocześniejszych urządzeń telekomunikacyjnych. Mimo to dużą część budżetu przeznaczono na wzniesienie muru wokół obiektu. W drodze do sali spotkań Siergiej zapewnił prezydenta, że nowy mur wytrzyma atak każdego czołgu na świecie.

– Będę musiał zapytać o to naszych dowódców – odparł Rostow. Po latach doświadczeń odnosił się sceptycznie do twierdzeń rosyjskich wojskowych.

Nowe centrum dowodzenia zrobiło na nim jednak duże wrażenie, choć swoim zwyczajem nie okazał tego.

Zapytał niedbale jednego z oficerów, młodego pułkownika, jakimi właściwie sprawami zajmuje się centrum.

– No... praktycznie wszystkimi, panie prezydencie – odparł z dumą oficer.

– A oglądaliście wczoraj wieczorem w serwisie informacyjnym C-Span debatę na temat budżetu obronnego w amerykańskim Senacie? – spytał Rostow z takim samym szerokim uśmiechem, jaki malował się na twarzy podwładnego. – Warto śledzić rozwój tej sytuacji?

– Nie wiem dokładnie, panie prezydencie – pułkownik szukał słów. – Są takie sytuacje...

Generał przyszedł z pomocą speszonemu oficerowi.

– To bardziej zadanie SWR, panie prezydencie.

Skrót SWR oznaczał wywiad zagraniczny. Rostow dobrze o tym wiedział. Kiedy stał na czele KGB, był osobiście odpowiedzialny za całkowitą przebudowę tej służby.

– Naprawdę? – zapytał z pewnym rozbawieniem generała. – Zadanie SWR, tak? No proszę. Człowiek co dzień czegoś się uczy.

Wszyscy z zakłopotaniem spuścili wzrok, widząc zagadkowy uśmiech Rostowa. Prezydent skinął im głową i wyszedł. Korsakow czekał na górze.

– Ten chłopak to idiota – powiedział w windzie Siergiej Iwanow. – Przepraszam za niego, panie prezydencie.

– Tamten śmieszny pułkownik? Na pewno czyjś syn albo kuzyn.

– Krewniak Putina.

– Pozbądź się go, Siergiej. Energietika.

Rostow miał na myśli pilnie strzeżone więzienie na opuszczonej wyspie w pobliżu bazy morskiej Kronsztad na zachód od Sankt Petersburga. Obiekt zajmował wyjątkowe miejsce w historii rosyjskiego więziennictwa. Zbudowano go celowo na szczycie rozległego składowiska odpadów radioaktywnych. Więźniowie byli z góry skazani na śmierć.

Poprzednik Rostowa, później premier o stalowym spojrzeniu, też tam teraz przebywał. Rostow zastanowił się przelotnie, czy jego dawnemu towarzyszowi Putinowi zostały jeszcze jakieś włosy.

Winda zatrzymała się i wysiedli.

– Przeszliśmy długą drogę, Siergieju Iwanowiczu. Osiem lat temu mieliśmy ważniejsze sprawy na głowie, szczególnie w dziedzinie wojskowości, niż budowanie wymyślnych biurowców. Ale GRU to oczy i uszy rosyjskiej armii, całego państwa rosyjskiego. Pracownicy tej służby zasługują na nowoczesne otoczenie.

To prawda. Po upadku Związku Radzieckiego w 1991 roku dawne sowieckie służby wywiadowcze przez dziesięć lat pogrążyły się w głębokim kryzysie. Budząca grozę KGB, gdzie Rostow przepracował dużą część życia, znalazła się w stanie rozkładu. Wielu radzieckich szpiegów uciekło i sprzedało swoje tajemnice zachodnim agencjom wywiadowczym. Komunizm przestał istnieć. Agenci MI6, potężnej brytyjskiej służby wywiadowczej, oznajmili po prostu, że wykonali swoje zadanie, spakowali się i wrócili do domu.

Lepszy martwy niż czerwony, jak mówili obecnie Brytyjczycy i Amerykanie.

Tamta epoka się skończyła.

Mroczny Jeździec, hrabia Iwan Korsakow, zjawił się, by uratować Matkę Rosję.

Z Rostowem u boku zamierzał przywrócić należne jej miejsce w świecie.

Na samym szczycie.

4

Dzień dobry, panowie – zza szkarłatnej zasłony odezwał się hrabia Iwan Iwanowicz Korsakow, któremu KGB nadała kryptonim Mroczny Jeździec.

Tubalny bezcielesny głos, prawdopodobnie wzmocniony, napawał lękiem wszystkich, którzy go słyszeli. On ich widział, a oni jego nie. Niewielu ludzi spoza ścisłego grona zaufanych Korsakowa miało kiedykolwiek zaszczyt zobaczyć jego twarz. Poruszał się i działał w cieniu.

Nigdy nie udzielał wywiadów i nigdy go nie fotografowano. Niewyobrażalnie bogaty najpotężniejszy człowiek w Rosji pozostawał osobą nieznaną.

Ale wszyscy w nowej Rosji i w pewnym stopniu prawie wszyscy na świecie odczuwali siłę jego ogromnego intelektu. W tajnych komnatach Kremla hrabia Korsakow rządził jak faktyczny car. Wewnątrz grubych murów z czerwonej cegły wzniesionych w XV wieku, szeptano nawet, że pewnego dnia Korsakow pozbędzie się epitetu „faktyczny" przed tytułem.

Prezydent Rostow i jego *siłowiki*, dwunastu najpotężniejszych ludzi w Rosji, weszli do prywatnej sali konferencyjnej Korsakowa. Wspaniała galeria oświetlona pozłacanymi kandelabrami została przydzielona hrabiemu decyzją samego prezydenta. Przeznaczano ją do osobistego użytku Korsakowa, ilekroć zachodziła konieczność przedyskutowania kwestii bezpieczeństwa państwa.

Na ścianach wyłożonych boazerią wisiały obrazy w złoconych ramach, przedstawiające wielką pasję hrabiego – statki powietrzne. Były tam wszystkie, od sztychu pierwszego balonu na ogrzane powietrze, który przeleciał nad Paryżem w roku 1641, do olejnego płótna przedstawiającego wielki zeppelin. Ulubiony obraz Korsakowa pokazywał niemiecki ZR-1 podczas haniebnego nocnego nalotu na Londyn. W lśniącym srebrzystym kadłubie odbijał się blask pożarów szalejących na ulicach miasta.

Pośrodku sali stał długi stół z politurowanego wiśniowego drewna zrobiony na zamówienie Rostowa według jego własnego projektu. Z trzech stron blatu o niezwykłym kształcie trójkąta równobocznego mogło siedzieć do dwudziestu pięciu osób. U szczytu stał oczywiście wielki skórzany fotel hrabiego, który zajmował teraz Rostow. To był żartobliwy pomysł prezydenta: przy tym stole mógł być tylko jeden szczyt.

Za plecami Rostowa wisiała ta sama czerwona aksamitna zasłona, która zasłynęła w czasach terroru za rządów Stalina. Podczas pewnych zgromadzeń na Kremlu Stalin siadał za nią i słuchał uważnie rozmów. Słowa wypowiadane przez zebranych często powracały do nich kamieniem. W przeciwległym końcu sali na wprost czerwonej zasłony wisiał pięknie wyrzeźbiony dwugłowy orzeł, symbol carskiej Rosji.

Teraz za wytartą zasłoną siedział hrabia Korsakow. Podobnie jak Stalin, to on był czarnoksiężnikiem, który pociągał za sznurki prawdziwej władzy.

Dwunastu ludzi zasiadło z trzech stron lśniącego stołu. Miejsca wskazywały im wizytówki na blacie. Szczerozłote sztućce i elegancka czerwona porcelana, „wypożyczone" z pałacu w Petrodworcu, oznaczały, że zostanie podane śniadanie. Właśnie pojawili się kelnerzy, olśniewający w białych marynarkach ze złotymi naramiennikami, i zaczęli obsługiwać zebranych.

Rostow wszedł dopiero wtedy, gdy wszyscy już siedzieli, i zajął miejsce u „wierzchołka" trójkąta. Służący odsunął fotel, a on usiadł i uśmiechał się do jednych ciepło, do innych chłodno, do pozostałych wcale. Napięcie na sali znacznie wzrosło, kiedy któryś z gości, zignorowany przez prezydenta, przypadkiem przewrócił łokciem kieliszek i wylał wodę na stół. Kelner szybko posprzątał, ale mężczyzna skulił się na krześle pod lodowatym spojrzeniem prezydenta.

Obok każdego ze złotych kielichów z wodą leżał mały upominek, przypuszczalnie od hrabiego. Rostow wziął swój prezent i obejrzał go. Na małej złotej tabakierce inkrustowanej emalią widniała podobizna Iwana Groźnego. Rostow zrozumiał żart. Najwyraźniej była to jakaś bardzo wyjątkowa okazja. Obrócił upominek w dłoni i dostrzegł znak firmy Fabergé.

– Dzień dobry, towarzysze – zadudnił w ukrytych głośnikach znajomy bezcielesny głos. Brzmiał tak, jakby ulokowany gdzieś wzmacniacz wymagał dostrojenia. Ale ton hrabiego nie pozostawiał wątpliwości: dziś polecą głowy. Rostow uśmiechnął się w duchu.

– Dzień dobry, ekscelencjo! – odpowiedziało niemal chórem dwunastu, być może trochę zbyt hałaśliwie.

Spośród trzynastu mężczyzn przy stole tylko prezydent Rosji milczał. Uśmiechał się pobłażliwie do innych z ojcowskim rozbawieniem. Przywiózł dobre wiadomości, był odprężony i w świetnej formie. Pozostali strzelali oczami na boki i nie mogli opanować nerwowego drżenia rąk, choć wielu z nich nosiło na mundurach ordery Bohatera Związku Radzieckiego i Bohatera Rosji. Taką władzę miał człowiek znany w murach Kremla jako Mroczny Jeździec.

– Mam nadzieję, że wszyscy są zadowoleni z wycieczki? – pytał jakby od niechcenia Korsakow.

Zebrani pokiwali głowami, rozległo się kilka *Da*, *da*, *da*. Prezydent nie potakiwał. Dawno temu przekonał się, że nie należy automatycznie zgadzać się ze wszystkim, co mówi Korsakow. Oparł prawy łokieć na stole, zacisnął dłoń w pięść, podparł nią brodę i siedział tak przez całe spotkanie. Prezydent Rosji nie będzie bezmyślnie kiwał głową!

– Zaczynamy, towarzysze – powiedział Korsakow. – Witamy prezydenta Rostowa, który wrócił z Morza Barentsa, i czekamy niecierpliwie na jego raport o próbach morskich naszego nowego pocisku typu Buława. Ale najpierw musimy uporządkować pewne sprawy. Dokładnie rok temu podczas spotkania na Kremlu kazałem wam pamiętać o dwóch bardzo prostych sprawach. Zażądałem, żebyście płacili podatki. Co do rubla. I żebyście nie angażowali się w żadne działania polityczne, które mogłyby w jakikolwiek sposób zaszkodzić prezydentowi. Czy wszyscy to sobie przypominają?

W sali zapadła martwa cisza. Nawet kelnerzy zdali sobie sprawę z napięcia i cofnęli się od stołu. Dwaj oficerowie ochrony prezydenta, potężni Ukraińcy, którzy do tej pory stali przy drzwiach, przesunęli się wzdłuż ściany.

– Najwyraźniej nie wszyscy. Generale Sierow, proszę wstać.

Stary, łysy, gruby wojskowy podniósł się z miejsca i znów przewrócił kielich z wodą. Był blady jak trup, prawa ręka, w której trzymał papierośnicę, drżała widocznie.

– Dziękuję, generale. Teraz pan, Niemierow. Proszę wstać.

Chudy blondyn z rzadkimi rozwichrzonymi włosami i woskową cerą wstał, oczy płonęły mu za okrągłymi okularami w stalowej oprawce. Zrozumiał, że celowo posadzono go obok generała i że stoją teraz ramię przy ramieniu. Obaj drżeli, jeden ze strachu, drugi z wściekłości.

– Ekscelencjo, zaszła jakaś pomyłka – odezwał się Niemierow, patrząc gniewnie na czerwoną zasłonę, jakby mógł ją przedziurawić wzrokiem, dosięgnąć rękami ukrytego za nią człowieka i wydusić z niego życie, zanim...

– Z pewnością zaszła pomyłka, Aleksieju! – odrzekł Korsakow cichym, groźnym tonem. – Obaj najwidoczniej zapomnieliście, dlaczego macie takie wysokie stanowiska w nowej Rosji. Siedzicie na swoich miliardach i wałkonicie się w willach w Cap d'Antibes. Jesteście tu dziś tylko dlatego, że wam zaufałem. I dziś odejdziecie, bo przestałem wam ufać.

Dwaj goryle Rostowa, niepostrzeżenie, przesunęli się tak, że stali teraz dokładnie za plecami obu zdrajców. Niewidoczni dla swoich przyszłych ofiar zrobili cicho krok naprzód. Pozostałych dziesięciu gości odwróciło wzrok od zapowiadającego się krwawego dramatu.

Sierow i Niemierow się zachwiali. Każdy z nich poczuł nagły ucisk zimnej stali u podstawy czaszki. Zamknęli oczy w oczekiwaniu na nieuniknione.

– Tam, gdzie panuje chaos, porządek znika – powiedział Korsakow. – Niech znów zapanuje porządek.

To był sygnał. Ochroniarze strzelili jednocześnie, pociski parabellum wyrzuciły kawałki czaszek i różowoszarą mgiełkę w powietrze nad stołem, tkanka mózgowa opryskała twarze mężczyzn siedzących na wprost ofiar.

Zanim dwaj skazańcy osunęli się na podłogę, ochroniarze prezydenta chwycili ich pod pachy, odciągnęli od stołu i powlekli do drzwi, które otworzył przed nimi jeden z kelnerów.

– Proszę zamknąć drzwi – powiedział Korsakow, gdy już usunięto trupy, i kelnerzy pozbierali potłuczoną porcelanę i posprzątali bałagan. Zakrwawione serwetki, którymi wytarli się opryskani mężczyźni, wymieniono na świeże.

– Kontynuujmy, panowie. Życzę wszystkim smacznego. Mam jeszcze kilka uwag, zanim prezydent zda nam relację z ćwiczeń marynarki wojennej na Morzu Barentsa. Są jakieś pytania? Nie? To dobrze. Pozwólcie, że wyjaśnię wam prawdziwy powód naszego spotkania. Z pewnością uznacie go za bardzo interesujący.

Korsakow urwał, żeby dwunastu, a raczej już dziesięciu, mogło dojść do siebie. Kiedy zobaczył, że zebrani, idąc w ślady Rostowa pociągają z kieliszków swoją ukochaną wódkę i nakładają na talerze jajka, pikle i kiełbaski, mówił dalej.

– Najpierw nasze sprawy wewnętrzne, a konkretnie ostatnie zbrodnie czeczeńskie. Musimy nauczyć się patrzeć na każdy problem ze wszystkich stron, widzieć jego awers i rewers. W obecnych warunkach to, co wygląda źle, może dać dobre wyniki, a to, co wygląda dobrze, złe. Mnóstwo cywilnych ofiar w Wielkim Nowgorodzie jest godne ubolewania, ale wierzcie mi, obrócimy to na naszą korzyść.

Świat znów jest pogrążony w chaosie, panowie, a to dlatego że brakuje mu symetrii. Od czasu niefortunnego upadku Związku Radzieckiego istnieje tylko jedno supermocarstwo, Stany Zjednoczone. Nie ma już globalnej przeciwwagi wymuszającej symetryczny porządek na planecie. Europejczycy próbowali i ponieśli porażkę, co było do przewidzenia. Chińczycy chętnie by to zrobili, ale ich arsenał jądrowy jest niewystarczający, przynajmniej na razie. Czy wszyscy się z tym zgadzają?

Rozległy się potakujące pomruki, goście byli jeszcze zbyt wstrząśnięci niedawnym aktem przemocy, by odpowiedzieć normalnie.

– Tylko dwa mocarstwa mają realną szansę rzucić wyzwanie Stanom Zjednoczonym. Dwa rządy są w stanie przywrócić równowagę, zaprowadzić ponownie porządek i stworzyć polityczną symetrię. To nasz własny rząd, a w przyszłości również chiński. Wolałbym jednak, żeby to nasza ojczyzna przewodziła na polu walki.

Wśród śmiechów i braw dziesięciu obradujących poczuło się lepiej. Choć w powietrzu wciąż unosił się zapach kordytu i miedziana woń świeżej krwi, dwaj martwi koledzy zaczęli już odchodzić w zapomnienie.

– Dobrze, dobrze. Pozwólcie zatem, że przedstawię propozycję wyjścia z tego kryzysu. Naszym najbliższym celem jest powstrzymanie amerykańskiej ekspansji na terytoria poradzieckie. Sugeruję zajęcie byłych republik dawnego Związku Radzieckiego. Nie wszystkich jednocześnie, bo to byłoby zbyt prowokacyjne, ale pojedynczo. Zaczniemy od małej Estonii, ciernia w naszym boku. Grunt jest już przygotowany. Na następnym spotkaniu poinformuję was o aktualnym stanie rzeczy i dalszej strategii. Kiedy Zachód kupi to, sądząc, że już skończyliśmy, zagarniemy z powrotem wszystkie! Albo siłą, albo podstępem, ale je odzyskamy.

Gdy w ten sposób wzmocnimy ukochaną ojczyznę, spojrzymy poza nowe granice, na wschód i na zachód. Jedynym sposobem ochrony naszych granic, panowie, jest ich rozszerzanie!

Przywrócenie ukochanej Rosji należnej jej pozycji dominującego światowego mocarstwa będzie wymagało nowej rewolucji! Nie będzie to łatwe. Przewodniczący Mao powiedział kiedyś: „Rewolucja to nie przyjęcie". Ale zwyciężymy, panowie, zwyciężymy!

Rostow wstał, głośno klaszcząc. Pozostali wkrótce przyłączyli się do niego, zerwali się z miejsc i energicznie bili brawo. Trwało to co najmniej pięć minut, dopóki hrabia Korsakow znów nie przemówił.

– Dziękuję. Doceniam wasze poczucie obowiązku i miłość ojczyzny. Ale by dokonać odrodzenia i rewolucji, będziemy musieli zapobiec interwencji Zachodu, ich ingerencji w nasze sprawy. Będzie nam potrzebny *ruse de guerre*, sztuczka, która odwróci uwagę naszych wrogów, powstrzyma ich kontratak, gdy ruszą nasze czołgi. Czy ktoś ma jakiś pomysł?

Pierwszy zgłosił się generał Arkadij Gierimosow, który być może wypił więcej niż jego towarzysze.

– Moglibyśmy odwrócić ich uwagę, niszcząc Nowy Jork, Chicago i Los Angeles, ekscelencjo. To byłby zdecydowanie najlepszy *ruse de guerre, non, mes amis?*

Zebrani wybuchnęli śmiechem, choć nie wszyscy uznali tę wypowiedź za zabawną. Niektórzy pomyśleli, że to właściwie dobry pomysł. Korsakow nie był ubawiony.

– Zabawny pomysł, generale Gierimosow, ale jak powiedział niegdyś Napoleon, na świecie są tylko dwie moce, miecz i rozum, i na dłuższą metę rozum zawsze pokona miecz. Przerwiemy teraz to spotkanie aż do czasu prezentacji prezydenta, co nastąpi później.

– Wołodia? – Rostow usłyszał głos Korsakowa w słuchawce umieszczonej w uchu.

– Tak, ekscelencjo?

– Chciałbym zamienić z tobą słowo na osobności. Przeproś na chwilę pozostałych i wpadnij do mojego gabinetu.

– Już idę.

Rostow wytarł usta serwetką, uśmiechnął się do kolegów i wsunął się za zasłonę, by zobaczyć się z czarnoksiężnikiem.

– Jestem, ekscelencjo – powiedział do sylwetki siedzącej w cieniu. Usiadł na swoim krześle, założył nogę na nogę i zapalił papierosa.

– Wołodia, trzeba wziąć pod obserwację pewnego człowieka.

– Kogo i gdzie, ekscelencjo? – zapytał Rostow.

– Anglika nazwiskiem Hawke. Mam porachunki z jego rodziną. Niedawno przeniósł się z Londynu na Bermudy. Jakimś sposobem zawarł znajomość z moją córką Anastazją. Być może mają romans. A może nie. Udaje zwykłego obywatela, wyjątkowo bogatego. Ale mam powód podejrzewać, że pracuje w MI6. Lub może po prostu jest wolnym strzelcem do wynajęcia.

– Trzeba go śledzić czy zabić?

– Jedno i drugie. Na razie tylko śledzić. Skontaktuj się z moją prywatną ochroną na Bermudach. Z panem Samuelem Coalem na wyspie Nonsuch, to dawna amerykańska stacja radarowa. Będzie wiedział, co zrobić. Kiedy nadejdzie czas na usunięcie Hawke'a, dam ci znać. Skontaktujesz się wtedy z panem Strelnikovem. Paddym Strelnikovem. To mój amerykański pistolet. Tylko jego wysłałbym przeciwko temu Anglikowi.

– Angol jest dobry, prawda?

– Może najlepszy. Sprawiał naszym towarzyszom w Hawanie i Pekinie mnóstwo kłopotów. Martwię się też o moją kochaną Anastazję. Moja córka jest nieszczęśliwa od czasu przedwczesnej śmierci jej męża Wani. Ten Hawke zrobił chyba na niej spore wrażenie. To niepokojące. Nie chcę go w naszej rodzinie.

– Może powinien pan powiedzieć córce, żeby trzymała się od niego z daleka, ekscelencjo. Jest przecież bardzo posłuszna.

– Zapewne. Ale on może ją na jakiś czas uszczęśliwić. A poza tym, kto wie, czego się może dowiedzieć od tego Anglika, co, Wołodia?

Rostow przytaknął.

– Gdzie jest teraz Paddy Strelnikov?

– Wykonuje pewne zadanie w Ameryce.

5

Pustkowie w Dakocie Północnej

Droga przed nim wyglądała jak zamarznięty wąż. Czarna i lśniąca w reflektorach samochodu, wiła się i znikała wśród odległych białych wzgórz. Paddy Strelnikov jechał na długich światłach, ale widział głównie wirujący śnieg. Mokre, miękkie płatki osiadały na przedniej szybie, wycieraczki działały dobrze, ale i tak nic nie widział.

Wymacał dźwignię z lewej strony kierownicy i zmienił światła drogowe na mijania. No. Teraz lepiej. Mniej śniegu, więcej szosy.

Strelnikov nie umiał jechać tym cholernym pustkowiem nocą i to w zamieci. Był rosyjskim emigrantem z Brooklynu, na litość boską, gdzie są normalne autostrady. Brooklyn-Queens Expressway, Long Island Expressway. Radził sobie nawet na Santa Monica Freeway w L.A. Ale tutaj? W Dakocie Północnej? To jakiś pieprzony Mars, bracie.

Zerknął na duży złoty zegarek, zobaczył godzinę i przyspieszył. Wężykował trochę i patrzył, jak czerwona wskazówka przesuwa się poza liczbę sto trzydzieści do stu czterdziestu pięciu. Miał nadzieję, że w samochodzie jest kontrola trakcji. W tych nowych samochodach instalują jej włącznik, ale nie potrafił go znaleźć. Nie był pewien, co to właściwie jest kontrola trakcji i gdzie o niej słyszał. Pewnie w reklamie telewizyjnej. Cokolwiek to było, brzmiało dobrze. Kiedy zaczął padać gęsty śnieg, zatrzymał się na odpoczynek i poszukał przycisku.

Powodzenia. Na desce rozdzielczej zamontowano mnóstwo przełączników, o wiele za dużo, żaden z nich jednak nic nie mówił o kontroli trakcji. Nic dziwnego, że Detroit schodzi na psy, skoro nikt już nie wie, jak obsługiwać te ich cholerne samochody. Kilka lat temu jakiś geniusz w Motown uznał, że wszyscy w Ameryce marzą o tym, żeby deski rozdzielcze w samochodach wyglądały jak tablice przyrządów w kokpitach boeingów 747. I nikt już nie ma pojęcia, który przycisk do czego służy.

Poszukał w schowku instrukcji obsługi, ale oczywiście jej nie znalazł. Leżała tam tylko umowa wypożyczenia samochodu, złożona i niepotrzebna mapa Dakoty Północnej i jego własna krótkolufowa dziewiątka. Liczył na to, że nie będzie musiał jej użyć. Nie mógł dłużej tracić czasu na zabawę z autem, wrócił więc na autostradę międzystanową I-94 i pojechał na zachód w nadziei, że wszystko będzie dobrze.

Może kontrola trakcji to standard i włącza się automatycznie, pomyślał i trochę przyspieszył. Ale przecież godzinę temu omal nie wpadł do rowu. I to dwa razy. Warunki drogowe były tak złe, że czuł się, jakby próbował przejechać autobusem szkolnym przez zamarznięte jezioro.

Czarny mustang coupé z wypożyczalni Hertza na lotnisku w Bismarck miał przynajmniej dobre ogrzewanie, kiedy wreszcie udało się je włączyć. Stało się to przypadkowo podczas poszukiwań przycisku kontroli trakcji. Tak samo było z radiem. Poprzedni użytkownik zaprogramował całkiem dobre stacje. Musiał być jakimś inżynierem elektronikiem, pilotem odrzutowca albo kimś, kto to skonstruował. Co się stało z dwiema gałkami, które kiedyś każdemu wystarczyły?

Słuchał całonocnego talk-show z Chicago. Dobry odbiór i dobry program. Nazywał się *Rozmowy o północy*, prowadził go Greg Noack. Oczywiście, tematem była kara śmierci, bo właśnie dziś miał być stracony stary Stumpy.

Wszyscy w kraju, nie tylko w Chicago, mówili o Charlesie Edwardzie Stumpie alias Stumpym, dzieciobójcy. O zbliżającej się egzekucji i tak dalej.

Sprawa przyciągnęła uwagę światowych mediów, nie tylko brukowców.

I właśnie z powodu Stumpa Fiodor Strelnikov, od dzieciństwa nazywany Paddym, jechał przez pustkowie w Dakocie Północnej w paskudną grudniową noc. Egzekucję zaplanowano dziś o północy, dokładnie za dwie godziny i sześć minut od teraz, jak obliczył Strelnikov, patrząc na swój duży złoty zegarek. Pożegnalna impreza Stumpy'ego odbywała się w Little Miss, jak w przestępczym slangu nazywano stanowe więzienie Little Missouri koło miasta Medora.

Do przejechania miał jeszcze jakieś sto osiem kilometrów.

Wcisnął pedał gazu trochę głębiej. Miał czas na zrobienie tego, co musi, ale nie chciał działać na styk. Wejść, dostarczyć przesyłkę i wynieść się w cholerę z tego pieprzonego stanu. Wyobrażał sobie, że na miejscu będzie tłok, protestujący i dziennikarze. Przyspieszył do stu sześćdziesięciu kilometrów na godzinę.

– Zastanawiam się, czy Charles Stump jest umysłowo chory – powiedział słuchacz, który zadzwonił do radia.

– Umysłowo chory? – odparł Greg Noack. – Każdy, kto morduje ośmioro noworodków w inkubatorach, kiedy ich matki śpią na oddziale położniczym, to kompletny świr, człowieku!

– Właśnie o to mi chodzi! Stumpy nie jest winien, ponieważ jest szalony! Nawet taki prawicowy wariat jak ty czy Rush Limbaugh powinien to zrozumieć!

I tak to szło, telefon za telefonem. Na falach eteru odezwało się dziś w nocy mnóstwo zbolałych serc. Najwyraźniej oprócz raportów zgromadzonych już od dwóch dni jeszcze trzysta albo czterysta osób stało na zimnie przed bramą więzienia Little Miss. Zapalali świece – powodzenia przy tej pogodzie! protestowali przeciwko karze śmierci i tak dalej, i twierdzili, że Stumpy był zrozpaczony w czasie popełniania morderstw, maltretowany przez swoją obłąkaną matkę, i różne inne.

Jakby to go usprawiedliwiało, jakby nie powinien zawisnąć na stryczku, bo sam jest ofiarą. Jasne. Teraz wszyscy jesteśmy ofiarami. Hitler też był pieprzoną ofiarą. Jego mamusia karała go, kiedy siusiał w majtki. Jest facet, zapewne najbardziej pogardzana istota ludzka na świecie w tej chwili, a jednak gubernator mimo późnej pory rozważa zawieszenie wykonania wyroku śmierci. Wstrzyma egzekucję? To polityka. Wiadomo. Przynajmniej ława przysięgłych miała jaja, żeby jednogłośnie uznać Stumpy'ego za dzieciobójcę.

Ale Paddy Strelnikov wiedział, że lista wyczynów Stumpa jest dużo dłuższa.

O wiele dłuższa.

Stumpy stał się jego osobistym hobby, kiedy ludzie sprawujący władzę w Moskwie kilka miesięcy temu przydzielili mu obecne zadanie. Przed napisaniem raportu Paddy przeczytał wszystkie protokóły z procesu, postawił kilka drinków tu i tam, przepytał pielęgniarki mające dyżur tamtej nocy, faceta z psem, który znalazł małe ciałka w płytkich grobach, śledczych, którzy dokonali aresztowania, i lekarza sądowego.

Potem pogawędził sobie z panią Stump w wariatkowie w Lorraine w Illinois, gdzie rozwiązywała krzyżówki od 1993 roku. Czego to małe, czterdziestokilowe, siwe i stuknięte kurczę mu nie naopowiadało!

Według słów mamuśki, ubranej w twarzową podomkę z rękawami opasującymi ją całą i spiętymi na plecach mocnymi klamrami, mały Charlie zabawiał się najpierw wkładaniem owadów, rybek, gryzoni i kociąt do starej mikrofalówki w piwnicy. Dawał pełną moc. Potem przerzucił się na wyższe formy życia.

Pielęgniarz Stumpy, jej złoty chłopczyk, maltretował i zabijał niemowlęta i dzieci całymi latami, poinformowała Paddy'ego jego mama z błyskiem w dziwnie wyłupiastych niebieskich oczach, a później zaczął dzwonić do rodzin ofiar w okresie świąt Bożego Narodzenia i drwił z nich, dając im do zrozumienia, że dzieci jeszcze żyją. Skąd to wie? Była na górze i słuchała wszystkiego przez drugi aparat. Taką świąteczną rozrywkę wymyśliła sobie rodzina Stumpów, szczególny rodzaj kartek z życzeniami.

Paddy wysłał raport swojemu szefowi, ten powiedział o nim swojemu szefowi, a tamten swojemu szefowi i tak dalej, i tak doszło do tego, że jechał teraz przez pieprzone pustkowie dopilnować, żeby wszystko było na medal w związku z tą egzekucją. Nie mogło być żadnych niedokończonych spraw w wypadku Charlesa Edwarda Stumpa.

Spec, jak Paddy prywatnie nazywał szefa, nie lubił niedokończonych spraw. A Spec rządził jego światem. Paddy był tylko oprychem do wynajęcia. Wiedział o tym. Akceptował to. Był cynglem, nikim więcej. Ale dobrym, do licha.

Strelnikov zobaczył zielony odblaskowy drogowskaz, wskazujący zjazd do Medory, i zjechał na prawy pas. Resztę trasy do Little Miss pokona mało uczęszczaną dwupasmową drogą stanową. Sięgnął do radia i wyłączył je. Nie mógł już słuchać, jak ludzie bronią tego kretyna. Jeszcze teraz pokręcił głową na myśl o głupocie, która wydawała się dziedziczna w rodzinie Stumpów.

Na przykład trzeba być skończonym matołem, żeby zarobić karę śmierci w stanie, gdzie jej nie ma.

Charles Edward Stump został skazany za osiem zabójstw z premedytacją. Kiedy popełniał te morderstwa, miał dwadzieścia siedem lat i pracował jako pielęgniarz na oddziale położniczym Szpitala Ogólnego w Fargo. Co? Sprawdzanie przeszłości? Pewnej ciemnej nocy trzy lata temu, nie wiadomo dlaczego, pielęgniarz Stump wszedł do sali z inkubatorami i udusił wszystkie noworodki, jednego po drugim, poduszką.

Gasimy światło, dzieci!

Według protokółów, które Strelnikov czytał, Stump wepchnął ciała ofiar do dwóch poszewek na poduszki, wyszedł ze szpitala i wsiadł do samochodu. Pojechał z Watford City, gdzie mieścił się szpital, na południe i przewiózł martwe dzieci przez rzekę Little Missouri. Zaparkował na drodze pod Grassy Butte i zakopał je w gęstym lesie w Parku Narodowym imienia Theodore'a Roosevelta.

Gdyby miał chociaż połowę mózgu, mógłby zauważyć słowo „Narodowy" w nazwie parku. Narodowy. Co oznaczało, że przestępstwo już federalne, a nie stanowe. I teraz właśnie federalni mieli posadzić Stumpy'ego na małym wygodnym wózku i uśpić go na zawsze dzisiejszej nocy.

Niebieskie błyskające światła we wstecznym lusterku wyrwały Strelnikova z zamyślenia.

– Super – mruknął, zwolnił i zatrzymał się na poboczu. Jechał tylko sto sześćdziesiąt, do cholery. Dla kogoś na Marsie to jakiś problem? Sięgnął do schowka i zacisnął palce na małym rewolwerze. Wsunął go pod prawe udo tak, żeby wystawał uchwyt na wypadek, gdyby musiał użyć broni.

Chwilę później gliniarz stał przy oknie i świecił mu latarką w twarz. Paddy opuścił szybę, do środka wdarło się zimne powietrze i śnieg.

– Jak leci, panie władzo?

Gliniarz się pochylił i poświecił mu w oczy. Potem skierował latarkę na tylne siedzenie, gdzie jego uwagę przykuło coś błyszczącego.

– Co to jest, do diabła?

– Neseser ze skóry aligatora.

– Co w nim jest?

– Co w nim jest?

– Właśnie o to pytam.

– Szczotki do włosów. Mydła. Flakoniki perfum i tak dalej. Do łazienki mojej pani. Jestem handlowcem. Sprzedaję to.

Gliniarz przyglądał mu się przez chwilę. Paddy przywykł do tego. Wiedział, że nie wygląda na podróżującego handlowca tylko na zawodowego zapaśnika w błyszczącym granatowym garniturze o dwa numery za małym.

– Prawo jazdy i dowód rejestracyjny proszę.

– Jasne, moment.

Paddy sięgnął do wewnętrznej kieszeni i wyjął prawo jazdy. Nie tkwiło w portfelu, lecz było owinięte pięcioma nowiutkimi banknotami studolarowymi, ściśniętymi gumką recepturką, na wypadek takiej właśnie sytuacji. Wręczył prawko gliniarzowi, który oświetlił je latarką.

– Co to jest?

– Moje prawo jazdy, panie władzo. Zawinięte w pięćset nowych dolarów amerykańskich.

– Proszę pana…

– Niech pan posłucha, panie władzo. Spieszy mi się i byłbym zobowiązany, gdyby oddał mi pan prawko i zatrzymał resztę w dowód mojej dozgonnej wdzięczności.

– Słuchaj, kolego, nie…

– Dobra, rozumiem.

Strelnikov znów włożył rękę do kieszeni i wyciągnął starannie zapakowany plik gotówki.

– Pięć tysięcy dolarów. To moja ostatnia oferta – powiedział z szerokim uśmiechem, którego nauczył się na ulicach Brighton Beach i Coney, i przywoływał na twarz tuż przed walnięciem jakiegoś gnojka tak, że tamten tracił przytomność. – Gwiazdka za pasem, panie władzo. Pięć kawałków mogłoby się bardzo przydać.

Domyślił się po minie gliniarza, gdzie może je sobie wsadzić.

– Muszę pana poprosić o wyjście z samochodu. Natychmiast. Niech pan trzyma ręce w górze tak, żebym je widział.

– Popełnia pan fatalny błąd, panie władzo.

– Z samochodu – odparł policjant i cofnął się z ręką na kaburze. – Ale już!

Uczciwy gliniarz nie zobaczył małego rewolweru, który pojawił się tuż nad krawędzią okna.

Dziewiątka wypaliła dwa razy, dwa pociski utkwiły w mózgownicy policjanta. Jedne z najlepszych strzałów.

– Pa, pa! – zawołał Paddy, spoglądając przez okno na martwego mężczyznę rozciągniętego na czerwonym śniegu, i odjechał z poślizgiem tyłu mustanga na oblodzonym poboczu drogi.

No cóż, zdarza się.
Ale można próbować, zgadza się?

6

Bermudy

Teakettle Cottage stał na wąskim koralowym urwisku jakieś piętnaście metrów powyżej turkusowego morza. Był przykładem prostoty i doskonale odpowiadał potrzebom Hawke'a. Oprócz tego, że zaspokajał jego pragnienie spokoju, z powodu niebezpiecznego usytuowania, dawał mu poczucie „życia na krawędzi". Hawke miał naturę romantyka, do czego nigdy by się nie przyznał, i utożsamiał życie na krawędzi z rzeczywistością.

Rozmawiał o tej dość skomplikowanej sprawie pewnego deszczowego wieczoru przy koktajlach z najmądrzejszym człowiekiem, jakiego znał, słynnym kryminologiem, nadinspektorem Ambrose'em Congreve'em ze Scotland Yardu.

Congreve mawiał, że Hawke ma bardzo ludzki instynkt, łączy niewygodę i ryzyko życia bezpośrednio nad morzem z pewną gwarancją autentyczności. Ciągłe życie na krawędzi, jakie prowadzi Hawke, i grożące mu nieustannie niebezpieczeństwo dostarcza mu autentyczności.

Hawke odpowiedział przyjacielowi, że to gruba przesada. Ale kiedy on wolał pływać na powierzchni życia, Congreve miał skłonność do nurkowania w głąb. Dlatego ich długoletnia przyjaźń była taka trwała i udana. W sekretnym świecie, który zamieszkiwali, potrzebowali siebie nawzajem.

Skromny domek Hawke'a zbudowany z wapienia zasłaniały częściowo gwajakowce, puchowce pięciopręcikowe i wonne cedry. Palmy kokosowe i bananowce rosły wzdłuż piaszczystej wąskiej drogi, która prowadziła do budynku. Wnętrze było przykładem minimalizmu: szeroki taras z muszelek skorupiaków z widokiem na Atlantyk rozpościerał się przed okrągłym, przypominającym stodołę głównym pokojem, otwartym dla wszelkich żywiołów.

Przykryta kopułą krzywa wieża obserwacyjna z białej cegły od strony morza tworzyła „dziobek" imbryka.

W dużym salonie z mocno zużytą terakotą stały stare krzesła i niepotrzebne meble, które ofiarowywali lub po prostu pozostawiali przez lata różni mieszkańcy domku.

Masywny rzeźbiony bar w rogu pokoju ufundował Douglas Fairbanks junior. Mieszkał tu wiele razy. Na końcu baru stała wiekowa, ale nadal sprawna krótkofalówka. Podobno używał jej admirał Morgan Wheelock, dowódca bazy lotniczej Królewskiej Marynarki Wojennej na Bermudach, w czasie II wojny światowej. Z tarasu Teakettle Cottage obserwował ruch U-bootów i niemieckich statków handlowych niedaleko wybrzeża.

Mówiono, że dom stanowił kiedyś schronienie dla brytyjskich szpiegów w drodze do różnych placówek na Karaibach. Kiedy Hawke dowiedział się o tym, jeszcze bardziej się nim zachwycił.

Zniszczony mahoniowy stół do kanasty, przy którym Hawke jadał wszystkie posiłki pod dachem, ustawił tu ponoć nieżyjący już aktor Errol Flynn. Schronił się tu na kilka miesięcy w roku 1937 w szczególnie burzliwym okresie swego małżeństwa z Lili Damitą. Gdy pewnego deszczowego wieczoru Hawke przeglądał wyblakłą księgę gości, natrafił na własnoręczny wpis Flynna o tym, że Teakettle Cottage to koszmarna nora bez ciepłej wody, za to z wizerunkami węży na całej ścianie sypialni.

Teraz ciepłej wody było w bród, a węże Flynna dawno zniknęły. W sypialni Hawke'a wisiały tylko dwa zdjęcia: stare czarno-białe jego nieżyjących rodziców, usadowionych na rufie gondoli podczas ich podróży poślubnej do Wenecji, i fotografia jego nieżyjącej żony Victorii w dzieciństwie. Siedziała na gałęzi starego dębu nad brzegiem rzeki Missisipi.

Na stoliku w rogu sypialni na talerzu obrotowym starego gramofonu firmy Victrola nadal leżała płyta Cole'a Portera. Obok stała maszyna do pisania Royal. Hawke widział nazwisko Hemingwaya nagryzmolone w księdze gości. *Papa* najwyraźniej też mieszkał tu kilkakrotnie. Przyjeżdżał na wyspę na ryby jako gość Flynna i pracował jak szalony, żeby skończyć swoją książkę *Wyspy na Golfsztromie*. Hawke wyobrażał sobie, jak pisarz siedzi bez koszuli, poci się w bermudach, pociąga cinzano z butelki i wali w klawisze royala.

Hawke czuł się bardzo dobrze w swoim dziwnym domku. Choć był właścicielem wielu posiadłości, miał tu spokój, którego nie znajdował gdzie indziej. Oprócz tego małego pokoju były tu jeszcze trzy sypialnie. Hawke wybrał najmniejszą z dwóch powodów. Miała trzy duże okna od strony morza, obramowane purpurową bugenwillą i najbardziej intrygującą rzecz – tajne drzwi ukrywające wyjście ewakuacyjne.

Panel wielkości drzwi w tylnej ścianie cedrowej szafy odsuwał się do góry i odsłaniał kręte schody wycięte w koralowcu. Wąskie stopnie prowadziły w dół do dużej i głębokiej laguny wśród skał połączonej z morzem. Błękitny akwen miał zielonkawe brzegi w miejscach, gdzie omywała je woda. Hawke kazał zbudować tam drewniany pomost i trzymał przy nim zacumowany swój piękny mały slup Gin Fizz.

Pozwolił sobie też na jedno drogie dziwactwo. Wiedząc, że sypialnia położona jest jakieś sześć metrów bezpośrednio nad powierzchnią laguny, kazał wyciąć w podłodze otwór o średnicy jednego metra i zamontować w nim lśniący mosiężny słup strażacki. Dzięki temu mógł rano, jeszcze na wpół śpiąc, zjeżdżać nago prosto z łóżka do wody i nawet nie otwierać oczu, dopóki nie znalazł się metr pod powierzchnią.

Wspaniały sposób na rozbudzenie.

Pluskał się przez dziesięć minut w wodzie niebieskiej jak morze, wypływał na Atlantyk i wykonywał swój pięciopunktowy plan ćwiczeń.

Nowo opracowany program sprawnościowy był właściwie całkiem prosty.

Najpierw pięćset metrów żabką lub na boku w ciągu dwunastu minut i trzydziestu sekund. Minimum osiemdziesiąt pompek, cztery razy po dwadzieścia, w dwie minuty. Ostatnia porcja na jednej ręce. Następnie minimum osiemdziesiąt skłonów w dwie minuty. Minimum osiem podciągnięć na drążku. I w końcu dwuipółkilometrowy bieg wzdłuż plaży w czasie poniżej jedenastu minut i trzydziestu sekund. Zawsze w starych wojskowych butach z marynarki wojennej.

Hawke był przede wszystkim żołnierzem, toteż kładł nacisk na siłę i szybkość, ale bez zwiększania masy mięśni. Masa tylko spowalnia człowieka, zwłaszcza podczas biegu po miękkim piasku w wojskowych butach.

Najbardziej cenił szybkość. Szybkość w wodzie, szybkość na lądzie i szybkość myślenia w zmieniających się nagle sytuacjach. Dawno przestał podziwiać mięśniaków uprawiających kulturystykę. Wyglądają groźnie, ale nie są przeciwnikami dla szybkich, dobrze wyszkolonych speców od sztuk walki. Zdaniem Hawke'a, najlepiej wyraził to gwiazdor reggae, Jimmy Cliff:

„Im są twardsi, tym twardziej padają.

Wszyscy, co do jednego".

Po porannych ćwiczeniach Hawke wracał krętymi schodami na górę do pokoju, wkładał spłowiałe szorty khaki i koszulkę i jadł wspaniałe śniadanie w towarzystwie starego drogiego Pelhama. Wiódł proste, idylliczne życie, o którym od dawna marzył. I teraz to marzenie zaczynało stawać się rzeczywistością.

Stary budynek młyna zelektryfikowano w czasie wojny, ale Hawke wolał wieczorem świece w kinkietach na ścianach, lampy naftowe i pochodnie wokół tarasu. W zimne, deszczowe wieczory Pelham rozpalał ogień. Kominek miał piękny gzyms ze starego cedru bermudzkiego, inkrustowany wypolerowanymi różowymi muszlami. Stał na nim model „Sea Venture", który Pelham znalazł w Hamilton. Brytyjski okręt płynął na ratunek kolonistom w Jamestown i nieszczęśliwie napotkał na swojej drodze bermudzkie rafy. Stąd wzięli się na Bermudach pierwsi europejscy osadnicy.

Hawke próbował przekonać zadziornego osiemdziesięcioczterolatka, żeby został w jego londyńskim domu na Belgravia, ale Pelham, który praktycznie wychował Hawke'a od małego, nie chciał o tym słyszeć. Rządzili więc tu obaj w zaniedbanym przepychu, dwaj szczęśliwi kawalerowie w raju. To, że jeden był starszy od drugiego o pół wieku, nie miało najmniejszego znaczenia. Zawsze lubili być razem i dawno przywykli wzajemnie do swoich dziwactw.

Była szósta wieczorem. Hawke miał zaproszenie do Shadowsland punktualnie na ósmą. Dwójka zakochanych, Ambrose i Diana, przyjechała z Anglii dopiero kilka dni temu. Hawke nie mógł się doczekać spokojnego wieczoru w towarzystwie dwojga bliskich przyjaciół.

Na dworze zapadał wczesny zmierzch. Hawke stał przed lustrem w zaparowanej łazience i golił się. Nie robił tego od kilku dni i wiedział, że Congreve nie byłby zachwycony, gdyby zapukał do drzwi lady Mars zarośnięty. Ambrose bez wątpienia spojrzy też surowo na jego włosy. Niesforne czarne loki sięgały mu niemal do ramion. Gdyby były jeszcze dłuższe, kazałby Pelhamowi obciąć je nożycami kuchennymi.

W gęstym gaju bananowym za otwartym oknem bzyczały nocne owady. Dotrzymywały mu towarzystwa przy goleniu. To też lubił na wyspie: prostą muzykę codziennego życia. Ptaki, pszczoły, Bermudczycy. Każdy napotkany przechodzień zdawał się nucić lub pogwizdywać jakąś melodię. Bermudczycy byli szczęśliwi. Hawke też.

– „Ale mówię" – zaśpiewał nagle głośno, podnosząc jednocześnie podbródek, by przesunąć brzytwą w górę szyi – „że dzisiejsze kobiety są pod każdym względem mądrzejsze od mężczyzny..."

Położył brzytwę na umywalce i przyjrzał się sobie w lustrze.

Skąd, do diabła, znał tę piosenkę? Hawke strasznie fałszował i rzadko śpiewał. W jego szkole w Anglii były dwa chóry. Dyrektor nazwał je Męka i Rozkosz. Hawke należał do pierwszego. Nie potrafił zaśpiewać czysto żadnej nuty. Uśmiechnął się, wziął brzytwę, wrócił do golenia i zaśpiewał na całe gardło: – „Zgadza się, kobieta jest mądrzejsza, zgadza się, kobieta jest mądrzejsza..."

Ktoś zapukał do drzwi łazienki. To pewnie Pelham, zaniepokojony hałasem.

– Przepraszam... – rozległ się głos na zewnątrz.

– Co jest?

Hawke nadal zawodził starą piosenkę w rytmie kalipso, ale Pelham znów zastukał w żaluzjowe drzwi łazienki.

– Tak? – zapytał Hawke i uchylił drzwi bosą stopą.

– Telefon do pana.

– Kto dzwoni?

– Jakaś młoda dama.

– Przedstawiła się?

– Nie, milordzie.

– Czego chce, do licha?

– Nie potrafię powiedzieć. Chodzi o jakieś malowanie.

– Malowanie? Nie potrzebujemy malowania.

– Tak jest. Ona zapłaci, ale nie więcej niż sto dolarów bermudzkich za godzinę.

Hawke mruknął coś niecenzuralnego i ochlapał twarz gorącą wodą. Zdjął ręcznik z haczyka na drzwiach, owinął się nim w pasie i poszedł do salonu. Czarny bakelitowy telefon, jedyny w domku, stał na końcu baru.

Pelham, który przydreptał za nim, wszedł szybko za kontuar i zajął się dzbankiem rumu pana Goslinga z lodem i krojeniem soczystej limety u kresu żywota, żeby przygotować wieczorny środek wzmacniający.

Hawke zerknął na niego z uśmiechem. Obaj wiedzieli, że jest trochę za wcześnie na wieczornego drinka i że ta praca to tylko chytry wybieg Pelhama, żeby móc podsłuchiwać.

Hawke ujął słuchawkę.

– Halo? Kto mówi? – zapytał ostro.

– Hawke?

– To zależy. Kto mówi?

– Anastazja Korsakowa. Poznaliśmy się dzisiaj, może pan sobie przypomina? Mówiłam właśnie pańskiemu… przyjacielowi… że jestem zainteresowana namalowaniem pana. Dobrze płacę moim modelom, ale nie daję się naciągać.

– O czym pani mówi, do licha?

– O panu. Chcę pana namalować.

– Mnie? Boże, po co?

– Jestem malarką, panie Hawke. Na wiosnę będę miała indywidualną wystawę w Akademii Królewskiej w Londynie. Tworzę teraz cykl męskich postaci. Naturalnej wielkości.

– Dlaczego przyczepiła się pani akurat do mnie?

– Nie musi pan być niegrzeczny. Uważam pana za dobry temat, to wszystko. I biorąc pod uwagę pańską dość niezwykłą… kwaterę… przypuszczam, że mogą się panu przydać pieniądze. Na pewno pozował pan już komuś, panie Hawke. Na tej wyspie niełatwo zarobić setkę w godzinę.

Pozowanie? Hawke omal nie wybuchnął śmiechem.

– Panno Korsakowa, bardzo mi pochlebia pani propozycja, ale niestety muszę odmówić.

– Dlaczego?

– Z kilku powodów. Po pierwsze, jestem bardzo zajęty. Domyślam się, że to pozowanie wymagałoby długiego siedzenia. A ja tego nie lubię.

– Dziś nie wyglądało na to, że ma pan mnóstwo zajęć. Spał pan na plaży.

– Drzemałem.

– Niech pan posłucha. Może pan być w pozycji półleżącej, kiedy będę pana malowała. Jeśli o mnie chodzi, może pan nawet spać na sofie, nie będzie mi to przeszkadzało.

– Mogę wiedzieć, skąd pani ma mój numer?

– Od przyjaciół.

– Moich?

– Nie. Trudno jest mi sobie wyobrazić, żebyśmy obracali się w tych samych kręgach, panie Hawke. Nie, moi przyjaciele znaleźli mi numer telefonu pańskiego domku.

– Ma pani przyjaciół, którzy znają mój numer?

– Mam przyjaciół, którzy wiedzą wszystko.

– Miło się z panią gawędzi, panno Korsakowa, ale obawiam się, że jestem już spóźniony na umówioną kolację.

– Zastanowi się pan nad moją propozycją? Chciałabym zacząć jak najszybciej.

Hawke odsunął słuchawkę od ucha i przyjął od Pelhama oszroniony srebrny pucharek z listkiem mięty. Naprawdę było na to trochę za wcześnie, ale co tam. Wypił łyk. Pycha. Przed oczami stanął mu nagle obraz nagiej bogini wyłaniającej się z morza i przyłożył słuchawkę z powrotem do ucha.

Chce z nim zacząć?

– Przepraszam – mruknął, popijając drinka. – Zjawił się dostawca rumu.

– No więc? – zapytała niecierpliwie Korsakowa.

– Prześpię się z tym.

– Dobrze. Zadzwonię do pana jutro z samego rana.

Odłożyła słuchawkę.

– Cholera – mruknął do Pelhama. – Ona chce namalować mój portret.

– Domyśliłem się.

– To absurd. Kompletna bzdura.

– Zamierza pan jej pozować?

– Oszalałeś?

Pelham uniósł krzaczaste siwe brwi.

– Milordzie, nie ma co kręcić nosem na sto zielonych za godzinę. Moim zdaniem to całkiem dobra forsa.

Hawke wybuchnął śmiechem, odrzucił głowę do tyłu, a potem pociągnął następny solidny łyk doskonałego koktajlu Pelhama. Wrócił do sypialni włożyć czarny krawat i galowy mundur Królewskiej Marynarki Wojennej. Był sobotni wieczór. Congreve powiedział mu, że w Shadowsland nadal przebierają się do kolacji. Staroświecki zwyczaj, ale miły, w każdym razie dla Hawke'a.

Przytłumione słowa piosenki w rytmie kalipso znów dobiegły z głębi korytarza, gdy jego lordowska mość wyśpiewywał na całe gardło: – „Pod każdym względem mądrzejsze od mężczyzny..."

– Kłopoty w raju – westchnął pod nosem Pelham, wycierając do czysta lakierowany bar, i uśmiechnął się do swojego odbicia.

– Kłopoty w raju – powtórzył jak echo Snajper, ulubiona papuga Hawke'a, która właśnie sfrunęła z żerdzi i usiadła na ramieniu Pelhama. Hawke opiekował się czarną arą od dziecka. Wbrew swojej nazwie miała lśniące upierzenie w kolorze ultramaryny. I bardzo cięty język. Dobiegała osiemdziesiątki, a wyglądało na to, że dożyje setki.

– Zamknij się – powiedział do niej Pelham i dał jej kilka kostek sera z miski na barze.

– Też coś, koleś – zaskrzeczał Snajper.

– Spadaj, dobra? – odparł Pelham.

7

Medora, Dakota Północna

Paddy Strelnikov wkroczył do gabinetu naczelnika więzienia Little Miss o godzinie jedenastej. Za oknami padał deszcz ze śniegiem. Nocne spotkanie Stumpy'ego z przeznaczeniem miało się odbyć za godzinę w głębi korytarza. Paddy widział przygotowania, kiedy szedł po schodach na górę.

Drzwi na końcu korytarza były otwarte. Zobaczył ściany komory śmierci wyłożone jasnozieloną glazurą. Mocne światło jak w sali operacyjnej. Aparaturę medyczną. Wewnątrz panował ruch. Paddy dostrzegł wózek. Ciekawiło go to wszystko, ale miał robotę.

Dziesięć minut przedzierał się mustangiem przez tłum reporterów i protestujących przed bramą. Następnych dwadzieścia zajęło mu przejście przez punkty kontrolne w bloku D, pilnie strzeżonym budynku, usytuowanym na tyłach więziennego kompleksu.

Po obu końcach długiego bloku, zbudowanego w całości z betonu, wznosiły się wieże strażnicze. Oprócz biura naczelnika mieściły się tu cele śmierci. Na egzekucję oczekiwało sześćdziesięciu jeden skazańców, wśród nich najbardziej znani na zachód od Missisipi pedofile, sadyści seksualni i seryjni zabójcy.

Little Miss zastąpiło więzienie stanowe w Terre Haute w Indianie jako nowy federalny specjalny zakład karny dla przestępców z wyrokami śmierci. Parę spartaczonych zastrzyków uśmiercających (igły przechodziły przez żyły i wprowadzały chloran sodowy do mięśni) wywołało protesty opinii publicznej i spowodowało zamknięcie więzienia w Indianie. Potężne lobby w Waszyngtonie postarało się, żeby nowy federalny zakład karny zlokalizowano w Dakocie Północnej.

Nikt dokładnie nie wiedział, kto wynajął tych wszystkich lobbystów, ale też nikogo to zbytnio nie obchodziło. W Waszyngtonie zawsze ktoś pociągał za sznurki. Rzeczywisty maestro pozostawał często niewidoczny. Jak w Rosji.

Szperacze i reflektory telewizyjne oświetlały zimowe niebo jak na premierze w Hollywood. To ekscytujące, kiedy uśmierca się faceta znanego na całym świecie, jak Charles Edward Stump, gdy przechodzi on ostatnią samotną drogę.

Naczelnik więzienia, nazwiskiem Warren Garmadge, niski, gruby gość we wzorzystym krawacie podwójnej szerokości, wstał, kiedy przyprowadzono Paddy'ego Strelnikova do jego gabinetu ozdobionego flagą. Z szerokim uśmiechem wyciągnął mięsistą dłoń. Wyglądał na zadowolonego. Ostatnio często pokazywano go w telewizji, udzielał wywiadów CNN, Foksowi, wszystkim największym stacjom. Poza tym zobaczył piękny neseser ze skóry aligatora w ręku Paddy'ego i pomyślał, że jest na nim jego nazwisko.

Strelnikov uścisnął mu dłoń.

– Witam w Zakładzie Karnym Little Missouri, panie Strelnikov. Jestem zaszczycony, że mimo tylu zajęć znalazł pan czas, by złożyć nam wizytę – powiedział naczelnik, pokazując białe zęby przypominające drażetki gumy do żucia. Facet był prawdziwym politykiem, świadczył o tym mocny uścisk lekko wilgotnej małej dłoni.

– To nadzwyczajne, że mogę być teraz tutaj, naczelniku – odrzekł Paddy i usiadł w jednym z dwóch czerwonych skórzanych foteli na wprost biurka gospodarza. Postawił neseser na podłodze obok siebie niedbałym ruchem, nie ma sprawy. Niech facet sobie poczeka.

– Na pewno ucieszy pana wiadomość, że wszystko idzie zgodnie z harmonogramem – odezwał się Garmadge, opadając na duży dyrektorski fotel obrotowy.

– Przez godzinę wiele może się zdarzyć – odparł Paddy i zapalił wielkie kubańskie cygaro, które przygotował na to spotkanie. Drugie cygaro wystawało mu z górnej kieszeni marynarki razem z chusteczką do nosa, ale celowo nie poczęstował naczelnika. Założył nogę na nogę, wygładził jedwabne spodnie, żeby materiał ładnie leżał, uśmiechnął się i wypuścił smugę wonnego dymu w kierunku gospodarza.

– Wszystko gra? Sprawa jest załatwiona? – zapytał.

– Tak. Bez obaw. Gubernator zapewnił mnie, że nie będzie żadnych niespodzianek. Jak pan wie, rozmawiałem z nim na ten temat miesiąc temu.

Paddy roześmiał się.

– Tak, z naszego punktu widzenia odbył pan kosztowne spotkanie. Ile w końcu dajemy gubernatorowi? Dwieście pięćdziesiąt kawałków? Dwieście siedemdziesiąt pięć?

– Chyba właśnie tyle.

– Ile?

– Tę ostatnią sumę.

– Jasne, tę ostatnią, zgadza się.

Kiedy zasrańcy jak ten facet używali słów w rodzaju „tę ostatnią sumę”, Paddy miał ochotę ich zatłuc. Rozejrzał się niedbale po pokoju. Jedną ścianę zajmowały zdjęcia naczelnika z mnóstwem ludzi, o których nikt nigdy nie słyszał, zdaniem Paddy’ego. Lokalni politycy, szychy z policji i tak dalej. Marsjanie.

– Był pan kiedykolwiek świadkiem egzekucji, panie Strelnikov? – zapytał Garmadge.

– Ma pan na myśli te, kiedy osobiście nie naciskałem spustu?

Naczelnik poprawił się w fotelu i roześmiał z zażenowaniem.

– Tak, mam na myśli egzekucję na mocy wyroku sądowego.

– Tylko jedną. Allena Lee Davisa w roku 1999. Słyszał pan?

– Krzesło. W Starke na Florydzie.

– Zgadza się. Kiedy przesunęli wajchę, z głowy Allena Lee zaczął iść dym i pojawił się ogień. Płomienie miały ze trzydzieści centymetrów albo więcej. Coś jakby niebieskie błyskawice strzelały spod małej metalowej jarmułki na głowie. Spaliły mu brwi i rzęsy. Gówniany widok, mówię panu. Wyłączyli prąd, potem przypiekli go jeszcze dwa razy, zanim w końcu się sfajczył. Przenosił się na tamten świat ze dwadzieścia minut.

Mina Garmadge'a wskazywała, że jest pod wrażeniem.

– Tutaj, w Little Miss, rozgryźliśmy już to wszystko. W Starke w tamtej małej metalowej mycce była gąbka namoczona w roztworze soli, żeby zwiększyć dopływ prądu do głowy. Problem polegał na tym, że dali sztuczną gąbkę. Teraz w Starke używają tylko naturalnych i to rozwiązuje sprawę.

– Ekolodzy, co? Same naturalne gąbki, naczelniku?

Garmadge się uśmiechnął.

– Zastrzyk uśmiercający jest o wiele bardziej humanitarny, jak pan się przekona za kilka minut. – Zerknął na zegar ścienny. Chciał już iść.

– Humanitarny, tak? Nie wiem, czy to dobrze, czy źle, naczelniku. Niektóre z tych bestii w celach śmierci nie zasługują na humanitarną egzekucję.

– No cóż, tak to jest – odparł Garmadge i zakaszlał w zwiniętą dłoń.

Strelnikov wstał.

– Tak czy owak, nie będę przy pożegnaniu Stumpy'ego. Mam tylko dostarczyć przesyłkę od moich pracodawców i pańskich dobroczyńców.

Paddy sięgnął w dół i podniósł neseser ze skóry aligatora. Potem okrążył biurko i położył go przed naczelnikiem Garmadge'em.

– Nasza organizacja jest panu bardzo wdzięczna za wieloletnią pomoc, a zwłaszcza za współpracę z gubernatorem w celu usprawnienia tego, co ma nastąpić dziś w nocy. Szefostwo poprosiło mnie o osobiste przekazanie panu w dowód uznania tego drobnego upominku.

– Piękna skóra, wprost cudowna. – Garmadge macał neseser, jakby miał wzwód.

– Całkowita prawda? – powiedział Paddy. – Autentyczny aligator. Niech pan otworzy.

– To dla mnie? Co za...

Facetowi drżały palce, kiedy obracał pozłacany zamek i unosił wieko. Neseser był wyłożony w środku czarnym aksamitem. Przedmiot wewnątrz odbijał światło i rzucał srebrzysty blask na ściany i sufit. Garmadge odchylił się do tyłu i gapił na to.

– O mój Boże.

– Fajna rzecz, prawda? Pozwoli pan, że ją wyjmę i postawię na biurku.

– Co to jest?

– Komputer, naczelniku. Nazywa się Zeta. Nawiasem mówiąc, wersja platynowa.

– Pan żartuje. To wygląda jak rzeźba mózgu czy coś w tym rodzaju.

– Taki był zamysł. To nasz najpopularniejszy model. Widział pan reklamy zety, ostatniego słowa w dziedzinie komputeryzacji. Wie pan, o co chodzi?

– Nie.

– Zeta to ostatnia litera alfabetu greckiego, ale co mi tam. To jakaś marketingowa bzdura. Dzieciaki nazywają to „specem". Widzi pan, z podstawy rdzenia mózgowego wychodzi przewód. Pozwoli pan, że włączę go do sieci i pokażę panu, jak to działa.

– Gdzie jest klawiatura? – zapytał naczelnik.

– Może być tam, gdzie pan chce. Niech pan patrzy.

Strelnikov znalazł gniazdko i włączył srebrzyste urządzenie. Mała lampa ukryta w czołowym płacie mózgowym wyświetliła wirtualną klawiaturę na blacie biurka naczelnika.

– Jasna cholera – rzucił Garmadge i postukał palcami w nieistniejące klawisze.

– Niech pan naciśnie enter – polecił Paddy. – No i proszę. Widzi pan ekran? To obraz holograficzny. Widzi go pan? Jakby unosił się w powietrzu nad mózgiem.

Zetę skonstruował nieziemsko błyskotliwy szef Paddy'ego, tajemniczy rosyjski multimiliarder, którego nazwiska Strelnikov nie znał. Tańsze wersje „speca" (z polerowanego na lustrzany połysk aluminium, nie z platyny) miały być sprzedawane na całym świecie poniżej sześćdziesięciu dolców za sztukę. Zamawiano miliony tych komputerów. Same Indie zgłosiły chęć zakupu na dziesięć milionów po promocyjnej cenie pięćdziesięciu dolców. Nie trzeba było geniusza matematycznego, żeby obliczyć zysk firmy.

– Tam jest wygrawerowany napis – powiedział Paddy. – Tutaj. „Naczelnikowi Warrenowi Garmadge w dowód wdzięczności".

Naczelnik pogładził lśniącą powierzchnię wyrzeźbionego mózgu.

– To najbardziej fantastyczna rzecz, jaką kiedykolwiek widziałem.

– No cóż, *quesos grandes*, dla których pracuję, potrafią być hojni, kiedy ludzie działają po ich myśli. W pana wypadku jest to trzymanie tych dzikich bestii w klatkach. I osobiste zaangażowanie w pożegnalne przyjęcie pana Stumpa. Miło mi było pana poznać, naczelniku. Muszę już lecieć. Przepraszam, że nie będę na wielkim bum.

– Proszę przekazać swojemu pracodawcy wyrazy podziękowania od mnie, kiedy pan go zobaczy, dobrze?

Paddy się roześmiał.

– Zobaczę? Nikt go nie widuje. Nikt nawet nie zna jego nazwiska.

– Dlaczego?

– Facet działa za kulisami, naczelniku. Jak w tym starym filmie *Czarnoksiężnik z Krainy Oz*. On sam jest czarnoksiężnikiem. Kieruje naszymi operacjami.

Paddy jechał wolno przez tłum zgromadzony przed bramą więzienia. Wydawało mu się, że przybyło tu ludzi podczas jego krótkiej wizyty u naczelnika.

Śnieg przestał padać, było tylko zimno. Setki protestujących trzymały uniesione świece i coś śpiewały. Nie słyszał słów, bo miał zamknięte okna i włączone radio.

Ciągle nadawano program z Chicago. Bujający w obłokach ekolodzy i obrońcy Stumpy'ego dzwonili do studia, niektórzy rozpaczliwie lamentowali, gdy zbliżały się jego ostatnie chwile. Paddy spojrzał w lusterko wsteczne i ostrożnie odkleił sumiaste wąsy i krzaczaste brwi. Na łysej głowie zostawił siwą perukę, bo uważał, że nawet nie wygląda tak źle jak większość peruk z jego kolekcji.

Gospodarz programu, nadpobudliwy nocny marek Greg Noack, łączył się co jakiś czas z reporterem radiostacji w tłumie przed bramą więzienia. Paddy usłyszał, że zebrani śpiewają *We Shall Overcome*. Pomyślał, że to trochę dziwny wybór, bo Stumpy jest białym śmieciem, a nie ubogim czarnym facetem, który musi zwyciężyć. Ale chyba nikt już nie wie, co jest właściwe, a co nie dla tych świrów. W kraju, gdzie „Wesołych Świąt" zastąpiło słowo „spierdalaj" jako zakazane, kto się w tym połapie?

A on nie jest nawet baptystą, tylko Rosjaninem wyznania prawosławnego!

Podniecony Noack oznajmił, że poda na żywo najświeższą wiadomość z Bismarck, a przedstawi ją ich wysłannik Willis Lowry stojący z innymi reporterami na schodach urzędu gubernatora.

Lowry poinformował: – Kanał Piąty dowiedział się właśnie, że gubernator wstrzymał w ostatniej chwili egzekucję Charlesa Edwarda Stumpa! Wszyscy tutaj są zaskoczeni, bo jeszcze o ósmej wieczorem biuro gubernatora twierdziło, że nie ma szans na ułaskawienie. Tymczasem przed chwilą usłyszeliśmy, że...

– Ja pierdolę – powiedział Strelnikov i wyłączył radio. Wyciągnął rękę i chwycił komórkę, która leżała na siedzeniu pasażera. Otworzył ją, wcisnął szybkie wybieranie numeru i połączył się z Nowym Jorkiem.

– Oglądasz telewizję? Widziałeś to? – zapytał faceta, który odebrał telefon. – Ten dupek gubernator ułaskawił Stumpa. Halo?

– Dostarczyłeś przesyłkę naczelnikowi? – spytał głos na drugim końcu linii.

– Jasne.

– To dobrze. Rób swoje, Byku.

Z powodu masy ciała i muskularnej budowy chłopaki w starej dzielnicy przezywały go Paddy Byk. Dość zabawnie, co?

Rozmówca się rozłączył.

Paddy spojrzał w lusterko wsteczne. Widział jeszcze więzienie i szperacze, oświetlające niebo. Zjechał na pobocze i zaciągnął hamulec ręczny.

Z wewnętrznej kieszeni wyjął mały czarny nadajnik radiowy. Świeciła się na nim zielona dioda. Paddy wcisnął pierwszy przycisk i światełko zmieniło się na czerwone. Nacisnął drugi przycisk i przytrzymał go przez trzy sekundy. Sygnał z nadajnika dotarł do satelity telekomunikacyjnego firmy, krążącego wysoko nad środkową częścią Ameryki Północnej.

Cały świat za nim zapłonął i sekundę czy dwie później fala uderzeniowa potężnej eksplozji tak mocno zakołysała wypożyczonym mustangiem, że omal go nie przewróciła.

Blok więzienny D wraz z lizusowatym naczelnikiem i wszystkimi znakomitymi mieszkańcami, których los i tak był przesądzony, przestał istnieć. Został zamieniony w kupę gruzu przez dwieście dwadzieścia pięć gramów wyjątkowo silnego materiału wybuchowego o nazwie heksagon, umieszczonego starannie wewnątrz twardego dysku komputera, który Paddy postawił na biurku naczelnika Garmadge'a.

– Ale się narobiło – powiedział z uśmiechem Strelnikov.

Heksagon był kolejnym wynalazkiem Speca dokonanym przez niego podczas eksperymentów z budową cząsteczkową konwencjonalnych materiałów wybuchowych. Jaskrawoniebieska substancja miała konsystencję kitu i siłę eksplozji tysiąc razy większą od nitrogliceryny. Przez czysty przypadek facet wynalazł najsilniejszy konwencjonalny materiał wybuchowy na świecie.

By zapobiec wykryciu heksagonu, umieszczonego wewnątrz każdego komputera Zeta, urządzenie przychodziło z fabryki zaplombowane. W razie problemów z jego działaniem wymieniano je bezpłatnie na nowe. Gdyby ktoś spróbował otworzyć komputer siłą, dopływ powietrza natychmiast zamieniłby ukryty w środku heksagon w obojętny pył.

Genialne.

Paddy wyjechał z powrotem na autostradę i przyspieszył gwałtownie. Musiał zdążyć na samolot. Miał polecieć do L.A., a stamtąd do jakiegoś zapomnianego przez Boga i ludzi miasteczka na Alasce, żeby dostać następne zadanie. Związane z łowieniem ryb, jak słyszał. Ale mógł się założyć o każde pieniądze, że przedtem zjawi się z niezapowiedzianą wizytą u gubernatora Dakoty Północnej. W ciągu najbliższej godziny zadzwoni jego komórka i ktoś skieruje go do rezydencji gubernatora. A może raczej martwego gubernatora?

Łowienie ryb? Na Alasce? Co on wie o łowieniu ryb? Jest z Brooklynu, na litość boską! Ale robota to robota, tak? Może czegoś się nauczy.

Uśmiechnął się, znów włączył radio i poszukał stacji nadającej stare przeboje. Musiał przyznać, że życie nie jest złe. Owszem, ma taką robotę, że dużo podróżuje. Ale za to nigdy nie jest nudno.

Zabijasz trzysta, czterysta, może pięćset osób w ciągu długiej, udanej kariery i myślisz, że może w pewnym momencie to ci się znudzi? Zadajesz sobie pytanie, ile jeszcze razy to zrobisz, i dalej będziesz to uważał za ciekawe zajęcie. A może w końcu przestanie cię to bawić?

Nie.

Tu chodzi o kreatywność, stary.

Wniosek? Za każdym razem trzeba wymyślać nowy sposób działania.

Na tym to polega.

8

Bermudy

Hawke wjechał motocyklem na ostatnie wzgórze i skręcił w ocienioną wąską drogę, która wiła się w dół do nadmorskiej posiadłości lady Diany Mars.

W ramach swojego nowego programu radykalnego uproszczenia życia Hawke pozwolił sobie na Bermudach na posiadanie tylko jednej zabawki, ale za to wspaniałej. Czarny motor marki Norton, model Commando 16H, zbudowano w roku 1949. Maszyna wygrała wówczas wyścig na wyspie Man i zajęła piąte miejsce w mistrzostwach świata. Była ulubionym środkiem transportu Hawke'a i nadawała się doskonale do poruszania po wąskich i czasem zakorkowanych drogach na wyspie.

Bywało na nich niebezpiecznie. Rdzenni mieszkańcy Bermudów, głównie nastoletni, jeździli z niedbałą nonszalancją. Siedzieli krzywo na motocyklach, jak kobieta w damskim siodle, i trzymali kierownicę jedną ręką. Ryzykowali jak szaleńcy na drogach zbudowanych dla koni i wozów, wyprzedzali w ciemno na zakrętach i pędzili na złamanie karku. Hawke wiele razy ledwo uniknął wypadku z ich winy. W duchu nazywał ich buntownikami bez powodu.

Przejechał przez wąski most obrotowy, przeznaczony pierwotnie dla starego bermudzkiego pociągu kursującego na wyspę Saint George, i zredukował szybko biegi, wsłuchując się z zachwytem w basowy odgłos wydechu nortona.

Drzewa królewskiej poinciany po obu stronach drogi tworzyły tunel, zapach żyznego czarnoziemu i rozkwitających nocą kwiatów niemal nieznośnie wypełniał rozszerzone nozdrza Hawke'a.

Masywna żelazna brama posiadłości Marsów zbliżała się szybko z prawej strony, zahamował więc ostro.

Pierwszy raz składał Dianie wizytę i był bardzo ciekaw, jak wygląda jej dom. Vincent Astor zbudował legendarną rezydencję, nazywaną Shadowsland w latach trzydziestych XX wieku. Hawke słyszał, że jest ogromna i ciągnie się wzdłuż gęsto zadrzewionego parku, który biegnie równolegle do starych, wąskich torów kolejowych. Czytał, że w złotych latach Astor miał tam wielkie akwarium z wodą morską i własny pociąg, kolejkę nazywaną Szkarłatnym Posłańcem, która jeździła wokół posiadłości.

Hawke pochylił się na motocyklu, dodał gazu i wpadł na szczyt wzniesienia. Kiedy oba koła oderwały się od ziemi, po raz pierwszy zobaczył wyraźnie Shadowsland. Posiadłość ciągnęła się wzdłuż wybrzeża, księżycowe cienie nadawały białym budynkom magiczny odcień łagodnego błękitu.

Rezydencja składała się z kilku połączonych ze sobą białych domów z białymi dachami. W kompleksie królowały wszystkie możliwe rodzaje „bermudzkiego dachu". Hawke zauważył dachy czterospadowe, fantazyjne dwuspadowe na wzór holenderskich, dachy z podwyższonymi gzymsami i strome gładkie. Obrazu dopełniały kominy i wieże. Musiał przyznać, że to architektoniczne cudo.

Uśmiechnął się, gdy z rykiem podjechał do krytego portyku. Przypuszczał, że to główne wejście. Wyłączył silnik, zsiadł z motocykla i otrzepał z kurzu białą kurtkę oficerską. Na tę okazję włożył galowy mundur Królewskiej Marynarki Wojennej numer 2, do noszenia na oficjalnych przyjęciach, z białą kamizelką, baretkami i trzema złotymi paskami na rękawach, oznaczającymi stopień komandora.

Zdjął kask, poprawił cienki, czarny satynowy krawat i przyjrzał się z zachwytem Shadowsland. Ten „dom", do którego zaprosił go Ambrose, wyglądał raczej jak baśniowe miasteczko, przycupnięte na nadmorskim urwisku.

W otwartych drzwiach pojawił się Ambrose Congreve, oświetlony żółtym światłem z wnętrza rezydencji. Prezentował się wspaniale w świetnie skrojonym czarnym smokingu i lśniących półbutach. Wciąż używał hebanowej laski ze złotą rączką. Hawke posmutniał na ten widok, ale uśmiech na twarzy Ambrose'a i fajka w kąciku jego ust wskazywały, że wszystko w porządku.

Hawke wyjął kluczyk ze stacyjki motocykla i przekazał maszynę młodemu uśmiechniętemu Bermudczykowi w białej marynarce, który obiecał, że nie ucieknie na nortonie. Popatrzył, jak młody mężczyzna odprowadza motor, i odwrócił się do swojego starego przyjaciela, legendy Scotland Yardu.

– Cześć, stary wiarusie – powiedział. – Widzę, że wciąż chodzisz z laseczką!

Ambrose mocno utykał. Wiele miesięcy wcześniej był bestialsko torturowany przez dwóch arabskich fanatyków w amazońskiej dżungli. Łamali mu systematycznie kości prawej stopy, kolana i łydki. Lekarze w londyńskim Szpitalu Króla Edwarda VII, którzy wymienili mu kolano, uważali początkowo, że nogi nie da się uratować. Ale jak można się było spodziewać, twardy gliniarz ze Scotland Yardu nie poddał się. Po miesiącach bolesnej terapii i czułej opieki Diany, która podtrzymywała go na duchu, opuścił szpital na dobre. Wprawdzie o lasce, ale na własnych nogach.

Hawke wyciągnął rękę, ale Ambrose ruszył naprzód i objął go. Stali przez chwilę w milczeniu i ściskali się mocno szczęśliwi, że znów są razem. Hawke, który zwykle się nie rozklejał, z najwyższym trudem powstrzymywał łzy napływające mu do oczu.

– Alex – odezwał się w końcu Congreve, poklepał Hawke'a po ramieniu i cofnął się, żeby mu się przyjrzeć. – Dobrze cię znowu widzieć. Świetnie wyglądasz.

– Ty też – zdołał w końcu wychrypieć Hawke, gdy razem wchodzili do domu. – Gdzie są wszyscy?

– Diana zaraz zejdzie. Jest na górze, robi się na bóstwo. Chodźmy na taras, zażyjemy jakiejś trucizny. Czego się napijesz?

– Poproszę o rum. Gosling, jeśli masz.

Hawke poszedł wolno za Congreve'em długim, oświetlonym pochodniami korytarzem z łukowym sklepieniem. Korytarz prowadził na taras z białego marmuru, skąd rozciągał się widok na morze skąpane w blasku księżyca. Wydawało się, że wszędzie kręcą się faceci w białych marynarkach z błyszczącymi mosiężnymi guzikami i w czarnych lśniących półbutach. Congreve z pewnością wylądował w luksusowym otoczeniu na nieco wyższym poziomie niż jego uroczy domek w Hampstead Heath.

– Mam. Na pewno nie chcesz mrocznego sztormu? – zapytał Ambrose.

– Nigdy o tym nie słyszałem.

– Naprawdę? To ulubiony napój Bermudczyków, narodowy trunek. Rum, oczywiście ciemny, z napojem imbirowym.

Hawke skinął głową.

– Desmond – powiedział Ambrose do sympatycznego starszego gościa, który krążył w pobliżu – dwa mroczne sztormy, kiedy będziesz miał chwilę. Nie za dużo lodu. Jesteśmy na miejscu! Piękny wieczór, prawda?

Przystanęli przy rzeźbionej balustradzie z wapienia otaczającej dolną część tarasu, półkoliste patio bezpośrednio nad morzem. Hawke zauważył, że nie ma wiatru i ocean jest gładki aż po horyzont. W szklanej tafli wody odbijał się księżyc w pełni, jego blask miał piękną, niemal neonowoniebieską barwę. Na kotwicy stał kuter rybacki, tak nieruchomy, jakby był przyspawany do morza.

Pojawił się Desmond ze srebrną tacą i każdy z mężczyzn wziął zimną szklankę.

Hawke wypił łyk.

– Pozwól, że wzniosę toast. Za zdrowie. I za spokój.

– Za zdrowie i spokój – odparł Congreve i uniósł swoją szklankę. – Oby na długo.

– Jesteś szczęśliwy? – zapytał Hawke, udając, że patrzy na morze.

– Tak – odpowiedział Congreve z błyszczącymi oczami. – Bardzo.

Hawke się uśmiechnął.

– To dobrze. A więc przejdźmy do rzeczy. Jak to wszystko wygląda?

– Co wygląda? – Congreve spojrzał na Hawke'a zdziwiony. – O czym ty mówisz, u licha?

– Kamień szlachetny, klejnot bez skazy. Pamiętasz?

– Chodzi ci o pierścionek? Z diamentem? Mojej matki?

– Oczywiście, konstablu. O pierścionek zaręczynowy z diamentem. Rzucił ją na deski? Założę się, że to był nokaut w pierwszej rundzie.

– Niestety nadal jest w pionie. Jeszcze jej go nie dałem.

– Nie dałeś? Naprawdę? Po naszej rozmowie przy kolacji u Blacka w Londynie myślałem, że ta chwila jest już bliska. I że dlatego wybieracie się na te ciepłe wyspy pośrodku oceanu. Żeby przypieczętować porozumienie czy dopełnić formalności, wszystko jedno, jak to nazwiemy.

– Hm.

– No więc jak teraz wygląda sytuacja? Jesteście zaręczeni czy nie?

– Trudno powiedzieć.

– Wcale nie. Poprosiłeś ją o rękę. Przyjęła oświadczyny. Byłem w Brixden House tamtego wieczoru, kiedy padłeś na kolana, pamiętasz? Przy muzyce, chyba Berlioza.

– A tak. Ale pojawiły się komplikacje. Wyniknęły pewne sprawy.

– Jakie komplikacje?

– Trudności.

– Z czym?

– Z kontaktem.

– To znaczy?

– Nie ma go między nami. Nie potrafię wyrazić swoich najgłębszych uczuć.

– Jesteś mężczyzną. Nie masz głębokich uczuć.

– Ciągle to powtarzam.

– Ona cię kocha.

– Wiem. Ja ją też.

– No to daj jej ten cholerny pierścionek i miej to z głowy! Czy istnieje lepszy symbol głębokich uczuć? Diamenty są wieczne. Tak się chyba mówi?

– Może masz rację.

– Na pewno. Mam nadzieję, że wziąłeś kamień ze sobą na Bermudy. To idealne miejsce na ofiarowanie klejnotu kobiecie niepewnej głębokich uczuć faceta, a tym bardziej jego uczciwych zamiarów.

– Tak, oczywiście, wziąłem go. Jest na górze w neseserku z przyborami do golenia. Czeka na właściwy moment. Może na łodzi w świetle księżyca? Coś w tym rodzaju.

– W neseserku z przyborami do golenia? Żartujesz.

– Nie, nie. Jest bezpieczny. Mam stary pojemnik *mousse à raser* z podwójnym dnem. Tam go trzymam.

– Jeśli ufasz służbie, to w porządku. Ale na twoim miejscu wymyśliłbym bardziej oryginalną skrytkę. Kiedy zamierzasz paść przed nią na kolana, wapniaku? Dziś jest pełnia księżyca. Wiesz, jak iskrzyłyby się te fasety? Mogę się wynieść i…

– Alex, proszę. Takie rzeczy wymagają czasu. Planowania. Sam będę wiedział, kiedy jest właściwy moment. A co u ciebie? Jesteś opalony, w dobrej formie. Żadnych oznak *accidie*.

– *Accidie*? Znów ten cholerny francuski?

– Znudzenia. Nie widać go ani śladu. Macie co robić z Pelhamem w tym waszym przytulnym domku? Muszę stwierdzić, że na Bermudach stanowicie dziwną parę.

– Pelham i ja? Dlaczego? Może jesteśmy trochę ekscentryczni, ale nie dziwni.

– To jak spędzacie czas, żeby nie zwariować?

– Pelham wieczorami szydełkuje. Łowi też ryby. Wyciąga je całymi wiadrami. Często przyrządza wieczorem to, co złapał w naszej lagunie. Skorpena à la Pelham w sosie z rumu Goslinga Black Seal to niebo w gębie, gdybyś kiedyś miał szczęście dostać zaproszenie do Teakettle Cottage.

– Diana i ja bylibyśmy zachwyceni. Co jeszcze robicie?

– W deszczowe wieczory gramy w scrabble albo w wista. Dużo czytam. Skończyłem Tomka Sawyera i wziąłem się teraz do Huckleberry'ego Finna. Nie zdawałem sobie sprawy, że Mark Twain pisał takie wspaniałe rzeczy. Wiedziałeś, że zachwycał się Bermudami? Był tu wiele razy.

– Chyba nie muszę ci przypominać, że twoja droga matka urodziła się nad Missisipi. Nic dziwnego, że tak ci się podobają książki pana Clemensa.

– Pewnie masz rację. Odnajduję ją na stronach jego powieści.

– Krótko mówiąc, czytasz Twaina przy kominku, a Pelham czai się na dole przy lagunie i dręczy mieszkańców głębin. To wszystko?

– Co jeszcze? Mamy tu małą stajnię. Większość poranków spędzam na jeździe po plaży na dobrym, silnym czarnym koniu imieniem Narcyz. Uwielbia galop. Dużo pływam. Dziesięć kilometrów dziennie. Co mi przypomniało, że muszę ci opowiedzieć o niezwykłej kobiecie, którą poznałem dziś po południu...

U boku Hawke'a pojawiła się lady Diana Mars, cała w jedwabiach i błyszczących klejnotach na szyi i w upiętych kasztanowych włosach. Była piękną, mądrą i wielkoduszną kobietą i Congreve miał cholerne szczęście, że ją znalazł, zwłaszcza w późnym okresie swojego życia. Alex, podobnie jak wszyscy, uważał, że detektyw pozostanie do śmierci kawalerem. Diana zmieniła to.

– Alex, kochany chłopcze – powitała go i stanęła na palcach, żeby pocałować go w policzek. – Bardzo się cieszę, że cię widzę.

– Wzajemnie – odparł Hawke. – Wyglądasz szałowo, Diano. Olśniewająco. A Shadowsland jest cudowny.

– Oprowadzę cię później. Możemy się nawet przejechać Szkarłatnym Posłańcem. Silnik parowy znów jest na chodzie. Ale teraz muszę iść do kuchni i dopilnować przygotowań do kolacji.

– Tylko we troje – powiedział Hawke. – Co za przyjemność.

Ambrose i Diana spojrzeli na siebie.

– Jeszcze godzinę temu rzeczywiście mieliśmy być tylko my troje – odrzekła Diana. – Dołączy do nas niespodziewany gość. Ambrose nic ci nie mówił?

Congreve zmarszczył brwi.

– Przepraszam, kochanie, jeszcze nie doszliśmy do tego – usprawiedliwił się, wypuszczając obłok wonnego dymu z fajki.

– Tchórz – zganiła go Diana, ale ujęła jego dłoń i ścisnęła ją.

– Kto jest tym tajemniczym gościem? – zapytał Hawke, patrząc na zapatrzoną na siebie parę. – Tylko mi nie mówcie, że królowa dowiedziała się o mojej wizycie i nieoczekiwanie zapukała do waszych drzwi.

– Nie, niestety to nie Jej Królewska Mość. Ale ktoś równie potężny. Powiedz mu, kochanie, nie trzymaj biednego chłopca w niepewności.

Ambrose spojrzał na Hawke'a jak neurochirurg, który ma oznajmić pacjentowi, że diagnoza nie jest zbyt dobra.

– Sir David Trulove zadzwonił dziś do mnie. Przyleciał na Bermudy wczoraj późnym wieczorem. Zaproponowałem mu nocleg, ale zatrzymał się u swoich tutejszych przyjaciół, Dicka i Jeanne Pearmanów. Mają piękną posiadłość w Paget o nazwie Callithea. Ulokowali go w swoim domku gościnnym Bellini.

– S. jest tutaj? Na Bermudach? Po co?

S. oznaczało szefa MI-6, brytyjskiej Służby Wywiadowczej. Hawke domyślał się, że jego przedłużone wakacje ograniczały się do leniwego spaceru do narożnego sklepu po paczkę ulubionych papierosów Morland z mieszanki tureckich i bałkańskich tytoni z trzema złotymi paskami na filtrze.

– Świetne pytanie. Cały dzień oglądał Stocznię Królewskiej Marynarki Wojennej. Bóg jeden wie po co. Teraz są tam tylko sklepy z pamiątkami i kilka restauracji. W każdym razie, dzwonił tu dość wcześnie rano i pytał o ciebie. Wyglądało na to, że możesz znaleźć się przez niego w *eau chaud*.

– W czym?

– Przepraszam, dosłownie w „gorącej wodzie". W tarapatach.

– To, że ktoś zna francuski, nie znaczy, że ma mówić po francusku.

Congreve westchnął i popatrzył na Hawke'a zmrużonymi oczami.

– W każdym razie według niego zniknąłeś z widoku bez uprzedzenia. Powiedziałem mu, że dziś wieczorem jesteśmy umówieni na kolację i byłoby niegrzecznie nie zaprosić go do nas.

– Co on, u licha, robi na Bermudach, Ambrose? Przecież nigdy nie bierze urlopu. Prawie nie je i nie pije.

– Sam będziesz musiał go o to zapytać – odparł Ambrose i znów pyknął z fajki.

– Daj spokój, konstablu. Puść farbę. Na pewno czegoś się domyślasz. Co ci mówi przeczucie?

– Przeczucie? Nie ufam swoim przeczuciom.

Hawke znał Ambrose'a Congreve'a o wiele za długo, by nie podejrzewać, że coś ukrywa. Zaczynał czuć napięcie w karku i ramionach i nie było to wcale nieprzyjemne. Oczywiście, mógł wyciągać własne wnioski. S., szef brytyjskiego wywiadu, mógł wziąć kilka dni wolnego i spędzić je na wyspie. Harował jak wół i na pewno miał prawo do urlopu.

Ale nie szukałby telefonicznie Aleksa Hawke'a, gdyby nie szykowało się coś smakowitego.

Diana ścisnęła dłoń Aleksa i odeszła. Hawke patrzył, jak płynie w księżycowej poświacie przez taras do domu, i pomyślał, że nigdy nie wyglądała piękniej. Congreve to prawdziwy szczęściarz.

Diana odwróciła się i uśmiechnęła do obu mężczyzn.

– Kolacja będzie podana za godzinę. Idę do kuchni – oznajmiła. – Sir David właśnie przyjechał. Zaprosiłam go do biblioteki. Powiedział, że musi wykonać kilka pilnych telefonów, ale chce zamienić z tobą słowo przed kolacją. Czuję, że odbędziesz ciekawą rozmowę.

– No to koniec ze spokojem – powiedział Hawke do Ambrose'a, kiedy Diana zostawiła ich samych. – Czy nie po to tu przyjechałem, do cholery? Żeby mieć trochę spokoju?

– *Qui desiderat pacem, praeparet bellum*!

– Co powiedziałeś, konstablu?

– „Jeśli chcesz pokoju, gotuj się do wojny". Wegecjusz, rzymski strateg wojskowy, IV wiek.

– Tak myślałem, że to może być Wegecjusz. To brzmi jak jego słowa.

Congreve nie wydawał się ubawiony.

– Mocno przereklamowany ten twój spokój – odrzekł, patrząc na przyjaciela zmrużonymi oczami.

– Dość buńczuczna uwaga w ustach kogoś, kto najchętniej chowa się w ogrodzie wśród swoich dalii.

– Nie mówię o wszystkim, Alex. Nawet tobie.

Hawke pociągnął solidny łyk rumu.

– Nieważne. Najwyraźniej było zbyt pięknie.

– Jeszcze jeden mroczny sztorm?

Alex pokręcił głową.

– Ty wiesz, o co chodzi, prawda? Dlaczego S. jest na wyspie?

– Wiem.

– No to puść farbę.

– Chodzi o Rosjan. Pamiętasz głodnego rosyjskiego niedźwiedzia? Pamiętasz zimną wojnę?

– Mgliście. To była wojna mojego ojca, nie moja.

– Ta wojna powróciła. Tylko tym razem nie jest zimna, a gorąca jak cholera.

9

Zatoka Alaska

Kapitan „Kishin Maru", ogromnego trawlera płynącego z Shiogamy w Japonii, stał na mostku. Żywioł uderzył jak grom z jasnego nieba, radar ani satelita meteorologiczny nie zasygnalizowały jego bliskiej obecności ani siły. Tylko gwałtowny spadek słupa rtęci kilka minut przed uderzeniem wichru zaalarmował załogę.

Fale osiągały wysokość ponad dziesięciu metrów, prędkość wiatru z północnego wschodu przekraczała pięćdziesiąt węzłów. A barometr wciąż opadał.

Trawler kapitana, który zwykle służył jako piracki kuter dalekomorski, wybierał teraz rdzawce z zatoki Alaska. Noboru wiedział, że znajduje się wewnątrz dwustumilowej strefy ochronnej wyznaczonej przez Amerykanów z powodu zbyt intensywnej eksploatacji łowisk, ale w tej chwili miał większe problemy. Nagły sztorm zaskoczył go i musiał zapewnić bezpieczeństwo swojemu statkowi.

Trawler kapitana Noboru Sakashity, należący do wielkiego japońskiego zjednoczenia rybackiego Nippon Suisan, często żeglował po niebezpiecznych wodach. Firma uprawiała politykę chodzenia po krawędzi urwiska.

Korporacją kierował niejaki Tommy Kurasawa, szaleniec o przezwisku Tajfun, który lubił żyć i pracować ryzykownie. Jego kapitanów obowiązywała jedna zasada: napełnić ładownie za wszelką cenę. Wszystkie statki w jego flocie były „pirackie". Pływały nieoznakowane, żeby móc łowić bez ograniczeń. By uniemożliwić identyfikację właściciela, powiewały na nich tanie bandery, które wiele państw sprzedawało bez żadnych pytań.

Tajfun nienawidził Amerykanów. Ale jeszcze bardziej nie cierpiał Rosjan. Bo oni najpierw strzelali, a potem zadawali pytania.

Pół roku wcześniej trawler Noboru znalazł się pod ogniem kutra patrolowego rosyjskiej ochrony wybrzeża. Japoński kapitan na polecenie firmy łowił u wybrzeży wyspy Kaigarajima, będącej częścią spornych terytoriów północnych. Właśnie tam, w rejonie Wysp Kurylskich, znajdujących się pod rosyjską administracją, został ostrzelany.

Kiedy Noboru, zgodnie z poleceniem, wpłynął do zakazanej strefy, Rosjanie natychmiast odpalili race, żeby go zatrzymać. Zwolnił i poprosił przez radio centralę Nippon Suisan o dalsze instrukcje. Tymczasem Rosjanie spuścili na wodę pontony z uzbrojonymi marynarzami, żeby zająć jego statek. Noboru zignorował ich polecenia i próbował uciec. Członkowie patrolu w łodziach pneumatycznych otworzyli do niego ogień z karabinów maszynowych.

Trzej załoganci Noboru zginęli na miejscu. Trzej inni zostali ranni, wypadli za burtę i dostali się w ręce Rosjan, którzy twierdzili później, że japoński trawler przebywający nielegalnie na ich wodach nie zatrzymał się mimo powtarzanego wezwania i staranował ich kuter patrolowy. Rosyjski ambasador w Japonii przedstawił sprawę w Tokio i odbył się publiczny proces. Protestujący członkowie Greenpeace co dzień bezlitośnie nękali kapitana przed gmachem sądu.

Noboru miał szczęście, że nie stracił uprawnień i uniknął więzienia.

– Panie kapitanie! – krzyknął radiooperator przez wycie wiatru. – Odbieramy sygnał SOS z radioboi. Z bardzo małej odległości.

Noboru odszedł od steru i sięgnął po lornetkę.

– Jak daleko jest ta boja?

– Pół mili morskiej od sterburty. Niedługo ją pan zobaczy.

Kapitan stanął przy mokrym od deszczu oknie i zaczął badać wzrokiem horyzont zalewany przez fale. Boja alarmowa EPIRB była wyposażona w pięciowatowy nadajnik radiowy i GPS, by wskazywać dokładną pozycję marynarza potrzebującego pomocy. Noboru dziwił się, że nie usłyszał żadnej wiadomości radiowej o statku w niebezpieczeństwie, zanim boja zaczęła nadawać SOS. Jednostka pływająca, z której pochodziła tratwa ratunkowa, musiała szybko zatonąć.

Chwilę później zobaczył tratwę zsuwającą się z wielkiej fali. Wyglądała jak mały czerwony grzyb na wzburzonym morzu. Jej wielkość wskazywała na to, że jest dwuosobowa. Była niewywracalna i miała widoczną z daleka jaskrawoczerwoną osłonę, która chroniła przed hipotermią. Pochodziła zapewne z małego jachtu, nie ze statku handlowego. To wyjaśniało, dlaczego nikt nie wzywał przez radio pomocy przed opuszczeniem pokładu.

Żeglarze często wpadali w panikę.

– Cała wstecz jedna trzecia – rozkazał Noboru.

Wielki trawler, który płynął tylko z taką szybkością, by mieć sterowność na wysokich falach, zwolnił jeszcze bardziej i załoga zaczęła się przygotowywać do wciągnięcia tratwy na pokład.

Dwaj Rosjanie zamknięci szczelnie w okrągłej tratwie ratunkowej mieli ochotę skoczyć sobie do gardeł. Gdyby obaj nie cierpieli na chorobę morską, pewnie by to zrobili. Fale miotały nimi po wnętrzu niczym gracz kośćmi w kubku. Nie mogli utrzymać się w jednym miejscu dłużej niż przez ułamek sekundy.

Smród wymiocin sprawiał, że wściekali się na siebie. Ślizgali się na swoich rzygowinach i wpadali na siebie, ilekroć tratwa wspinała się na falę i zsuwała z jej grzbietu.

– Co to ma być, do jasnej cholery? – krzyknął Paddy Strelnikov do swojego towarzysza. – Nie pisałem się na robotę w takim pieprzonym sztormie!

– A ja się pisałem? – zawołał krzepki Leonid Kapica, nowy rosyjski emigrant, koło czterdziestki, który pływał wcześniej jako marynarz na statkach handlowych. Paddy podejrzewał, że jest z KGB, tajnej policji. Same mięśnie, zero mózgu. Właśnie takiego faceta chce się mieć przy sobie, kiedy zbliża się kres życia. Gość mówił po angielsku żałośnie, wrzeszczeli więc do siebie po rosyjsku. Za dawnych czasów KGB agentów uczono języków obcych. Najwyraźniej to już przeszłość.

– Morze było spokojne, kiedy nas spuszczali na wodę. Dlaczego nas nie uprzedzili, na co się zanosi? – krzyknął ochryple Paddy.

– Nie mam pojęcia. Sztorm uderzył znienacka. Może nie wiedzieli.

– Akurat. Na tych dużych jachtach są radary i inne bajery. Wiedzieli, co nadchodzi. Wiedzieli, że będziemy…

– Powiedzieli, że będziemy dryfowali najwyżej godzinę. Minęły już trzy. I nie mówili, że nadciąga huragan Katrina.

– Miałeś włączyć radioboję, gdy tylko jacht zniknie z widoku.

– Przez to rzyganie zupełnie zapomniałem.

– Jesteś marynarzem. Nie powinieneś mieć choroby morskiej. Spodziewałem się, że będziesz wiedział, co robić. Tylko dlatego zgodziłem się, żebyś mi towarzyszył.

– Zaczekaj… coś słyszę. A ty?

Paddy też słyszał. Gdzieś nad nimi rozbrzmiewały okrzyki po japońsku, przytłumione, choć bardzo bliskie. Wiatr wciąż wył, ale tratwa nagle przestała się przechylać. Mieli wrażenie, że unoszą się nad powierzchnię morza. Gdzieś zgrzytały zębatki wciągarki.

– Nareszcie – powiedział Paddy. Spróbował wytrzeć twarz, ale tylko rozmazał wymiociny. Dostały mu się do oczu i wyglądał gorzej niż przedtem.

– Znów jest mi niedobrze – wymamrotał Kapica i zwymiotował.

– O kurwa – zaklął Paddy, usiłując się usunąć.

W kajucie kapitańskiej tuż za sterownią było ciepło i sucho. Paddy i Kapica siedzieli owinięci wełnianymi kocami na dwóch jedynych krzesłach i pili gorącą zieloną herbatę. U stóp Paddy'ego leżał wodoszczelny żółty worek marynarski, który miał ze sobą w tratwie ratunkowej. W środku był jego sprzęt i rzeczy osobiste. Kapica też miał worek marynarski, trochę większy.

Po gorącym prysznicu Paddy przestał szczękać zębami i poczuł się dużo lepiej. Japońscy marynarze dali im swoje zapasowe ubrania – przymałe dżinsy, koszulki i wełniane swetry. Kapitan statku znał dość dobrze angielski. Siedział za biurkiem, wypełniał jakieś papiery i zadawał mnóstwo pytań. Paddy mówił, co mu ślina na język przyniosła, i miał niezły ubaw z faceta. I tak to nie ma znaczenia.

– Jest pan Rosjaninem? – zapytał kapitan.

– On jest – odrzekł Paddy, wskazał Kapicę i upił łyk herbaty. – Ja jestem Amerykaninem rosyjskiego pochodzenia. W trzecim pokoleniu.

– Jak się pan nazywa?

– Chodzi panu o imię? Byk. Przez „B". Jak bomba. – Paddy przeliterował to słowo ze śmiertelną powagą.

– Z jakiego pan jest miasta w Ameryce, panie Byk? – Gość coś zanotował i trzymał ołówek w gotowości.

– Ja? Z Orlando – odparł Paddy. Wymienił pierwsze miasto, jakie przyszło mu do głowy. – Wie pan, Myszka Miki, Goofy.

Kapitan uśmiechnął się, skinął głową i zapisał wszystko.

– A on?

– On? Nieważne. Z pieprzonej Syberii. Niech pan pisze „Syberia", to wystarczy. Każdy rosyjski listonosz wie, gdzie to jest.

– Nazwiska panów?

– Stalin i Lenin.

– To żart?

– Nie. Te nazwiska są bardzo popularne w Rosji.

– Co się stało z waszym statkiem? Nie słyszeliśmy wezwania o pomoc.
– Bo wszystko stało się bardzo szybko.
– Byliście na pokładzie tylko we dwóch?
– Nie. Byli jeszcze inni. Nie zdążyli się ewakuować. Tragedia.
– Nie ocalał nikt oprócz was?
– Nie. Tylko my.
– Jak się nazywał wasz jacht?
– „Lady Marmalade".
– Jak to się pisze?

Paddy przeliterował. Facet notował wszystkie bzdury. Nie rozumiał, że to ściema.

– Jaką miał długość?
– Chyba trzydzieści metrów. Może sześćdziesiąt. Trudno powiedzieć. Nie znam się na jachtach. A Orlando nie jest stolicą żeglarzy, wie pan, o co mi chodzi, kapitanie? Leży w środku stanu i jest tam tylko kilka nędznych jeziorek w gajach pomarańczowych.
– Co się stało na jachcie? Wybuchł pożar? Była eksplozja?
– Nie wiem. Chyba po prostu przewróciła nas jakaś cholernie wielka fala. Przekręcił się do góry dnem i już się nie wyprostował.
– Mieliście dużo szczęścia, że wyszliście z tego cało.
– Tak pan myśli? Nie był pan w środku tej pieprzonej tratwy ratunkowej.
– Niech pan się teraz prześpi, panie Byk. Zawiadomię przez radio moją firmę, że was uratowaliśmy.
– To nie będzie potrzebne, kapitanie – odparł Paddy i wyciągnął spod koca mały rewolwer. – Jeszcze nie chcemy być całkiem uratowani.

Kapitan wytrzeszczył oczy.

– A czego... czego chcecie?

Paddy skinął głową na Kapicę. Leo wstał z krzesła, podszedł do drzwi kajuty kapitańskiej i zaryglował je. Potem okrążył biurko, stanął za plecami kapitana i przyłożył mu dłonie do obu skroni. Zwiększał nacisk, najpierw delikatnie, potem coraz gwałtowniej, by wywołać ból nie do zniesienia.

– Czego chcemy? – powiedział Paddy. – Załatwić sprawę i wrócić do domu. Ale najpierw niech pan każe spuścić szalupę na wodę.
– Szalupę?
– Chodzi o to, kapitanie, że pański szef, Tommy Kurasawa, zadarł z niewłaściwymi Rosjanami wtedy na Kurylach. Mógłby pan na chwilę wstać? Pomóż mu, Leo. Delikatnie, delikatnie.

Kapica podniósł kapitana z krzesła za głowę. Facet był wyraźnie zdenerwowany.

– Mamy coś dla pana – oznajmił Paddy. – Niech pan spojrzy.

Odciągnął suwak worka marynarskiego i wyjął okrągły metalowy przedmiot o grubości około dziesięciu centymetrów i średnicy trzydziestu. Z boku matowoszarego kręgu żarzył się na czerwono wyświetlacz cyfrowy. Paddy wstał i położył urządzenie na krześle kapitana. Krąg był cięższy, niż się wydawał. Ważył przeszło jedenaście kilogramów, łącznie z ponad dwoma kilogramami błękitnego materiału wybuchowego o konsystencji kitu, znanego ekspertom od terroryzmu jako heksagon.

– Posadź go z powrotem – polecił Paddy.

Leo puścił głowę faceta, który opadł pół metra w dół na krąg. Paddy wycelował broń w nos kapitana.

– Niech pan zadzwoni na mostek – powiedział cicho – i każe przygotować szalupę. Musimy lecieć.

– Opuścicie statek w łodzi ratunkowej?

– Tak – potwierdził Paddy i sięgnął kapitanowi między nogi, żeby wprowadzić kod uzbrajający do okrągłego urządzenia. – Niech pan teraz uważnie słucha. Uruchomiłem to, na czym pan siedzi. Ta zabawka jest bardzo czuła na nacisk. Dlatego pan Lenin trzyma rękę na pańskiej głowie. Jeśli uniesie pan tyłek choćby o ułamek centymetra, będzie bum. W tym urządzeniu jest wystarczająco dużo materiału wybuchowego, żeby przełamać tę łajbę na pół. Musi pan być bardzo, ale to bardzo ostrożny. Rozumiemy się?

– To bomba?

– Bomba. Jest ustawiona tak, że niedługo wybuchnie. Ale rąbnie wcześniej, jeśli pan uniesie tyłek. Jasne? Niech pan zadzwoni na mostek i powie, żeby przygotowali szalupę. Tu obecny Lenin-san jest doświadczonym marynarzem, nie musi się pan obawiać o nasze bezpieczeństwo.

– Nie mogę wstać? – zapytał Noboru. – Podnieść się z tego krzesła?

– Nie radziłbym. Absolutnie.

– To co mam zrobić?

– Jeśli pan będzie grzeczny i nie ruszy się, rozbroję zdalnie bombę, kiedy oddalimy się bezpiecznie od statku. Wtedy będzie pan mógł wstać. Inaczej… no cóż, nie mogę zagwarantować panu osobistego bezpieczeństwa.

Kapitan, który normalnie miał szarawożółtą cerę, poszarzał całkowicie.

– Niech pan zadzwoni na mostek – powtórzył Paddy. – Tylko bez głupich numerów. Znam japoński.

Na dowód tego popisał się szybkim pytaniem po japońsku, gdzie kapitan trzyma sake.

Kiedy Paddy rozmawiał z kapitanem, Leo wyjął ze swojego worka marynarskiego dwa rosyjskie pistolety maszynowe Bizon 2. Ten nowy automat skonstruował syn Michaiła Kałasznikowa, Wiktor. Dość prosta technicznie broń miała składaną kolbę, standardowy czarny chwyt pistoletowy jak AK-74M i mały stożkowy tłumik płomienia z łezkowatymi szczelinami. W aluminiowym magazynku mieściły się sześćdziesiąt cztery naboje.

Leo uniósł automat. Lekka broń miała tylko sześćdziesiąt sześć centymetrów długości. Spojrzał na selektor i ustawił go w pozycji „terapii grupowej", jak to nazywał. Ogień ciągły. Nie liczył na to, że spotkanie z japońskimi rybakami na pokładzie będzie ekscytujące, ale nigdy nie wiadomo. Położył pistolet maszynowy na biurku kapitana, wyjął z worka mały telefon satelitarny i wręczył Paddy'emu.

Kiedy zgłosił się facet na pokładzie rosyjskiego jachtu „Biełaruś", Paddy powiedział mu, że prawie skończyli i są gotowi do opuszczenia „Kishin Maru". Za pięć minut wsiądą do szalupy. Zadzwoni jeszcze raz, kiedy będą na morzu, ale Kapica mówi, że dopłyną do punktu spotkania o wiadomych współrzędnych za godzinę.

– Niech pan siedzi spokojnie, kapitanie – doradził Paddy i ruszył do drzwi razem z barczystym Rosjaninem.

– Ustęp... – wykrztusił Japończyk. Ściskał poręcze krzesła, aż zbielały mu knykcie.

– Ustęp? – zapytał Paddy. – O co mu chodzi?

– Chyba go przyparło – domyślił się Leo i wyjrzał z kajuty z automatem przed sobą. – Musi iść do kibla.

– To zły pomysł, kapitanie. Naprawdę. Na pańskim miejscu spróbowałbym wytrzymać.

Po raz ostatni spojrzał na kapitana siedzącego na bombie czułej na nacisk, potem wyszedł i zamknął za sobą drzwi.

Fajny patent, ta bomba naciskowa, pomyślał. Będzie musiał wysłać do firmy wyrazy uznania.

10

Bermudy

Hawke wszedł do biblioteki i zobaczył S. siedzącego przy kominku. Pokój był ośmioboczną wieżą ze świetlikiem na szczycie, szafy z książkami na wszystkich ścianach miały wysokość jednego piętra. Sir David Trulove trzymał na kolanach otwarty tomik poezji. Zdjął okulary w złotej oprawce, szczypał grzbiet nosa i wydawał się głęboko zamyślony. Czerwony abażur lampy na stoliku rzucał na niego purpurowy cień.

Były admirał, bohater wojny o Falklandy, sprawiał wrażenie przygaszonego, co nie pasowało do jego silnego charakteru. Hawke się zawahał.

– Dobry wieczór – powiedział najłagodniej jak umiał. – To miła niespodzianka, że jest pan na Bermudach.

– A, samotnik lord Hawke.

David Trulove zamknął książkę i spojrzał na niego z nieprzeniknioną miną. Położył cienki tom na skraju stolika obok telefonu, wstał i wyciągnął rękę. Starszy mężczyzna był wyższy od Hawke'a o dobre trzy centymetry, miał gęste siwe włosy, krzaczaste siwe brwi i długi orli nos. Samo nasuwało się określenie „władczy".

Dzisiejszego wieczoru niebieskooki, ogorzały S. w świetnie skrojonym garniturze wizytowym wyglądał jak elegancki angielski szpieg z wyobrażeń hollywoodzkiego reżysera. Owszem, był elegancki, ale miał też stalową twardość.

Trulove zerknął na książkę na stoliku.

– Czytujesz Yeatsa, Alex?

– Nie. Przykro mi to mówić, ale nie rozumiem poezji.

– Nie powinieneś jej lekceważyć. Ja też nie jestem miłośnikiem każdej poezji, ale Yeats jest wyjątkowy. To chyba nasz jedyny prawdziwy poeta. A zatem zaskoczyła cię moja obecność tutaj?

– Trochę. Może usiądziemy?

– Proszę bardzo. Tam będzie ci wygodnie?

Alex przytaknął i z przyjemnością opadł na stary skórzany fotel przy kominku. Poczuł na sobie wzrok S. i spojrzał na niego. Uważnie. Prowadzili ze sobą grę, której na razie żaden z nich nie przegrał.

– Piję whisky. Przyłączysz się? – zapytał S. i popatrzył na karafki na kredensie, a potem w górę na półki z książkami, które sięgały ośmiobocznego świetlika. Na poziomie pierwszego piętra biegła wokół pokoju wąska galeria. Wydawała się za słaba, by utrzymać ciężar ptaka, a co dopiero człowieka obładowanego stosem książek.

– Nie, dziękuję.

– Niechętnie zakłócam ci spokój w tym niewątpliwie przyjemnym okresie twojego życia. Po ostatnim zadaniu z pewnością należy ci się wypoczynek. Ale niestety musimy porozmawiać o sytuacji, która może wymagać twojego zaangażowania.

Trulove zamilkł i spojrzał na Hawke'a. Kazał mu czekać. Obaj doskonale znali trzy słowa, które miały za chwilę paść z ust szefa brytyjskiego wywiadu. S. nie zawiódł Aleksa.

– Coś się urodziło.

– Aha – odrzekł Hawke. Starał się nie zdradzić z tym, że podskoczyło mu tętno, co zawsze towarzyszyło tym trzem magicznym słowom przełożonego.

– Wykurowałeś się już? Jesteś całkiem zdrowy? Nie masz nawrotów gorączki? – Trulove przyglądał się uważnie Aleksowi. Hawke niedawno omal nie umarł w amazońskiej dżungli, gdyż nabawił się tam kilku chorób tropikalnych, łącznie z malarią. Niektórzy ludzie z najbliższego otoczenia S. uważali, że Hawke nigdy w pełni nie wydobrzeje.

– Nic mi nie dolega. Szczerze mówiąc, nigdy nie czułem się lepiej.

– To dobrze. Umówiłem cię na jutro rano z moim tutejszym znajomym. W Szpitalu Świętego Brendana. Nazywa się Nigel Prestwick. To internista. Całkiem dobry. Był moim osobistym lekarzem, dopóki nie przeniósł się tutaj z Londynu.

– Chętnie do niego pójdę – odparł Hawke, usiłując ukryć irytację. Jeszcze nie trafił na lekarza, który znałby jego organizm lepiej niż on sam. Ale S. najwyraźniej nie chciał ryzykować. Hawke był w duchu zadowolony. Taka troska sugerowała, że dostanie ciekawe zadanie.

– Wątpię. Twój stosunek do lekarzy nie jest tajemnicą. Mimo to umówiłem cię na wizytę o dziewiątej. Od północy nie możesz nic jeść ani pić. Chciałbym, żebyś po badaniu przyjechał do starej stoczni Marynarki Wojennej. Przed szpitalem będzie na ciebie czekał samochód z kierowcą. Oglądam tam pewną nieruchomość i jestem ciekaw twojej opinii.

– Nieruchomość?

– Tak. Darujmy sobie szczegóły i przejdźmy do rzeczy. – S. pochylił się do przodu i oparł ręce na kolanach.

– Oczywiście.

– Chodzi o Rosjan.

– Wróciliśmy do starej dobrej zimnej wojny?

– Jeszcze nie. Być może to letni pokój. Ale nie potrwa długo. W powietrzu wyczuwa się chłód.

– Nowa zmiana na gorsze?

– Pamiętasz, jak Matka Rosja była zagorzałym wrogiem demokracji i wolności?

– Pamiętam.

– Znów jest.

– Nie wiedziałem o tym.

– Na litość boską, Alex, nie czytasz gazet? Nie oglądasz telewizji?

– Nie mam telewizora, a moją lekturą są w tej chwili przygody dwóch facetów, Hucka Finna i jego czarnego przyjaciela Jima. Słyszałem o tym, że dziennikarze krytykują prezydenta Władimira Rostowa i uderzają w alarmistyczny ton, ale to niestety wszystko.

Sir David wstał, złączył dłonie za plecami i zaczął powoli spacerować tam i z powrotem przed kominkiem, jakby krążył po pokładzie rufowym w chwili, gdy zza horyzontu wyłaniają się szczyty masztów nieprzyjacielskich okrętów.

– Ostatnie zabójstwa polityczne to tylko czubek góry lodowej. Nasze stosunki z Rosją sięgnęły prawie dna. Tego lata Rosja podpisała kontrakt zbrojeniowy na miliard dolarów z Chavezem, czarującym Wenezuelczykiem, z którym ostatnio zadarłeś. Chavez nie tracił czasu i fantazjował głośno na temat użycia nowej wenezuelskiej broni do zatopienia jednego z naszych lotniskowców, HMS „Invincible", który jest teraz na Morzu Karaibskim. W zeszłym tygodniu Rosjanie dostarczyli Iranowi wysokiej klasy pociski przeciwlotnicze SA-15. Wiemy dlaczego. Do obrony irańskich ośrodków jądrowych. To zagrożenie dla równowagi sił.

– Nowa Rosja bardzo przypomina starą.

– Jakby tego było mało, Sowieci... przepraszam, Rosjanie, budują Irańczykom za miliard dolarów reaktor w Bushehr. Reaktor ten będzie wytwarzał ilość plutonu wystarczającą do wyprodukowania minimum sześćdziesięciu bomb.

– To nie są nasi przyjaciele.

– Co wiesz o Szarej Eminencji i Dwunastce?

– O kim? O Szarej Eminencji?

– Tak nazywają na Kremlu Rostowa, co świadczy o tym, jak jest postrzegany.

– Wiem niewiele. Wywodzi się z KGB. Typ silnego człowieka. Małomówny. Zimny jak lód. Nie sposób go rozgryźć.

– Prawie. Potrafi doskonale panować nad emocjami i ukrywać swoje prawdziwe uczucia.

– Dobry pokerzysta.

– Uwielbia pokera.

– Mam nadzieję, że nie zamierza mnie pan poprosić, żebym z nim zagrał. Karty nie są moją mocną stroną.

S. się uśmiechnął.

– Władimir Rostow nie jest demokratą. Nie jest też carem jak Aleksander II, paranoikiem jak ospowaty karzeł Stalin ani religijnym narodowcem jak Dostojewski. Ale jest po trochu każdym z nich. I właśnie takiego przywódcę chcą mieć teraz Rosjanie. To *swojstwiennik*, nawet jeśli pije dietetyczną colę zamiast wódki. To swojak. Symbol nowej rosyjskiej dumy ze wszystkiego, co rosyjskie, sprzeciwu wobec poniżającego, upokarzającego przyjmowania zachodniej kultury w latach dziewięćdziesiątych, wstydu i poczucia winy, że przyłapano cię w McDonaldzie, kiedy pożerałeś big maca i siorbałeś pepsi zamiast wlewać w siebie wódkę jak prawdziwy Rosjanin, że słuchałeś w radiu zespołu Dixie Chicks.

– Moim zdaniem zdecydowanie pokrzepiające jest to, że pański dzielny przywódca nie zatacza się po Kremlu i nie przewraca samowarów.

– Prawdę mówiąc, brakuje mi Jelcyna. Mam tu nasze skrócone dossier Rostowa. Możesz je przeczytać w wolnej chwili. Ale streszczę ci to szybko, żeby cię wprowadzić w temat naszej dzisiejszej rozmowy. Władimir Władimirowicz Rostow, nazywany powszechnie Wołodią, urodził się w 1935 roku w biednej rodzinie robotniczej. Rodzice przeżyli trwające dziewięćset dni oblężenie Leningradu przez hitlerowców. Jego dwaj bracia zginęli z rąk nazistów, a ojciec został ciężko ranny podczas obrony miasta. Głównie z tych powodów Wołodia postanowił pracować w wywiadzie.

– Nienawidzi Niemców. Dobrze wiedzieć.

Trulove przytaknął zadowolony, że Hawke już myśli z wyprzedzeniem.

– Kiedy Rostow miał piętnaście lat – ciągnął S. – obejrzał film *Tarcza i miecz* gloryfikujący wyczyny sowieckiego szpiega w Niemczech podczas wojny. W wieku szesnastu lat próbował wstąpić do KGB. Wmaszerował po prostu do lokalnego urzędu i poprosił, żeby go przyjęli. Oczywiście odprawili go z kwitkiem, ale poradzili mu, żeby skończył studia prawnicze i nauczył się języków obcych. Zrobił to i po otrzymaniu dyplomu Państwowego Uniwersytetu Leningradzkiego został przez nich zwerbowany.

Hawke potarł podbródek.

– Uważa szpiegostwo za romantyczną przygodę.

– Słucham?

– Widziałem tamten film. Bardzo romantycznie przedstawia nieustraszonego sowieckiego podwójnego agenta w głębi Rzeszy, który samotnie wykrada dokumenty i sabotuje działania Niemców. Innymi słowy, dokonuje w pojedynkę tego, co nie udałoby się całej armii.

S. pociągnął łyk whisky.

– Jestem ciekaw, czy ty też uważasz to za romantyczne? Szpiegostwo, potajemne akcje, brawurowe wyczyny.

– O nie.

W oczach S. pojawił się wyraz aprobaty. Kontynuował opowieść.

– Nasz mały Wołodia, wysoki, chudy i delikatnie wyglądający chłopiec, w wieku dziesięciu lat padł ofiarą miejscowych chuliganów. Zaczął ćwiczyć sambo, rosyjską sztukę walki wręcz, bardzo podobną do judo i zapasów. Traktował to poważnie. I nadal tak jest. Zdobył czarny pas w sambo i judo i omal nie zakwalifikował się do drużyny olimpijskiej. Rok po ukończeniu studiów na wydziale prawa międzynarodowego i wstąpieniu do KGB został mistrzem Leningradu w judo. Wspominam o tym wszystkim tylko dlatego, że moim zdaniem to klucz do poznania jego osobowości.

– Rozumiem.

– Jego pierwszy trener judo jeszcze żyje. Jeden z naszych ludzi w Sankt Petersburgu rozmawiał z nim niedawno. Przeczytam ci kawałek z tego, co powiedział: „Wołodia potrafił tak samo umiejętnie atakować z obu stron, z prawej i z lewej. Jego przeciwnicy, spodziewający się rzutu z prawej strony, nie dostrzegali, że szykuje się do ataku z lewej. Był trudny do pokonania, bo zawsze umiał ich zmylić".

– Wiem, o co panu chodzi.

– Wrodzona skrytość Rostowa i judo okazały się doskonałym połączeniem. Potrafi wyczuć zamiary przeciwnika i nie zdradzać swoich.

– Dla niego to nie jest sport, tylko filozofia.

– Masz rację.

– To bardzo ciekawe – powiedział Hawke. – Ale nie mogę się doczekać wyjaśnienia, dokąd to wszystko prowadzi.

– Do Moskwy.

– A tam?

– Jutro się dowiesz. Na razie powiem ci tylko, dlaczego przyjechałem na Bermudy. Zamierzam utworzyć nową ściśle tajną sekcję MI6. Z braku lepszego pomysłu nazwałem ją Czerwony Sztandar. Jej jedynym zadaniem będzie prowadzenie energicznych działań kontrwywiadowczych przeciwko odrodzonej rosyjskiej Czeka.

– Czeka?

– Nie słyszałeś o czekistach? Czeka była bolszewickim KGB, tajną policją Lenina. Jej pełna nazwa brzmiała: Ogólnorosyjska Nadzwyczajna Komisja do Walki z Kontrrewolucją i Sabotażem. Dzisiejszą Czeka kieruje grupa ludzi na Kremlu, o której wspomniałem wcześniej, tak zwana Dwunastka. Rosyjski termin to *siłowiki*. Potężni.

– Jaka jest ich rola?

– Możliwe, że pociągają za wszystkie sznurki. Szara Eminencja działa według ich wskazówek i wykonuje ich polecenia. Dostajemy bardzo niepokojące wiadomości z Moskwy. Wygląda na to, że Rosja przygotowuje zmasowany atak na swoje byłe republiki. Spróbuje je z powrotem zająć. Potem przyjmie twardy kurs wobec reszty Europy. Europa Zachodnia jest teraz na łasce Rosji. Kreml może odciąć dopływ energii naszym sojusznikom, kiedy tylko zechce.

– Chryste.

– No właśnie. Wynika stąd pilna potrzeba podjęcia działań wywiadowczych przeciwko Rosjanom. Musimy to zacząć natychmiast.

– A w którym miejscu będzie baza naszego nowego wydziału „antyczekistowskiego"?

– Tutaj. Na Bermudach. Jutro rano po twojej wizycie u Nigela Prestwicka pojedziemy do stoczni. Znajdziemy dla ciebie jakieś biuro.

– Dla mnie?

– Będziesz szefem tej sekcji specjalnej. Przemyślałem to i jestem przekonany, że doskonale się do tego nadajesz. Świadczą o tym twoje sukcesy w ciągu ostatnich lat.

– Jestem zaszczycony. Dziękuję. Oczywiście…

– Alex, mogę ci dać trochę czasu na decyzję. Ale bardzo niewiele. Musisz być ze mną całkowicie szczery. Czy masz jakieś opory? Zastrzeżenia?

– Po pierwsze, nie znam rosyjskiego.

– Ale twój towarzysz broni, nadinspektor Congreve, włada biegle tym językiem. Podobnie jak personel, który dostaniesz z firmy.

– Czy Ambrose wie o tym… Czerwonym Sztandarze?

– Należy do twojego zespołu. To już załatwione. Dwaj inni młodzi ludzie, z wydziału rosyjskiego MI6, też już przyjechali. Beniamin Griswold i Fife Symington. Świetne chłopaki.

– Rozumiem. Ale…

– Posłuchaj, Alex. Wiem, że to wszystko jest dość niespodziewane. Nie musisz mi dawać odpowiedzi dziś ani nawet jutro. Ale jeśli tylko się zgodzisz, to im wcześniej będę o tym wiedział, tym lepiej, bo szybciej zajmę się następnym kandydatem. To dopiero początek, ale jesteśmy w decydującym momencie pojedynku z czekistami XXI wieku.

– Pistolety gotowe do strzału?
– Niezupełnie. Ale musimy się pospieszyć. Jak mówiłem, coś wisi w powietrzu, i wątpię, żeby to była wyciągnięta do nas gałązka oliwna. Jeszcze rok temu oceniłbym, że liczba rosyjskich tajnych agentów w Wielkiej Brytanii nie przekracza setki. W zeszłym miesiącu widziałem szacunki, że jest ich grubo ponad tysiąc.
– Zdumiewające. A jak jest u naszych amerykańskich kuzynów?
– Tak samo, jeśli nie gorzej. Twój przyjaciel Brick Kelly z CIA niepokoi się bardziej niż my. Kreml stoi na czele potężnej organizacji przestępczej, która ma do dyspozycji nieograniczone środki i nienaruszone jeszcze zasoby bogactw naturalnych. Rosyjska gospodarka nagle rozkwita wraz ze wzrostem cen ropy. Jak powiedziałem, Rosjanie mogliby rzucić Europę na kolana w niecałą godzinę, zakręcając po prostu kurki z ropą i gazem. Oczywiście nie zrobią tego, jeśli nie zostaną sprowokowani, bo za bardzo zależy im na dopływie gotówki. Co więc, do diabła, kombinuje rosyjski niedźwiedź? Tego, Alex, będzie musiał się dowiedzieć Czerwony Sztandar.
– Rozumiem. Jedno pytanie: dlaczego baza tej operacji ma być akurat na Bermudach?
S. się uśmiechnął.
– Po pierwsze, z powodu ich położenia. Są prawie w jednakowej odległości od Londynu i Waszyngtonu. Ale ważniejsza jest kwestia zachowania wszystkiego w tajemnicy. Nie mogę kierować nowym wydziałem z Vauxhall Cross 85. Pomyśl, Alex. Trwa inwazja Rosjan na Londyn. Nie tylko bogatych oligarchów, którzy kupują rezydencje w Mayfair, ale też agentów odrodzonego KGB. Cholerni rosyjscy szpiedzy i magnaci są wszędzie, gdzie tylko spojrzysz. Amoralni, nieprzystosowani i wszystko im wolno.
– Słyszałem, że rosyjska mafia wykupuje londyńskie kasyna i przejmuje całkowicie kontrolę nad prostytucją. Trudnią się handlem żywym towarem. Sprowadzają dziewczyny z Europy Wschodniej i krajów nad Zatoką Perską. Podobno nazywają miasto Londonistanem.
– Niestety, Alex. W latach dziewięćdziesiątych mieliśmy do czynienia z chaosem i kleptokracją, rządami rywalizujących ze sobą złodziei. Zbrodniczy miliarderzy okradli Rosję do cna w ciągu zaledwie kilku lat. Cały kraj. To była największa kradzież w historii. Teraz państwo jest w rękach tajnej policji. Putin pierwszy ulokował swoich dawnych kumpli z KGB na wszystkich możliwych szczeblach władzy. Nowa Rosja jest pierwszym na świecie prawdziwym państwem policyjnym. A teraz, niewyobrażalnie bogata dzięki rosnącej cenie ropy, rozgląda się za nowymi terenami do splądrowania.
– Nadal nie do końca rozumiem, dlaczego wybrał pan Bermudy na bazę Czerwonego Sztandaru.
– Powtarzam: z powodu położenia geograficznego. Czy gdziekolwiek istnieje bardziej odosobniony i nieskażony zakątek terytorium brytyjskiego niż ten

mały spokojny archipelag? Każdy Rosjanin, który postawi stopę na tej wyspie, żeby zapuścić żurawia do naszego gniazda, będzie się rzucał w oczy.

Hawke chciał wspomnieć o bardzo rzucającej się w oczy pięknej Rosjance, którą poznał dzisiejszego popołudnia na plaży, ale w tym momencie do biblioteki zajrzała lady Diana Mars i poprosiła ich na kolację.

S. uśmiechnął się do Hawke'a.

– Wy pierwsi, towarzyszu.

– *Spasiba* – podziękował mu Hawke i w ten sposób praktycznie wyczerpał swój zasób rosyjskich słów.

Postanowił nauczyć się jakichś mocnych rosyjskich przekleństw, żeby móc ochrzanić Ambrose'a za to, że wciągnął go w pułapkę zastawioną na niego przez S.

11

Nowy Jork

Słyszysz, jak dźwięczą dzwonki u sań? Paddy wciąż czuł dawny dreszcz podniecenia. Nie ma to jak Gwiazdka w Nowym Jorku. Mówią, że coś jest w powietrzu, i mają rację. Pieprzona magia. Opierał się o barierę na Pięćdziesiątej Trzeciej ulicy i patrzył na lodowisko w Rockefeller Center. Ciągle go to kręciło, tak samo jak wtedy, gdy był zasmarkanym dzieciakiem i mieszkał na niewłaściwym końcu Neptune Avenue w Brighton Beach. Przyjazd do miasta z ojcem to była wielka sprawa, zwłaszcza w okresie Bożego Narodzenia.

Padał lekki śnieg, drobny i skrzący się, zupełnie jak w filmie. Ściemniało się szybko i wielka choinka błyszczała i migotała. Zmrużył oczy, żeby ją widzieć jak przez mgłę, tak jak to robił w dzieciństwie. I co? Miło na to popatrzeć, nawet w jego wieku.

Łyżwiarzy też obserwował z przyjemnością. Najbardziej interesowały go dziewczyny w krótkich plisowanych spódniczkach. Nie można się tak ubrać i wyjść na lód, jeśli nie potrafi się jeździć z wdziękiem. Przyglądał się też facetom. Nigdy mu to nie pasowało, że gość unosi nogę i sunie po lodzie jak łabędź. Coś tu nie tak.

Jak z facetami, którzy kąpią się w wannie, zamiast brać prysznic. Nie budzą zaufania. Naprawdę dobrzy łyżwiarze to na pewno cioty, no nie? A źli, jak ten typ ulicznego gangstera, który właśnie wywinął orła i walnął dupą w bandę, nie powinni w ogóle być na lodowisku.

– Ty, spazmatyk! Tak, do ciebie mówię, duży! Niezły numer, człowieku, wyglądasz jak pieprzony Wayne Gretzky!

Paddy roześmiał się i spojrzał na zegarek. Biurowa impreza gwiazdkowa zaczęła się o szóstej, piętnaście minut temu. Po niekończącym się locie z Fairbanks na pieprzonej Alasce poszedł prosto do swojego pokoju w Waldorfie, zamówił u telefonistki budzenie na czwartą trzydzieści i padł na kilka godzin.

Już w piżamie wypił parę kieliszków szampana i stracił poczucie czasu. Ale owszem, wybierał się na to przyjęcie, pierwszą oficjalną imprezę w nowej siedzibie firmy na szczycie Empire State Building. Ktoś mówił, że zaśpiewa Gladys Knight, ale to mogła być ściema.

Nie wiedział, o której zjawi się wielki szef, ale nie chciał tego przegapić. Większość pracowników jeszcze nigdy go nie widziała. *Queso grande*, szycha, ważniak, człowiek zza zasłony. Tak, dzisiejszy wieczór będzie wyjątkowy. Krążyły nawet jakieś bzdurne plotki, o tym jak stary dotrze na przyjęcie. Paddy nie miał pojęcia jak, ale był raczej pewien, że nie wysiądzie z autobusu na Piątej Alei.

Lepiej się pospieszyć. Odwrócił się od łyżwiarzy i poszedł szybko wzdłuż pięknie udekorowanego pasażu handlowego w kierunku Piątej Alei. Trwał szał przedświątecznych zakupów i Paddy musiał uważać, żeby nikogo nie przewrócić. Na jego widok ludzie zwykle natychmiast usuwali się na bok. Ale w takim tłumie trudno było szybko iść i nikogo nie potrącić.

Skręcił w prawo w Piątą i pomaszerował na południe do Trzydziestej Czwartej ulicy. Tłumy zdumiewały go, zwłaszcza kolejki przed wystawami Saksa po drugiej stronie jezdni. Coś działo się też w głębi alei, bo w niebo celowały potężne szperacze. Snopy światła przesuwały się tam i z powrotem, omiatały niskie ciemne chmury i wysokie iglice budynków wzdłuż tej ulicy chłopięcych marzeń.

Spacer do Empire State zajął mu całe dziesięć minut. Przed głównym wejściem stały ciężarówki z wielkimi reflektorami na platformach skierowanymi w górę. Szczyt drapacza chmur zawsze był pięknie oświetlony, czasem na czerwono, biało i niebiesko lub na zielono i czerwono, jak teraz, w okresie świątecznym. Ale dziś snopy światła krzyżowały się na szczycie, co przypominało premierę w Hollywood. Wokół parkowały też wozy stacji telewizyjnych z dużymi antenami satelitarnymi na dachach. Zapowiadało się jakieś ważne wydarzenie.

Wchodząc do dwupiętrowego holu, Paddy poczuł dumę. To w końcu również jego biuro. Tak jakby.

Przebył długą drogę z Brooklynu, gdzie był jednym z wielu robotników portowych z grubym karkiem, pałających nienawiścią do społeczeństwa. A teraz jest ważną częścią międzynarodowej organizacji, mającej elegancką siedzibę w jednym z najsłynniejszych budynków świata. Po jedenastym września Empire znów stał się najwyższym wieżowcem w Nowym Jorku.

Rozejrzał się po holu. Chyba nazywają to art déco, pomyślał. Wygląda dobrze. Efekciarsko, chociaż w starym stylu. Jeszcze nigdy nie był na górze w biurach firmy, podszedł więc do eleganckiej marmurowej lady, gdzie urzędowała drobna sympatyczna Żydówka. Sprawiała wrażenie, jakby pracowała tu całe życie. Na plakietce identyfikacyjnej widniał napis „Muriel Esb". Esb? Nie przypominało to żadnego znanego mu żydowskiego nazwiska. Może to skrót nazwy budynku? Jasne.

– Witamy w Empire State Building. Czym mogę służyć?

– Jak się masz, Muriel? – zapytał Paddy i pokazał jej swój identyfikator. – Gdzie jest przyjęcie gwiazdkowe firmy CAR?

– Szczęściarz z pana, panie Strelnikov. Będzie na co popatrzeć. Zwłaszcza na górze, tam gdzie pan będzie.

– Masz na myśli Gladys Knight? – Piosenkarka wcale go nie interesowała, ale co tam, powiedział sobie, jest Gwiazdka, poddaj się nastrojowi.

Muriel się uśmiechnęła.

– Nie widział pan reflektorów na zewnątrz? I kamer telewizyjnych? Nie czekają na Świętego Mikołaja.

– Nie? A na kogo?

– Na pańskiego sławnego szefa! Ma się zjawić o siódmej. Za pół godziny, niech pan lepiej wjedzie na górę.

– Jak się tu dostanie? Latającymi saniami zaprzężonymi w renifera?

– Coś w tym rodzaju – odparła, oboje roześmiali się i Paddy zapytał ją o drogę.

– Koktajl jest na samej górze, na sto drugim piętrze, gdzie kiedyś był taras widokowy. Mnóstwo ludzi żałuje, że już go nie ma. Został ten na osiemdziesiątym szóstym piętrze, ale to nie to samo.

– A cóż możecie zrobić? To dla was postęp. Trzymaj się, Muriel. Wesołych świąt, dla ciebie i całego personelu.

Dwa lata temu firma kupiła całą górną część Empire State Building, od siedemdziesiątego do sto drugiego piętra. Wydali chyba sto milionów dolców albo coś koło tego na wybebeszenie wnętrza i wyposażenie go tak, jak przystało na północnoamerykańską siedzibę Centrum Analiz i Rozwoju.

CAR. Jak dawni władcy Rosji. To pomysł szefa. Trzeba mieć poczucie humoru, żeby tak nazwać swoją wielką firmę. Paddy musiał to przyznać. Ten prawdziwy geniusz i jeden z dziesięciu najbogatszych ludzi na świecie miał styl. Ale Paddy najbardziej podziwiał jego troskę o ludzi. O wszystkich, nawet o takie małe pionki jak on. Jeśli można go nazwać małym, pomyślał i roześmiał się z własnego dowcipu.

Wszedł do pustej windy i nacisnął przycisk ekspresowego kursu na ostatnie piętro. Kabina wystartowała jak rakieta i po kilku minutach wysiadł na górze. Poczuł się tak, jakby wylądował na innej planecie.

Całe ostatnie piętro Empire State Building zajmowała teraz oszklona sala z marmurową podłogą. Wszędzie stal i szkło. Szczyty ścian i sufit musiały być dobrych dwadzieścia metrów nad głowami kłębiących się, pijących i gadających ludzi. Paddy podszedł do okna od strony Piątej Alei. Otaczały go szczyty wieżowców na Manhattanie. Powyżej wisiały śniegowe chmury oświetlone reflektorami z ulic na dole. Pośrodku sali był oszklony kwadratowy szyb windy. Biegł prosto przez sufit do konstrukcji o wyglądzie wieży radiowej, która wznosiła się na wysokość co najmniej kolejnych dwudziestu pięter nad miejscem, gdzie stał Paddy.

Mniej więcej w połowie wysokości wieży znajdowała się duża kryta platforma. Trwała tam gorączkowa krzątanina. Paddy poszwendał się dookoła z zadartą głową, starając się zorientować, co się dzieje na platformie, ale z dołu nie mógł nic zobaczyć.

– King Kong ma się znów zjawić? – zapytał barmana za jednym z wielu kontuarów wokół sali. Do większości ustawiły się już kolejki po drinki, ale z niewiadomej przyczyny nie do tego.

Facet się roześmiał.

– Można tak pomyśleć, co? Nie, to tylko najbogatszy człowiek na świecie.

– Wódkę z lodem poproszę.

– Witamina W. Już się robi. Pracuje pan u tego gościa? – zapytał, stawiając przed Paddym drinka.

– Tak. Od dawna.

– Może w dziale sprzedaży? Powiem panu czemu pytam. Chciałbym kupić dla dzieciaka ten nowy komputer, Zeta. Wie pan, taki mały, co wygląda jak mózg. Próbowałem we wszystkich sklepach komputerowych w mieście, ale wszędzie mają zaległe zamówienia.

– Nie zajmuję się sprzedażą, przykro mi.

– Nie ma sprawy. Jeszcze jeden?

– Jeśli coś nazywa się Smirnoff, to musi być dobre, no nie?

Paddy podsunął barmanowi szklankę.

– Pański szef musi mieć łeb – stwierdził facet. – Skonstruować taką zetę to nie byle co. To Rosjanin, tak? Jak on się nazywa?

– Słyszałem tylko, jak ktoś kiedyś mówił o nim „car Iwan". Dziś po raz pierwszy zobaczę człowieka na oczy.

– Chyba zaraz będzie pan miał okazję – odrzekł barman, cofnął się od kontuaru i popatrzył w górę. – Jasny gwint. Niech pan patrzy.

Paddy też odszedł od baru i zadarł głowę. Widok tak go zdumiał, że upuścił szklankę. Roztrzaskała się na marmurowej podłodze, ale w ryku tłumu nie usłyszał tego.

To, co zobaczył Paddy, unosiło się wysoko nad szklanym sufitem i wyglądało jak latający cud. Obiekt nie był samolotem ani klasycznym sterowcem, choć poruszał się jak ten drugi. Musiał być statkiem powietrznym nowego typu. Ani Paddy, ani nikt inny jeszcze nie widział czegoś takiego. Kadłub studwudziestometrowej maszyny podobnej do zeppelina połyskiwał srebrzyście.

Z boku dziobu widniał ogromny, podświetlony na czerwono napis „Car”. Ogon zdobiła wielka rosyjska czerwona gwiazda, której były prezydent Putin przywrócił powszechne poważanie, zanim zniknął w tajemniczych okolicznościach z powierzchni ziemi.

Paddy pierwszy raz widział sterowiec w takim kształcie. Statek miał w dziobie ogromny otwór i zwężał się ku ogonowi. Bardzo się różnił od sterowca Goodyeara.

Dziwny kształt przypominał coś Paddy’emu. Kojarzył mu się z olbrzymim silnikiem odrzutowym. Tylko takie porównanie mu się nasuwało. Ogromny silnik odrzutowy, który oderwał się od skrzydła jakiegoś ogromnego samolotu i leci sam. Z boku kadłuba ciągnęły się trzy rzędy okien i widać było pasażerów. Wszyscy przyglądali się przyjęciu w dole.

Olbrzymi srebrzysty silnik odrzutowy zbliżał się bardzo wolno do wielkiej anteny na szczycie Empire State Building.

Paddy cofnął się, żeby jak najwięcej zobaczyć, wpadł na kogoś i przewrócił go.

– O rany, przepraszam – powiedział i się odwrócił. Podał facetowi rękę i podniósł go z podłogi. Drobny człowieczek omal nie wyleciał w powietrze, gdy Paddy niechcący go staranował.

Facet nosił grube okulary w czarnej oprawce, które mu się przekrzywiły. Paddy wyprostował je i spróbował zetrzeć drinka z gorsu grubej wełnianej marynarki. Facet pił krwawą mary, sądząc po łodydze selera na ramieniu. Niedobrze.

– Nic się nie stało – odparł mężczyzna. – Wszystko w porządku. To wypadek.

Paddy podejrzewał, że drobny człowieczek jest wkurzony, ale mógł się mylić, wyciągnął więc rękę i przedstawił się.

– Paddy Strelnikov. Miło mi pana poznać.

– Doktor Siergiej Szumajew – przedstawił się z silnym rosyjskim akcentem i poprawił grube jak denka butelek okulary.

– To dopiero jest coś, prawda? Tam w górze.

– Owszem. W jakim charakterze pan u nas pracuje, panie Strelnikov?

– Ja? Jestem… eee, z działu analiz.

Eufemizm wywołał u Szumajewa uśmiech. Każda duża rosyjska korporacja tworzyła u siebie własne małe KGB, nazywane zwykle „działem analiz”. Personel składał się z ludzi, którzy potrafili zbierać informacje, podsłuchiwać konkurencję i wykradać dokumenty. Wykonywali też inne zadania, określane przez amerykańskich autorów powieści sensacyjnych jako „mokra robota”.

– Jaką funkcję pełni pan w swoim dziale, panie Strelnikov?

– Zajmuję się głównie bezpieczeństwem. Przeciwdziałamy szpiegostwu przemysłowemu. Tutaj, w Stanach Zjednoczonych, zapewniam też ochronę osobistą niektórym z naszych dyrektorów, kiedy podróżują po kraju i wyjeżdżają za granicę.

– Doskonale. Czyli jest pan ich obstawą.

– Coś w tym rodzaju.

– Nosi pan ciekawy sygnet. Czy ma jakiś związek z pańską pracą?

Paddy roześmiał się głośno. Uwielbiał, kiedy ludzie zwracali uwagę na jego sygnet.

– Nie, kupiłem go w lombardzie w Hoboken za pięćdziesiąt dolarów. Nikt nie wiedział, co to jest. Widzi pan tę błyskawicę i litery „SWD"? To skrót od słów „Skuteczny w działaniu". Właśnie takie sygnety Elvis Presley rozdał całej swojej paczce w latach sześćdziesiątych. „SWD" to była ich dewiza. Teraz jest też moja.

– Fascynujące.

– A pan, doktorze? Czym się pan zajmuje?

– Inżynierią lotniczą. Tamto w górze to moje dzieło.

Obserwowali, jak z dziobu i boków statku powietrznego wiszącego nad nimi spadają grube liny, przywiązywane następnie do masztu cumowniczego. Unoszący się w chmurach i omiatany światłem reflektorów sterowiec był najpiękniejszą rzeczą stworzoną przez człowieka, jaką Paddy kiedykolwiek widział.

– Bez żartów! O kurczę! Pan to zbudował?

– Ten model nazywa się Wir 1. I ja go skonstruowałem. Z wielką pomocą techniczną naszego prezesa, oczywiście. To całkowicie jego wizja i oryginalna koncepcja. Miałem to szczęście, że zdołałem ją zrealizować.

– Bez obrazy, ale dlaczego jest pan teraz tutaj, zamiast tam na platformie ze wszystkimi grubymi rybami, które go witają?

Teraz drobny facet naprawdę się wkurzył.

– Oczywiście, powinienem tam być, ale zgubiłem żonę. Poszła do toalety dwadzieścia minut temu i przepadła. Zabiłaby mnie, gdybym wjechał na górę bez niej.

Paddy mrugnął do niego porozumiewawczo.

– Wiem, o co chodzi. Te kobiety, co? Mógłbym napisać o tym książkę. Ale chcę pana o coś zapytać, doktorze. Po co ta wielka dziura w dziobie pańskiego statku? Dziwnie wygląda.

– To wlot powietrza – wyjaśnił Szumajew. – Powietrze przechodzi przez spiralny stożek wytwarzający wir, stąd nazwa typu statku. Prędkość przepływu jest zwiększana przez pompę talerzową Tesli. Sprężone powietrze jest następnie przetłaczane przez krąg szczelin wokół kadłuba. Rozumie pan?

– Mniej więcej.

– Niech pan sobie wyobrazi rybie skrzela.

– Jasne. Ale co go napędza?

– Sprężone powietrze wytwarza wiry wzdłuż zewnętrznego kadłuba statku. To zmniejsza tarcie i powoduje ślizg podczas lotu. Statek jest najpierw wciągany w czołową próżnię, w wir, i dodatkowo przeciskany przez otaczające go powietrze dzięki większemu ciśnieniu, które powstaje na skutek przepływu powietrza wzdłuż kadłuba ku ogonowi. To właściwie wszystko.

– A jak się nim steruje?

– Widzi pan podwieszone gondole z błyskającymi czerwonymi światłami? Są w nich mniejsze układy napędowe z pompami talerzowymi, zasilanymi elektrycznie. Zamontowaliśmy je w różnych miejscach kadłuba, żeby uzyskać dobrą sterowność i stabilność ciągu w każdych warunkach atmosferycznych.

– Imponujące.

– Ten maszt miał początkowo służyć do cumowania sterowców, które kursowały w latach trzydziestych ubiegłego wieku. Ale po kilku nieudanych próbach przycumowania jakiegoś zeppelina przy silnym wietrze, a takie tu wieją, na wysokości trzystu osiemdziesięciu metrów, zrezygnowano z tego. Tak więc, panie Strelnikov, pan i ja jesteśmy świadkami historycznego wydarzenia.

– Ilu zabiera pasażerów?

– Dokładnie stu. Jak kiedyś concorde. Ale zapewniam pana, że nasi pasażerowie będą podróżowali o wiele wygodniej i w dużo lepszym stylu.

– Z jaką szybkością?

– Trochę wolniej – odrzekł z uśmiechem drobny facet. – Statek rozwija prędkość dwustu czterdziestu kilometrów na godzinę. Znacznie większą niż nowy „Queen Mary 2”, co jest ważne, jeśli ktoś przemierza Atlantyk, jak to dziś zrobili nasi pasażerowie.

– Chyba widzę pańską żonę – powiedział Paddy i złapał faceta za łokieć. Wielka ruda kobieta w czarnej błyszczącej sukni przedzierała się przez tłum w ich kierunku. W oczach miała żądzę mordu. – Dzięki za informacje, doktorze. Do zobaczenia.

– Nie! – szepnął Szumajew. – Niech pan nie odchodzi, proszę. Niech pan zostanie ze mną jeszcze chwilę. Dobrze? Dopóki ona nie ochłonie.

Należy współczuć facetowi, który potrzebuje goryla do ochrony przed własną żoną.

– W porządku – odparł Paddy. – Ale nie za darmo.

– Zrobię wszystko, co pan zechce.

– Jak się wszystko uspokoi, zorganizuje mi pan zwiedzanie wira z przewodnikiem. Da się to załatwić?

– Zajmę się tym z przyjemnością, panie Strelnikov – zapewnił Szumajew, kiedy dotarła do nich rozsierdzona żona. Właśnie otworzyła szerokie, uszminkowane na czerwono usta, żeby ochrzanić męża, ale on nie dał jej dojść do słowa.

– Najdroższa, to mój kolega, pan Strelnikov. Właśnie miałem go zaprosić na jutrzejszy poranny lot pokazowy „Carem” na Long Island.

– Jak to? – zapytał Paddy.

– Gdzieś ty był, do cholery? – wybuchnęła po rosyjsku kobieta. – Wpadłam na sekundę do toalety i…

Paddy Strelnikov uśmiechnął się do niej szeroko.

– To moja wina, *madame* Szumajew. Jestem z ochrony. Uznałem, że zaistniała groźna sytuacja i powinienem zabrać stąd pani męża, dopóki nie wyjaśnimy sprawy. Dlatego... przepraszam na chwilę. – Uniósł do ust rękaw marynarki i osłonił dłonią ucho, udając, że słucha meldunku. – I co? Czysto? Dobra. – Znów się uśmiechnął. – Wszystko w porządku, panie doktorze. Mogą już państwo bezpiecznie wjechać na platformę.

– Dziękuję, panie Strelnikov – odrzekł Szumajew. – Doceniam pańską troskę o nasze bezpieczeństwo.

– SWD – rzucił Paddy i ruszył do baru po następny koktajl. – SWD.

12

Bermudy

Piękny dzień, panie komandorze – powiedział z uśmiechem kierowca Hawke'a, oglądając się przez ramię na swojego pasażera. Był to przystojny młody podchorąży bermudzkiej policji, nazwiskiem Stubbs Wooten. Dostał przydział do brytyjskiego konsulatu w Hamilton, a S. polecił mu zabrać Hawke'a sprzed Szpitala Świętego Brendana.

Jechali teraz South Road na zachód w stronę Somerset Village. Minęli stylowy kurort Elbow Beach i stary piękny klub Coral Beach i skierowali się do rejonu nazywanego przez Bermudczyków West Endem. Tam, na samym krańcu wyspy, znajdowała się Stocznia Królewskiej Marynarki Wojennej.

Hawke wstał wcześnie, przeszedł badanie lekarskie, jak życzył sobie jego przełożony, i miał się spotkać z S. w stoczni o jedenastej. Zostało mu pół godziny na dojazd. Stubbs zapewnił, że to mnóstwo czasu.

Błękitny ocean, który wyłaniał się z lewej strony, lśnił w słońcu. Tylko kilka obłoków nadciągało nad wyspę z zachodu. Zostawili za sobą hotel Southampton Princess, wielki różowy pałac na szczycie wzgórza z widokiem na Atlantyk, i białą latarnię morską wznoszącą się tuż za nim na wzgórzu Gibba. Zbudowano ją w roku 1846 z żeliwa i od tamtej pory dodaje otuchy żeglarzom.

Ale Hawke'a nie interesował w tej chwili krajobraz, tylko głośny czarny motocykl jakieś sto metrów za nimi. Wyglądało na to, że ktoś ich śledzi.

Obejrzał się kolejny raz na samotnego motocyklistę.

– Stubbs, widziałeś tamtego faceta na czarnym motorze na parkingu Szpitala Świętego Brendana?

Stubbs przyjrzał się uważnie mężczyźnie w lusterku wstecznym.

– Nie, panie komandorze. Ale zauważyłem, że jedzie za nami już od jakiegoś czasu. To chyba Jamajczyk. Możliwe, że z rastafariańskiego gangu. Coś nie tak?

– Wydaje mi się, że stał między drzewami przy wejściu na oddział pomocy doraźnej. Jestem prawie pewien, że tam był, kiedy wyszedłem ze szpitala.

– Możliwe, panie komandorze. Mam go zgubić?

– Kiedy będzie najbliższy zjazd z tej drogi?

– Jakiś kilometr stąd odchodzi w prawo Tribe Road numer trzy.

– Dobrze. Skręć tam i stań. Zobaczymy, co facet zrobi.

– Tak jest.

Stubbs był wyraźnie zadowolony, że coś się dzieje. Uwielbiał swoją pracę, bo poznawał ważne osoby odwiedzające wyspę, ale rzadko zdarzało się coś ekscytującego.

Nie włączył kierunkowskazu ani nawet nie zwolnił, tylko nagle zahamował i obrócił kierownicę mocno w prawo. Wewnętrzne koła małego sedana omal nie oderwały się od ziemi przy ostrym skręcie. Kiedy pokonali ciasny łuk, Stubbs zatrzymał się z poślizgiem na poboczu.

Gdy opadł kurz wokół samochodu, Hawke otworzył gwałtownie tylne drzwi po swojej stronie.

– Zaczekaj tu, Stubbs. Dowiem się, czego on chce.

– Ma pan broń, panie komandorze?

– Tak, a co?

– Niektórzy z rastafarianów są uzbrojeni. Niech pan na niego uważa. Najprawdopodobniej ma nóż. A może nawet pistolet.

Motocyklista, zaskoczony nagłym manewrem Stubbsa, omal się nie przewrócił. Ale zdołał utrzymać się w pionie i skręcić. Stanął i wlepił wzrok w mężczyznę przy drodze, który uśmiechał się do niego, trzymając ręce w kieszeniach. Bez słowa rozkraczył długie nogi i podparł motor z obu stron. Gapił się bezczelnie na wysokiego białego, który ruszył przez drogę w jego kierunku.

– Dzień dobry – powiedział Hawke i rozejrzał się dookoła, jakby rozkoszował się piękną pogodą. Facet na motorze był ubrany jak typowy bermudzki twardziel. Dżinsy, motocyklowe buty i za duża bluza z podobizną cesarza Hajle Sellasje z przodu. Na szyi masa złotych łańcuchów. Wielki złoty zegarek wyglądający na porządny.

Miał jakieś dwadzieścia pięć lat i budowę zawodowego boksera. Kogoś, kto regularnie ćwiczy z workiem lub na ringu. Płaski nos, szczupły, umięśniona górna połowa ciała, muskularne ramiona. I siedział na bardzo drogim motocyklu marki Triumph. Albo handlował prochami, albo pracował dla kogoś, kto płacił mu dużo za nietypowe usługi z użyciem siły.

– Powiedziałem „dzień dobry" – zauważył Hawke i zrobił kolejny krok w kierunku motoru.

Chłopak nie odpowiedział, tylko powoli zdjął czarny kask, potrząsając przy tym głową. Na ramiona opadły mu dredy. Wyszczerzył w uśmiechu złote zęby.

– Masz kiepskiego kierowcę, człowiek. Powaga. Niebezpiecznie jeździ.

– Jak się nazywasz?

– Ja? Desmond. Więcej nie próbuj mnie tak zgubić, człowiek. Nie uda ci się. Będę się ciebie trzymał jak przyklejony.

– Po co, Desmond? – zapytał Hawke, chwycił prawą ręką kierownicę motocykla i skręcił ją mocno w lewo, żeby go unieruchomić.

– Zabieraj łapę z mojego motoru!

– Kto ci płaci za śledzenie mnie?

– Wyszedłem się po prostu przejechać, człowiek. Piękny mamy dzień. Co się tak podniecasz? Chciałem mieć trochę radochy, to wszystko. I zabierz łapę z mojego motoru, bo ją stracisz.

– Stracę?

Desmond uniósł bluzę, żeby Hawke zobaczył nóż w pochwie przy szerokim skórzanym pasie, obciętą maczetę, ostrą z obu stron jak brzytwa.

– Posłuchaj uważnie, Desmond. Teraz zawrócisz i pojedziesz z powrotem tam, skąd przyjechałeś. Powiesz temu, dla kogo pracujesz, że śledzenie mnie to bardzo zły pomysł. Lubię prywatność. Spędzam tu spokojne wakacje. Jeśli ktoś mi je zepsuje, pożałuje tego. Jasne? Rozumiemy się?

Desmond splunął na ziemię i spojrzał na Hawke'a z morderczym błyskiem w zaczerwienionych oczach. Hawke zorientował się, że to po marihuanie. Ale bandzior nie odezwał się, tylko znów wyszczerzył złote zęby i sięgnął po nóż.

Jamajczyk ledwo dostrzegł błyskawiczny ruch. Hawke złapał go za nadgarstek, zanim zdążył zacisnąć palce na rękojeści maczety.

– Złamię ci rękę, Desmond, ostrzegam – zagroził Hawke. – Naciskam teraz małą kość u nasady kciuka, bo najłatwiej ją złamać i jest to najbardziej bolesne.

– Gówno prawda, człowiek, nie zrobisz tego.

– Nie? Kto ci zapłacił za to, żebyś mnie śledził?

– Pierdolę cię.

– U ciebie czy u mnie?

Chłopak splunął tuż obok lewej stopy Hawke'a.

– Masz ostatnią szansę.

Desmond patrzył wściekle na Hawke'a, krzywił się z bólu i milczał.

– Nici z jazdy na motorze przez jakiś czas – powiedział z uśmiechem Hawke, złamał mu sprawnie nadgarstek i z przyjemnością usłyszał wrzask bólu.

Znów wykonał błyskawiczny ruch, wyrwał kluczyk ze stacyjki na zbiorniku paliwa i rzucił w krzaki na wzgórzu przy drodze.

– Co ty… O kurwa, człowiek, teraz to będę ci musiał…

– Desmond, nie jesteś w tym dobry. Inwigilacja to sztuka. Wróć do handlu gandzią. Uliczni dilerzy żyją o wiele dłużej niż ci, którzy są na tyle głupi, że ze mną zadzierają.

Odwrócił się i przeciął zakurzoną drogę. Wsiadł do samochodu, a Stubbs zawrócił do South Road. Desmond został na swoim motorze, zbyt dumny, by szukać kluczyków na oczach Hawke'a.

– Widział pan te złote zęby, panie komandorze? – zapytał Stubbs, spoglądając na Hawke'a w lusterku wstecznym, gdy czekali, aż będzie można włączyć się do ruchu na South Road.

– Trudno było ich nie zauważyć.

– To znak Uczniów Judy. Wyrywają sobie wszystkie zęby i wstawiają złote. Rastafariańska sekta. Przenieśli się tu lata temu z Gór Błękitnych na Jamajce, żeby pracować na plantacjach bananów. Ale zeszli na złą drogę. Prochy, panie komandorze. Handlują kokainą, marihuaną, heroiną, czym pan chce. Ich wielki szef to niejaki Samuel Coale. Nazywają go Królem Coale. Kilka lat temu został wydany Stanom Zjednoczonym na podstawie umowy o ekstradycji zagranicznych bossów narkotykowych. Słyszeliśmy, że wrócił na wyspę. A ten chłopak na motorze, z którym pan rozmawiał?

– Tak?

– Powiedział, że jak się nazywa?

– Przedstawił się jako Desmond.

– Tak mi się zdawało, że to on. Ukochany syn Króla Coale. Nazywa siebie Księciem Ciemności. W Skanktown na wyspie Saint David wszędzie są graffiti z jego ksywką.

– Bokser?

– Skąd pan wie?

– Czasem można to poznać.

– Tak. Walczył na Jamajce pod psedonimem Książę. Doszedł na sam szczyt, zdobył Złote Rękawice na Karaibach, a potem załapał się do jamajskiej drużyny olimpijskiej. Przywiózł złoty medal z Aten w dwutysięcznym czwartym roku.

– Wygląda na to, że później się stoczył.

– Sukces go przerósł. Sława uderzyła mu do głowy.

– Gdzie mógłbym znaleźć jego ojca, tego Króla Coale?

– Trudno powiedzieć, panie komandorze. Oni się stale przemieszczają. Podobno mają obóz na wyspie Nonsuch. Blisko Saint David. Nielegalny, bo to rezerwat przyrody. Ale tak słyszałem. Jako dzicy lokatorzy.

– Jak daleko jeszcze do stoczni?

– Będziemy tam za dwadzieścia minut, panie komandorze.

– Dasz radę dojechać w dziesięć?

– Chętnie spróbuję – odparł Wooten, wyjął ze schowka czerwoną lampę błyskową i umieścił ją na desce rozdzielczej.

Hawke usiadł wygodnie, zapatrzył się w okno i pomyślał o Anastazji Korsakowej. Zadzwoniła do niego rano o jakiejś nieludzkiej godzinie. Dowlókł się w półśnie do baru i sięgnął na ślepo po słuchawkę. Pamiętał mgliście, że zgodził się przyjechać do niej o piątej po południu. Czuł, że już nie będzie miał spokoju. Propozycja S. i pojawienie się pięknej panny Korsakowej zwiastowały koniec cudownego lenistwa.

– Święte miejsce po pańskiej prawej stronie, panie komandorze – powiedział dziesięć minut później Stubbs Wooten, wyrywając go z zadumy.

Zbliżali się do stoczni. Większość pustych budynków i nieczynnych urządzeń z początku XIX wieku nie była używana od końca zimnej wojny. Ale kompleks nadal wyglądał pięknie. Zwłaszcza dwie wieże zegarowe w oddali.

W czasach zimnej wojny Królewska Marynarka Wojenna prowadziła tajne lotnicze i podwodne operacje zwiadowcze, by Sowieci nie uznali Atlantyku za swój ocean. W tamtym okresie Bermudy pełniły rolę głównej bazy morskiej w systemie obrony Stanów Zjednoczonych przed radzieckim atakiem. Brytyjska flota nadal była tu obecna, choć w niewielkim stopniu. Ale dzięki nowej inicjatywie S. stara stocznia mogła wkrótce znowu funkcjonować.

Hawke spojrzał w prawo i zobaczył piękny stary cmentarz w dolinie o łagodnych zboczach między wysokimi sosnami na szczytach obu wzniesień.

– To cmentarz Marynarki Wojennej? – zapytał.

– Tak jest, panie komandorze. Poświęcony w 1812 roku, kiedy dopiero budowano stocznię. Widzi pan tę dużą kamienną iglicę w wysokiej trawie? Leży tam wielu brytyjskich żołnierzy i marynarzy. Większość z nich zmarła na żółtą febrę. A nowsze nagrobki to mogiły tych, którzy zginęli na morzu w walce z niemieckimi krążownikami i U-bootami.

– Nie wiedziałem o tym – przyznał Hawke, gdy wjechali przez wąską bramę do stoczni. Milczeli, mijając puste baseny portowe na prawo i wieże zegarowe po lewej stronie.

– Widzi pan ten budynek na szczycie wzgórza? Tam ma pan spotkanie, panie komandorze. To siedziba komisarza. Chce pan, żebym czekał na pana?

– Byłbym bardzo wdzięczny, Stubbs. Jestem z kimś umówiony po południu na Saint George. Mógłbyś mnie tam zawieźć?

– Z przyjemnością.

– To miejsce nazywa się Powder Hill. Znasz je?

Stubbs odwrócił się na siedzeniu.

– To prywatna wyspa, panie komandorze. Musi pan popłynąć łodzią. Pilnie strzeżony teren. Nie pozwalają nikomu się zbliżać.

– Oczekują mnie.

– Jeśli tak, to w porządku.

Gdy samochód się zatrzymał, Hawke z uśmiechem otworzył tylne drzwi i wysiadł. Piękny, stary, dwupiętrowy budynek w brytyjskim stylu kolonialnym, nieco podniszczony, stał na wzgórzu z widokiem na morze. Leżał wewnątrz murów fortecy, otaczały go dookoła bastiony z armatami stojącymi wciąż na stanowiskach. Dwie górne kondygnacje budynku zdobiła szeroka weranda z drzwiami ze wszystkich stron zaopatrzonymi w żaluzje.

Sir David czekał w cieniu wejścia. Kiedy Hawke podszedł bliżej, zobaczył, że S. ubrany jest w znoszone białe spodnie z drelichu, pasiasty sweter, słomiane buty i stare sombrero.

Hawke ledwo mógł uwierzyć, że ma przed sobą szefa Secret Intelligence Service. W dodatku towarzyszyła mu kobieta, atrakcyjna blondynka. Wyglądała bardzo dobrze w prostej, luźnej, płóciennej sukience koloru limety, która tylko w niewielkim stopniu maskowała jej wspaniałą figurę. Hawke zmrużył oczy w słońcu i rozpoznał Pippę Guinness z grona najbliższych współpracowników S. w londyńskiej kwaterze głównej MI6. Choć nie potrafiłby wyjaśnić dlaczego, był i nie był zaskoczony jej obecnością.

– Przepraszam za spóźnienie – powiedział i uścisnął dłoń szefa. – Miałem mały problem w drodze.

– Jaki? – zapytał Trulove.

– Drobiazg.

Tropikalny strój S. deprymował trochę Hawke'a. Trudno traktować serio człowieka w takim kostiumie. Przyzwyczaił się do widoku szefa w fularowym krawacie i trzyczęściowym ciemnoszarym garniturze od Huntsmana z Savile Row.

– Pamiętasz pannę Guinness, prawda, Alex? – zapytał S. – O ile sobie przypominam, wykonywaliście kiedyś wspólnie zadanie specjalne. Na Florydzie, jeśli się nie mylę.

– Oczywiście. Jak mógłbym nie pamiętać Pippy. Nie da się jej zapomnieć. Co słychać, panno Guinness? Miło mi panią widzieć.

W czasie ich operacji na Key West Hawke miał z nią romans. Była analityczką informacji w MI6. Przydzielono ją Hawke'owi na karaibską konferencję na temat bezpieczeństwa. Przeżyli nierozsądną przygodę miłosną i rozstali się w nie najlepszych stosunkach. Teraz czekał na jej reakcję z ciekawością. Nie zdziwiłby się, gdyby czuła się oszukana.

– Cześć, Alex – odezwała się z takim uśmiechem, jakby naprawdę cieszyła się ze spotkania. Dziwna dziewczyna. Poznał ją, kiedy była jedną z sekretarek premiera na Downing Street 10. Nie widział jej od czasu, gdy zbiegła po trapie z jego jachtu „Blackhawke" ze łzami w oczach.

– Coś poważnego? – S. przerwał krępującą ciszę, która zapadła po ich przywitaniu. – Mam na myśli to zdarzenie w drodze.

– Młody bandzior na motorze śledził mnie od szpitala. Pogadałem z nim i przekonałem go, żeby sobie odpuścił.

– Śledził cię? Nie podoba mi się to.

– Wiem, jak się nazywa. Zajmę się tym.

– Zrób to. Chodźmy. Panna Guinness i ja uważamy, że znaleźliśmy odpowiednie miejsce.

– Pan pierwszy.

S. ruszył przodem.

– Na parterze i pierwszym piętrze mieści się Muzeum Morskie. Wspaniała wystawa, powinieneś ją kiedyś obejrzeć. Wojenna historia Bermudów. Za zgodą gubernatora zajęliśmy całe drugie piętro.

Poprowadził ich korytarzem, a potem na górę pięknymi schodami z bermudzkiego cedru. Mnóstwo wysokich drzwi balkonowych, okien i ciepłego światła słonecznego sprawiało, że ostatni poziom budynku wydawał się o wiele bardziej gościnny niż dwa niższe.

– Jesteśmy na miejscu – powiedział S. i uśmiechnął się zapraszająco. – Co myślisz o naszej nowej kwaterze głównej, naszym tajnym gnieździe szpiegów?

– Piękne widoki – odparł Hawke zgodnie z prawdą. Okna wychodziły na południe, na cieśninę South Channel i wejście do portu w Hamilton. Po gładkiej powierzchni zatoki Great Sound płynęły żaglówki, kutry rybackie i promy.

– Owszem. Myślę, że nasi ludzie mogliby się rozlokować w tym końcu korytarza. Griswold i Symington, ci dwaj młodzi faceci z MI6, o których ci wspominałem, będą mieli biura blisko waszych. A jankesom chyba przydzielimy tamten koniec.

– Jankesom?

– Nie mówiłem ci o tym? To będzie wspólna operacja z naszymi przyjaciółmi z Langley. Sami nie dalibyśmy rady jej prowadzić z naszym budżetem, a ponieważ działania leżą we wspólnym interesie, dyrektor CIA Brick Kelly zgodził się je finansować w dużej części. Już kogoś wybrał, jakiegoś czołowego amerykańskiego agenta, który będzie z tobą współpracował. Kelly ma wizję stworzenia tutaj sojuszniczego ośrodka szkoleniowego dla antyterrorystów. Próbuje nawet nakłonić Pentagon do ponownego użycia starych schronów dla okrętów podwodnych na terenie naszej stoczni i przysłania tu jednej z ich jednostek, wchodzących w skład Floty Atlantyckiej, SSN 640, dawniej USS „Benjamin Franklin".

– To wspaniale – zwróciła się do szefa Pippa z ujmującym uśmiechem, po czym spojrzała na Hawke'a. – Prawda, Alex?

– Zamierza wiec pani zabawić jakiś czas na Bermudach, panno Guinness? – zapytał Hawke lekko łamiącym się głosem, chociaż silił się na nonszalancję. Zanim otworzyła piękne usta, S. odpowiedział za nią.

– Poprosiłem pannę Guinness, żeby została kierowniczką administracyjną Czerwonego Sztandaru, Alex. Oczywiście będzie ci podlegała, gdybyś postanowił podjąć się tej misji.

– Oczywiście.

S. spojrzał na Hawke'a z uśmiechem.

– Co zdecydowałeś, Alex?

Pippa też patrzyła na niego z wyrazem rozbawienia w pięknych oczach. Wiedziała, że wpadł w pułapkę. Ale robota zaproponowana mu przez S. była ważna. Im dłużej o tym myślał w czasie bezsennej nocy, tym bardziej skłaniał się do przyjęcia stanowiska. Pracując w sekcji Czerwony Sztandar, być może przysłużyłby się swojemu krajowi bardziej niż przedtem. Zdał sobie sprawę, że właściwie już podjął decyzję. I było za późno, żeby ją zmienić.

– No więc?

– Byłbym zaszczycony. Bardzo mi pochlebia, że pan i firma tak mi ufacie i wierzycie w moje możliwości.

S. położył mu dłoń na ramieniu.

– Doskonale. To właściwa decyzja, Alex. No cóż, już prawie pora lunchu. Sądzę, że mała uroczystość byłaby jak najbardziej na miejscu, nie uważacie? Naprzeciwko Muzeum Morskiego jest uroczy pub o nazwie Frog and Onion. Przejdziemy się na kropelkę rumu?

– Chodźmy, chodźmy! – zawołała Pippa, nie patrząc na S., lecz na Hawke'a.

– Oczywiście – powtórzył Hawke tak radośnie, jak zdołał. W co on się, na Boga, wpakował?

Niepotrzebnie się niepokoił. Wkrótce miał się tego dowiedzieć.

13

Nowy Jork

Paddy poczuł lekki ciężar w piętach i zorientował się, że statek powietrzny wznosi się. Wyjrzał przez okno i zobaczył, że wzbijają się do góry. Skąpany w słońcu Manhattan zaczął się oddalać, zostawili za sobą wieżę cumowniczą pośrodku miasta i skierowali się w stronę Long Island. Ominął go start, odczepianie lin, zainteresowanie ekip telewizyjnych i reporterów na platformie, machających na pożegnanie.

Jasna cholera. Po raz pierwszy w swoim pieprzonym życiu mógł być w telewizji i przeszło mu to koło nosa.

Zgubił się. Zaczął zwiedzanie ze swoim nowym kumplem, doktorem Szumajewem, i grupą dziennikarzy. Wszyscy zachwycali się luksusowym wnętrzem flagowego statku korporacji. Paddy szedł na końcu i przystanął, żeby obejrzeć piękny, dwumetrowy model „Hindenburga" w szklanej gablocie. Było to na pokładzie B, w sali recepcyjnej Atlantis, gdzie podawano kawę i ciastka przed rozpoczęciem zwiedzania.

A kiedy podniósł wzrok, okazało się, że grupa zniknęła i został sam. Postanowił się przejść i zobaczyć, co tylko się da. Uznał, że to lepsze niż dreptanie jak stadko kaczek i słuchanie głównego stewarda, który wyjaśniał wszystko zbyt szczegółowo, jak na jego potrzeby. Pokazując im jeden z apartamentów, steward poinformował ich, że cała bielizna pościelowa na pokładzie to egipska bawełna o ponad tysiącu dwustu ściegach! Naprawdę? Tysiąc dwieście? Ja cię kręcę!

Wędrował więc samotnie w kierunku ogona szerokim korytarzem z oknami po prawej stronie prawie od podłogi do sufitu. Nazywano to promenadą. Mniej więcej co półtora metra stała wygodna skórzana kanapa zwrócona przodem ku pochylonym na zewnątrz szybom. Między kanapami ulokowano okrągłe stoliki. Do środka wpadało światło, przez kilka uchylonych okien dmuchał przyjemny chłodny wiaterek. Widok Long Island robił wrażenie.

Ładne miejsce do spędzenia paru godzin albo reszty życia. Paddy wyobraził sobie lot z pasażerami na pokładzie. Steward powiedział, że wszystkie bilety na dziewiczy rejs do Anglii są już sprzedane. Dziewiczy rejs? Same dziewice? Wchodzę w to. Oczami wyobraźni widział, jak to eleganckie towarzystwo popija herbatkę i czyta powieści albo robi co innego. Przyjemna podróż przez Atlantyk, pomyślał. Szybuje się kilkadziesiąt metrów nad falami z szybkością dwustu czterdziestu kilometrów na godzinę i słucha najnowszej książki na swoim iPodzie.

Tak, kiedyś musi polecieć tym cudem.

Doszedł do końca promenady. Szklane drzwi rozsunęły się i znalazł się w czytelni. Wygodne fotele, małe biurka ze staromodnymi suszkami i kałamarzami, papeteria z dużym czerwonym „C" na górze. „Car". Musiał przyznać, że to świetna nazwa dla wspaniałego statku.

Dalej był hol z klatką schodową i następny korytarz z odgałęzieniem, które musiało prowadzić na drugą stronę statku. Zajrzał przez obite skórą drzwi z napisem „Odeon". Mała sala kinowa z czerwonymi aksamitnymi fotelami i dwoma złotymi delfinami nad ekranem. Poszedł dalej prosto i trafił do pomieszczenia z rowerami treningowymi, bieżniami i lśniącymi przyrządami do ćwiczeń siłowych, ustawionymi wzdłuż okien. Wątpił, żeby ludzie, którzy zarezerwują sobie lot, mieli ochotę aż tak się pocić. Mógł się założyć, że bardziej będzie ich interesował bufet z winami i serami. Choć podczas ćwiczeń mogliby podziwiać piękne widoki.

Dotarł do lśniących srebrzystych drzwi windy, ozdobionych delfinami z brązu. Dalej nie było przejścia. Co do licha, już wie, co jest z przodu. Nacisnął przycisk i drzwi się rozsunęły. W sumie było pięć poziomów, dwa pod nim i dwa nad nim. Wybrał najwyższy. Jedziemy do góry.

– Wstęp wzbroniony – oznajmił wielki facet w czarnym garniturze, kiedy drzwi się otworzyły. – Nikt panu nie powiedział? Tu nie wolno wchodzić dziennikarzom.

Trzymał luźno wzdłuż boku małego glocka. Na każdym rękawie marynarki miał pojedynczy złoty pasek. Prywatna armia. Bez wątpienia były żołnierz rosyjskich sił specjalnych.

– Przepraszam, zgubiłem się.

Paddy sięgnął do przycisku i drzwi zaczęły się zamykać, gdy mięśniak wysunął naprzód stopę i automatycznie otworzył je z powrotem.

– Zaczekaj chwilę, kolego – powiedział. – Nie nazywasz się przypadkiem Paddy Strelnikov?

– Dimitrij Popow?

Znał tego faceta. Chodził z nim do szkoły średniej w Brighton Beach. Potem rodzina wysłała go z powrotem do Związku Radzieckiego. Ostatni raz widział Dimitrija w telewizji. Barbara Walters przeprowadzała z nim wywiad w Atenach, kiedy zdobył na olimpiadzie złoty medal w zapasach.

– Byk Paddy! – zawołał Popow. – Jak leci? Chodź tu, pogadamy, cwaniaku. To ty rozpieprzyłeś tamto więzienie na zadupiu, nie? To był numer! Osiemdziesięciu wałów w celach śmierci złapało pociąg w jedną stronę tej samej nocy. Podobało mi się! Zresztą nie tylko mnie. Masz przyjaciół na wysokich szczeblach.

– Hm.

– Słuchaj, nie powinienem tego robić, ale jeśli chcesz się szybko rozejrzeć, to nie ma sprawy.

– A co z windą?

– Zablokuję ją. Mam pilota. Zamykamy drzwi i wyrzucamy klucz. – Schował pilota z powrotem do kieszeni.

– Co tu jest?

– Prywatny świat wielkiego człowieka. Cały ten poziom jest jego.

– Iwana?

– Hrabiego Iwana Korsakowa, a kogóżby innego?

– Jest hrabią?

– Lepiej. Bogiem. Chodź, tam jest bar. Ja jestem na służbie, ale ty możesz sobie walnąć krwawego byka. Wyglądasz, jakbyś potrzebował czegoś na rozbudzenie.

– Odczuwam jeszcze różnicę czasu.

– Wiesz, co jest na to najlepsze? Cipka. To też tu mamy. Ile chcesz.

Paddy dokończył drugiego drinka i odstawił szklankę na mahoniowy bar. Ukrainka za kontuarem, dziewczyna imieniem Anna, uderzająco podobna do Scarlett Johansson, zabrała puste szkło i zapytała: – Jeszcze jeden?

Paddy pokręcił głową i zwrócił się do Dimitrija.

– Dobra, zapytam wprost. Myślisz, że mógłbym dostać robotę u starego? To znaczy pracować bezpośrednio dla niego?

– Jasne. Mówię ci. Trzy miesiące temu stracił najbardziej zaufanego goryla w tamtym ostatnim zamachu w Moskwie na placu Czerwonym. Facet był kimś więcej niż mięśniakiem, był ostatnim żyjącym naprawdę bliskim kumplem starego. Prawie jego bratem. Kumplowali się przez całe życie. Dał sobie nafaszerować cały bebech ołowiem, żeby go zasłonić. Teraz stary nie ma nikogo takiego.

– A nadam się?

– Czemu nie?

– Jestem nikim. Cieniasem ze spluwą.

– Chrzań to, facet! Znamy cię. On dokładnie wie, kim jesteś. Jak zrobiłeś ten numer z więzieniem, oglądałem razem z nim CNN. Pokazałeś wszystkim, co to naprawdę znaczy blok z celami śmierci. Szkoda, że nie widziałeś, jak się rozpromienił. Nie byłbym zaskoczony, gdyby nosił w portfelu twoje zalaminowane zdjęcie. A zatopienie tamtego japońskiego trawlera na Alasce? Spoko, Byku. Myślisz, że on nie wie, kto odwala dla niego taką robotę? On wie wszystko.

– Skuteczny w działaniu – odparł Paddy i obrócił sygnet na palcu, błyskawicą na wierzch. – SWD.

– Zgadza się. I wiesz co? Naprawdę uważam, że powinieneś z nim pogadać. Zobaczysz, czy mu się spodobasz. A czemu nie, kurwa?

– On tu jest?

– Jasne. Myślisz, że mieszka w hotelu Plaza? Spędza tutaj pół życia. Posłuchaj, zadzwonię to niego, dobra? Powiem mu, że jesteś na pokładzie, że jesteśmy starymi kumplami. Pasuje ci?

– Zaczekaj, Dimitrij. A co z tobą? Czemu ty nie weźmiesz tej roboty?

– Żartujesz? Ja mieszkam w tym latającym pałacu, Byku! Nigdzie się nie ruszam. I nigdy. Zostań tu, zaraz wrócę.

– Idziesz zadzwonić do niego?

– No tak.

Poszedł. Paddy odwrócił się do Anny.

– Widoki stąd są niesamowite. – Popatrzył na morze kołyszących się wierzchołków drzew w dole. Lasy Pine Barrens, pomyślał. A tam musi być rzeka Peconic. Tak, zgadza się. Jesteśmy jakieś sto kilometrów od miasta. Cudowna podróż. I jaka cicha!

– Mam najlepsze miejsce pracy na świecie – odrzekła Anna z nieśmiałym uśmiechem.

– Na pewno. Na jakiej wysokości lata „Car"?

– Teraz jesteśmy jakieś dwieście metrów nad ziemią. To nasz normalny pułap, jeśli wiatr na to pozwala. Kapitan lubi lecieć tak, żeby pasażerowie widzieli krajobraz.

– Będziemy na tej wysokości przez całą drogę do Montauk?

– Jeśli wiatr się nie zmieni. Normalnie wznieślibyśmy się wyżej, gdyby były sprzyjające prądy. Ale dziś nigdzie nam się nie spieszy.

– Jaki jest maksymalny pułap?

– Około tysiąca dwustu metrów.

– Czy ktoś ci czasem mówi, że masz piękny uśmiech?

Anna się roześmiała.

– Czasami.

– Mieszkasz w tej maszynie?

– Oczywiście. To mój zamek w chmurach.

14

Dimitrij wrócił po pięciu minutach. Miał śmiertelnie poważną minę. Klapnął na sąsiedni stołek barowy i zamówił u Anny jeszcze jedną wodę sodową. Potem obrócił się i spojrzał na Strelnikova.

– No i co? – zapytał Paddy. – Rozmawiałeś z nim?

– Tak.

– I?

– Bardzo chciałby z tobą pogadać.

– Ściemniasz.

– Nie.

– Kiedy?

– Teraz.

– Gdzie? Tutaj?

– Jasne, że nie. U siebie. Zaprowadzę cię. Chodźmy.

– Dokąd?

– Do pokoju muzycznego.

– Że też się od razu nie domyśliłem.

– Komponuje symfonię. Dasz wiarę? Dla Moskiewskiej Orkiestry Symfonicznej. Ale przerwie, żeby z tobą pogadać.

Wyszli z baru i skręcili w prawo w łagodnie oświetlony korytarz. Na ścianach wisiały obrazy. Paddy był pewien, że widział je w książkach. Każdy z nich oświetlała oddzielna mosiężna lampka. Liście lilii wodnych, małe mostki w ogrodach. Francuski malarz. Jak on się nazywał? Monet albo Manet, albo coś w tym rodzaju.

– Masz fart, Byku – powiedział Popow. – Jest dziś w bardzo dobrym humorze.

– Dlaczego?

– Rano dostał telefon ze Sztokholmu. Przyznali mu Nagrodę Nobla w dziedzinie fizyki.

– Jasny gwint. Za co?

– Jest astrofizykiem amatorem. To jedno z jego wielu hobby. Odkrył coś o nazwie „czarne ciało". To jakiś rodzaj promieniowania, który ma być dowodem na to, że teoria Wielkiego Wybuchu jest prawdziwa czy coś takiego. Ciemna materia. Nie znam się na tym. Ale stary uważa, że tak naprawdę to nagroda za zetę, bo na ten komputer mogą sobie pozwolić ludzie we wszystkich krajach Trzeciego Świata. Mówi, że Komitet Noblowski uwielbia gości, którzy uszczęśliwiają innych na siłę. Na przykład Ala Gore'a czy Cartera.

– Kręci go ta Nagroda Nobla? Chyba musi, no nie?

– Jasna sprawa. Jesteśmy na miejscu.

Popow zastukał lekko w kolejne obite skórą drzwi bez żadnego napisu. Uchylił je i zajrzał do środka.

– Chodź – szepnął i wziął Paddy'ego za ramię. – Tylko się nie odzywaj. Usiądziemy sobie i zaczekamy. Sam cię zagadnie, jak będzie gotów do rozmowy.

Po wejściu do małego pokoju Paddy poczuł się tak, jakby się cofnął w czasie o kilka wieków. Cztery białe ściany zdobiły złote gzymsy. Cztery wielkie obrazy w grubych złotych ramach przedstawiały baśniowe sceny z motywami muzycznymi. Każde płótno zajmowało jedną ścianę. W rogu stała harfa. Poza nimi w pokoju było jeszcze dwóch mężczyzn, ale Paddy nie wiedział, kto to jest. W rogu przy oknie stał wysoki, chudy wojskowy w czarnym mundurze. Był odwrócony plecami do pokoju, trzymał ręce złączone z tyłu i patrzył przed siebie.

Bardziej oddalony róg tworzyło trójkątne okno wykuszowe z małym fortepianem buduarowym ustawionym na szklanej podłodze. Mężczyzna, który na nim grał, nie podniósł wzroku, jakby nie dostrzegał, że ktoś wszedł do jego sanktuarium. Paddy domyślił się, że pianista to stary.

Korsakow miał długie śnieżnobiałe włosy i wyglądał zupełnie inaczej niż Paddy się spodziewał. Siedział wyprostowany w ciemnoczerwonej aksamitnej szacie z kapturem udrapowanym za głową. Grał na fortepianie lewą ręką, prawą zapisywał coś gorączkowo w dużym notesie w skórzanej oprawie. Lampa na fortepianie oświetlała klawiaturę i srebrną misę z owocami.

Jakieś cztery i pół metra na prawo od instrumentu, przy ścianie, stała mała kanapa pokryta jedwabiem i dwa fotele. Goście usiedli na kanapie pod obrazem, przedstawiającym anioły grające na harfach, i słuchali.

Paddy nie znał się wcale na muzyce klasycznej, ale to, co grał Korsakow, brzmiało pięknie. Po kilku minutach Popow nachylił się do niego.

– Wiesz, co to za fortepian? – szepnął mu do ucha.

– Nie.

– Z „Hindenburga".

– Z czego?

– Z „Titanica" przestworzy. Ogromnego niemieckiego zeppelina, który eksplodował w Lakehurst w New Jersey w 1937 roku. Nigdy o tym nie słyszałeś?

– Być może. Ale dlaczego fortepian też się nie sfajczył?

– Bo go nie było na pokładzie. Został w Niemczech w fabryce Blüthnera. Oddali go do strojenia. Jest z aluminium, pokryty świńską skórą. Kupił go Hitler i trzymał w swoim gabinecie w Reichstagu. Armia Czerwona wywiozła go po wojnie z Berlina. Szef kupił go specjalnie do tego pokoju.

Paddy nagle się zorientował, że muzyka ucichła i hrabia Korsakow patrzy na nich ponad skórzanym fortepianem Hitlera. Rozprostował nad klawiaturą delikatne palce i pstryknął nimi jak kastanietami.

– Dzień dobry, panie Strelnikov – powiedział przyjaźnie po angielsku. – Witam na pokładzie. Mam nadzieję, że dobrze się pan bawi na naszym statku.

Nie czekając na odpowiedź, wstał, przeszedł przez pokój i usiadł w jednym z foteli. Był wysoki i szczupły, ale umięśniony. Pod czerwoną szatą nosił ciemnozieloną marynarkę z wymyślnymi guzikami i lamówką na rękawach. Chyba nazywają to bonżurką, pomyślał Paddy. W klapie dostrzegł złotą szpilkę. Zdobiła ją lazurytowa korona z trzema rubinami, co przypomniało mu, że jest w towarzystwie prawdziwego rosyjskiego arystokraty.

– Może napije się pan rosyjskiej herbaty? – zapytał Korsakow.

– Nie, dziękuję – odparł Paddy i założył nogę na nogę, żeby ukryć zdenerwowanie.

Nie wiedział, dlaczego jest taki spięty. Stary był przeciwieństwem biznesmena o świdrującym wzroku, którego sobie wyobrażał. Przypominał dostojnego króla z książki dla dzieci. Siwe włosy sięgały mu do ramion, spojrzenie jego jasnoniebieskich oczu zdawało się przenikać do wnętrza człowieka, ale było łagodnie.

Korsakow patrzył na niego z uśmiechem.

– Musi mi pan kiedyś opowiedzieć o „Kishin Maru". Domyślam się, że w tratwie ratunkowej było trochę niewygodnie. I nieprzyjemnie.

– Wie pan o tym?

– Panie Strelnikov, mogę panu poświęcić tylko kilka minut. Mam jedną z bardzo rzadkich chwil muzycznego natchnienia i jeśli jej nie wykorzystam, może już nigdy nie powrócić. Powiem panu tylko tyle: znam pańskie ostatnie dokonania i jestem z nich bardzo zadowolony. Czytałem pańskie akta. Dziękuję panu za odwagę i oddanie mojej sprawie. Wie pan, co to za sprawa?

Paddy gapił się tępo na Korsakowa. Nie miał bladego pojęcia.

– Sprawa jest prosta. Chodzi o ład. Dbam o porządek. Ludzkość może dokonywać wspaniałych rzeczy tylko wówczas, gdy na świecie panuje ład. W chaosie nie można skomponować symfonii, stworzyć Deklaracji Niepodległości ani nawet skonstruować statku powietrznego. Uważam, że dziś porządek i chaos toczą ze sobą najzacieklejszą w historii walkę o dominację w naszym świecie. Rozumie pan?

– Jak dotąd tak.

– Nie jesteśmy uwikłani w walkę cywilizacji, lecz w walkę cywilizacji z barbarzyństwem. Z chaosem.

– Tak jest.

– Nie cierpię chaosu w żadnej postaci. Jestem zdecydowany zrobić wszystko, by zwyciężył porządek. Kiedy widzę, że jakieś kraje ignorują nienaruszalność naszych mórz, jak Japonia, wysyłam im sygnał. Kiedy psychopatyczny potwór bez skrupułów morduje noworodki, wysyłam sygnał. Wspomniałem tylko o dwóch znanych panu sprawach. Wysyłam wiele sygnałów. Na całym świecie. Pan jest jednym z moich posłańców. Rozumie pan, panie Strelnikov, jak ważni są dla mnie tacy właśnie ludzie. Dmiecie w moją trąbkę, jesteście heroldami zwiastującymi porządek. Ktoś mógłby to określić tak, że chcę zaprowadzić nowy ład na świecie.

– Dziękuję panu. Naprawdę nie wiem, co powiedzieć.

Co to jest herold?

– Niech pan nic nie mówi. Trzy miesiące temu poniosłem bolesną stratę w Moskwie. W ciągu niecałej minuty. Czeczeńscy zamachowcy spowodowali chaos w moim życiu osobistym. Domyślam się, że Dimitrij powiedział panu o tej tragedii.

– Tak.

– Dużo podróżuję. Zwykle do miejsc, gdzie bezpieczeństwo pozostawia wiele do życzenia. Istnieje mnóstwo zagrożeń mojego życia i nie mogę wyeliminować wszystkich. Jest mi potrzebny ktoś taki jak pan, panie Strelnikov, ktoś, kto pomoże mi przywrócić porządek w moim codziennym życiu. Rozumie pan?

– Tak.

– Chciałby pan się tym zająć? Byłby pan moim głównym ochroniarzem. Gdyby dowiódł pan swojej siły i lojalności, po pewnym czasie rozważyłbym przeniesienie pana na wyższe stanowisko. Być może zostałby pan jednym z tych, którzy pomagają mi urzeczywistnić wizję Nowego Ładu na całym świecie. Bezpieczeństwo to porządek, a porządek to pokój.

– No cóż, eee…

– Niech pan sobie wyobrazi zwykły atom, panie Strelnikov.

– Atom.

– Tak. Atom. Dodatnio naładowane jądro otoczone wirującymi ujemnie naładowanymi elektronami. Stały, niepodzielny, doskonały. To jest istota mojej sprawy. Żeby narody i kraje zachowywały się w sposób uporządkowany, tak samo jak to, z czego się składają. Atomy. A zatem, tak czy nie? Co pan mi odpowie?

– Nie jestem pewien, czy dobrze pojąłem. Chodzi o atomy?

– Chce pan tę robotę czy nie? – zapytał ostro Korsakow.

– Tak, oczywiście. Przepraszam…

Iwan Korsakow wstał i wrócił do fortepianu. Usiadł na stołku, wziął notatnik i natychmiast zaczął grać jakiś utwór, który brzmiał tak, jakby skomponowały go anioły na obrazie wiszącym nad głową Paddy'ego.

Po kilku minutach obaj mężczyźni na kanapie zrozumieli, że przestali istnieć dla Korsakowa. Podnieśli się w milczeniu i ruszyli do drzwi.

– Zaczyna pan od zaraz – powiedział Korsakow, nie podnosząc wzroku i nie przerywając gry. – Dimitrij znajdzie panu odpowiednie lokum na pokładzie, dostarczy panu niezbędną dokumentację i zorientuje pana w pańskich nowych obowiązkach.

– Dziękuję – odezwał się Paddy, ale wątpił, by wielki człowiek go usłyszał.

Kiedy wyszli na korytarz, Paddy szepnął:

– Wiem, że to geniusz, ale jeśli mam być szczery, czasami gada jak świrus.

– Tak, nadaje takie teksty jak ten o atomach.

– Może czegoś nie załapałem, ale chyba już rozbiliśmy atom, nie? Czytałem o tym w magazynie „Life" lata temu. Jak może być „stały"? Wiesz, o co mi biega?

Popow spojrzał na Paddy'ego, jakby nie miał pojęcia o co biega, i tak właśnie było. Walnął go w plecy i powiedział:

– Co tam, dostałeś robotę! Co ci mówiłem? Wszedłeś w ten interes! Witaj w raju, Byku. Chodźmy na dziób, zobaczymy lądowanie z pokładu widokowego.

– Lądujemy?

– Tak. Stary właśnie skończył budowę nowej wieży cumowniczej w swojej posiadłości na końcu cypla Montauk. Buduje te wieże wszędzie tam, gdzie ma dom albo pałac, czyli praktycznie na całym świecie. Na Bermudach, w Szkocji, w Szwecji, gdzie tylko chcesz. Tę wypróbujemy po raz pierwszy. Będzie lunch na powietrzu dla dziennikarzy, a potem wrócimy do miasta, żeby ich wysadzić. O północy lecimy do Miami.

– Do Miami?

– Zgadza się, towarzyszu. Będziemy tam pod koniec tygodnia, jeśli trafimy na sprzyjający wiatr.

– Kim był ten cudaczny faszysta w czarnym mundurze?

– To mój szef, generał Nikołaj Kuragin. Dowódca trzeciego wydziału. Tajnej policji.

– Rosyjskiej tajnej policji?

– Skądże! Prywatnej armii hrabiego Korsakowa, jego osobistej tajnej policji. Kuragin był tam, żeby cię sprawdzić, kiedy rozmawiałeś ze starym.

– Dlaczego mnie sprawdzał?

– Ta cała gadka o ochronie to tylko ściema. Gra, którą prowadzili. Kuragin obserwował, jak się zachowujesz, żeby wiedzieć, czy się nadajesz. To poważna robota. Większa sprawa niż to, do czego jesteś przyzwyczajony. Duże ryzyko. Chciał zobaczyć na własne oczy nowego faceta. A skoro zostałeś oficjalnie przyjęty, na pewno będzie chciał z tobą pogadać na Montauk.

– Co to za robota?

– Słyszałeś kiedyś o Ramzanie Bajsarowie?

– Nie.

– To czeczeński watażka. Przywódca buntowników. Nie ma jeszcze trzydziestki, a już od paru ładnych lat daje Kremlowi popalić. Generał Kuragin wyznaczył nagrodę za jego głowę. Dziesięć milionów dolców. Ramzan jest jednym z facetów odpowiedzialnych za zamach na moskiewski teatr w 2002 roku, kiedy zginęło sto siedemdziesiąt osób, za atak na metro w 2004 roku, gdzie było czterdzieści jeden ofiar śmiertelnych, i za podwójny samobójczy zamach bombowy na koncercie rockowym w Moskwie, tam skończyło się na siedemnastu trupach.

– Mocno wkurzony facet.

– Tak. Jelcyn i Putin kazali go wysłać do syberyjskiego łagru na dwadzieścia pięć lat. Najwyraźniej nie odpowiadała mu poduszka albo obsługa kelnerska i wymeldował się wcześniej. Właśnie udzielił wywiadu ABC. Zagroził, że będzie zabijał moskwian, dopóki wszyscy Rosjanie nie poczują jego bólu. Ostatniej nocy paru naszych chłopaków ucięło sobie pogawędkę z dziennikarzem ABC. Gość sam może teraz czuć ból. W każdym razie, już wiemy, gdzie jest Ramzan. W Miami.

– W Miami.

– No. W piątek ma trzydzieste urodziny. Jego kumple z czeczeńskiej mafii organizują wieczorem małą imprezę. W dużej posiadłości nad wodą w Coconut Grove. Będzie tam połowa sympatyków tych pieprzonych czeczeńskich rebeliantów w Ameryce.

– I co mam zrobić?

– Dopilnować, żeby Ramzan nie zdążył zdmuchnąć wszystkich świeczek na torcie.

– Miami, tak? To bije na głowę Alaskę.

– Byku, wierz mi, polubisz nową robotę.

– Jedno pytanie.

– Tak?

– Jak załatwię tego Ramzana, zgarnę tych dziesięć baniek?

15

Bermudy

Stubbs zatrzymał samochód na końcu piaszczystej drogi dochodzącej do portu. Dojechali do południowego krańca wyspy Saint George trasą Government Hill Road prowadzącą do Cool Pond Road. Zbliżała się piąta, a słońce wciąż zalewało blaskiem zatokę Tobacco. Na lekkich falach kołysało się kilka przycumowanych wielkich łodzi, używanych do wędkowania sportowego.

Na świeżo pomalowanym białym słupku była nierzucająca się w oczy tabliczka z napisem: „Powder Hill – Przystań prywatna". Informacja stała tuż obok pływającej platformy, która nie różniła się od innych, przy brzegu tej małej spokojnej zatoki. Do większości promów były przycumowane niewielkie żaglówki lub motorówki.

Hawke pochylił się do przodu, żeby wyjrzeć przez przednią szybę.

– I co dalej? – zapytał.

– Tam chyba jest skrzynka z telefonem, panie komandorze. Pod tabliczką.

– Zgadza się. Poczekaj, pójdę zobaczyć.

Wysiadł z samochodu i rozejrzał się odruchowo, żeby sprawdzić, czy ktoś go nie śledzi. Podczas jazdy poprosił Stubbsa, żeby stale patrzył w lusterko wsteczne, ale nie zauważyli nic podejrzanego w drodze z West Endu. Mimo to Hawke wolał się upewnić. Ścieżka wijąca się w dół do zatoki była pusta.

W polu widzenia nie dostrzegł żadnego złotozębnego rastafarianina na motocyklu.

Zszedł po łagodnej pochyłości na przystań.

Na słupku wisiała wodoszczelna skrzynka z telefonem. Na jej pokrywie widniało zalaminowane ostrzeżenie: „Wstęp wzbroniony. Wejście tylko dla zaproszonych gości. Teren strzeżony przez uzbrojoną ochronę z psami".

Zachęcające, stwierdził Hawke i otworzył skrzynkę. Jak to trafnie ujął Pelham, sto zielonych za godzinę to całkiem niezła forsa.

Podniósł słuchawkę i przyłożył ją do ucha.

– Tak? – odezwała się obojętnie jakaś Bermudka.

– Mówi Alex Hawke. Panna Korsakowa mnie oczekuje.

– A, pan Hawke. – Głos na drugim końcu linii stał się bardziej przyjazny. – Tak, panna Korsakowa istotnie pana oczekuje. Jest w Half Moon House. Wysyłam po pana łódź. Powinna tam być za niecałe dziesięć minut. Na wyspie odbierze pana kierowca.

– Dzięki – powiedział Hawke i odłożył słuchawkę. Wrócił na wzgórze, gdzie został Stubbs.

– Przyślą po mnie łódź. Dziękuję za cierpliwość, Stubbs. Jedź do domu, to był długi dzień. Jakoś zorganizuję sobie powrót.

– Dobrze, panie komandorze. Było mi bardzo przyjemnie pana wozić. Gdyby pan mnie znów potrzebował, tu jest moja wizytówka.

Hawke schował ją do kieszeni.

– Co wiesz o Powder Hill, Stubbs?

– To mała prywatna wyspa. Jakieś dziesięć hektarów. Kiedyś była brytyjską fortecą, która strzegła dostępu do północnego wybrzeża. Potem plantacją bananów. Interes nie wyszedł i od lat jest ruiną. W latach sześćdziesiątych próbowali zrobić z niej atrakcję turystyczną, ale trudno się tam dostać. Między wyspą i stałym lądem przepływa silny prąd. Jedna łódź turystyczna się wywróciła, utonęła para nowożeńców i to był koniec turystyki.

– A potem?

– Nic tu nie było. Na początku lat dziewięćdziesiątych dowiedzieliśmy się, że chce ją kupić jakiś bogaty Europejczyk. Bardzo tajemniczy. Okazało się, że to jeden z tych nowych miliarderów, co robią pieniądze za granicą. Wpakował w wyspę miliony, zostawił większość fortu i przerobił go na dom. Zbudował pas startowy, hangar i dużą przystań po zachodniej stronie, gdzie trzyma swój jacht. Ostatnio postawił też wielką wieżę radiowo-telewizyjną. Nikt nie rozumie, po co. Niektórzy mówią, że facet jest baronem medialnym.

Hawke przypomniał sobie napis na kadłubie zodiaca, który przypłynął po Anastazję Korsakową.

– Czy ten jacht nie nazywa się przypadkiem „Car"? – zapytał.

– Możliwe. Widział go pan?

– Nie, ale pewnie zobaczę. Mam transport. Jeszcze raz dziękuję, Stubbs. Do widzenia.

– Było mi bardzo miło, panie komandorze. – Stubbs pomachał Hawke'owi na pożegnanie, zawrócił i ruszył z powrotem w górę wzniesienia.

Hawke doszedł do końca pomostu w chwili, gdy sternik lśniącej białej łodzi dał wsteczny bieg silników i zatrzymał ją. Hawke rozpoznał Hoodoo. Towarzyszył mu facet również ubrany na biało, nie-Bermudczyk, który przeskoczył na brzeg z cumami i założył je na pachołki. Przez cały czas nie spuszczał Hawke'a z oka i trudno było nie zauważyć, że ma pod pachą kaburę z dziewięciomilimetrowym sig-sauerem w środku.

– Dobry wieczór panu – powiedział i się wyprostował. – Pan Alex Hawke?

– Tak, to ja – potwierdził Hawke i uśmiechnął się do młodego człowieka, sądząc po akcencie, Rosjanina.

– Czy mógłby mi pan pokazać jakiś dowód tożsamości?

– To jakieś żarty, kolego? Jestem zaproszonym gościem.

– Przykro mi. Wewnętrzny przepis. Mieliśmy pewne problemy.

– W porządku – odparł Hawke, otworzył portfel i wyjął florydzkie prawo jazdy, którego czasem używał. Pod widniejącym w dokumencie adresem w Miami mieściła się siedziba firmy Tactics International. Hawke był jej współwłaścicielem, a prowadził ją jego bliski przyjaciel i towarzysz broni Stokely Jones. – Zadowolony?

– Zechciałby się pan odwrócić i unieść ręce nad głowę?

– Nie ma sprawy. Zatańczyć skakanego na jednej nodze? Jestem w tym dobry.

Facet nie dał się sprowokować i sprawdził każdy centymetr kwadratowy ciała Hawke'a ręcznym wykrywaczem metali.

– Proszę tego nie brać do siebie. Przepraszam za niedogodność. W porządku, proszę wejść na pokład, odpływamy.

– Cześć, Hoodoo – powiedział Hawke, złapał się jednego ze lśniących mosiężnych uchwytów na dłoń i wyciągnął rękę do sternika. – Jestem Alex Hawke.

– Miło mi. Już się spotkaliśmy, mówi pan?

– W przelocie. Pewnie mnie nie poznajesz w ubraniu.

Zdziwiony Hoodoo uśmiechnął się i pchnął przepustnice. Stubbs nie przesadził, że na farwaterze jest bardzo silny prąd. Powder Hill była twierdzą z fosą budzącą grozę.

Hoodoo znów uśmiechnął się do Hawke'a.

– Nie mamy tu zbyt wielu gości.

– Domyślam się. Mało kto ośmieliłby się wpaść tutaj niezapowiedziany.

Hoodoo uśmiechał się enigmatycznie, gdy obracał koło sterowe i brał kurs na hangar dla łodzi na odległym brzegu.

Po dziesięciu minutach żeglugi po wzburzonej wodzie dotarli do przystani na Powder Hill. Na końcu pomostu stał bunkier wyglądający na wartownię. Na wąskiej betonowej drodze czekał ciemnozielony land-rover defender z pełnym orurowaniem, szperaczami i syreną na masce. Z przodu siedzieli dwaj mężczyźni, kierowca w mundurze khaki i facet po cywilnemu w przepoconym słomkowym kapeluszu.

Hawke pożegnał się z Hoodoo, zszedł na ląd i skierował do czekającego samochodu.

– Pan Hawke – powiedział pasażer land-rovera, kiedy Hawke wgramolił się na małe siedzenie z tyłu. – Witamy na Powder Hill. Nazywam się Starbuck. Jestem tu człowiekiem do wszystkiego. Panna Anastazja prosiła, żeby zawieźć pana do jej domu.

Miał szeroką czarną twarz i promienny uśmiech odsłaniający białe zęby. Hawke natychmiast go polubił.

– Czy to eksploatowana plantacja bananów, Starbuck? – zapytał, gdy wjeżdżali na wzgórze krętą drogą przez gęsty, dobrzy utrzymany gaj.

– W niewielkim zakresie. Ale owszem, mamy co roku jakiś zysk. Wyspa jest samowystarczalna. Sami uprawiamy warzywa i łowimy ryby.

Hawke się uśmiechnął. Kilka minut później wyłonili się z półmroku między drzewami. Ze szczytu wzgórza we wszystkich kierunkach roztaczał się wspaniały widok. W oddali widać było Saint George. Na prawo Hawke zobaczył główną rezydencję, wyremontowany osiemnastowieczny brytyjski fort. Na żwirowym placu parkowało kilka samochodów. Na prawo od parkingu znajdowała się przystań, gdzie po zewnętrznej stronie nabrzeża cumował wielki jacht o długości około stu metrów.

Droga, którą jechali, skręcała w lewo i biegła w dół do małej zatoki. Nad wodą stał piękny piętrowy dom w stylu kolonialnym obrośnięty bugenwillą. Hawke przypuszczał, że to pracownia Anastazji Korsakowej.

Między dwiema prowadzącymi w dół drogami rozciągał się szeroki wypielęgnowany trawnik, pośrodku którego wznosiła się stalowa wieża o wysokości około trzydziestu metrów.

– Co to za wieża, Starbuck? Nadawcza?

– Nie, panie Hawke. Cumownicza.

– Cumownicza?

– Tak. Dla statku powietrznego.

– Mój Boże, czy jakiś dotrwał do dzisiejszych czasów? – zapytał Hawke. Statki powietrzne odegrały dużą rolę w historii bermudzkiego lotnictwa, ale nie wiedział, że któryś z nich jest jeszcze używany.

– Chodzi o nowy statek. Zbudował go właściciel Powder Hill. Ostatnie sławne sterowce, które przylatywały na Bermudy, to „Graf Zeppelin” i „Hindenburg”. Oba zostawiały tu pocztę w drodze do Stanów Zjednoczonych. Właściciel Powder Hill buduje całą flotę transatlantyckich pasażerskich statków powietrznych. Jesteśmy na miejscu.

Kierowca zatrzymał samochód przed domem. Hawke wysiadł i pożegnał się ze Starbuckiem, który obiecał, że przyjedzie po niego za godzinę lub na wezwanie.

Całe pierwsze piętro pięknego starego domu otaczała szeroka kryta weranda. Hawke spojrzał w górę i zobaczył Azję Korsakową. Stała przy poręczy obrośniętej bugenwillą i uśmiechała się do niego. Ciemnoblond włosy miała upięte na czubku głowy i była w jasnoniebieskim lnianym fartuchu poplamionym farbą.

– Pan Hawke, jednak pan przyjechał.

– Wątpiła pani w to?

– Myślałam, że straci pan odwagę.

– Jeszcze może tak być.

Roześmiała się i zaprosiła go gestem do środka. Szerokie drzwi frontowe były otwarte, mroczny hol oświetlały kinkiety.

– Niech pan wejdzie prosto na górę. Moja pracownia jest tutaj.

W wielkim kwadratowym pokoju z wysokim sufitem panował typowy artystyczny nieład. Pomieszczenie wypełniały sztalugi, pędzle, farby i stosy wielkich płócien pod ścianami. W górze obracały się powoli wentylatory. Resztka dziennego światła o różowym odcieniu wpadała przez otwarte drzwi balkonowe i duży świetlik.

Wielki kominek z otwartym paleniskiem miał gzyms z bermudzkiego cedru. Wisiał nad nim piękny portret niezwykle przystojnego mężczyzny w szykownym wojskowym mundurze galowym, który stał obok wspaniałego białego ogiera. Hawke podszedł, żeby obejrzeć obraz z bliska. Podziwiał twórcę dzieła.

Anastazja przyniosła z sąsiedniego pokoju napoje w wysokiej szklance na srebrnej tacce. Hawke wypił łyk. Smakował wybornie.

– Witam w Half Moon House – powiedziała. – Cieszę się, że pan przyjechał.

Hawke uniósł szklankę.

– Pani zdrowie. Piękny jest ten obraz nad kominkiem.

– Dziękuję.

– To pani dzieło?

Przytaknęła.

– Zawsze rezerwowałam to miejsce dla ukochanego mężczyzny. To mój ojciec.

– Przystojny gość.

– To się bierze z wnętrza, wie pan. Zawsze.

Wyglądała lepiej, niż ją pamiętał od tamtego popołudnia na plaży.

– Proszę usiąść tam, na wiklinowym fotelu. Chcę zrobić kilka zdjęć, dopóki jeszcze jest dobre światło.

Długi wiklinowy szezlong miał duże oparcie w kształcie wachlarza i wywinięte poręcze. Całość zdobiły muszle we wszystkich możliwych kolorach. Na wierzchu leżały grube poduszki pokryte różowym jedwabiem. Mebel wyglądał jak tron jakiegoś polinezyjskiego władcy. Hawke zdjął płócienną marynarkę, rzucił ją na podłogę i wyciągnął się na poduszkach. Anastazja pochyliła się nad nim z aparatem fotograficznym i zaczęła pstrykać zbliżenia jego twarzy.

– A zatem jest pani portrecistką.

– Tak.

– Sądząc po tamtym obrazie nad kominkiem, całkiem dobrą.

– Niektórzy tak uważają.

– Jest pani sławna?

– Niech pan mnie znajdzie w Google i sprawdzi.

– Nie mam komputera.

– Jest pan aż taki biedny, panie Hawke?

– Dlaczego pani pyta? Czy to ważne?

– Nie. Po prostu jestem ciekawa. Ma pan akcent człowieka z wyższych sfer. Ale mieszka pan w walącej się ruderze. Ze swoim… jak to się teraz mówi? Partnerem. Wydawał się trochę stary przez telefon. Lubi pan starszych mężczyzn, panie Hawke?

Hawke się roześmiał.

– Tego bardzo lubię. Jesteśmy razem od lat.

– Naprawdę? Jak on się nazywa?

– Pelham Grenville. Jest jakoś spokrewniony z tym sławnym pisarzem. Daleki kuzyn. Wodehouse'a, wie pani. Jednego z moich ulubionych ludzi pióra. Geniusza.

– Wolę *Wojnę i pokój*. I wszystko Turgieniewa. A moja ulubiona powieść to *Blady ogień* Nabokowa. Ale oczywiście protoplastą wszystkich jest Puszkin. Zna go pan? Poza moim ojcem, to największa rosyjska sława.

– Hm. Chyba coś przegapiłem, niestety. Czytała pani może *Świnie mają skrzydła* Wodehouse'a? Nie? A *Wuj dynamit*? To może *Jeeves i duch feudalizmu*? Nie? Wspaniałe książki. Naprawdę.

– Widzę, że jest pan takim samym miłośnikiem sztuki jak znawcą wielkiej literatury?

– Sztuki? Niektóre rzeczy są w porządku. Bardzo mi się podoba portret Johna F. Kennedy'ego pędzla Jamie'ego Wyetha. I tamta gruba świnia. I lubię akwarele Turnera.

– Można rzec, miłośnik malarstwa starych mistrzów.

– Starych mistrzów? Ja? Nie, wcale nie. Cieszę się, że wszyscy już nie żyją. Żałuję, że większość z nich nie umarła wcześniej.

Patrzyli na siebie przez chwilę. Hawke miał wrażenie, że ich serca przestały bić i oboje nie oddychają.

Anastazja ruszyła nagle w jego kierunku.

– Proszę wstać i zdjąć koszulę.

Zrobił to.

– Niech pan się odwróci w prawo tak, żeby słońce świeciło panu w twarz. Dobrze. Niech pan przestanie się garbić i stanie wyprostowany. Teraz niech pan spojrzy na mnie. Głowa pozostaje nieruchoma, po prostu przenosi pan na mnie wzrok. Doskonale. Boże, co za oczy.

– Dziękuję w imieniu mojej nieżyjącej matki.
– Z czego pan się utrzymuje, co pan robi?
– To i tamto. Jestem wolnym strzelcem.
– To bardzo szerokie pojęcie. Proszę zdjąć spodnie. I majtki.
– Żartuje pani, oczywiście.
– Rozbieramy się, szybko! Światło się marnuje.
Hawke coś wymamrotał i zdjął resztę rzeczy.
Dziwnie się czuł, stojąc nago przed ubraną kobietą. Nie było to całkiem nieprzyjemne, graniczyło z erotyzmem. Poczuł znajomą reakcję i szybko skupił uwagę na portrecie nad kominkiem. Jej ojciec był ubrany.
– Zadowolona? – zapytał.
– Dopiero będę zadowolona, panie Hawke. Niech pan się teraz odwróci, żebym mogła sfotografować pańskie pośladki.
– Chryste, nie mogę uwierzyć, że to robię.
– Już za późno.
– Po co pani te zdjęcia? Myślałem, że to będzie obraz olejny. Portret... wszystko jedno.
– To tylko materiał pomocniczy. Żebym mogła pana malować pod pańską nieobecność.
– Co za ulga. A co pani zrobi z tymi nieprzyzwoitymi fotkami, kiedy pani skończy?
– Umieszczę je w Internecie, jeśli pan chce.
– Panno Korsakowa...
– Azja.
– Wiesz, Azjo, nie jestem pewien, czy się nadaję do takich rzeczy.
– Doskonale się nadajesz. Nie oglądasz się w lustrze? No dobra, już po świetle. Możesz się ubrać. Skończyliśmy na dziś.
– To wszystko?
– Następnym razem zaczniemy cię szkicować na płótnie. Co wolisz, czek czy gotówkę?
– Czek.
Podeszła do biurka i otworzyła książeczkę czekową.
– Hawke z „e" na końcu?
– Tak.
Wręczyła mu czek. Zauważył, że ma konto w bardzo dobrym prywatnym banku szwajcarskim. W Banque Pictet na Rue des Acacias w Genewie. Sam tam trzymał pieniądze.
– Zamierzam cię namalować leżącego na tamtym wiklinowym szezlongu. Jest piękny, prawda? Znalazłam go na Bali. Był w pałacu królewskim. W sam raz dla ciebie.
– Portret będzie naturalnej wielkości?
– Tak.

– Będę pozował nago?
– Oczywiście.
– Mój Boże.
– Mam wiosną wystawę w Narodowej Galerii Portretu na Trafalgar Square. Będziesz tam wisiał wśród wszystkich moich pięknych mężczyzn.
– Naprawdę?
– Tak. Niech pan się odpręży, panie Aleksie Hawke z Teakettle Cottage. Wiosną cały Londyn będzie się tobą zachwycał. Personel galerii będzie musiał przygotować chusteczki do nosa dla śliniących się na twój widok.

Alex podciągnął suwak spodni i spojrzał na nią. Jeszcze nigdy nie czuł się tak głupio.
– Czy mogę na chwilę usiąść na tym szezlongu? Nie wiem, dlaczego kręci mi się trochę w głowie.
– Czego się boisz? Będziesz sławny.
– Sławny? – Hawke usiadł, bo straszna wizja zmroziła mu krew w żyłach. Wyobraził sobie, jak S. przystaje przed jego portretem i mówi: „Wielki Boże, Stevens, to chyba nie może być Alex Hawke?"
– Tak, sławny. Możemy się umówić na najbliższy wtorek na pierwszą? Światło będzie dobre przez dwie godziny.
– Na wtorek? – powtórzył Hawke z roztargnieniem. – Myślę, że tak.

Nie mógł już nic zrobić.

Zaszedł za daleko.

16

Miami

W piątkowy wieczór Stokely Jones junior był w drodze na przyjęcie urodzinowe. Podróżował w wielkim stylu piękną osiemnastometrową łodzią „Fado", używaną do wędkowania sportowego, która należała do Fanchy. Nie został zaproszony, ale to nie miało żadnego znaczenia. Solenizantem był psychotyczny czeczeński terrorysta. Za głowę tego watażki wyznaczono nagrodę, podobno dużą. Najwyraźniej psychol nazwiskiem Ramzan Bajsarow mocno wkurzył szychy na Kremlu.

Porywał dzieci w wieku szkolnym, wysadzał w powietrze bloki mieszkalne w Moskwie, strzelał z broni automatycznej w zatłoczonych cerkwiach w Nowgorodzie i w kinach na popołudniowych seansach dla dzieciaków, takie rzeczy. Nic dziwnego, że Kreml się wkurzył. Ramzan przezornie dał nogę z Rosji na jakiś czas i przyczaił się tutaj, w słonecznym Miami.

Był w Stanach nielegalnie i władze federalne od miesiąca próbowały go znaleźć. Bez powodzenia. Trudno uwierzyć w taką bezkarność terrorystów. A jednak. To dobrze dla firmy.

Według bardzo wysoko opłacanych informatorów Stoke'a dziś wieczorem Ramzan miał się pokazać tylko na chwilę, żeby zdążyć pożreć jakieś lody i kawałek tortu urodzinowego.

W Miami mieszkało teraz mnóstwo Rosjan. Wielu z nich prowadziło podejrzane interesy, niektórzy należeli do gangów. Główni klienci Stoke'a, Pentagon i Langley, chcieli oczywiście wiedzieć, kto się pojawi na piątkowej imprezie urodzinowej Ramzana. Stąd niezapowiedziana obecność Stoke'a.

Tactics International, prywatną firmę Stoke'a zajmującą się zbieraniem informacji wywiadowczych, wynajmował obecnie facet z Pentagonu, nazwiskiem Harry Brock. Zadanie: pomóc Harry'emu w inwigilacji typów z rosyjskiej i czeczeńskiej mafii, którymi interesuje się Departament Bezpieczeństwa Wewnętrznego. Rosyjskie czarne charaktery planowały podobno jakiś zamach terrorystyczny w Stanach. Żeby stworzyć więcej problemów na linii Waszyngton–Moskwa. Po co? Właśnie tego mieli się dowiedzieć Stoke i spółka na zlecenie Harry'ego Brocka.

Stoke dostał zastrzyk nowej energii. Ameryka i Rosja, znowu to samo. A Rosjanie przyjeżdżali tłumnie do Miami, kupowali jachty i rezydencje, bentleye i zegarki Bvlgari. W końcu dowiedział się o przyjęciu, kiedy rozpytywał swoich prywatnych detektywów, czy na rosyjskim froncie dzieje się coś niezwykłego. Wydawało się to doskonałą okazją do sfilmowania uczestników zabawy.

Według agenta specjalnego Harry'ego Brocka zanosiło się na to, że złe ostatnio stosunki między Stanami a Rosją wkrótce znacznie się pogorszą. Przechwytywane przez CIA wiadomości wskazywały, że grupa Amerykanów rosyjskiego pochodzenia, mieszkających w Stanach patriotów powiązanych z Kremlem, szykuje jakiś duży numer na Wschodnim Wybrzeżu, być może właśnie tutaj, w River City. Harry powiedział Stoke'owi, że najwyraźniej źli faceci na Kremlu bez skrupułów zatrudniają mafię na emigracji do wykonywania dla nich brudnej roboty.

– Tak jak kiedyś CIA wynajęła Bugsy Siegela i jego chłopaków do wykończenia Castro? – zapytał Harry'ego Stoke. Harry nie uważał, że to dobry dowcip. Był drażliwy na tym punkcie.

Stoke wyszedł z kabiny „Fado" i zawołał faceta ze szczytu wieżyczki do łowienia tuńczyków. Słone powietrze było przyjemne, ale wieczór chłodny, nawet jak na grudzień. Wbrew prognozom pogody na szczęście nie padało. Mieli uwiecznić uroczystość na wideo i deszcz pokrzyżowałby im plany.

– Chodź na górę, człowieku, zobaczysz świat bogatych i sławnych – odkrzyknął Luis Gonzales-Gonzales, przezwiskiem Rekin, z małego stanowiska sternika dziesięć metrów nad pokładem. Duży jacht płynął w żółwim tempie szerokim kanałem między wielkimi rezydencjami. Przy pomostach po obu stronach kanału cumowały ogromne jachty. Nic dziwnego, że taki szpan pociągał Rosjan. Grudzień w Miami bił na głowę czerwiec czy jakikolwiek inny miesiąc w Moskwie.

Rekin, jednoręki kubański przewodnik i jedyny pracownik Stokely'a, sterował dziś łodzią z góry, z miejsca gdzie Harry zamontował najnowocześniejszy sprzęt, cyfrowe kamery wideo, takie jak w bezzałogowych szpiegowskich aparatach latających, nie większe niż talia kart, ale wyposażone w noktowizory i anteny nasłuchowe. Maleńka kamera była na samym szczycie jednej z wysokich odsadni. Mogła się obracać jak skycam używany na meczach zawodowej ligi futbolu amerykańskiego.

Te wszystkie cuda techniki dostarczyło panu Harry'emu Brockowi Kolegium Szefów Połączonych Sztabów w Pentagonie.

Harry Brock, klient firmy Tactics, był szpiegiem, ale z biegiem lat Stoke i jego kumpel Alex Hawke polubili faceta. Miał w sobie trochę za dużo kalifornijskiego luzu, jak na nowojorski gust Stoke'a, ale czasami potrafił być zabawny. Poza tym był prawdziwym twardzielem i uratował Aleksowi życie w Amazonii, a zatem bardzo się zasłużył.

– Idę – odpowiedział Stoke i zaczął się wspinać po drabince z nierdzewnej stali.

Było ich czworo na pokładzie białej wędkarskiej łodzi Viking należącej do narzeczonej Stoke'a, pięknej Fanchy. Nazwa jachtu pochodziła od rodzaju muzyki, *fado*, smutnych portugalskich ballad, które śpiewała Fancha. W jej wykonaniu rozdzierały serce. Zjawiła się znikąd, by stać się najbardziej rozrywaną gwiazdą w Miami. Dlatego Stoke miał pewien kłopot z załatwieniem jej występu na imprezie terrorystów.

Od chwili wyruszenia z przystani przy domu Fanchy na Key Biscayne Stoke i Harry Brock siedzieli w głównej kabinie „Fado". Patrzyli na cztery monitory pokazujące na żywo udźwiękowione obrazy z czterech kamer wideo na szczycie wieżyczki do łowienia tuńczyków. Stacjonarne kamery działały bez zarzutu, ale ruchomy skycam doprowadzał Harry'ego do szału. Trudno było go obracać tak płynnie, żeby mieć stabilny obraz.

Fancha, z którą Stokely spotykał się od kilku lat, odziedziczyła „Fado" wraz z piękną posiadłością Casa Que Canta na Key Biscayne po zmarłym mężu. Pochodziła z Wysp Zielonego Przylądka i zaczynała zdobywać sławę jako piosenkarka. Jej nowy album *Dziewczyna z Zielonej Wyspy* nominowano do latynoskiej nagrody Grammy. Stoke był z niej bardzo dumny. Może nawet ją kochał.

– Rekin, mały jednoręki bracie, jak ci leci na górze? – zapytał Stoke, kiedy dotarł na niewielką platformę sternika. Kołysała się pod jego ciężarem i miał wrażenie, że jest na wysokości trzydziestu metrów. Przechyły zdawały się nie przeszkadzać Rekinowi, który prowadził łódź swoją jedyną, prawą ręką i przestawiał nią jedną z kamer. Luis Gonzales-Gonzales był kiedyś szyprem czartera na Florida Keys. Pewnego dnia stracił większą część lewego ramienia w paszczy wielkiego rekina i uznał, że szpiegostwo jest o wiele bezpieczniejsze od łowienia ryb.

– Siema, Stoke.

– Jesteś tu zarobiony po pachy, człowieku! – powiedział Stoke do drobnego żylastego faceta. – Wszystko gra? Wyrabiasz?

– Spoko. W niektórych zwężeniach kanału jest trochę ciasno, ale damy radę, będziemy u gościa na czas. Jak wygląda mój program telewizyjny na dole?

– Brock mówi, że jest w porządku, ale zbliżenia trochę skaczą i mógłby być ostrzejszy kontrast. Może otwórz bardziej przesłonę. Księżyc nie świeci zbyt mocno. Albo wiesz co? Olej to. Prowadzisz łódź, Rekin. Ja się zajmę kamerami.

Stoke wyregulował przesłonę jednej z kamer, zrobił wolno najazd na czyjeś patio, a potem odjazd.

– I co? – zapytał przez mikrofon ze słuchawką.

– Lepiej. Otwórz przesłony we wszystkich czterech – odparł Brock przez interkom. – Nagrywam teraz dźwięk, żeby sprawdzić, jak to wyjdzie; uważajcie, co o mnie mówicie, palanty.

Stoke się roześmiał.

– Słyszałeś, jak ktoś przed chwilą powiedział, że jesteś fiutem? To Rekinek, szefie, nie ja.

Teraz Rekin się roześmiał.

– Jak tam nasza gwiazda? Gotowa?

– Szykuje się. Czesze i maluje w swojej kajucie.

– To jest dziewczyna, człowieku. Superklasa. Chyba to wiesz, nie?

– Od dawna, ale dzięki za przypomnienie.

– Trzymaj się! – krzyknął nagle Luis.

Stoke złapał się oparcia siedzenia sternika. Kilwater mijającej ich łodzi sprawił, że pod wpływem jego własnej masy szczyt wysokiej stalowej konstrukcji zakołysał się gwałtownie. Stoke nie był przyzwyczajony do stania na wieżyczce do łowienia tuńczyków i nie lubił tego. Nie znosił wędkowania, a z ryb najbardziej nie cierpiał tuńczyka. Uważał, że miejsce byłego komandosa SEAL jest pod wodą, a nie na rozkołysanej platformie wielkości kółka do frisbee. Ale to, że był ciężki, przydawało się w ich branży. Według Aleksa Hawke'a Stoke miał wymiary przeciętnej szafy.

– To ten dom przed nami, cały oświetlony – powiedział Rekin i cofnął przepustnice do pozycji biegu jałowego. Duża łódź natychmiast zwolniła tempo. – Widzisz? Na cyplu.

– Jasne, że widzę. Trudno go przeoczyć. Wygląda jak country club.

– Owszem. Rosjanie mają teraz kupę szmalu.

– No dobrze, Harry – rzucił Stoke do mikrofonu. – Mamy dom w polu widzenia. Kierujemy się do przystani. Przybijemy do brzegu za pięć minut.

Okazała nowoczesna rezydencja ze szkła i stali stała na cyplu wrzynającym się w zatokę, z dwóch stron do kanału dochodził szeroki trawnik. Basen miał w przybliżeniu kształt znaku nieskończoności, spinały go mostki i zdobiły skalne groty, które ciągnęły się do nadmorskiego wału na końcu cypla. Czysta rozpusta, pomyślał Stoke.

Wokół basenu wybudowano rozległy taras, gdzie teraz ustawiono bary w stylu chatek tiki i stoły bankietowe. Przyjęcie powinno się zacząć za niecałe pół godziny i na razie widać było tylko kelnerów i dźwiękowców ustawiających głośniki na występ Fanchy.

Stoke zobaczył małą estradę nad basenem. Sześcioosobowa kapela Fanchy już przyjechała i stroiła instrumenty, wzmocniony dźwięk gitary niósł się po wodzie. Sąsiedzi niewiele pośpią tej nocy.

Przystań była pusta, tak jak po południu, gdy Rekin robił tu zwiad. Gospodarz, pan Władimir Litnikow, nie miał jachtu, jak się dowiedział Rekin. Luis liczył na to, że dotrą tu wcześnie i będą jedynymi gośćmi, którzy przybyli drogą morską. A przynajmniej na to, że on zjawi się pierwszy i zajmie przystań, zanim zrobi to ktoś inny. Wyglądało na to, że miał rację. Albo po prostu szczęście.

Rekin ustawił dużą łódź równolegle do drewnianego pomostu, potem włączył pędnik dziobowy i rufowy i zbliżył się burtą do odbojów. Na przystani pojawili się dwaj młodzi faceci, żeby przycumować „Fado". Stoke zobaczył jeszcze dwóch, w czerni, bez wątpienia ochroniarzy. Szli w stronę pomostu przez opadający ku wodzie trawnik.

– Przejmę ster – powiedział do Rekina – a ty zejdź na dół i zajmij się cumami.

Rekin oddał koło sterowe szefowi, potem opuścił się po drabince na pokład, żeby rzucić cumę dziobową i rufową chłopakom czekającym na obu końcach pomostu.

– Jesteśmy, Harry – zameldował przez radio Stoke, kiedy uderzyli w gumowe odboje. – Włącz nagrywanie.

– Masz to załatwione. Leci. Kamera jest w doskonałej pozycji, nawiasem mówiąc. Pod idealnym kątem. Widać z góry tył domu, cały taras i basen. Super. Moje uznanie dla kamerzystów.

– Fancha gotowa? – zapytał Stoke.

– Nasza gwiazda właśnie wychodzi na pokład. Zaraz ją zobaczysz, Stoke. Wygląda rewelacyjnie.

Stoke wyłączył dwa silniki dieslowskie CAT o mocy dwóch tysięcy koni mechanicznych, zdjął słuchawkę z mikrofonem i włożył ją do schowka pod pulpitem na stanowisku sternika. Odtąd miał korzystać z innego systemu łączności. Niewidoczna pluskwa w uchu i miniaturowy mikrofon ukryty w rękawie marynarki miały mu zapewnić stały kontakt z Harrym Brockiem na pokładzie „Fado".

– Harry? – powiedział do rękawa. – Sprawdzam radio.

– Słyszę cię głośno i wyraźnie – odparł Harry, i Stokely zszedł szybko po drabince. Wyglądało na to, że jeden z ochroniarzy czepia się Rekina. To nie byli ludzie z agencji ochrony wynajęci na przyjęcie urodzinowe. Po ich ruchach i postawie Stoke rozpoznał, że Rosjanie to chłopaki od mokrej roboty.

– Masz jakiś problem, mistrzu? – zapytał dużego blondyna, ubranego od stóp do głów w czarny nomeks. Facet stał na pomoście w szerokim rozkroku z rękami skrzyżowanymi na piersi. Posłał Stoke'owi spojrzenie, które w Rosji musiało uchodzić za groźne.

– *Niet*. To wy macie problem. Ten mały jednoręki bandyta mówi, że nie ma zaproszenia. To prywatna impreza na prywatnym terenie. Więc albo pokażecie mi zaproszenia z nazwiskami, które są na mojej liście, albo stąd odpłyniecie. Daję wam dwie minuty.

– Przepraszam – powiedział Stoke, podszedł do relingu i uśmiechnął się do Rosjanina. – Na pewno rozmawialiśmy przez telefon, ale nie pamiętam twojego imienia. Pracujesz dla pana Łukowa, zgadza się? Borys, tak? – Wymienił pierwsze rosyjskie imię, jakie przyszło mu do głowy.

Wyciągnął rękę i ochroniarz odruchowo się z nim przywitał. Stoke ścisnął mu dłoń tak mocno, że facet się skrzywił. Wyglądał na byłego żołnierza sił specjalnych.

– Kim ty jesteś, do cholery? – zapytał i z pewnym trudem oswobodził rękę z miażdżącego uścisku Stoke'a. Czarna nylonowa kurtka Rosjanina rozchyliła się i Stoke zobaczył mały pistolet maszynowy Mac-10 w kaburze pod pachą. Pewnie do pilnowania, żeby dzieciaki nie rozrabiały i stały grzecznie w kolejce po lody.

Stoke znów się uśmiechnął.

– Levy – przedstawił się. – Sheldon Levy. Agencja Artystyczna Słoneczne Wybrzeże. Mówi ci to coś?

Cisza.

– Zapewniamy tu dziś rozrywkę.

– Jaką rozrywkę? Występ piosenkarki?

– No właśnie. Spójrz, Borys, to ona.

Fancha wyłoniła się z półmroku głównego salonu łodzi jak ze snu. Wspięła się po dwóch stopniach w błyszczącej czerwonej sukience i stanęła na mostku obok Stokely'ego. Nigdy nie wyglądała piękniej. Stoke spojrzał na Rosjanina.

– To jest...

Ochroniarz oniemiał.

– Fancha.

Wyglądał, jakby miał się za chwilę rozpłynąć. Popatrzył na swoich kumpli.

– To Fancha – powtórzył z nabożeństwem, jakby zobaczył Madonnę.

Stoke spojrzał na nią z uśmiechem.

– Ładna sukienka, prawda, Borys? Kto ci zaprojektował tę kreację, Fancha? Oscar? LaCroix? Zac Posen?

Fancha zignorowała Stoke'a i uśmiechnęła się lekko do przystojnego ochroniarza.

– Jaki piękny dom. Przepraszam za spóźnienie. Mam nadzieję, że mój zespół muzyczny nie czeka zbyt długo na próbę udźwiękowienia.

– Nie, nie, skądże – powiedział pospiesznie goryl. – Dopiero przyjechali. Jeszcze się przygotowują. Zaprowadzę panią nad basen. Obawiam się, że trawa jest jeszcze trochę mokra od zraszaczy i może być śliska.

– Jest pan bardzo uprzejmy.

Stoke wzniósł oczy do góry, kiedy Borys wyciągnął rękę do Fanchy. Ujęła jego dłoń i zeszła lekko z łodzi na pomost. Uśmiechała się promiennie do Rosjanina.

Stoke mimowolnie zacisnął pięści. Znał takich facetów. Wiedział, co to za typ. Były żołnierz oddziałów szturmowych Kremla. Tak zwanych Czarnych Beretów. Policji do tłumienia rozruchów, która w nowej postdemokratycznej Rosji miała prawo dać wycisk każdemu, kto jej się nie podobał z powodu koloru skóry. To znaczy „czarnym". W Rosji było to bardzo szerokie pojęcie, obejmujące Czeczenów, Żydów i oczywiście Afrykanów oraz ich kuzynów Afroamerykanów.

– Jak pan się nazywa? – zapytała Fancha, uśmiechając się do tego kretyna, jakby był jakimś pieprzonym doktorem Żywago.

– Jurij Jurin.

– A ja Fancha, Jurij. Miło mi pana poznać.

– Dam pani moją wizytówkę – powiedział Jurij, wyjął wizytówkę z kieszeni i podał jej. Nawet na nią nie zerknęła, tylko oddała swojej jednoosobowej świcie w postaci Stokely'ego i pozwoliła poprowadzić się przez trawnik. Jurij przez całą drogę trzymał ją pod rękę.

Stoke obrócił wizytówkę w dłoni. Było na niej zdjęcie pełnomorskiej łodzi wyścigowej Magnum 60, poniżej widniało nazwisko Jurija i adres jego biura w Miami Beach. Firma nazywała się Miami Yacht Group Ltd. Jurij tylko dorabiał jako ochroniarz. Na co dzień sprzedawał jachty. Trzeba zarzucać sieci tam, gdzie są ryby, pomyślał Stoke. Większość dużych jachtów kupowali teraz Rosjanie. Jurij Jurin pewnie jest bogaty.

– Czy twoje nazwisko ma coś wspólnego z uryną? Bo tak mi się kojarzy – zawołał za Rosjaninem, ale Jurin chyba go nie usłyszał, bo nic nie odpowiedział.

Fancha przystanęła i obejrzała się na Stoke'a, wciąż trzymając się faceta.

– Sheldon?

– Tak, szefowo? – Stoke skłonił się lekko.

– Moja woda Fidżi.

– Jest we wszystkich barach przy basenie – uspokoił ją ten zasraniec Jurij.

– Ona ma swoją – powiedział do niego Stokely, może trochę za głośno. – Na zamówienie. Butelkowaną specjalnie dla niej na Fidżi osobiście przez Davida i Jill Gilmourów. Prosto ze źródła w ich posiadłości w Wakayi.

– Woda Fidżi na zamówienie? – zapytał Jurij. Nie mógł uwierzyć, że na świecie jest jakiś luksus, o którym jeszcze nie słyszał.

– Oczywiście.
– Sheldon, co z moją wodą?
– Już przynoszę.
– Schłodzoną.
– Naturalnie, moja bogini.

17

Pół godziny później Fancha była już na estradzie w połowie swojej pierwszej piosenki. Stoke wprowadzał w życie zasadę numer jeden na eleganckich koktajlach: chodzić. Krążył w tłumie niczym głodny rekin, przedstawiał się jako Sheldon Levy i rozmawiał z każdym, kto wydawał się interesujący, żeby zobaczyć, czego się może dowiedzieć.

Na pokładzie „Fado" cyfrowy sprzęt nagrywający Harry'ego wyłapywał wszystko na przyjęciu i Stoke nie zwracał zbytniej uwagi na większość pijanych. Ale wiedział, że część tego, co mówią, bez wątpienia okaże się przydatna dla jakiegoś pracusia w Langley. Harry mógł też wysłać do Waszyngtonu zdjęcia każdego, kto wpadł mu w oko, i natychmiast dostać sygnał, gdyby któryś z szacownych gości figurował w kartotece przestępców.

Stoke miał nadzieję, że natknie się na Ramzana, ale na razie jubilat nie pokazał się na własnych urodzinach. Może to stary czeczeński zwyczaj. Rosjanie, których poznawał, byli przeważnie potężni i hałaśliwi. Większość bełkotała głośno po angielsku. Wódki Stoliczna i Imperial lały się litrami przy barowych stołach, ustawionych pod palmami.

Stoke nie pił wódki, tylko dietetyczną colę, ale pochłonął już około pół kilograma kawioru z bieługi i miał ochotę na drugie tyle. Wszędzie stały całe góry tego przysmaku i nie czuł się jak łakomczuch, nakładając sobie dwie łyżki stołowe.

Musiał przyznać, że większość kobiet to prawdziwe piękności. Zauważył mnóstwo głębokich dekoltów, cekinów i blond włosów. Żony, nowe żony, przyjaciółki i profesjonalistki. Niektóre z pewnością importowane z Ukrainy, inne wyraźnie krajowe, kilka z południowej Florydy.

Rekin zasłużył na pochwałę i być może na podwyżkę za pomysł wykorzystania jachtu Fanchy jako statku obserwacyjnego. Ponieważ impreza odbywała się głównie na trawie wokół basenu, inwigilacja z przycumowanej łodzi była jedynym możliwym sposobem na wykonanie zadania. Stoke'owi chciało się śmiać, ilekroć spoglądał na „Fado" i przypominał sobie niezliczone godziny spędzone na śledzeniu jakiegoś bandziora w Queens. Przeżuwał wtedy pączki i odmrażał sobie tyłek w zdezelowanym dodge'u z kiepskim ogrzewaniem.

W kabinie pod pokładem Harry Brock miał co robić. Siedział przed monitorami i obsługiwał sterowniki kamery. Ilekroć kilku facetów lub jakaś grupa z trawnika zbliżała się do łodzi, odsadnia z lewej burty obracała się wolno i nad ich głowami zawisał mały skycam. Harry mógł nawet natychmiast odtwarzać to, co zarejestrował.

Miał rację, żeby użyć odsadni jako wysięgnika kamery z mikrofonem. Ludzie byli już tak zaabsorbowani przyjęciem, że nie widzieli, jak element dużej łodzi wędkarskiej wykonuje dziwne ruchy niczym czarodziejska różdżka.

Stoke postanowił wejść do rezydencji. Ludzie się przemieszczali i warto było sprawdzić, co się dzieje w środku, poza zasięgiem kamery. Zatłoczone wnętrze domu wyglądało mniej więcej tak jak się spodziewał. Sufit na wysokości sześciu metrów, mnóstwo złoconych mebli i wystrój na wzór jakiegoś włoskiego pałacu. Szerokie półkoliste schody z wielkim kiepskim portretem żony właściciela w połowie wysokości półkolistej ściany. Kandelabry imitujące sople lodu, być może kupione w sklepie z upominkami „Magiczny Zamek Myszki Miki" w Orlando.

Stoke przepchnął się przez hol (*foyer*, jak by powiedział jego kumpel, nadinspektor Ambrose Congreve) i wyszedł podwójnymi drzwiami frontowymi. Przystanął za progiem i popatrzył z podziwem na sznur lśniących bentleyów, rollsów, cadillaców escalade, range roverów i czarnych hummerów. Żaden nie mógł się oczywiście równać z jego ciemnomalinowym pontiakiem gto kabriolet, rocznik '65, który pokonywał czterysta metrów ze startu stojącego w niecałe osiem sekund. Dopuszczony do ruchu.

Błyszcząca kolumna wypasionych bryk wjeżdżała przez ozdobną żelazną bramę i zatrzymywała się pod portykiem, gdzie czekali parkingowi. Właśnie podjechał jaskrawoczerwony ferrari enzo i trzej z nich podbiegli do niego, jakby ktoś rzucił im milion dolarów.

Stoke spojrzał na zegarek. Minęła dziewiąta. Dokładnie o wpół do dziesiątej Fancha powinna zaśpiewać *Happy Birthday*, mnóstwo ludzi wracało szybko nad basen. Stoke pomyślał, że połowa gości prawdopodobnie przyszła na to przyjęcie tylko dla niej. Nie byłby zaskoczony, gdyby więcej niż połowa. Dziewczyna pięła się do góry.

Kobieta, którą chyba kochał, była być może, ale tylko być może, u progu wielkiej kariery i z dumą słuchał, jak wokół szeptano jej imię.

– Słyszeliście, jak ta piękna dziewczyna śpiewa? Idźcie! Idźcie tam! Musicie ją usłyszeć!

Coś się działo na trawniku od frontu. Tkwiła tam biała furgonetka, chyba z cukierni. Silnik pracował, kierowca stał obok samochodu w otoczeniu kilku facetów w czarnych koszulach. Napięta sytuacja. Stoke uznał, że zdąży zobaczyć, o co chodzi.

– Gdzie się pchasz główną bramą? – wrzeszczał jeden z facetów. – Nie widziałeś tablicy, że wjazd dla dostawców jest z drugiej strony? Ślepy jesteś, matole?

Kierowca wyglądał jak wielki blond niedźwiedź w białej piżamie i ani drgnął. Nie sprawiał wrażenia gościa, który cofnąłby się przed Mikiem Tysonem. Postawił się facetowi.

– Posłuchaj, koleś. Jak powiedziałem, mam w wozie tort urodzinowy. Nie zmieści się w drzwiach od zaplecza. Przywiozłem go tutaj, żeby go wnieść frontowym wejściem. Bo jest szersze, kumasz? Tak mi poradzili zrobić ludzie od cateringu w waszej kuchni. Jasne, głąbie?

Nad górną kieszenią białego stroju dostawcy widniało nazwisko „Happy". Z boku białej furgonetki biegł napis „Zakład Cukierniczy Happy'ego". Happy to był kawał chłopa i ochroniarze trochę spuścili z tonu.

Stoke przepchnął się obok dwóch rosyjskich mięśniaków w czarnych koszulach.

– Jakiś problem? – zapytał.

– Mieliśmy jeden, teraz mamy drugi. Ciebie. Kim ty jesteś, do cholery?

Rosjanie strasznie ostatnio podskakują, pomyślał Stoke. Pewnie ciągle są wkurzeni, że przegrali zimną wojnę. A jak są dziani, to wiadomo jak to jest.

Uśmiechnął się do faceta i wyciągnął rękę.

– Sheldon Levy, Agencja Artystyczna Słoneczne Wybrzeże. Koordynuję rozrywkę dzisiejszego wieczoru dla waszego szefa, pana Łukowa. Nie chcę przerywać tej drobnej przepychanki, ale piękna Fancha ma zaśpiewać honorowemu gościowi *Happy Birthday* za piętnaście minut. Obawiam się, że jeśli nie zdążymy wnieść tortu na estradę, cały program uroczystości diabli wezmą. Pan Łukow nie byłby z tego zadowolony, zgodzicie się ze mną, panowie?

Cukiernik Happy uśmiechnął się do Stokely'ego.

– Nareszcie ktoś tu mówi z sensem.

– Mogę pomóc przy torcie? – zapytał go Stoke.

– Nie trzeba, my mu pomożemy – powiedział czarna koszula. – Chodźcie, chłopaki, weźmiemy to pieprzone ciacho.

Kiedy ochroniarze otworzyli furgonetkę i wyjęli wielki biało-różowy tort, Stoke podszedł do Happy'ego i wyciągnął rękę. Facet wydawał mu się znajomy.

– Sheldon Levy – przedstawił się.

– Jestem Happy – odrzekł cukiernik i potrząsnął jego dłonią. Jeśli się spodziewał, że Stoke ma małą i delikatną rękę, to się srodze zawiódł.

– Nie poznaliśmy się kiedyś? – zapytał Stoke. Był pewien, że albo spotkał już gościa, albo całkiem niedawno widział jego zdjęcie.

– Może na weselu Steinerów? – podsunął Happy.

– Nie byłem tam, nie udało mi się. Nie, to musiało być gdzie indziej. Chodź, Happy, przedstawię cię Fanchy.

– Zna pan Fanchę?

– Czy ją znam? Jestem jej menedżerem. Chodź, dopilnujemy, żeby nie upuścili twojego tortu, jak go będą nieśli przez dom. Ile kosztuje takie ciacho?

– Dwadzieścia pięć.

– Setek?

– Kawałków.

– Dwadzieścia pięć tauzenów za tort? Co w nim jest, Celine Dion? Rozumiesz, to dzieło sztuki. Na pewno będzie wielką niespodzianką dla honorowego gościa.

– Co do tego ma pan rację, panie Levy.

Happy naprawdę wyglądał na szczęśliwego, kiedy patrzył, jak ochroniarze niosą jego majstersztyk przez zatłoczony dom nad głowami ludzi i kierują się w stronę estrady nad głębokim końcem basenu.

Gdy tort dotarł na miejsce, Fancha właśnie kończyła jeden z przebojów z albumu *Dziewczyna z Zielonej Wyspy* zatytułowany *A Minha Vida*, który mógł jej zapewnić Złotą Płytę.

Spojrzała na lukrowane monstrum dwumetrowej wysokości i powiedziała cicho do mikrofonu:

– Czy to nie piękne? Symbol czyichś przeżytych lat. Wiecie, że słowo *fado* oznacza los, przeznaczenie i… o, jest jubilat! Powitajmy go głośnymi brawami!

Chudy, gładko ogolony mężczyzna z ciemnymi, głęboko osadzonymi oczami i czarnymi krzaczastymi brwiami wspiął się na estradę i podszedł do mikrofonu. Bez wątpienia Ramzan, choć na zdjęciach w dossier miał bujną brodę. Kołysał się lekko i uśmiechał głupkowato, wcale nie jak groźny czeczeński watażka. Miami działa na ludzi, pomyślał Stoke, zmienia ich. Ramzan popatrzył na tłum i przemówił jak Ali G w tym starym filmie o Boracie, ale może to była tylko opinia Stoke'a.

– Chcę podziękować mojemu drogiemu przyjacielowi Władowi za wspaniałe przyjęcie. I wam wszystkim za to, że przyszliście. Jestem bardzo szczęśliwy, że mogliśmy przerwać naszą walkę i spotkać się tutaj, żeby się zabawić.

Po tej przemowie Fancha wzięła mikrofon. Tłum szybko się uciszył, gdy zaczęła śpiewać swoim anielskim głosem. Za jej plecami kelnerzy stojący na drabinkach zapalali świeczki na torcie. Zapłonęły jak zimne ognie i tłum zaczął wiwatować, kiedy zaintonowała: – *Happy birthday to you… happy birthday…*

Stoke uśmiechnął się do niej i obejrzał na Happy'ego, który stał niedaleko za nim. Facet miał dziwną minę, jakby się trochę denerwował. Ciekawe dlaczego? Z powodu tortu? Przecież się spodobał.

Wielka niespodzianka.

Stoke uniósł rękaw do ust i szepnął:

– Harry?

– Tak?

– Zrób zbliżenie cukiernika w białym stroju. Potężny chłop. Kawałek za mną. Zaczekaj, odchodzi. Masz go?

– Mam. Robię zbliżenie.

– Nie wydaje ci się znajomy?

– Jasny gwint.

– Co?

– Stoke, zjeżdżaj stamtąd! Ale już! Łap Fanchę i uciekaj…

– Co jest grane?

Wielka niespodzianka.

– To Bombiarz! Facet, który według FBI wysadził w powietrze więzienie Little Miss kilka tygodni temu. Blok z celami śmierci. Widziałem wczoraj zdjęcia z kamery nadzoru w więzieniu. To na pewno on.

– Niech to szlag. Tort.

– Otóż to. Tort jak nic. Ruszaj się! Mówię poważnie. Spadaj stamtąd. Te świeczki to prawdopodobnie lonty. Zmywaj się!

Fancha śpiewała piosenkę urodzinową, patrzyła na Ramzana, istniała tylko dla niego. Cukiernik zniknął, zapewne wmieszał się w tłum i wracał do swojej furgonetki. Stoke spojrzał na świeczki, z których strzelały iskry. Wypaliły się już prawie do końca, do lukru na torcie. Czas się wynosić.

Wspiął się na estradę tuż za plecami Fanchy, wziął ją na ręce i nachylił się do mikrofonu. Wiła się, próbowała dokończyć piosenkę i patrzyła na niego jak na wariata.

– Czy ona nie jest bajeczna, panie i panowie? Boska Fancha! Zrobimy krótką przerwę, podczas której honorowy gość zdmuchnie wszystkie świeczki, ale nie martwcie się, kochani, Fancha zaśpiewa na bis!

Po tych słowach zszedł z estrady z miotającą się w jego ramionach dziewczyną i zaczął się przepychać przez tłum w kierunku przystani. Dostrzegł, że Rekin już odcumowuje „Fado", i usłyszał przytłumiony ryk wielkich diesli.

Zobaczył, że Harry stoi na szczycie wieżyczki i wrzeszczy, żeby się pospieszył. W końcu tłum przerzedził się na tyle, że mógł puścić się biegiem przez trawnik opadający ku wodzie.

Rekin odcumowywał teraz rufę, wielkie śruby vikinga wirowały. Łódź powoli odbijała od pomostu.

Dwaj z czarnych koszul na widok nadbiegającego Stoke'a zastąpili mu drogę. Wpadł między nich, roztrącił ich na boki i rozciągnęli się na ziemi. Od przystani dzieliło go jakieś dwadzieścia metrów. Odległość między łodzią a pomostem szybko rosła. Metr, półtora… Przyspieszył, odbił się z rozbiegu od desek i przeskoczył nad coraz szerszym przesmykiem. Wylądował twardo na pokładzie w kokpicie rufowym, ale zdołał utrzymać równowagę i nie upuścić Fanchy.

– Oszalałeś? Postaw mnie! – krzyknęła, waląc go pięściami w ramiona.

Na trawniku powstało hałaśliwe zamieszanie. Harry pchnął przepustnice, duży jacht wystartował ostro i oddalił się od przystani.

– Gazu! – zawołał Stoke do Brocka. – Wiejmy stąd!

Posuwał się w półprzysiadzie z Fanchą w kierunku drzwi do głównego salonu, gdy nagle cały świat przechylił się na bok. Nocne niebo rozświetlił biały błysk, a potem oślepiający pomarańczowy blask. Stoke, wciąż z Fanchą na rękach, upadł na pokład. Fala uderzeniowa potężnej eksplozji dotarła do jachtu, przechyliła go na burtę i omal nie przewróciła. Stoke i Fancha zsunęli się po pokładzie i wpadli na nadburcie. Stoke osłonił Fanchę najlepiej jak mógł, ale oboje byli oszołomieni.

„Fado" wyprostował się i zakołysał gwałtownie. Harry zdołał się jakoś utrzymać na stanowisku sternika na szczycie wieżyczki i oddalić od miejsca straszliwej masakry i spustoszenia. Jacht wydawał się nietknięty i pruł przez pustą zatokę w ciemność. Stoke podniósł się i spojrzał na spieniony biały kilwater. W oddali zobaczył cypel pogrążony teraz w gęstym mroku. Żadnych świateł, ani wokół basenu, ani w ruinach domu. Nikt się nie poruszał.

Po basenie została tylko wielka czarna dziura. Cała tylna ściana płonącej rezydencji runęła i widać było wnętrze pokoi niczym w ogromnym spalonym domku dla lalek.

Stoke spojrzał w dół na Fanchę. Leżała z głową na jego podołku i patrzyła na niego pięknymi, dużymi, szeroko otwartymi oczami.

– Nic ci się nie stało, skarbie? Jesteś cała?

– Myślałam, że ci odebrało rozum, Stoke, kiedy mnie tak złapałeś i zniosłeś z estrady.

– Nie chciałem cię stracić. To wszystko.

– Jeszcze nie widziałam, żeby ktoś poruszał się tak szybko. Nie wiedziałam, że ktoś może tak szybko biec.

– Zobaczysz, jak będę pędził do ciebie następnym razem, kiedy mnie zawołasz.

Pogładziła go po policzku wierzchem dłoni.

– Stokely Jonesie juniorze, nie wiem, jak…

– Ciii. Potem mi podziękujesz. Muszę sprawdzić, czy Harry i Rekin są cali, i zawiadomić moich klientów w Waszyngtonie, co się przytrafiło towarzyszowi Ramzanowi.

– Kocham cię, skarbie.

– Ja ciebie bardziej.

Zrzucił marynarkę, zwinął ją i podłożył Fanchy pod głowę. Potem zaczął się szybko wspinać po drabince z nierdzewnej stali na szczyt wieżyczki.

Harry Brock był na górze i wpatrywał się w coś na niebie.

– Jasny gwint. Zobacz.

– Co?

– Tam. Na zachodzie. Nad budynkiem „Miami Herald". To jakieś pieprzone UFO.

Stoke spojrzał w tamtym kierunku.

– O cholera.

– Co to, do diabła, jest?

– Chyba jakiś nowy rodzaj statku powietrznego. Jeszcze nie widziałem takiego sterowca. Może jest wojskowy i wypatruje szybkich łodzi handlarzy prochów odpływających z Keys.

Obiekt był ogromny. Stoke przyglądał się srebrzystemu statkowi, który szybował nad Miami w jego stronę. Tam, gdzie powinien być dziób, widniał wielki otwór. Dziwny wygląd, niemal przerażający.

Zdecydowanie przerażający.

18

Bermudy

Kiedy Hawke przyjechał do Shadowsland, Ambrose Congreve stał w drzwiach frontowych, ubrany jak spod igły, ale kategorycznie odmówił zajęcia miejsca w jego samochodzie.

– Fajna bryka, co? Super – roześmiał się Hawke.

– Nie pojadę do miasta czymś takim, Alex – odparł Congreve. – Nie ma mowy.

– Dlaczego?

– Jeszcze pytasz? To trumna na kołach. Bez drzwi, bez dachu. Do niczego.

– Zapewniam cię, że ma dach. Piękny, płócienny, w paski. Trochę ekstrawagancki, ale jednak.

Congreve postukał pogardliwie końcem laski w jeden z małych wypukłych kołpaków kół. Rozległ się głuchy blaszany dźwięk. Spojrzał na Hawke'a i westchnął.

– Będę szczery, Alex. Bardzo się dziwię, że potrafisz zachować powagę, skoro jeździsz po wyspie tym autem, jeśli w ogóle można to tak nazwać, które wygląda jak pojazd cyrkowego klauna.

– Uważaj, co mówisz, konstablu. I wsiadaj do tego cholernego samochodu. S. na nas czeka, a jesteśmy już spóźnieni.

– Tak, i zaprosił nas na bardzo ważne spotkanie. Znów bierzemy się za budzących postrach Rosjan. Jeśli sir David będzie przypadkiem stał przed klubem, kiedy tam zajedziemy, to pomyśli, że zamiast nas zjawiła się trupa cyrkowa Ringling Brothers, żeby mu pomóc uratować zachodnią cywilizację.

Hawke starał się głośno nie śmiać.

Z powodu korków ulicznych w gospodarstwie domowym na Bermudach mógł być tylko jeden samochód. Hawke jeździł samochodem, który przejął razem ze swoją kwaterą. Kiedy podpisał umowę najmu Teakettle Cottage, dostał do dyspozycji małego fiata 600 „jolly", rocznik '58, z nadwoziem zaprojektowanym przez słynną włoską firmę dizajnerską Pininfarina.

Samochodzik w istocie wyglądał dziwnie. Był jaskrawożółtego słonecznego koloru i miał wiklinowe siedzenia.

Ale Hawke uważał, że fiacik jest całkiem zabawny, a Pelham bardzo lubił jeździć nim do miasta na cotygodniowe zakupy. Congreve miał rację, w niewielu miejscach na świecie człowiek mógł zachować powagę za kierownicą takiego wehikułu. Ale do takich miejsc należały Bermudy.

Congreve znów głęboko westchnął i ulokował swoją raczej dużą postać w wiklinowym fotelu, przyśrubowanym jako tako do podłogi. Doznał szoku, gdy zobaczył, że nawet deska rozdzielcza jest z wikliny. Spojrzał na Hawke'a z przerażeniem. Poczuł się tak, jakby miał jechać w koszyku na robótki.

Wcisnął mocno na głowę elegancki słomkowy kapelusz i przygotował się na najgorsze.

– Nie ma nawet poduszki powietrznej? – zapytał, przesuwając palcami po wiklinowej desce rozdzielczej.

– Powietrza jest tu dużo – odrzekł Hawke i wrzucił jedynkę.

– Jedź już – przynaglił detektyw, poszukując daremnie pasa bezpieczeństwa. – Miejmy wreszcie za sobą tę samobójczą podróż.

Hawke roześmiał się, zwolnił sprzęgło i ruszył wijącą się łagodnie alejką, która biegła przez wąski zacieniony teren posiadłości lady Diany Mars. Milczeli przez kilka minut. Sławny detektyw miał gniewną minę, która nie pasowała do jego zwodniczo niewinnych niebieskich oczu dziecka i zawadiackich wąsów.

– Ubrałeś się bardzo atrakcyjnie na lunch z S. – powiedział w końcu Hawke, zerkając na elegancki strój przyjaciela. Congreve był w żółtozielonych bermudach, granatowych podkolanówkach, blezerze w takim samym kolorze, różowej koszuli i różowo-białej muszce z madrasu. Uzupełniały to okulary przeciwsłoneczne w rogowej oprawie i słomkowy kapelusz.

– Atrakcyjnie? Co sugerujesz, Alex?

– Szykownie, Ambrose. To miał być komplement.

– Hm.

Hawke skręcił w lewo z obrośniętych bugenwillą kamiennych portali Shadowsland i pojechał South Road na wschód obok rezerwatu przyrody Spittal Pond. Kolejny piękny dzień w raju, pomyślał. Jaskrawe ptaki fruwały wśród kwitnących roślin w tropikalnym lesie po obu stronach drogi. Kiedy dotarł do Trimingham Road, skierował się w prawo do pierwszego z dwóch rond na trasie do miasta Hamilton.

Wzdłuż Front Street cumowały dwa statki wycieczkowe, urokliwa starówka była zatłoczona samochodami, skuterami i pieszymi. Spojrzał na zegarek. Byli już spóźnieni dziesięć minut, a S. nie lubił czekać. Mówił bardzo poważnym tonem, kiedy zadzwonił i zaprosił Hawke'a i Ambrose'a do Bermudzkiego Jachtklubu Królewskiego na dwunastą w południe. Chciał przedyskutować status Czerwonego Sztandaru i poznać ich opinie na temat rozpoczęcia działań przez sekcję.

– Trzymaj kapelusz, konstablu! – Hawke wypatrzył lukę między wielką betoniarką samochodową i taksówką, wpasował się tam fiacikiem i ledwo zdążył przeciąć skrzyżowanie na zielonym świetle.

Ambrose spojrzał na niego surowo.

– Na litość boską!

– Przepraszam, jak dotąd jesteś cały.

– Ale wstrząśnięty ostatnim manewrem.

Hawke uśmiechnął się i skręcił ostro do portu. Wjechał na parking jachtklubu i zatrzymał wóz w cieniu rozłożystego drzewa. Wysiedli. Jachtklub leżał na końcu krótkiej ulicy na cyplu Albuoy przy porcie. Okazały budynek miał kolor, który Hawke mógłby opisać tylko jako osobliwy bermudzki odcień fioletu. Jak wiele rzeczy tutaj, z pewnością wyglądałby dziwacznie w Londynie, ale na wyspie jakoś nie raził.

Weszli do środka. Za progiem stał piękny stary postument kompasu umieszczony na marmurowej mozaice podłogowej przedstawiającej różę wiatrów. Portret królowej wisiał na lewo od drzwi do małego baru, gdzie S. wyznaczył Hawke'owi spotkanie. Urokliwą salę wyłożoną lśniącą boazerią z bermudzkiego cedru wypełniały stare srebrne trofea regatowe i spłowiałe proporce jachtowe z minionych dziesięcioleci. Barman w starszym wieku uśmiechnął się do nich.

S. czekał przy stoliku w rogu pod oknem z widokiem na przystań klubu. Wstał, gdy ich zobaczył.

– Alex, Ambrose, witajcie! Proszę, zamówcie sobie drinki, dobrze?

Chyba nie zauważył, że spóźnili się piętnaście minut. A jeśli nawet wiedział, najwyraźniej machnął na to ręką. Pobyt na Bermudach dobrze mu robił. Jak nam wszystkim, pomyślał Hawke.

W barze nie było nikogo poza nimi, mimo to Alex uważał, że to dziwne miejsce do rozmowy o rozpoczęciu ściśle tajnej operacji brytyjskiego kontrwywiadu.

– Spokojnie, Alex – uspokoił go S., jakby czytał w jego myślach. – Nie będziemy tu jedli lunchu. Mój stary przyjaciel Dick Pearman, z którego gościny korzystam, wspaniałomyślnie zaoferował mi na tę okazję swój jacht „Mohican". Stoi tu w przystani. Lunch zostanie podany na pokładzie.

– Pearman? – zapytał Congreve. – Czy to Bermudczyk?

– W szesnastym pokoleniu. Czemu pytasz?

– Dick i Jeanne byli u nas na kolacji w zeszłym tygodniu. Urocza para. Wiedział pan, że on był mistrzem Wielkiej Brytanii w krykiecie?

Hawke uśmiechnął się na tę pretensjonalność i skupił uwagę na spłowiałych proporcach jachtowych wiszących w barze. Kiedyś zaprosił Ambrose'a na mecz krykieta i Congreve, który uznawał tylko golfa, odmówił:

– Krykiet? Uważasz mnie za barbarzyńcę?

Congreve i Hawke wzięli swoje drinki, wyszli za S. na jasne słońce i skierowali się na przystań.

W końcu siedzieli wygodnie na półokrągłej bankietce na rufie „Mohicana". S. spojrzał na nich obu, próbując zupy. Podano ogórkowy chłodnik i łososia.

– Przede wszystkim – zaczął – jestem wam ogromnie wdzięczny, że zgodziliście się włączyć do tej sprawy. Przewiduję, że Czerwony Sztandar będzie odgrywał decydującą rolę w kształtowaniu naszych relacji z dawnym wrogiem, który ponownie się uaktywnił.

– Alex i ja bardzo sobie cenimy pańskie zaufanie – odparł Ambrose.

– O tak – przyznał Hawke. – Czytałem akta przygotowane przez pannę Guinness. Moim zdaniem pańska opinia, że znów istnieje zagrożenie ze strony Rosjan, jest jak najbardziej uzasadniona. Zechciałby nam pan powiedzieć, jak pan sobie wyobraża przeciwdziałanie temu z naszej strony?

– Oczywiście – odparł S., złączył końce palców i oparł na nich wystający podbródek. Emocjonował się tym tematem, to była prawdziwa pasja jego życia, toteż przeszedł do rzeczy szybko i z zapałem.

– A zatem, po kolei. Zajmijmy się przez chwilę Rosją. To naturalnie nasz dawny wróg i wszystko wskazuje na to, że nadal uważa nas za przeciwnika. Niewątpliwie zaszokuje was wiadomość, że według ostatnich danych wywiadowczych firmy Rosja znów przygotowuje się do wojny ze Stanami Zjednoczonymi i NATO. Wiemy to, bo przechwyciliśmy tekst nowej rosyjskiej doktryny militarnej, która zastąpiła poprzednią z dwutysięcznego roku. Takie doktryny, jak wam wiadomo, to wytyczne dla dowódców, do czego mają się przygotowywać.

– Trudno się wyzbyć starych przyzwyczajeń – zauważył Hawke.

– Właśnie. Rosja najwyraźniej wciąż czuje się „osaczona" przez Stany Zjednoczone i NATO i widzi siebie jako cel dominacji Zachodu. To skutek siedemdziesięciu lat komunistycznej paranoi. Kiedy kraje Europy Wschodniej zaczęły wstępować do NATO i UE, Rosjan mocno to zirytowało. Lubili swoje dawne tereny. Podejrzewam, że chcieliby je odzyskać.

– To zrozumiałe – powiedział Hawke. – Na ich miejscu pewnie myślałbym tak samo.

– Jasna sprawa. W każdym razie Kreml wysłał w kierunku zachodnim różne nieprzyjemne wiadomości. Nie byli zadowoleni, że przegrali zimną wojnę, i najwyraźniej nadal obawiają się agresji ze strony Europy Zachodniej, zwłaszcza Niemiec i Francji, które najeżdżały Rosję w ciągu dwóch ubiegłych wieków.

Hawke uśmiechnął się cierpko.

– Nie dziwię się, że boją się Niemców. Ale Francji?

– Francuzi dokonali niedawno inwazji na Oman na życzenie Chińczyków, jak doskonale pamiętasz.

– Rozumiem złość Rosji z powodu przegrania zimnej wojny – odezwał się Congreve. – Ale taka paranoja jest niedorzeczna, po prostu absurdalna.

– Owszem, z perspektywy Zachodu. Musimy się więc dowiedzieć, co powoduje nowym reżimem Rostowa, i to będzie zadanie dla Czerwonego Sztandaru.

Alex pochylił się do przodu.

– Sir Davidzie, jak pan sobie wyobraża naszą sekcję od strony organizacyjnej?

– To będzie na twojej głowie, Alex. Osobiście widzę Czerwony Sztandar, inaczej CS, jako organizację OPINTEL, czyli operacje wspierane przez wywiad. Zasadniczo tu na Bermudach jako organizację zajmującą się obserwacją i wsparciem, która będzie dostarczała informacji i udzielała wsparcia tajnym operacjom przeciwko Rosji.

– Podobnie jak amerykańska NSA, tak? SIGINT dla OPS? – upewnił się Alex w branżowym żargonie, mając na myśli wspieranie operacji informacjami przechwytywanymi przez Agencję Bezpieczeństwa Narodowego w postaci sygnałów telekomunikacyjnych. Nie cierpiał zawodowej gwary, ale w tej sytuacji czuł się zobowiązany jej użyć.

Trulove się uśmiechnął.

– Właśnie. Chcemy stworzyć w MI6 grupę wyłączoną z SIS, ale będziecie korzystali ze wszystkich naszych źródeł wywiadowczych. Jak również z pomocy personelu innych naszych organizacji wywiadowczych. Do waszej dyspozycji będą stale spece od operacji, wywiadu, łączności i logistyki oraz eksperci z różnych dziedzin, zależnie od potrzeb.

– To zachęcające – stwierdził Hawke. – A jak pan w tym widzi udział Amerykanów?

– Umówiłem cię na spotkanie w Waszyngtonie, żebyś mógł szczegółowo przedyskutować tę kwestię. W przyszłym tygodniu, ściśle mówiąc, w piątek. Załatwiłem transport w obie strony. Wojskowy. Ale powiem krótko, że widzę wkład CIA jako uzupełnienie zintegrowane z Czerwonym Sztandarem. Możesz włączyć do sprawy sekcje operacji specjalnych innych koalicyjnych struktur wojskowych, Wspólne Dowództwo Operacji Specjalnych i tak dalej. Również terenowe komórki wywiadowcze, z którymi pracowałeś wcześniej, Centra Spike, Torn Victor i Grey Fox.

– Dobrze. – Alex zapalił się do tego zadania. Wiedział, że na pewno nie zabraknie mu środków.

– Świetnie – wtrącił Congreve. – Ale niech mi pan powie, na czym przede wszystkim będzie się koncentrował Czerwony Sztandar?

– To może oczywiście zależeć od sytuacji, ale dziś odpowiedziałbym tak: terroryzm na zawsze zmienił nasze spojrzenie na zagrożenia militarne. Nie będziemy się zajmowali na przykład naruszaniem układów rozbrojeniowych, liczbą rosyjskich głowic bojowych. Nie, skupimy się na niebezpieczeństwie zatrucia żywności i wody. Na reaktorach jądrowych. Zamachach na porty. Skażeniach biologicznych. Atakach elektronicznych i przy użyciu impulsów elektromagnetycznych. I na tak zwanym efekcie motyla, rzecz jasna.

– To dla mnie coś nowego – powiedział Hawke.

Congreve spojrzał na sir Davida.

– Mogę?

– Proszę, Ambrose.

– Efekt motyla to zjawisko wielkiej wrażliwości zachowania układów nieliniowych na małe zmiany warunków początkowych. Rozumiesz?

Hawke uśmiechnął się, słysząc ten typowy dla Ambrose'a popis naukowej erudycji.

– Kula umieszczona na szczycie wzgórza może się stoczyć do każdej z kilku dolin zależnie od drobnych różnic w początkowym położeniu. Prawda? – powiedział Hawke.

Trulove zachichotał.

– Dobrze to ująłeś, Alex. No cóż. Uważałem, że wybrałem właściwych facetów do tej roboty i miałem rację.

– Co do operacji antyterrorystycznych Czerwonego Sztandaru – mówił dalej Hawke – przypuszczam, że źródłami materiałów do naszych analiz wywiadowczych będą pośrednicy, informatorzy i Internet. Bez wątpienia będziemy też dostawali cynk od różnych współpracujących z nami instytucji amerykańskich, Departamentu Bezpieczeństwa Wewnętrznego, Urzędu Imigracyjnego, i innych.

– Tak. Z czasem będziemy mieli do dyspozycji bezzałogowe aparaty latające, przechwytywane wiadomości, agentów i temu podobne. Wasi amerykańscy partnerzy będą korzystali z usług wszystkich waszych ulubionych trzyliterowych agencji, a więc CIA, DIA, NGA i NSA.

Ambrose odsunął talerz i zapalił fajkę.

– Wygląda na to, że wróciły stare złe czasy. Globalna konfrontacja ideologiczna, walki poprzez pełnomocników, wyścig zbrojeń i groźba wzajemnego unicestwienia.

– Druga zimna wojna – powiedział Hawke.

– Można niemal żałować, że to nie tamta pierwsza, Alex – odparł S. – Wtedy istniała pewna równowaga oparta na wzajemnym strachu przed wzajemnym zniszczeniem. Jedna strona bała się posunąć o krok za daleko bez oglądania się na drugą. To był kruchy pokój i na pewno zatrważający. Ale patrząc na tamte lata z dzisiejszej perspektywy, powiedziałbym, że dość solidny. Teraz pokój między Wschodem i Zachodem nie jest nawet w przybliżeniu taki trwały. Nowa Rosja to nowe zagrożenie.

– Zatem za Czerwony Sztandar. Oby długo powiewał. – Ambrose uniósł szklankę.

– Za Czerwony Sztandar – zawtórowali mu Hawke i Trulove ze szklankami wysoko w górze.

W mrocznych miesiącach, które miały nadejść, wszyscy trzej będą tęsknie wspominali to spotkanie, kiedy ich optymizm był dowodem niewiarygodnej naiwności.

19

Moskwa

Czterdzieści kilometrów na zachód od placu Czerwonego leży piękna wiejska posiadłość, gdzie rosną sosny i brzozy. Nazywa się Nowe Ogariewo. W sielankowym krajobrazie stoją dacza, stajnie i niedawno odnowiona cerkiew. Jest też dobrze utrzymany ogród warzywny i lądowisko dla helikoptera. Dom zbudowano w końcu XIX wieku dla syna cara Aleksandra II. Lądowisko jest całkiem nowe. Kordon bezpieczeństwa też.

Rezydencję zajął pewnego dnia niejaki Władimir Władimirowicz Rostow z żoną Natalią i dorosłym synem.

Prezydent Putin kazał odnowić daczę i zaczął jej używać w roku 2001. Rostow zrobił to samo, gdy Putin został aresztowany i wysłany do więzienia Energietika pod Sankt Petersburgiem. Teraz spędzał dużo czasu na wsi. Tu czuł się najlepiej. Jego niewidoczni sąsiedzi, bogaci Rosjanie, pobudowali sobie okazałe, choć często niegustowne dacze. Nikt z nich nigdy nie poznał sławnego sąsiada i nie miał na to szans.

Jak można sobie wyobrazić, w Nowym Ogariewie nie kwitło sąsiedzkie życie towarzyskie. Gośćmi byli zwykle ludzie z najbliższego otoczenia prezydenta, mała grupa dwunastu mężczyzn cieszących się jego pełnym zaufaniem. Prawie wszystkich znał od lat, dwaj najbardziej z nim związani wywodzili się z KGB. Odwiedzały go też ważne osobistości, takie jak gubernatorzy Federacji, i czasem głowy państw. Goście przyjeżdżali i wyjeżdżali o różnych porach dnia i nocy. Przeważnie w nocy, gdy prezydent pracował do późna, popijając herbatę z wódką.

Jak wielu Rosjan, Władimir Rostow nie wstawał wcześnie. Często leżał w łóżku do jedenastej. Nawet w te dni, kiedy zawożono go do biura na Kremlu, rzadko opuszczał daczę przed wybiciem południa.

Dziś pracował w domu. Pewnych gości wolał przyjmować w Nowym Ogariewie niż w biurze na oczach swoich dworzan. Rostow był szpiegiem, całe życie działał w cieniu. Po takim człowieku można się spodziewać obsesyjnej podejrzliwości. Zanim doszedł do władzy, stał na czele KGB, w swoim czasie najgroźniejszej tajnej policji na świecie. Jej następczyni, FSB, szybko zyskiwała podobną sławę.

Kwadrans po jedenastej tego grudniowego przedpołudnia prezydent Federacji Rosyjskiej zszedł po schodach w grubym wełnianym szlafroku. Choć dzień był zimny i mokry, miał wyjątkowo dobry nastrój. Każdy dzień roboczy zaczynał w domu od energicznego pływania w małym krytym basenie. Dzięki temu, mimo zaawansowanego wieku, utrzymywał się w dobrej formie. Po przepłynięciu swojego zwykłego dystansu szedł do małej jadalni. Tam WWR, jak prywatnie nazywał go jego personel, mógł w końcu zjeść z apetytem późne śniadanie.

– Dzień dobry – powiedział do służby, siadając przy stole. Uśmiechnął się, gdy odpowiadali uprzejmie na pozdrowienie. Obok nakrycia leżały trzy gazety: „Prawda", „New York Times" i „Times". Zauważyli, że uśmiecha się, przysuwając krzesło. Dziś spodziewał się tylko jednego gościa, co oznaczało, że nie będą mieli dużo pracy. Wszyscy w kuchni byli zadowoleni, reszta służby też w ten szary, deszczowy dzień.

Kiedy prezydent unosił do ust filiżankę herbaty, usłyszał dziwny odgłos, który zakłócił ciszę spokojnego czwartkowego poranka na wsi. Władimir Rostow podniósł wzrok znad artykułu na pierwszej stronie „Prawdy" i zobaczył z zaskoczeniem, że do domu zbliża się szybko długa czarna limuzyna, znacznie dłuższa od jego opancerzonego mercedesa pullmana.

Wiedział, kto nadjeżdża. Pasażerem samochodu był Nikołaj Kuragin, teraz człowiek z jego najbliższego otoczenia, kiedyś generał KGB i jego podwładny w starych złych czasach, gdy dzielili biuro na moskiewskiej Łubiance, nazywanej Wrotami Piekła. Nikołaj należał do grona dwunastu ludzi, których prezydent znał przez większość życia. Dwunastu mężczyzn, nazywanych *siłowikami*, zawsze kręciło się wokół Rostowa. Trzymanie się blisko władzy było na Kremlu politycznym imperatywem.

Od chwili aresztowania i uwięzienia Putina w wyniku spisku, który wspólnie uknuli, tworzyli politbiuro Rostowa w sowieckim stylu. Wąskie grono ludzi kształtowało politykę Rosji i dążyło do przywrócenia ojczyźnie wysokiej pozycji w świecie i wprowadzenia jej w nową wspaniałą epokę.

Limuzyna jechała o wiele za szybko wąskim podjazdem. A poza tym generał Kuragin zjawił się godzinę wcześniej. Co jest, do cholery? Rostow wstał od stołu z wyrazem irytacji w zimnych niebieskich oczach i poszedł na górę, żeby się ubrać.

Dziesięć minut później siedział za biurkiem w domowym gabinecie i słuchał fascynującej opowieści Kuragina o ostatnich wydarzeniach w Miami, bębniąc z roztargnieniem palcami w blat. Miał ten odruch od wczesnych lat życia i nie mógł się od tego odzwyczaić, podobnie jak od paru innych rzeczy. Wiedział, że to nerwy i tłumiona energia. W Rosji było tyle do zrobienia, tyle rozległych terenów do zagospodarowania.

– Czy śmierć Ramzana została potwierdzona? – zapytał eleganckiego mężczyznę na krześle naprzeciw niego. Nikołaj nosił szyty na zamówienie czarny mundur, w którym wyglądał jak Obergruppenführer SS. Rostow wiedział, że zależy mu na takim wizerunku. Nawet siwe włosy ostrzyżone na jeża farbował na blond.

Kuragin nie przedstawiał sobą przyjemnego widoku. Był chudy jak szkielet, miał obwisłą szarawożółtą skórę, głęboko osadzone ciemne oczy i długi cienki nos. Uśmiechał się półgębkiem, często złowrogo.

Rostow podziwiał jego umysł. Nikołaj wszystko wiedział, wszystko pamiętał i o niczym nie zapominał, jakby mieszkał w pokoju pełnym zegarów i kalendarzy. Dbał o szczegóły, przywiązywał wagę do drobiazgów i utrzymywał idealny porządek w publicznym życiu prezydenta. Był niezbędny, toteż najcenniejszy.

– Wyparował, mój drogi Wołodia. Mam ze sobą zdjęcia z imprezy w Miami. Przyszły e-mailem na Łubiankę niecałą godzinę temu. Być może rozpoznasz kogoś z naszych starych wrogów.

Kuragin podsunął prezydentowi przez biurko zapieczętowaną czerwoną kopertę. Rostow wziął ją, złamał pieczęć i wyjął około trzydziestu błyszczących kolorowych fotografii formatu dwadzieścia na dwadzieścia pięć centymetrów. Bez słowa zaczął się uważnie przyglądać twarzom znienawidzonych czeczeńskich przywódców, jak to robił od lat, w poszukiwaniu znajomych rysów.

Kiedy znalazł człowieka, którego szukał, otworzyły się najdalsze zakamarki pamięci.

Popatrzył na zdjęcie urwanej głowy Ramzana leżącej pod osmaloną palmą i rzucił gniewnie fotografię na stertę innych.

– Chciałem, żeby ta czeczeńska świnia została aresztowana, Nikołaj, nie wyeliminowana. Jak dobrze wiesz, zamierzałem osobiście porozmawiać z tą gnidą w podziemiach Łubianki.

– Wiem. Niefortunnie się złożyło. Wytropiliśmy go w Miami i mieliśmy zgarnąć kilka godzin później. Ale ktoś dopadł go pierwszy. Miał w Moskwie wielu wrogów.

– Wiemy, kto go załatwił?

– Pracujemy nad tym.

– Czy Patruszew widział zdjęcia? Albo Korsakow?

Nikołaj uśmiechnął się lekko na ten niewinny żart. Generał Nikołaj Patruszew, szef FSB od 1999 roku, był jego bezpośrednim przełożonym. Ale Kuragin przez całe życie był lojalny tylko wobec dwóch ludzi, swojego starego towarzysza za biurkiem i Iwana Korsakowa. Podejrzewał, że pewnego dnia Rostow każe mu wyeliminować hrabiego. Jeśli prezydent chciał się utrzymać przy władzy, nie mógł zbyt długo tolerować obecności silnego rywala na Kremlu.

Korsakow, bohater narodowy, z każdym dniem rósł w siłę. Rostow z pewnością zdawał sobie z tego sprawę, choć nigdy o tym nie wspominał. Nikołaj uważał, że wcześniej czy później dojdzie do konfliktu między nimi, konfliktu, po którym zostanie tylko jeden z nich. Generał na razie stał sprytnie pośrodku i służył obu stronom.

– Pomyślałem, że ty powinieneś zobaczyć je pierwszy – odrzekł i odsłonił w uśmiechu pożółkłe zęby. – Przyjechałem trochę wcześniej, bo o drugiej mam spotkanie z Korsakowem i Patruszewem.

– W porządku.

Rostow przyjrzał się jednemu ze zdjęć.

– Gdzie odbywała się ta uroczystość?

– W Miami. W rezydencji niejakiego Łukowa. Obserwowaliśmy go przez ostatni miesiąc. Wyprawił Ramzanowi przyjęcie urodzinowe. Jeden z moich agentów w Miami, Jurij Jurin, zdobył informację, że Ramzan ma być na tej imprezie. Gienadij Sokołow i Jurin zdołali się dostać do posiadłości, udając wynajętych ochroniarzy, i zrobili ukradkiem te zdjęcia.

Rostow rzucił jedną z fotografii przez biurko.

– Tutaj jest moment przyjazdu Ramzana. Ustal, kto prowadził jego limuzynę. Pogadaj z nim. Jeśli się zorientujesz, że coś wie, wyciągnij to z niego. Chcę wiedzieć, kto ukrywał Ramzana w Miami.

– Tak jest.

– Te zdjęcia są bardzo wyraźne. Dopasuj mi nazwiska do wszystkich twarzy.

– Na poniedziałek.

– Piękna kobieta, ta na estradzie.

– Piosenkarka. Na następnym zdjęciu widać, jak wielki czarny facet znosi ją na rękach z estrady. Tuż przed eksplozją.

– Bomba była pewnie w torcie. Ten czarnuch wiedział o tym. Skąd? Czy on ją podłożył? Zdobądź jego nazwisko.

Nikołajowi nie spodobało się, że Rostow użył słowa „czarnuch". Zdecydowanie nie pochwalał rasizmu prezydenta, ale skinął głową.

– Zwróć też uwagę na wielkiego gościa w bieli. Ma na lewej piersi wyszyte nazwisko „Happy". Może to wspólnik tamtego czarnego. Biały przywiózł tort, a potem szybko się wyniósł. Tutaj widać, jak się przepycha w pośpiechu przez tłum wokół estrady. Nasi ludzie w Miami już go szukają.

– Kogo mamy teraz na Florydzie?

– Nikitę Duntowa, Grigorija Putowa i ich zespół. Wycofałem ich z Hawany dziś w nocy.

– Pod jaką przykrywką działają?

– Dwóch hollywoodzkich producentów filmowych. Z nowej wytwórni Korsakowa o nazwie Miramar.

– Doskonale. A ten Happy nie będzie długo wesoły – powiedział Rostow, oglądając kilka ostatnich zdjęć. – Intryguje mnie też ten jacht. Przycumowany na przystani, jeden człowiek na pokładzie z lornetką, drugi na szczycie wieżyczki wędkarskiej. Podaj mi szkło powiększające.

Nikołaj Kuragin i Rostow przyjrzeli się uważnie fotografii.

– „Fado". Widzisz napis na rufie? Tak się nazywa. Spójrz tutaj, Nikołaj. Co robi ten facet na szczycie nadbudówki? Manipuluje przy jakimś sprzęcie, ale chyba nie wędkarskim.

– To kamery?

– Tak, a dokładniej, kamery obserwacyjne. Okazuje się, że tego wieczoru nie tylko nas interesował Ramzan. Czarnuch i piosenkarka wskoczyli na pokład tej łodzi sekundę przed wybuchem. A tu jacht odbija od przystani w samą porę, by uniknąć skutków eksplozji. Trzeba się zająć nimi wszystkimi, rozumiesz?

– „Fado". Zrobię co w mojej mocy i zadzwonię do ciebie z samego rana. Coś jeszcze? Muszę wracać do biura, jeśli mam zdążyć na spotkanie z naszym przyjacielem.

– Zawsze jest coś jeszcze, Nikołaj. Ale na razie zamierzam dokończyć śniadanie i cieszyć się spokojnym popołudniem, rozmyślając o naszym kraju. Dzięki, że przyjechałeś do mnie z tą sprawą. Chcę wiedzieć, kto zabił Ramzana.

– Wrogowie naszych wrogów są naszymi przyjaciółmi – odrzekł z uśmiechem Nikołaj.

– Do śmierci.

Obaj się roześmiali.

20

Bermudy

Nad szafirowym Atlantykiem zbierały się chmury burzowe. Niebo na zachodzie miało ołowianą barwę i ciemniało. W górze wrzeszczały i pikowały ptaki morskie. Bermudzka służba meteorologiczna prognozowała wichury i fale o wysokości od dwóch do trzech metrów, później nawet od czterech do pięciu.

Dzień w sam raz na ekscytujące żeglowanie, pomyślał. Tęsknił za swoim pięknym ośmiometrowym slupem „Gin Fizz".

Wiatr nigdy mu zbytnio nie przeszkadzał. Jak powiedział kiedyś pewien stary żeglarz, pesymista narzeka na wiatr, optymista ma nadzieję, że się zmieni, a realista refuje żagle. Ulubiona dewiza życiowa Hawke'a brzmiała: „Nie pękaj". Jak dotąd, dobrze na tym wychodził. Dziś miał to sprawdzić.

Nadciągający front burzowy przesuwał się na wschód-północny wschód i zbliżał do Bermudów z prędkością dwudziestu kilometrów na godzinę. Temperatura spadła co najmniej o pięć stopni, odkąd Hawke wyjechał z domu na motocyklu. Był tylko w zdartych butach żeglarskich na bosych nogach, starych spodniach khaki, szarej podkoszulce Royal Navy i spłowiałej niebieskiej kurtce. Prowadząc nortona nadmorską drogą, marzł jak cholera.

Popatrzył na zbliżającą się linię szkwałów i ocenił, że nadciągający sztorm uderzy w ląd z pełną siłą za godzinę. Skręcił kierownicę i przechylił się na łuku w lewo. Ruch był mały, nie widział nigdzie policji i gdyby tak zostało, zdążyłby dotrzeć do celu na czas i to suchy.

Nie oszczędzał silnika cennego nortona, gdy pędził na wschód Harrington Sound Road. Na lewo od niego pieniły się grzbiety fal w zatoczce nazywanej przez miejscowych Norą Rekina. Jej powierzchnia rosła jak pęcherz, pęczniała. Kiedy brał zakręt, poczuł na rękach i twarzy ukłucia pierwszych kropel deszczu niczym ukąszenia wściekłych os. Potem przestało padać tak nagle jak zaczęło i z powrotem wyszło słońce. Ogrzało mu twarz i znów zazieleniło i pozłociło świat.

Droga prowadziła wokół północnego obrzeża portu lotniczego do Causeway i tamtędy na kraniec Saint George do Powder Hill. Był wtorek. Hawke miał być u Azji Korsakowej o pierwszej. Sam nie wiedział, dlaczego tam jedzie. Być może po to, żeby jej oznajmić, że zmienił zdanie na temat portretu. Mówił sobie, że to jeden z powodów. Istniało też wiele innych, o których wolał nie myśleć.

Nagle zorientował się, że siedzi mu na ogonie jakiś motor. Rzucił okiem przez ramię i zobaczył, że motocyklista przyspiesza i zmniejsza dystans. Spod czarnego kasku wystawały rozwiane długie dredy. Hawke'owi wydało się, że dostrzegł błysk złotego łańcucha na szyi faceta. Jeden z ludzi Króla Coale, Uczniów Judy? Możliwe. Motor tamtego, czerwona benda bd 150, miał silnik o pojemności stu pięćdziesięciu centymetrów sześciennych, o największej mocy dozwolonej na Bermudach. Ale Jamajczyk miał się wkrótce przekonać, że jego maszyna nie może się równać ze starym nortonem commando.

Hawke uśmiechnął się szeroko i zwolnił, żeby rastafarianin podjechał do niego na odległość kilku metrów. Obejrzał się i zobaczył, że facet szczerzy charakterystyczne złote zęby, w których odbija się słońce. Hawke odwzajemnił uśmiech i otworzył przepustnicę nortona. Motocykl wyrwał gwałtownie do przodu i Hawke dojechał do następnego zakrętu wzdłuż cieśniny Harrison z prędkością prawie stu trzydziestu kilometrów na godzinę. Wyhamował, wpisał się idealnie w łuk, znów przyspieszył i rozpędził się szybko do stu czterdziestu pięciu kilometrów na godzinę.

Pokonując szeroki zakręt, znalazł się nagle za wolno jadącą taksówką, która wiozła turystów na lotnisko. Odbił w bok, wyprzedził bez zwalniania toyotę vana i zbliżył się szybko do skrętu na Blue Hole. Port lotniczy i jego zamierzona trasa na wschodni kraniec Saint George znajdowały się po prawej.

Ale Hawke skręcił w lewo, pomknął Fractious Street i po kilkuset metrach wjechał na małą stację benzynową po prawej stronie. Zatrzymał się z piskiem opon za wielkim furgonem tankującym paliwo i czekał, aż pojawi się jego ogon.

– Zgubiłem go – powiedział do siebie po pięciu minutach, nie widząc ani śladu ucznia Judy. Był niemal zawiedziony. Miał nadzieję, że się dowie, czego od niego chcą. Postanowił, że w wolnym czasie zajmie się tym. Znajdzie Króla Coale i pogawędzi sobie z nim.

Zawrócił i wkrótce pędził wąską dwupasmową Causeway do mostu przerzuconego nad Castle Harbour. Na drugim końcu mostu leżała wyspa Saint George i bermudzki port lotniczy. Duży boeing 757 linii Delta, podchodzący do lądowania, przeleciał Hawke'owi nad głową, gdy przejeżdżał przez rondo w kierunku wschodniego krańca Saint George.

Hoodoo przywitał serdecznie Hawke'a na pokładzie motorówki. Tym razem na przystani nie było żadnego ochroniarza, nikt go nie obszukał ani nie sprawdzał wykrywaczem metalu. Sternik przyjaźnie uchylił kapelusza, gdy Hawke zjawił się na pomoście.

– Jak pan się ma w ten piękny dzień? – zapytał, pchnął przepustnice i szybko odbił od brzegu. Za wodą oświetlona słońcem zielona wysepka Powder Hill zdawała się unosić w powietrzu na tle ciemnofioletowego nieba.

– Dobrze, a ty? – odrzekł Hawke.

– Nie mogę narzekać.

– Hoodoo, tak?

– Zgadza się, panie Hawke. Miło mi znów pana widzieć.

– Wzajemnie – powiedział Hawke i wyciągnął rękę. Mężczyzna uścisnął mu mocno dłoń.

– Nadciąga sztorm. Obawiam się, że silny.

Hawke skinął głową.

– Ciekawi mnie jedna sprawa, Hoodoo, może będziesz mógł mi pomóc.

– Spróbuję.

– Co wiesz o uczniach Judy? Pytam tylko dlatego, że wykazują niezdrowe zainteresowanie moją osobą. Śledzą mnie, gdziekolwiek się ruszę.

Hoodoo patrzył na niego odrobinę za długo.

– To Jamajczycy. Uprawiają złą magię. Bermudczycy nie znoszą Jamajczyków, ale co można zrobić? Wszyscy jesteśmy braćmi, prawda?

– Słyszałeś kiedykolwiek o facecie nazwiskiem Coale? Król Coale?

– Nie przypominam sobie takiego nazwiska. Trzymam się od nich z daleka i radzę panu robić to samo.

Hawke podziękował i nie odzywał się przez resztę krótkiego rejsu na wyspę Powder Hill. Kiedy urosła w oczach, poczuł skurcz żołądka. Wiedział, że na próżno stara się stłumić uczucie do Anastazji Korsakowej.

21

Hawke dojechał do Half Moon House, pożegnał się ze Starbuckiem i kierowcą i popatrzył, jak zielony land-rover znika w górze błotnistej drogi, która wiła się przez bananowy gaj. Na powierzchni małej półkolistej zatoki obok ładnego kamiennego domu wyrastały białe grzywy fal. Malarka nie czekała na niego na werandzie jak poprzednim razem. Wszedł w chłodny półmrok domu i wspiął się na palcach po drewnianych schodach. Zatrzymał się na chwilę na podeście i zaczekał, aż serce przestanie mu walić.

Hawke był dotąd zakochany tylko raz. Ożenił się z piękną kobietą nazwiskiem Victoria Sweet, która umarła w jego ramionach na schodach kościoła, gdzie wzięli ślub. Nawiedzała go w snach przez lata, ale teraz już nie, dzięki Bogu. Był sam. Depresja z czasem minęła i pozostały tylko resztki smutku. Duch zniknął. Hawke mógł w nocy rozpościerać szeroko ramiona bez strachu, że dotknie jedwabistego ciała. Mógł...

Do diabła z tym, pomyślał i wkroczył do pracowni Azji. Siedziała tyłem do niego na niebieskim drewnianym stołku przed sztalugą. Nanosiła szerokim pędzlem biały podkład na duże płótno.

Była w białej wiejskiej bluzce odsłaniającej ramiona i białej bawełnianej spódnicy do kostek ozdobionej wyhaftowanym deseniem muszelek. Opalone stopy oparte na poprzeczce stołka wyglądały jak dwa brązowe ptaszki.

– Azja – powiedział Hawke od drzwi.

Zanim się odezwała, zauważył, że stoją mu włosy na przedramionach. Naelektryzowały się. Zobaczył, że pokój z wysokim sufitem otacza z czterech stron szeroka weranda. Wentylator w górze obracał się wolno, wszystkie drzwi balkonowe z widokiem na gaje bananowe wokół domu były otwarte, listewkowe żaluzje stukały na wietrze i powiewały w orzeźwiającej bryzie niczym podarte zielone flagi.

Promienie słońca, które przebijały przez gromadzące się chmury burzowe, zalewały pracownię złocistym światłem. Azja zerknęła na Hawke'a przez ramię i wróciła do swojego zajęcia. Ale jej spojrzenie mówiło: „Widzę cię. Wiem, że tu jesteś. Wszystko jest możliwe".

– Pan Hawke. Jednak przyjechałeś.

– Nie spodziewałaś się mnie?

Obróciła się twarzą do niego i tak ułożyła spódnicę, że odsłoniła opalone kolana.

– Szczerze mówiąc, nie. Nie sądziłam, że się zjawisz.

– Nie zapominaj, że potrzebuję pieniędzy.

Uśmiechnęła się.

– Coś do picia?

– Jak się domyśliłaś? Co masz?

– Rum.

– Chętnie.

Skinęła głową, odłożyła pędzel i podeszła do małego kredensu, który służył jej za barek. Włosy miała upięte na czubku głowy, złociste pukle opadały na czoło, jeden kosmyk wił się przy różowym policzku.

– Bez lodu – poprosił Hawke. – Czysty.

Nalała do kryształowej szklanki black seala na dwa palce i wręczyła mu.

Wypił rum jednym haustem i wyciągnął rękę ze szklanką.

– Jeszcze jeden? – zapytała.

– Uhm. Na drogę.

– Już wychodzisz?

– Użyłem przenośni.

Roześmiała się, nalała mu ciemnego rumu i popatrzyła na niego.

– Czy jesteś równie zabawny jak przystojny, panie Hawke?

– Nie mam pojęcia.
– Marnujesz się – odezwała się po dłuższej chwili. – Gdybyś miał trochę forsy i inne nastawienie, mógłbyś mieć każdą kobietę na tej wyspie.
– Nie chcę każdej kobiety na tej wyspie.
Spojrzała w dal na samotnego ptaka, nienaturalnie białego, który leciał nad gąszczem zielonych drzew bananowych, uciekając przed nadciągającą burzą.
– Wychodzę na papierosa – oznajmiła. – Bądź gotowy, jak wrócę.
– Gotowy?
– Na szezlongu. Nagi.
– Aha.
Zsunęła się ze stołka i wyszła na werandę. Hawke nie ruszył się z miejsca i obserwował ją. Stała przy barierce tyłem do niego i paliła; biała postać odcinała się na tle ciemniejącego nieba. Wiatr opinał cienką spódnicę wokół jej najwyraźniej nagich bioder i pośladków, lada chwila mogło lunąć, błyskało się i grzmiało coraz bliżej. Gdzieś z ogrodu napłynęła woń gardenii niesiona słodkim oddechem zbliżającego się deszczu.
Hawke pociągnął łyk rumu i zauważył, że żelazna barierka widoczna wśród bugenwilli jest zardzewiała.
Kiedy Azja wróciła, zastała Hawke'a tam, gdzie go zostawiła.
– Coś nie tak? – zapytała. Zaciągnęła się głęboko papierosem i wydmuchnęła kłąb niebieskiego dymu.
– Nie.
– To o co chodzi? Niedługo już nie będzie tego wspaniałego światła.
– Zamiana ról.
– Co?
– Ty to zrób.
– Co mam zrobić?
– Dokładnie to, co mi kazałaś. Idź na szezlong. Nago.
– Ja? Chyba żartujesz? Albo zupełnie zwariowałeś.
– Tak, ty. Zrób to. No już.
Podeszła do komody i ze złością zgasiła papierosa w dużej popielniczce.
– Niech pan posłucha, panie Hawke. Nie wiem, kim ty jesteś, do cholery, i za kogo mnie uważasz. Jestem zawodową malarką. Nie znajduję erotycznej przyjemności w patrzeniu na moich modeli, staram się tylko namalować ich tak jak naprawdę wyglądają. A teraz, jeśli…
– Jestem tylko modelem, tak?
– Oczywiście. A co myślałeś? Że mam jakieś inne…
– Azja. Przestań. Po prostu rób, co mówię. Najpierw bluzka.
Spojrzała na niego z zaciśniętymi pięściami i gniewnym błyskiem w oczach.
Przez chwilę myślał, że rzuci się na niego, uderzy go, zadrapie mu policzek paznokciami, walnie go w pierś. Ale nie zrobiła tego, lecz ochłonęła i uśmiech-

nęła się do niego sceptycznie, tolerancyjnie, z rozbawieniem. Opuściła wolno głowę i zaczęła odpinać rząd perłowych guziczków z przodu bluzki. Było ich mnóstwo i Hawke zobaczył, że drżą jej palce.

– Jest pan pełen niespodzianek, panie Hawke – powiedziała, zmagając się z guziczkami.

– Jeszcze mnie nie znasz.

– Byłam pewna, że wybrałeś inną drogę.

– A jest jakaś inna droga?

Roześmiała się, oczy jej błyszczały. Najwyraźniej nie obchodziło jej, jaką drogę wybrał.

Hawke nie odrywał od niej wzroku. Podszedł do stołka, podniósł go i ustawił przy szezlongu. Przysiadł na brzegu, wypił łyk rumu i poczuł, jak pali go wewnątrz. Azja skończyła odpinać guziczki i wzięła się pod boki w rozchylonej bluzce.

– Na co czekasz? – zapytał. – Zdejmij to.

Ściągnęła bluzkę, upuściła na podłogę i nagle spojrzała na niego niby wyzywająco, ale jakby z głębszym uczuciem w sercu. Była bez stanika. Alabastrowa biel jej pełnych piersi kontrastowała z brązem opalenizny na brzuchu, rękach i ramionach. Różowe sutki stwardniały w wilgotnym chłodzie pokoju. Celowały w Hawke'a.

Przyglądał się jej długo, namiętność pulsowała w nim jak drugie serce.

– Teraz spódnicę.

Znów pochyliła głowę, sięgnęła obiema rękami za siebie i odpięła spódnicę, która opadła wokół jej kostek. Wyszła z niej i kopnęła ją na bok. Miała długie, zgrabne opalone nogi. Między gładkimi udami połyskiwały złociste loczki.

Hawke oderwał od niej wzrok i powiedział cicho:

– Spójrz na mnie, Anastazjo.

Zrobiła to i wytrzymała jego spojrzenie. Potem ujęła prawą ręką lewą pierś od dołu, jakby mu ją podawała, i zamknęła oczy. Pieściła się, wodziła palcem po sterczącym sutku, szczypała go i ugniatała między kciukiem a palcem wskazującym.

Otworzyła usta, ale Hawke zauważył, że rozszerzają się jej nozdrza, oddycha przez nos. Przesuwała lewą dłoń w dół brzucha.

– Chcę... – szepnęła.

– Wiem – odrzekł.

Sięgnęła między nogi. Dwa palce zniknęły w głębi lśniącego ciała pomiędzy rozchylonymi brązowymi udami. Znów spuściła głowę, kołysała się lekko, cichy jęk wyrwał się jej z ust. Hawke obserwował ją, głęboko poruszony samym widokiem. Reagował, twardniał coraz bardziej i pragnął jej, ale chciał przedłużyć tę chwilę, zachować pożądanie, pozostać na ostrzu noża na zawsze.

Błysnęło i piorun uderzył z trzaskiem w gaj bananowy, bardzo blisko domu. Pokój zalało na moment oślepiające białe światło. Powietrze wokół nich zapachniało spalenizną. Hawke poczuł lekki ból serca. Od pioruna, pomyślał.

Sekundę później przetoczył się ogłuszający grzmot. Wiatr przybrał z hukiem na sile i wreszcie lunęło, rzęsisty deszcz ciął niemal poziomo. Drzwi balkonowe z żaluzjami łomotały gwałtownie. Hawke pogłaskał Azję po policzku.

– Zostań tu, proszę, nie ruszaj się.

– Zimno mi.

– Pozamykam drzwi.

Obszedł pokój dookoła i zamknął wszystkie. Po zachodniej stronie miał z tym trudności, bo wyjący wiatr był bardzo silny. Kiedy się z tym uporał, wrócił do niej, przysunął się blisko i uśmiechnął.

Uniósł jej podbródek i pocałował ją w usta, rozchylając jej wargi językiem. Odwróciła głowę w bok. Oddychała płytko i szybko.

– Jesteś taka piękna – powiedział. – Taka, jaka jesteś. Taka, jak w tej chwili. Nieskończenie piękna.

Cofnęła się o krok i wyciągnęła rogowy grzebień z włosów. Rozsypały się, ciemnozłociste loki opadły jej na ramiona. Spojrzała na niego, chwyciła w garść jego koszulkę i szarpnęła. Łatwo rozdarła stary trykot z cienkiej szarej bawełny i zerwała mu go z piersi. Potem sięgnęła obiema rękami do klamry paska, palce już jej się nie trzęsły, lecz poruszały z furią. Odpięła mu spodnie i pociągnęła w dół, gdy opadła tyłem na szezlong. Siedziała przed nim i patrzyła szeroko otwartymi oczami w górę na jego nieme fizyczne wyznanie miłości lub oznakę pożądania czy cokolwiek tak wyraźnie demonstrował, do licha. To już nie miało znaczenia dla żadnego z nich, po prostu byli ze sobą złączeni, uwięzieni w tej samej burzy.

Pochyliła się do przodu, dotknęła wargami jego końca, wzięła głęboki oddech i przesunęła po nim lekko językiem, najpierw zataczając mały krąg, potem okrążając całą długość. Lizała go, już nie delikatna, lecz łapczywa, głodna, spragniona, jej usta poruszały się po nabrzmiałych żyłach, zachwycały twardym jak stal, a jednak miękkim ciałem. Przywarła do niego twarzą i poczuła jego ręce z tyłu głowy, silne palce w jej włosach kierowały nią.

– Azja – wymruczał. Jego głos dotarł do jej ukrytej głębi, usłyszała też deszcz bębniący głośno w dach i okiennice, gdy burza rozpętała się na dobre, wycie wiatru wokół gzymsów, grzmot gdzieś w górze, ale nie wysoko. Położyła się na jedwabnych poduszkach, przerzuciła jedną nogę przez poręcz szezlongu i czekała na niego.

– Potrafiłbyś mnie oszukać, panie Hawke – powiedziała ze śmiechem, łapiąc oddech i przywołując go kiwnięciem palca.

Skóra przywarła do skóry, poruszał się na niej, czuła na sobie jego ciężar, dotyk twardości, najpierw na zewnątrz, ocierającej się o mokre wargi, potem wchodzącej głęboko w nią. Krzyknęła i uniosła biodra, i był w niej cały, szukał coraz więcej jej, jakby nie istniał tego kres.

Jęk wyrwał się z jej krtani, jego ręce były pod nią, zaciskały się, chwytały, podnosiły ją, chciały, by wzniosła się z nim na wyższy poziom, zbyt silne, by czekać, zbyt delikatne, by ją zmuszać, jego usta znalazły jej usta, miażdżyły jej wargi. A potem odrzucił głowę do tyłu, kiedy poczuł, że ona zbliża się do tego momentu i osiąga go, i oboje krzyknęli, gdy nagle gwałtowny podmuch wiatru otworzył drzwi balkonowe u stóp łóżka i ulewny deszcz spadł na nich jak wodospad.

– O Boże, Alex.

Spojrzał w dół na jej piękną twarz, lekko zdziwiony, i zobaczył uśmiech. Dyszała bez tchu, wydając się odgłos podobny do śmiechu, kiedy kręciła głową z boku na bok, pełna zachwytu, i mrugała oczami, by usunąć z nich krople deszczu.

– Mokniemy, wiesz o tym? – powiedział Hawke z twarzą w jej włosach i ustami przy jej uchu.

– Bez obaw, kochanie, to nie może trwać wiecznie.

– Nie? – zapytał, uniósł głowę i uśmiechnął się, patrząc na nią z góry. Znów jej pragnął.

22

Miami

Szybki Eddie Falco, siedemdziesięcioletni ochroniarz w kondominium Stoke'a, One Tequesta Point, poderwał głowę do góry jak wystraszony kurczak. Opuścił na kolana zniszczoną książkę w miękkiej okładce i popatrzył na widok przed sobą. Jeden z mieszkańców, olbrzym znany jako Stokely Jones, wyłonił się właśnie z północnej windy i wyglądał jak prezenter na uroczystości rozdania nagród MTV.

– Siema, Stoke – powiedział Eddie, zlustrował przyjaciela od góry do dołu i gwizdnął przez zęby, które mu jeszcze pozostały.

– Dobry wieczór, Edwardzie. – Stoke przystanął, by podrzucić w powietrze kluczyki do swojego pontiaca gto i złapać je za plecami. – Jak wyglądam? Mów prawdę.

Obrócił się dookoła, żeby Eddie mógł go zobaczyć ze wszystkich stron. Był w białym atłasowym smokingu, czarnej koszuli z żabotem, błękitnej jedwabnej muszce, szerokim pasie w tym samym kolorze i ogromnych lakierkach.

Eddie potarł siwy zarost na podbródku.

– Jak wyglądasz? Powiem ci. Jakbyś szedł na koronację jakiegoś cholernego gwiazdora rapu czy coś w tym stylu. Kto ma być dziś ukoronowany? Scruff Daddy? P. Diddly? Jeden z tych typów? Ten, jak mu tam, Boob Job? Tamten facet Poop Dog? Ci goście tak często zmieniają ksywy, że nie mam pojęcia, jak dostają pocztę.

Stoke się roześmiał. Poop Dog? Boob Job?

Eddie wrócił do czytania. Siedział z wygasłym cygarem w zębach w swoim wózku golfowym na specjalne zamówienie i pochłaniał jedną z ulubionych powieści kryminalnych. Stał na zarezerwowanym miejscu parkingowym tuż obok samochodu Stoke'a, metalicznego ciemnomalinowego pontiaca gto kabriolet rocznik '65.

Auto Stoke'a, według jego właściciela, pokonywało czterysta metrów ze startu stojącego w niecałe osiem sekund. Potwierdzone przez Amerykańskie Stowarzyszenie Wyścigów Równoległych. Na Eddim nie robiło to wrażenia. Ta cholerna bryka tak hałasowała, że obudziłaby nieboszczyka. Przygotował się i czekał, aż jego kumpel Stoke odpali maszynę.

Eddie wolał własny pojazd, wyprodukowany na początku lat sześćdziesiątych przez firmę Harley-Davidson, która wpadła wtedy na szalony pomysł, żeby konstruować wózki golfowe. Jego egzemplarz był jedyny w swoim rodzaju, wykonany całkowicie na zamówienie, i Eddie włożył w niego całe serce i duszę. Stoke znał tylko jeden wózek golfowy z atrapą chłodnicy rolls-royce'a z przodu. Z pewnością był to niezwykły środek transportu dla ochroniarza, ale całkiem na miejscu na małej wyspie Brickell Key zamieszkanej przez bogaczy.

– Poop Dog? – powtórzył Stoke z szerokim uśmiechem i podszedł do samochodu, obracając kluczyki wokół palca. – Tak powiedziałeś? Poop Dog?

– Wszystko jedno – odparł Eddie, nie podnosząc wzroku znad książki. – Wiesz, o kim mówiłem. Nie pamiętam, jak się nazywa, do cholery.

– Snoop Dog – poprawił go Stoke i otworzył drzwi po stronie kierowcy. – Ale nie, to nie on.

– No to kto zostanie ukoronowany?

– Fancha. Występuje dziś na otwarciu nowej knajpy w South Beach, Elmo.

– Klubu El Morocco. Podobno bardzo ekskluzywny lokal, jak napisali dziś w „Herald". Słyszałem, że za rosyjskie pieniądze. Trzymaj się za kieszeń.

Hawke wsiadł za kierownicę. Wielka widlasta „ósemka" ożyła z rykiem, kiedy przekręcił kluczyk. Jednocześnie wcisnął przycisk opuszczania dachu.

– Co czytasz? – zapytał Eddiego przez basowe dudnienie silnika o pojemności ośmiu tysięcy ośmiuset sześćdziesięciu jeden centymetrów sześciennych. Lubił go pogrzać minutę lub dwie, zaczekać, aż olej wszędzie dotrze.

Eddie osłonił dłonią ucho.

– Co? – krzyknął.

Akustyka w garażu One Tequesta czyniła cuda z brzmieniem sześciuset koni mechanicznych.

– Jaką książkę czytasz? – zawołał Stoke.

Eddie uniósł kryminał do góry.

– *Jaskrawy pomarańcz na całun.*

– Znowu? Już to znamy.

Stoke i Eddie założyli dwuosobowy klub książki, Męskie Towarzystwo Czytelnicze imienia Johna D. MacDonalda. Ograniczyli się do dwudziestu jeden największych dzieł literackich, jakie kiedykolwiek napisano, a mianowicie do powieści o Travisie McGee, pióra samego mistrza. Jakiś czas temu odbyli nawet pielgrzymkę pontiakiem do Lauderdale. Zjedli lunch na Molo 66 i odwiedzili sanktuarium, stanowisko cumownicze F-18 w Bahia Mar, miejsce zakotwiczenia barki mieszkalnej McGee, „Busted Flush".

Stoke cofnął samochód i zatrzymał na wprost wózka Szybkiego Eddiego.

– Czytaliśmy *Jaskrawy pomarańcz* w zeszłym tygodniu, Eddie. Nie pamiętasz?

– Pamiętam, pamiętam. Ale czytam znowu. Lubię to.

– Jestem już w połowie *Ciemniejszego niż bursztyn* – powiedział Stoke, ustawił dźwignię czterobiegowej skrzyni przekładniowej Hurst w pozycji luzu, i nacisnął gaz, żeby dać Eddiemu zastrzyk czystej mechanicznej adrenaliny. – Lepiej nadrób zaległości.

– Nie martw się o mnie, przyjacielu – odparł Eddie z nosem znów w książce z dziewczyną w czarnym bikini na okładce. – Tak się składa, że ukończyłem kurs szybkiego czytania Evelyn Wood.

Stoke już miał puścić sprzęgło i spalić trochę gumy, kiedy coś mu się przypomniało. Nacisnął hamulec.

– Posłuchaj, Eddie. Mam sprawę. Poważnie.

Eddie odłożył powieść.

– Co znowu?

– Miej oczy otwarte. Dostałem dziś kilka dziwnych telefonów na automatyczną sekretarkę. Same ciężkie oddechy. Może ktoś myślał, że dzwoni do jakiejś laski, nie wiem. W książce telefonicznej jestem jako S. Jones.

– Ktoś cię nęka? Ciebie? Biedny palant.

– Chodzi mi tylko o to, że jakbyś zauważył, że kręci się tu ktoś podejrzany, to daj cynk swojemu kumplowi gliniarzowi. Gdyby ktoś o mnie pytał, zadzwoń do mnie na komórkę.

– Myślisz o tych Rosjanach, co wysadzili w powietrze połowę Coconut Grove? To ma coś wspólnego z tamtym?

– Może.

Eddie wiedział, że firma Stoke'a, Tactics, wykonuje jakąś bardzo dziwną robotę dla rządu, ale nic więcej.

– Przypilnuję tu interesu, bez obaw – odrzekł i wrócił do książki, gdy Stoke startował z garażu. – Pozdrów ode mnie wytworne towarzystwo.

Stoke roześmiał się i dodał gazu na półkolistym, obsadzonym palmami podjeździe. Pojechał do Hibiscus Apartments na Clematis po Rekina. Potem on i Luis mieli śmignąć przez groblę do South Beach. Fancha zarezerwowała mu stolik z przodu, ale był prawie pewien, że przed lokalem zastanie wyjący tłum. W końcu dziś wieczorem Elmo i jego dziewczyna to były dwie największe atrakcje w tym najatrakcyjniejszym mieście na najatrakcyjniejszej półkuli.

Kiedy Stoke wszedł do klubu El Morocco, którego nazwę miejscowi już modnie skrócili do Elmo, poczuł się tak, jakby jakiś wehikuł czasu przeniósł go z powrotem w lata trzydzieste na Manhattanie. Tego wieczoru wszyscy w South Beach wydawali się cofnięci do tamtej epoki. Surferzy byli w cylindrach i frakach, królowe piękności w takich sukniach, jakie nosiły gwiazdy w starych czarno-białych filmach. Ale największe wrażenie zrobił na Stoke'u wystrój wnętrza. Gdy schodził po szerokich marmurowych schodach ze swoim kumplem Rekinem, niemal spodziewał się, że minie ich uśmiechnięty duch Clarka Gable'a lub Jimmy'ego Cagneya w drodze na górę.

Owalna sala pod nimi miała ściany w niebieskie i białe pasy. Wszędzie stały śnieżnobiałe palmy naturalnej wielkości, ich białe liście poruszały się w klimatyzowanym powietrzu. Stoke zobaczył w głębi dużą estradę. Około piętnastu stolików otaczało błękitny lustrzany parkiet, tańczący poruszali się w półmroku. Z dołu dochodził zapach dymu papierosowego i odgłosy krzątaniny kelnerów. Przy barze fotografowano grupę jakichś ważnych osób, flesze błyskały co dwie sekundy.

Piętnastoosobowa orkiestra swingowa w białych muszkach i frakach grała na całego. W sali z kanapkami w niebieskie i białe pasy było już pełno bogatych ludzi, którzy przyszli wcześniej albo jakoś dostali miejsca przy najdroższych stolikach. Został tylko jeden, mały okrągły tuż przy estradzie. Wyglądało na to, że nie jest zajęty.

– Chodź, Rekin – powiedział Stoke. – Nasz stolik czeka.

Zeszli na dół i przedostali się przez tłum, Stoke torował drogę drobnemu Kubańczykowi.

– Wspaniałe miejsca – stwierdził Rekin, odsunął krzesło i rozejrzał się po eleganckim tłumie. Dłonie dotykały ozdobionych klejnotami rąk nad białymi obrusami, tu i tam widać było znane twarze. – Zamówmy butelkę różowego szampana, szefie.

– Zamów – odrzekł Stoke. – Dla mnie dietetyczna cola.

Kelner przyniósł napoje w chwili, kiedy pojawił się prezenter w białym smokingu z cekinami, który oznajmił krótko:

– Panie i panowie, Fancha!

To wystarczyło, by przykuć uwagę tłumu.

Na pustej estradzie zapadła ciemność, tylko po kurtynie wyszywanej cekinami przesuwał się biały krąg migoczącego światła. Rozległo się kilka taktów fortepianu i zabrzmiał cudowny bezcielesny głos. Wszyscy siedzący pod białymi palmami nagle ucichli.

Fancha wyszła zza kurtyny w blask światła przy nagłej burzy głośnych oklasków. Miała na sobie ciemnogranatową suknię wieczorową i zaśpiewała *Marię Lisboę*, najwolniejszą, najsmutniejszą i najpiękniejszą piosenkę, jaką Stoke kiedykolwiek słyszał w jej wykonaniu. Kiedy skończyła i stała cicho ze spuszczoną głową, zerwał się z miejsca i zaczął jej bić brawo. Nawet nie zauważył, że wszyscy goście zgotowali jego dziewczynie owację na stojąco.

Kilka minut później, podczas przerwy w występie, do Stoke'a podszedł kelner, schylił się i szepnął mu do ucha, że dwaj dżentelmeni zapraszają go do swojego stolika na koktajl.

– Co? – zapytał Stoke i spojrzał na białą wizytówkę na srebrnej tacy. Na kartoniku widniała duża czarna litera „M" i nazwisko Putow. Było napisane, że to producent wykonawczy.

Kelner wskazał wzrokiem kanapkę.

– Pan Putow. Wytwórnia filmowa Miramar Pictures, Hollywood. Pan Levy, tak? Agencja Artystyczna Słoneczne Wybrzeże?

– Tak powiedzieli? Sheldon Levy? – Stoke uśmiechnął się do Luisa.

– Tak, proszę pana. Poprosili, żebym to zaniósł panu Levy przy stoliku z przodu.

Stoke odwrócił się i uśmiechnął do tamtych dwóch facetów.

– Słyszałeś kiedykolwiek o Miramar Pictures? – zapytał Rekina półgębkiem.

Luis był trochę zwariowany na punkcie Hollywood, zawsze czytał magazyny filmowe „Variety" i „Billboard" i zostawiał je w całym biurze, co doprowadzało Stoke'a do szału. Czasem wchodził do gabinetu Stoke'a i pytał, czy wie, jaki dochód brutto przyniósł *Spiderman 4* przez weekend. Stoke, który siedział tam i czytał, że jego ukochani Jetsi przegrywają mecze w połowie sezonu, musiał wyrzucać chudą dupę Rekina ze swojego pokoju i zamykać drzwi.

– Żartujesz? – odparł teraz Rekin. – O Miramar? To wielka wytwórnia, człowieku. Nic ci nie mówi nazwisko Julia Roberts? Angelina Jolie? Penelope Cruz? Salma Hayek? Halle...

– Tak, tak, nazwisko Halle Berry znam, możesz mi wierzyć. Czego, do cholery, chcą od nas te typy?

– Nie od nas, szefie. Musi chodzić o Fanchę, człowieku. Widocznie wiedzą, że jesteście razem. Myślą, że jesteś jej menedżerem czy coś w tym rodzaju. Chcą, żebyśmy ich przedstawili nowej Beyoncé Giselle Knowles, szukają do niej dojścia.

Stoke nie widział małego żylastego przyjaciela tak podekscytowanego od czasu jego wyścigu pływackiego z ogromnym rekinem w Parku Narodowym Dry Tortugas przed paroma laty.

– I co o tym myślisz, Rekin? Powinniśmy tam pójść?

– A po co, szefie? Do czego są Fanchy potrzebni dwaj najwięksi producenci w Hollywood?

– Masz rację, chodźmy zobaczyć, co mają do powiedzenia.

Pięć minut później siedzieli z Grigorijem Putowem, który wydawał się słabo znać angielski, i drugim facetem, Nikitą, który poprosił, żeby zwracać się do niego Nick, miał nazwisko nie do wymówienia i gadał po angielsku jak nakręcony. Grigorij, muskularny i przystojny, nosił błyszczący czarny garnitur i dużego złotego roleksa. Uśmiechał się tylko, popijał wódkę z lodem i palił papierosy. Całą rozmowę prowadził Nick.

Przypominał ptaka. Miał małe oczka osadzone blisko nosa podobnego do dzioba i szopę wściekle żółtych włosów na czubku głowy. W błyszczącym zielonym jedwabnym garniturze wyglądał trochę jak papuga przeciągnięta pod włos przez żywopłot. Oczy mu błyszczały za małymi okularami w złotej oprawce zsuniętymi na czubek nosa.

Stoke pomyślał, że obaj są trochę za bladzi jak na facetów z Hollywood, ale może bladość jest tam teraz w modzie. Co on wie o Hollywood?

– No dobra, Nick – powiedział. – Kontrakt na dwa filmy. Ale co to dokładnie oznacza?

– Pieniądze, panie Levy. Mogę mówić panu po imieniu?

– Czemu nie?

– Dwa razy więcej niż za jeden film, Shel. Twoja Fancha będzie wielką gwiazdą, mogę ci to powiedzieć już teraz. Ma warunki.

Nick mówił tak szybko, jakby chciał wyrzucić z siebie jak najwięcej słów w jak najkrótszym czasie.

– Słusznie – wtrącił się rozpromieniony Rekin. Podobał mu się ten hollywoodzki kit, to oczywiste. – Mówimy o kwocie netto czy brutto?

– Jeszcze raz, Shel, kim jest ten facet? – zapytał Stoke'a uśmiechnięty Nick.

– Luis? To mój prawnik – odparł Stoke.

Nick skinął głową.

– A zatem powinniśmy się kontaktować bezpośrednio z panem Gonzalesem-Gonzalesem w sprawie spotkania z Fanchą?

Stoke nie mógł się pozbyć wrażenia, że gdzieś już ich widział.

– Czy my się kiedyś nie spotkaliśmy?

– Możliwe. Ale wróćmy do rozmowy o Fanchy.

– To znaczy? – zapytał Stoke. Nie spodobało mu się to zdanie.

– Chodzi mu o podział zysków po zakończeniu produkcji – wyjaśnił Rekin. – Chcę się po prostu upewnić, że nie będziemy pod kreską.

Nick się uśmiechnął.

– Oczywiście, Luis. Obecny tu pan Putow chciałby zaproponować, żebyśmy zrobili próbne zdjęcia w naszej tutejszej siedzibie, w Miami. Zamierzamy właśnie przystąpić do realizacji projektu przedprodukcyjnego, na co pan Putow, jako producent wykonawczy, ma zielone światło. Film nazywa się *Czoło burzy*. Romantyczno-przygodowy. Kino akcji. Coś w rodzaju połączenia *Key Largo* i *Gniewu oceanu*. Boogie, Bacall i cholerny huragan. Główna rola męska jest już obsadzona. Nie mogę wam zdradzić nazwiska aktora, ale wyobraźcie sobie George'a Clooneya. Szukamy odtwórczyni głównej roli kobiecej. Pan Putow i ja uważamy, że Fancha byłaby doskonała.

Stoke uśmiechnął się do Nicka.

– Zaraz. Jesteście Rosjanami. Byliście na tej imprezie urodzinowej.

– Słucham? – powiedział Nick.

– Jasne. Pamiętacie. Wielki wybuch w Coconut Grove w zeszły piątek wieczorem. Musicie pamiętać tamto przyjęcie. Widziałem was, jak wysiadaliście z żółtego hummera tuż przed eksplozją tortu.

– A tak, oczywiście. Ostatnie urodziny pana Ramzana. Tak, byłem tam, teraz sobie przypominam. Zainwestował w *Czoło burzy*. Straszna tragedia. Wszystkim będzie go bardzo brakowało.

– Naprawdę? To co? Dałem ci wtedy moją wizytówkę, Nick? Bo jestem ciekaw, skąd znałeś moje nazwisko.

– Nie, nie. Zobaczyłem cię z Fanchą i zapytałem, kim jesteś. Jurij Jurin, jeden z osobistych ochroniarzy gospodarza, dał mi twoją wizytówkę.

– Ci goście pewnie szukają teraz roboty po tym, co się przydarzyło ich szefowi – powiedział Stoke. – Dali plamę.

– Jeszcze jaką, szefie! – zawołał Rekin.

Nikita i Putow spojrzeli na niego.

– Wróćmy do sprawy, Nick – powiedział Rekin. – Będziemy oczywiście chcieli brać pełny udział w tworzeniu albumu ze ścieżką dźwiękową.

– Właśnie – przytaknął Stoke. – I nie tylko.

– Wiesz co, Shel? – odrzekł Nick. – Podobasz mi się. Sam jestem w to zaangażowany i myślę, że możemy się dogadać. Właściciel Miramar Pictures będzie w Miami za dzień lub dwa. Chciałbym, żebyście oboje, ty i Fancha, polecieli z nami jego prywatnym samolotem na lunch na Keys. Da się to zrobić?

– A ja? – zapytał Rekin.

– Ty oczywiście też. Nie możemy podpisać kontraktu bez dobrego prawnika, prawda?

Zadźwięczała komórka Nicka. Sięgnął do wewnętrznej kieszeni i wyjął telefon Vertu wysadzany diamentami. Najwyraźniej chciał, żeby wszyscy słyszeli jego rozmowę.

– Przy aparacie. Halo? Maury? Jak się masz, stary? Dobrze, dobrze, jestem w Miami. Wracam do L.A. w poniedziałek. Nie, lunch we wtorek odpada. Kiedy? A może nigdy? Pasuje ci to, Maury?

Uśmiechnął się, schował komórkę do kieszeni błyszczącej zielonej marynarki z jedwabiu i pociągnął łyk martini jak ptak zanurzający duży dziób w bardzo małym poidełku.

– Stary znajomy? – zapytał Stoke.

– Nie, taki jeden palant z RKO. Nikt ważny.

Kiedy się uśmiechał, wyglądał jak kukułka na opakowaniu kakaowych płatków śniadaniowych Cocoa Puffs.

23

Waszyngton

Po przylocie z Bermudów brytyjskim transportowcem wojskowym Alex Hawke znalazł zamówioną dla niego taksówkę, która czekała w deszczu w Bazie Sił Powietrznych Andrews. Najpierw miał się zatrzymać w klubie Chevy Chase, starym eleganckim ośrodku rekreacyjno-sportowym w sercu Marylandu pod Waszyngtonem, by zostawić tam bagaż. Ilekroć podjeżdżał pod drzwi stylowo umeblowanego głównego budynku klubowego, czuł się tak, jakby przybywał na senną plantację na Południu.

Bradley House, piętrowa kamienna rezydencja, do której prowadził zadaszony chodnik, stała się jego przystanią, odkąd sprzedał swój dom w Georgetown.

Hawke poprosił taksówkarza, żeby zaczekał, i wszedł do środka zostawić torbę podróżną. Wrócił po pięciu minutach i kazał zawieźć się prosto do staromiejskiego portu w Alexandrii na brzegu Potomacu.

Zapłacił kierowcy i w lekkim deszczu zszedł na nabrzeże, gdzie szybko zlokalizował „Miss Christin", typowy pudełkowaty dwupoziomowy statek wycieczkowy. Piętnaście minut przed rozpoczęciem rejsu większość pasażerów, rodzin i hałaśliwych grup szkolnych, była już na pokładzie. W ten zimny i mokry dzień w połowie grudnia pasażerowie woleli usiąść w kabinie na dolnym poziomie.

Zgodnie z instrukcją S. Hawke wszedł na statek i wspiął się po schodach na zalany deszczem górny pokład rufowy. Nie było tu żywej duszy. Mimo kiepskiej pogody cieszył się na wycieczkę w dół rzeki. Nigdy tak naprawdę nie poznał krajobrazu Wirginii i Marylandu, tym bardziej od strony wody. Nie był też w domu generała Waszyngtona w Mount Vernon. Usiadł na ławce przy relingu z prawej burty i nastawił się na spokojny rejs rzeką.

– Gdybym był złym facetem, już byś nie żył, kolego.

Z takim przeciągłym południowokalifornijskim akcentem mógł mówić tylko jeden człowiek. Harry Brock. Hawke nawet nie usłyszał jego kroków.

Odwrócił się i zobaczył starego przyjaciela. Harry był w trenczu z postawionym kołnierzem i opuszczonej nisko czarnej wełnianej czapce mokrej od deszczu. Wyciągnął rękę i Hawke uścisnął mu serdecznie dłoń. Rok wcześniej został uwięziony w Amazonii przez Hezbollah i Harry ryzykował własne życie, żeby go uratować.

– Agent Brock melduje się na służbę – powiedział Harry i zasalutował dla żartu. Hawke nawet nie próbował ukryć zaskoczenia.

– Ty? Ciebie mi przydzielono do Czerwonego Sztandaru? – Nie miał pojęcia, kogo Amerykanie wybrali do tej roboty, ale zrobili mu niespodziankę.

Brock był twardzielem, trochę samotnikiem i czasami czarującym, typowym jankeskim luzakiem, który notorycznie unikał armii przełożonych o czerwonych twarzach i budował zamki na lodzie.

– Ty? – powtórzył Hawke, kiedy Brock usiadł obok niego.

– Wygląda na to, że miałeś szczęście. Tak czy owak, znów jesteś skazany na mnie, szefie.

– Nie mogę uwierzyć, że cię nie zauważyłem. Którymi schodami wszedłeś na górę? Tymi na dziobie?

– Tymi na rufie. Widocznie dobrze trafiłem z przebraniem.

Hawke przyjrzał mu się od góry do dołu i zauważył jego lśniące półbuty. Jeśli dwadzieścia lat służby w korpusie Marines czegokolwiek Harry'ego nauczyły, to na pewno polerowania butów na wysoki połysk.

– Chryste, Harry, chcesz powiedzieć, że Kolegium Szefów Połączonych Sztabów powierzyło nam samodzielne prowadzenie tego całego interesu? Spodziewałem się, że przyślą mi jakiegoś cholernego czterogwiazdkowego generała, który będzie mi stale zaglądał przez ramię i wytykał głupie błędy.

– Nie, od tego masz mnie. A przy okazji, już nie pracuję dla połączonych sztabów. Wróciłem do Langley. Podejrzewam, że na szóstym piętrze nie wiedzieli, co ze mną zrobić, więc przydzielili mnie tobie.

– I dobrze, bardzo się cieszę, że dla odmiany zrobili coś jak trzeba! – roześmiał się Hawke. – Chodźmy na dół, przespacerujemy się na dziób. Chcę popatrzeć, jak dopływamy do Mount Vernon. Waszyngton to dla mnie wielki bohater. Nie mogę się doczekać, kiedy zobaczę jego dom.

– Nigdy tam nie byłeś?

– Nie. Chodźmy.

Poszli szybko naprzód i zeszli po schodach prowadzących na ogrodzony łańcuchem dziób. Jeden z członków załogi najwyraźniej rozpoznał Harry'ego, bo odczepił łańcuch i wpuścił ich do części statku tylko dla personelu.

– Skąd takie przywileje, Harry? – zapytał Hawke.

– Jestem kimś w rodzaju stałego pasażera.

Po chwili z mgły i deszczu wyłonił się piękny stary dom w stylu kolonialnym, stojący wysoko na zboczu wzgórza.

– Wspaniały – zachwycił sie Hawke. – Dokładnie taki jak zawsze sobie wyobrażałem.

– Wiedziałeś, że Waszyngton był architektem?

– Nie.

– Sam to zaprojektował. Może nie jest to takie eleganckie jak Monticello Jeffersona, ale mnie się bardziej podoba.

– Mnie też. Co masz w tej plastikowej torbie?

Brock uniósł dużą ciemnozieloną reklamówkę, którą trzymał w ręku.

– Tu? Supertajny szpiegowski szajs. Później ci pokażę.

Dwaj mężczyźni wspinali się stromą ścieżką prowadzącą przez las w górę zbocza. Wysoko na prawo od nich Hawke zobaczył czerwony dach i białą kopułę domu Waszyngtona. Błotnista dróżka była usłana kamieniami i śliska. Hawke zauważył, że poza nimi nikt z pasażerów „Miss Christin" nie wybrał tej trasy.

– Jesteś pewien, że dobrze idziemy? – zapytał po paru minutach wspinaczki. – Wydaje mi się, że dom jest w innym kierunku.

– Zaufaj mi, jestem weteranem.

W końcu dotarli do niewielkiej otwartej przestrzeni w gęstym lesie, wybrukowanej omszałymi kamieniami. Na tle nagich zimowych drzew stała mała ceglana budowla z czarnymi furtami z kutego żelaza.

– Co to jest? – spytał Hawke.

– Grobowiec Waszyngtona. Niezbyt okazały, prawda?

– Czytałem, że wielka pompa nie była w jego stylu.

– Kiedy przyjechałem tu pierwszy raz, miałem dziewięć lat. To miejsce było całkowicie zarośnięte bluszczem. Dookoła nikogo, tylko przy tamtej furcie stał jakiś stary facet, zaglądał do środka i łzy spływały mu po policzkach. Zapytałem go, dlaczego płacze. Powiedział, że nazywa się Timonium i jest potomkiem niewolników, których Waszyngton uwolnił. Że to grób jego prawdziwego ojca.

Po chwastach i bluszczu nie pozostał żaden ślad, teren był zadbany i dobrze utrzymany. Z boku grobowca przybyła nawet mała budka strażnika W środku stał starszy czarny mężczyzna w mundurze Służby Parkowej. Pomachał do Brocka i wyszedł mu na powitanie z małym czarnym parasolem nad głową.

– Pan Brock. Miło mi pana znów widzieć. Jak zawsze.

Harry uścisnął mu dłoń.

– To mój przyjaciel Alex Hawke z Anglii. Przejechał taki kawał drogi, żeby złożyć generałowi wyrazy szacunku. Jest tu pierwszy raz.

– Bardzo nam przyjemnie – powiedział czarny mężczyzna z nieśmiałym uśmiechem.

– Miło mi pana poznać – przywitał się Hawke. – Jak pan się nazywa?

– Timonium. Witam w Mount Vernon. Otworzę grobowiec, panie Brock. Wiem, że nie może się pan doczekać, żeby oddać cześć generałowi.

Timonium miał duże mosiężne kółko z wielkimi kluczami i odryglował jednym z nich ciężką furtę. Hawke zobaczył proste białe marmurowe sarkofagi w głębi małego ciemnego grobowca i poczuł dreszcz, gdy patrzył na miejsce wiecznego spoczynku być może największego przywódcy świata.

– Wejdźmy – powiedział cicho Harry.

Hawke wszedł za nim w mrok. W środku były dwie krypty. W gładkiej białej na lewo spoczywała Martha Waszyngton. W sąsiedniej, z wyrzeźbionym orłem, pochowany był generał. Hawke'a znów przeszedł dreszcz. Wiedział, że nie z zimna i wilgoci.

– Będę tu tylko chwilę – powiedział Harry. – Możesz zostać, jeśli chcesz.

Przyklęknął obok białej marmurowej krypty, wyjął z torby, którą przyniósł, piękny wieniec ze świeżych gałązek oliwnych i położył go na sarkofagu Waszyngtona. Timonium stał tuż za furtą ze złożonym parasolem i spuszczoną głową.

Harry wyszeptał kilka cichych słów z prawą ręką na marmurze. Hawke'a tak poruszył ten widok, że też schylił głowę. Położył dłoń na zimnym białym marmurze i łatwo przyszły mu do głowy własne słowa wdzięczności. Był w końcu Amerykaninem ze strony matki, a tu spoczywał amerykański bohater wszech czasów.

Harry wstał, podszedł do krypty i zajrzał w mrok. Hawke zobaczył tam skórzaną aktówkę opartą o tylną ścianę grobowca. Nareszcie zrozumiał, dlaczego Brock zabrał go tutaj. Amerykanie korzystali z grobowca Waszyngtona jako skrzynki kontaktowej.

– Dzięki, Harry – powiedział, kiedy wyszli w mżawkę.

Kilka metrów od grobowca stała stara żelazna ławka. Hawke i Harry Brock usiedli tam i patrzyli w milczeniu, jak Timonium zamyka grobowiec i wraca na swoje stanowisko.

Hawke spojrzał na aktówkę na kolanach Harry'ego.

– Rozkazy dla ciebie?

– Dla nas obu, Alex. Dla ciebie jest też gruba koperta z Langley. Od samego dyrektora.

– Jeśli wiesz, co w niej jest, powiedz mi, Harry. Resztę przeczytam w samolocie.

– Chodzi o to, że znów przystępujemy do wojny z Rosją. Nie teraz, ale wkrótce. Na pewno znasz większość szczegółów. Mamy obaj odbudować naszą siatkę szpiegowską i operacyjną, i to szybko. Przywrócić to, co działało w szczytowym okresie zimnej wojny. Czeka nas kupa roboty, stary. Bez jaj. Od dwudziestu pięciu lat trzymają naszych agentów na uwięzi jak psy łańcuchowe, a teraz, kiedy ten cholerny dom został okradziony, wrzeszczą na nas, że go nie upilnowaliśmy. Jimmy Carter, w swojej nieskończonej mądrości, uznał, że najlepszym sposobem zbierania informacji wywiadowczych jest korzystanie z satelitów szpiegowskich, bo przecież można zobaczyć tablicę rejestracyjną z odległości trzystu kilometrów. Byłoby to niewątpliwie bardzo pomocne, gdyby atakowały nas tablice rejestracyjne. Ale jesteśmy atakowani przez ludzi, a ich nie można znaleźć przy użyciu satelitów. Muszą to robić inni ludzie.

– Tacy jak my, Harry. Musimy szybko ustalić, kto jest jeszcze przydatny na miejscu – odrzekł Hawke po namyśle. Nie był w Moskwie od lat. Wątpił, czy może liczyć na któryś ze swoich dawnych kontaktów. Nie wyglądało to dobrze.

– CIA uważa – ciągnął Harry – że ciesząca się złą sławą banda dwunastu może potajemnie planować obalenie prezydenta Rostowa. Jest dla nich prawdopodobnie zbyt ugodowy. Po jego usunięciu wydadzą piechocie zmechanizowanej i wojskom pancernym rozkaz wkroczenia do dawnych republik wschodnioeuropejskich.

– To pewna informacja? Jaką psychikę mają ci cholerni ludzie?

– Cierpią na kompleks niższości. Ci starzy Sowieci postrzegają Amerykę jako światowego żandarma, który mówi wszystkim, co mają robić. I nie podoba im się to. Są zmęczeni tym, że ktoś nimi dyryguje. Zobacz ich reakcje na rozmieszczanie przez nas rakiet w Polsce i Czechach. Z drugiej strony widzą, że nasz prezydent jest zaprzątnięty różnymi sprawami na całym świecie, i chcą wykorzystać okazję, by uderzyć.

Hawke westchnął.

– Wracamy do punktu wyjścia.

– Obawiam się, że tak, stary.

Hawke usiadł wygodnie na zimnej żelaznej ławce i wpatrzył się w grudniowe niebo.

– Demokracja to bardzo delikatna rzecz – powiedział po upływie kilku długich minut. – Nie wiem, jak ktoś w Waszyngtonie i Londynie mógł sobie w ogóle wyobrażać, że przyjmie się właśnie w Rosji.

– Wszyscy jesteśmy szalonymi optymistami, Alex.

– Był tam taki moment, kiedy naprawdę miała szansę, Harry. Zanim ta cholerna klasa przestępcza ją zdeptała. Ale w Rosji nie ma infrastruktury do wsparcia czegoś tak kruchego jak demokracja. Znasz tę historię?

– Nie całą.

– Kiedy Jelcyn wyłonił się zwycięsko z puczu w sierpniu 1991 roku, tylko jeden człowiek stanął między nim a władzą absolutną w sowieckim imperium.

– Gorbaczow.

– Zgadza się.

– A ponieważ objął swój urząd legalnie, zgodnie z konstytucją Związku Radzieckiego, stary Borys mógł się go pozbyć tylko w jeden sposób. Toteż na początku grudnia tamtego roku poleciał na Białoruś do Puszczy Białowieskiej, gdzie w domku myśliwskim spotkał się z trzema ludźmi. Dwaj z nich byli przywódcami dwóch innych dużych republik słowiańskich, Ukrainy i Białorusi. Pierwszy nazywał się Leonid Krawczuk, drugi Stefan Szuszkiewicz. Ósmego grudnia ci trzej faceci wypili parę kolejek i uzgodnili po prostu, że Związek Radziecki przestaje istnieć. Zlikwidowali go na dobre. Ogłosili niepodległość. Ta decyzja, podjęta zaledwie dziewięć miesięcy po ogólnokrajowym referendum, w którym siedemdziesiąt sześć procent radzieckich obywateli opowiedziało się za integralnością ZSRR, była niekonstytucyjna i niedemokratyczna. Zasadniczo właśnie wtedy przepadła demokracja w Rosji. Prysła jak bańka mydlana.

– A kto był czwartym do brydża?

– Jakim czwartym do brydża? – zapytał Hawke.

– Powiedziałeś, że Jelcyn spotkał się w puszczy z trzema facetami. Wymieniłeś tylko dwóch. Kim był trzeci?

– A, trzeci człowiek. Nie mam pojęcia. S. chce, żebyśmy się tego dowiedzieli. To był z pewnością ktoś z dwunastki. Może nawet najważniejszy z nich. Szara eminencja. Zobaczymy.

– Co dalej?

– Jutro spędzimy cały dzień w Langley. Brick Kelly chce dokładnie wiedzieć, jak ma wyglądać współpraca CIA z Czerwonym Sztandarem. Wieczorem wystartujemy z powrotem na Bermudy i pojutrze z samego rana zameldujemy się u S. Przelecisz się liniami Hawke Air, Harry.

Brock skinął głową.

– Co ma w programie S.?

– Teraz trwa kilka spotkań organizacyjnych. Szkieletowy personel na miejscu rozkręca już działalność Czerwonego Sztandaru. S. zostaje na Bermudach do naszego powrotu. Pierwszy przydział dostaniemy od niego.

– Moskwa?

– Tak przypuszczam – potwierdził Hawke. – Przeniknąć do Moskwy i spróbować znaleźć trzeciego człowieka.

– Czy S. ma jakiś pomysł, kto to może być?

– Tylko taki, że to prawdopodobnie szara eminencja, tak jak mówiłem. Ktoś, kto pociąga za wszystkie sznurki na Kremlu. Można powiedzieć, człowiek za żelazną kurtyną.

– Jak tamten mały gruby skurwiel w *Czarnoksiężniku z Krainy Oz*.

– No właśnie. Musimy pokrzyżować mu plany podboju świata.

– Trudne zadanie.

– Wszystko w naszych rękach, Harry. Szefa, podobnie jak innych w naszej branży, niepokoi to, że Zachód jest w tej chwili rozpaczliwie słaby. Ameryka jest uwikłana w wojnę nie do wygrania i ma niestabilną granicę południową. Wielka Brytania, poza innymi sprawami, ma problem z niespokojną społecznością muzułmańską. S. obawia się, że jeśli sojusznicy nie będą teraz szczególnie czujni, w Europie może niedługo znów opaść żelazna kurtyna.

– I stąd Czerwony Sztandar?

– Tak jest, Harry. Chodźmy stąd. Zmarzłem jak cholera.

24

Bermudy

Wszyscy się upili. Przynajmniej tak się zdawało Dianie Mars. Popatrzyła na barwny tłum rozproszony na trawniku, szukając wzrokiem Ambrose'a. Zostawił ją? A może to ona zostawiła jego? Nie była do końca pewna, w każdym razie jego nieobecność irytowała ją. Być może trzeba się jeszcze napić. Ostatecznie wypiła dopiero jeden czy dwa koktajle Pimm's Cup. A może trzy? Nieważne. Wyglądało na to, że wszyscy dobrze się bawią. Ale urządzone pod wpływem chwili garden party w uroczej posiadłości Darlingów na Harbour Road dobiegało końca.

Dochodziła szósta w senne niedzielne popołudnie i Darlingowie najwyraźniej chcieli, żeby wszyscy poszli już do domu.

– Nie ma już pimma? – zapytała barmana, unosząc kształtne brwi. – Chyba pan żartuje?

Zabrakło alkoholu, zakąski dawno się skończyły. Zadowoliła się wodą sodową i ruszyła na poszukiwania miłości swojego życia.

Lady Mars szła przez pochyły trawnik w kierunku rudobrunatnego domu z dwuspadowym dachem, kostki lodu dźwięczały przyjemnie w kryształowej szklance, wokół rozbrzmiewały rozmowy o golfie (na takich uroczych przyjęciach zawsze gawędzono o golfie, brydżu, wnukach albo haftowaniu), mijała grupki ludzi w płóciennych ubraniach w różnych pastelowych odcieniach, mężczyzn bez skarpetek w aksamitnych pantoflach z monogramami, plotkujące podchmielone towarzystwa.

Na wyspie wybuchł nowy skandal, akurat na Gwiazdkę. Żonaty Amerykanin, prezes jednej z dużych zagranicznych firm ubezpieczeniowych, uciekł z bardzo młodą żoną pastora z Kościoła Świętego Marka. Najwyraźniej ten jakże namiętny romans trwał od lat pod samym nosem Tippi Mordren! W zakrystii, na zebraniach rady parafialnej!

Quel horreur!

Tutejsze wyspiarskie plotki różnią się od wielkomiejskich, pomyślała, gdy przystanęła w drzwiach pokoju kredensowego. Nawet najsłodsze cukierki czekoladowe (często z orzechem laskowym albo nawet owocem w środku!) mają przewidywalnie ulotny smak. Plotki wybuchają nagle i same gasną, dużo szybciej niż gdzie indziej, biedactwa, bo z małej bermudzkiej wyspy nie mają po prostu dokąd dotrzeć! Nawet te najpikantniejsze wypalają się z sykiem przy brzegu.

Znalazła się w pustym pokoju kredensowym i nalała sobie do szklanki po wodzie ciepłego białego wina z dużego dzbanka. W te upalne popołudnia chce się pić. I podle się czuła, szczerze mówiąc. Z niewiadomego powodu Ambrose ją denerwował. Biedne kochanie. Ilekroć otwierał usta, warczała na niego. Nie mogła znieść wyrazu bólu w jego niewinnych oczach dziecka, ale też nie potrafiła się powstrzymać.

Czy to przez ten przeklęty pierścionek? – pomyślała, tupiąc nogą w rzadkim przypływie złości, i uświadomiła sobie, że właśnie w tym problem. Wiedziała, że Ambrose ma pierścionek, bo zagrzechotał w jego pojemniku z kremem do golenia, kiedy pewnego ranka robiła porządek w łazience. I czemu go jej nie daje, na Boga?

Powędrowała przez dom ze szklanką wina w ręku i w końcu znalazła Ambrose'a w pełnym morskich akcentów saloniku z niskim sufitem. Siedział pogrążony w rozmowie z Davidem Trulove'em, co było do przewidzenia, bo spiskowali we dwóch całe popołudnie. Rozmawiali o jakimś ściśle tajnym projekcie, którego szczegółów Ambrose jej nie zdradzał. To było coś nowego w ich związku i nie podobało się jej. Ale postanowiła się tym nie przejmować. Wolno mu mieć swoje sekrety. Jej też.

Ostatecznie nie są jeszcze oficjalnie zaręczeni. Spędzili na Bermudach już kilka tygodni, a ten temat ani razu nie wypłynął. Minął prawie miesiąc, a oni nie poruszyli tej kwestii.

– Diana! – wykrzyknął na jej widok Ambrose i zerwał się z miejsca. – Jesteś, kochanie! Właśnie rozmawialiśmy o tobie!

Przeszedł o lasce przez pokój i pocałował ją w policzek.

– Bardzo wątpię – odparła z uśmiechem. – Tutaj, w tej jaskini szpiegów? Nie wierzę. Cześć, Davidzie. Nie zorientowałam się, że tu jesteś.

S. wstał.

– Wybacz, Diano, że zabrałem ci go na tak długo. Najmocniej przepraszam.

– Nie ma za co – odpowiedziała Diana. – Świetnie się bawiłam, spacerując samotnie. Uwielbiam przyjęcia w ogrodzie. Jak każdy.

Ambrose zauważył, że jest zła.

– Nudziłaś się. Bardzo mi przykro, kochanie.

– Na dworze jest mnóstwo ciężkich mebli, kochanie.

– Ciężkich mebli? – powtórzył S. i opadł z powrotem na fotel klubowy.

– Uczennice nazywają tak nudziarzy – wyjaśnił Congreve.

– Wiecie, co powiedział o nudnych ludziach Harold Nicolson? „Tylko jedna osoba na tysiąc jest nudna, i przez to interesująca!" – uśmiechnął się S.

Diana zachichotała.

– Doskonałe!

– Posłuchaj, Diano. – Ambrose rozejrzał się konspiracyjnie. – Sir David i ja planujemy dziś wieczorem małą potajemną wycieczkę. Pomyśleliśmy, że może chciałabyś się do nas przyłączyć.

– Dokąd? – zapytała. W tej chwili miała ochotę tylko na wycieczkę do łóżka, żeby zażyć dwa ambieny i dobrze się wyspać.

– Opłyniemy łodzią wyspę Nonsuch. Na szczęście, nie ma dziś księżyca.

– Nonsuch? Ten kawał skały? Po co, skarbie? – spytała.

– Zrobimy rozpoznanie. Według Aleksa Hawke'a zamieszkał tam rastafariański gang. Nazywają siebie uczniami Judy. Na ich czele stoi jamajski potentat narkotykowy, niejaki Król Coale. Jego ludzie śledzą Aleksa. Sir David i ja chcemy ustalić dlaczego. I przerwać tę zabawę.

S. z poważną miną zmarszczył wysokie czoło.

– Tak. Z oczywistych powodów w obecnej sytuacji bardzo mnie niepokoi zainteresowanie organizacji przestępczej osobą Aleksa Hawke'a. Ambrose i ja zamierzamy trochę powęszyć dzisiejszej nocy i spróbować się czegoś dowiedzieć. Dawno nie działałem w terenie.

Diana zobaczyła wyraz podniecenia w jego oczach. Cieszył się na tę przygodę. Nic dziwnego, skoro od lat tkwił za biurkiem w MI6.

Usiadła wygodnie na miękkiej czerwonej kanapie i pociągnęła łyk wina.

– Którą łódź weźmiecie? „Rumrunnera"? Jest najszybsza.

– Nie, nie, najdroższa. Dziś nie zależy nam na szybkości, tylko na ciszy. Chcemy okrążyć wyspę niezauważeni. Myśleliśmy o „Swagmanie".

Dwunastometrowy biały slup był własnością Diany, darem zapisanym jej w testamencie przez ojca. W dzieciństwie przez wiele letnich sezonów brała wraz z tym jachtem udział w bermudzkich regatach. Na niejednym trofeum w Jachtklubie Królewskim widniało jej nazwisko.

– Ambrose, wokół tamtej wyspy jest mnóstwo płycizn, „cienkiej wody", jak mawiał tata. Jesteście pewni, że poradzicie tam sobie w nocy?

– Nie – odparł S. – i dlatego mieliśmy nadzieję, że się do nas przyłączysz, Diano. Nikt nie zna tych wód tak dobrze jak ty. Jeśli zrobi się interesująco, możemy cię potrzebować przy sterze, żebyś nas stamtąd szybko zabrała.

Diana zobaczyła się w tej bohaterskiej roli i wyprawa wydała jej się nagle najwspanialszym pomysłem, o jakim kiedykolwiek słyszała. Zerwała się z kanapy i wylała trochę wina na terakotę.

– Na co czekamy, chłopaki? – zapytała ze śmiechem. – Pogoda nam sprzyja. W drogę!

25

Godzinę później „Swagman" z wesołą trzyosobową załogą sunął jak duch przez szerokie wejście do portu Castle Harbour. Z lewej burty wiała zachodnia bryza i slup płynął po spokojnym morzu w lekkim przechyle z szybkością siedmiu węzłów. Diana siedziała przy sterze z trzecim kubkiem gorącej kawy w ręku. Chciała mieć jasną głowę. Musiała bezpiecznie przeprowadzić dużą łódź między zdradliwymi podwodnymi rafami koralowymi, które strzegły każdego podejścia do wyspy Nonsuch.

Nonsuch była od wielu lat ściśle chronionym rezerwatem przyrody. Dawno temu Diana i jej starsi bracia przypływali na wyspę na pikniki. Budowali forty i umieszczali na nich flagi. Nazywali Nonsuch Błotnistą Wyspą. Kiedy byli starsi, bawili się tu wesoło z przyjaciółmi, ścigając wyimaginowanych piratów, ludożerców i różnych złoczyńców w porośniętym dżunglą interiorze.

Gdy mieli tego dosyć, nurkowali do licznych wraków spoczywających na dnie morza niedaleko brzegu.

Nonsuch, niskie skaliste wzniesienie na horyzoncie, była po prostu jedną z wielu wysepek, które tworzyły widoczny kraniec archipelagu bermudzkiego. Ale ponieważ otaczały ją ostre jak brzytwa rafy, zapuszczanie się w ten rejon było bardzo ryzykowne. Congreve przypuszczał, że właśnie dlatego uczniowie

Judy wybrali to miejsce na swoją bazę wypadową. Wyspa nie wyglądała na gościnną.

Bermudy dały w końcu nazwę niesławnemu Trójkątowi Bermudzkiemu. Pod kilem „Swagmana" spoczywały wraki niezliczonych żaglowców i okrętów hiszpańskich poszukiwaczy skarbów. Nie wspominając o rozpadających się na dnie statkach towarowych, których kadłuby przybrały przez dziesięciolecia odrażający odcień zieleni. Zęby koralowców wyrwały wielkie dziury w ich burtach. Wszystkie te wraki posłały na dno rafy, gwałtowne szkwały lub ataki wroga.

Jamajczycy zamieszkiwali wyspę nielegalnie. Była wyraźnie oznakowana jako rezerwat przyrody. Wszyscy się dziwili, dlaczego bermudzka policja przymyka na to oko. Ktoś się z kimś dogadał, Congreve nie miał co do tego żadnych wątpliwości. Ale skąd to zainteresowanie Aleksem Hawkiem? Nie dawało mu to spokoju.

– Uwaga na głowy – zawołała z rufy Diana. – Robię zwrot.

Ambrose i sir David stali na dziobie i na zmianę patrzyli na ciemny kształt wyspy przez silną lornetkę, którą Diana przyniosła spod pokładu. Czarny garb przypominał teraz ogromny przecinek zwężający się ku morzu na obu końcach. W zatoczkę pośrodku wrzynał się stary drewniany pomost, jak dotąd jedyna oznaka cywilizacji.

– Gęsta roślinność na szczycie – powiedział S. – Ale widzę światła w głębi lądu. Na południowym krańcu. Jakaś osada. Zobacz, konstablu.

Wręczył detektywowi lornetkę.

– Tak – potwierdził Ambrose. – I jest tam kilka łodzi rybackich przycumowanych do długiego pomostu. Wyobrażam sobie, że zapewniają im transport na stały ląd i z powrotem. Podpłyńmy trochę bliżej.

– Diano – zawołał Trulove w kierunku rufy. – Chcielibyśmy podejść trochę bliżej, moja droga. Zdołasz się przedostać między rafami?

– Nie słyszę – odkrzyknęła.

S. uświadomił sobie swój błąd i poszedł na rufę, żeby nie musieli krzyczeć do siebie. Na Nonsuch mogli być wartownicy, a głos niósł się po wodzie, zwłaszcza w taką cichą, niemal bezwietrzną noc jak ta.

Było też ciemno, nie świecił księżyc, na niebie błyszczało niewiele gwiazd, ale sterniczka znała te wody na pamięć i S. nie obawiał się zbytnio o bezpieczeństwo.

– Wszystko w porządku? – zapytał, kiedy stanął na szczycie kabiny.

– Bez obaw, Davidzie – odparła Diana, gdy bohater wojny o Falklandy zszedł do kokpitu. Obserwowała jednym okiem podświetlony słabo głębokościomierz na tylnej przegrodzie niskiej kabiny. Płynęła prawym halsem i miała jeszcze dobrych sześć metrów wody pod kilem. – Chcecie okrążyć wyspę dookoła? Myślę, że dam radę, bo jest przypływ.

– Nie sądzę, żeby była taka potrzeba, moja droga. Widzimy stąd wyspę wystarczająco dobrze. Przyglądałem się jej przez lornetkę. Wygląda na to, że w głębi lądu jest jakaś osada, o tam, blisko południowego krańca wyspy. Widzisz światła za drzewami?

– Tak. Na zachód stamtąd jest głęboka zatoczka – powiedziała Diana i wskazała kierunek. – Wzdłuż niej są głębokie jaskinie. Podobno w XVIII wieku mieli tam swoje kryjówki piraci. Mogę tam podejść, jeśli sobie życzysz.

– Dobrze, zrób tak. A jak tu jest z płyciznami? Musisz płynąć tym halsem, czy możesz odpaść od wiatru o kilka stopni?

– Mogę odpaść w lewo. Tam na lewo od dziobu jest przesmyk między rafami, nazywany tutaj, wybacz, Dupą Diabła. Możemy tamtędy łatwo przepłynąć. Potem będziecie mogli wziąć ponton na żurawiku rufowym. Ma mały silnik zaburtowy, ale głośny, pewnie powinniście wiosłować.

– W porządku, skręć. I zgaś wszystkie światła, dobrze? Blask może zaalarmować kogoś na brzegu. Krzyknę ostrzegawczo, jeśli Ambrose lub ja zobaczymy jakiś ruch, który nam się nie spodoba. Mam przy sobie broń krótką, ale wolałbym jej nie używać. Chcę się tylko szybko rozejrzeć.

– Kierunek na zawietrzną – rzuciła Diana Mars, przesunęła rumpel do sterburty, odpadła od wiatru o dziesięć stopni i wzięła kurs na środek wyspy.

Sir David wrócił na dziób do swojego towarzysza.

– Coś ciekawego? – zapytał pod nosem.

– Owszem – odparł Ambrose, nie odrywając lornetki od oczu. – Motorówka. Zbliża się bardzo wolno od zachodu. Ktoś płynie bez świateł nawigacyjnych, co jest trochę dziwne.

– Może przez zapomnienie.

– Możliwe. Albo, tak jak my, chce być po prostu niewidoczny.

– Dokąd się kieruje?

– Wygląda na to, że do tamtego pomostu. Zauważyłem tę łódź dopiero kilka minut temu, ale chyba trzyma właśnie taki kurs.

– Mam myśl, Ambrose. Diana mówi, że może wpłynąć do głębokiej zatoczki po zawietrznej stronie wyspy. Tam się teraz kierujemy. Moglibyśmy rzucić kotwicę blisko brzegu, dopłynąć pontonem do lądu, pójść pieszo wzdłuż wody na południowy kraniec wyspy i zobaczyć, co tam jest.

– Ma pan broń?

– Oczywiście.

– Myślę, że to dobry pomysł. Intryguje mnie ta nieskazitelnie biała motorówka, cała wypolerowana na wysoki połysk. Jestem ciekaw, jakie interesy może prowadzić właściciel takiej łodzi z typami mieszkającymi na wyspie.

– No właśnie. Pójdę na rufę i powiem Dianie, jaki mamy plan.

Gdy przycumowali ponton i wdrapali się na brzeg, droga okazała się trudna. Zdjęli kurtki i buty, rzucili je do dingi i usiedli na zwalonej palmie, żeby podwinąć nogawki spodni. Trulove miał za paskiem stary rewolwer Colt Python kaliber 357 Magnum, jedyną broń, jaką posiadał od czasu odejścia z marynarki wojennej.

Zważył colta w prawej dłoni.

– Wstyd mi się do tego przyznać, Ambrose, ale od lat nie miałem takiej frajdy.

– Powinien pan częściej pracować w terenie, Davidzie. – Ambrose uśmiechnął się do szefa brytyjskiego wywiadu.

– Może mi się już nie udać – odparł cierpko S. – Idziemy?

Roślinność sięgała do samej wody, roje komarów nie dawały im spokoju. Śliskie kamienie i korzenie namorzynów też nie ułatwiały wędrówki na południe brzegiem wyspy. Musieli łapać gałęzie drzew, żeby nie wpaść do morza. Ambrose brnął przez bajora, gdzie woda podchodziła mu powyżej kolan.

Dotychczas nie dostrzegli żadnego zagrożenia. Nie napotkali wartowników, choć w oddali szczekały psy. W bezksiężycową noc gęsto zarośnięty teren wydawał się nieprzyjazny i niedostępny. W dzień z pokładu wolno płynącej żaglówki wyspa Nonsuch sprawiała zapewne wrażenie idealnego miejsca na rodzinny piknik.

W końcu dotarli do południowego krańca zatoczki. Roślinność została za nimi, w płyciznę wrzynał się biały piaszczysty cypel. Ambrose obejrzał się na „Swagmana", który unosił się na kotwicy w granatowej wodzie zatoczki. Diana stała nieruchomo na dziobie i obserwowała ich przez lornetkę.

Na lewo od cypla biegł stary drewniany pomost. Wzdłuż niego spoczywał na wpół zanurzony wrak statku. Wyglądał, jakby tkwił tam od dziesięcioleci.

Na końcu nabrzeża od strony lądu wyrastało skupisko małych chat i szop. Nie paliło się tam żadne światło.

Opuszczona wioska?

Biała motorówka stała teraz przycumowana do niszczejącego pomostu. Na pokładzie nie zauważyli nikogo, choć na dziobie wznosił się mały dźwig. Sternik musiał zejść na ląd, kiedy wędrowali wzdłuż brzegu.

– Chodźmy się przyjrzeć z bliska tej łodzi – powiedział S. i ruszył szybko przez plażę.

– Niech pan na mnie zaczeka – zawołał Ambrose i przyspieszył kroku. Nie lubił biegać, zwłaszcza po miękkim piasku.

Wioskę, a raczej to, co z niej zostało, zarosła ze wszystkich stron bujna zielona dżungla. Niemal wchłonęła osadę, która wyglądała na niezamieszkaną od wieków. Pomost też był w opłakanym stanie, tu i tam brakowało desek, ale nadawał się jeszcze do użytku, jeśli ktoś patrzył pod nogi.

Weszli na gnijącą drewnianą konstrukcję i zerknęli na dwie niewielkie łodzie rybackie przeznaczone do jednoosobowych połowów. Obie miały wbudowane diesle i małe kwadratowe sterówki, na ich rufach piętrzyły się sieci. Jedna łódź nazywała się „Santa Maria", druga nosiła dość zabawną nazwę „Szczęki II".

Elegancka ośmiometrowa motorówka była przycumowana przy końcu pomostu i zupełnie nie pasowała do ponurego odludzia. Miała wbudowany silnik, lśniący biały kadłub, mahoniowe wykończenia i pięknie wypolerowane mosiężne relingi wokół kokpitu. Na rufie widniała nazwa „Powder Hill".

– Na pokładzie jest jakiś ładunek, Ambrose – powiedział Trulove. – Obejrzyjmy go.

Ambrose zajrzał do środka głębokiego kadłuba. Biały brezent zasłaniał wysoki stos prostokątnych kształtów na rufie. Najpierw Trulove, potem Ambrose weszli na pokład. Plandeka była przywiązana, ale łatwo puściła, gdy wzięli się do pracy, by zobaczyć, jakie tajemnice skrywa „Powder Hill". Ambrose odciągnął brezent. Pod przykryciem stało sześć drewnianych skrzyń o wymiarach mniej więcej pół na półtora metra przymocowanych do pokładu gumowymi taśmami.

Na wieku górnej skrzyni widniał jakiś napis.

Żaden z nich nie miał latarki, ale poradzili sobie. Ambrose otworzył zapalniczkę do fajki, pstryknął i zbliżył chybotliwy płomień do namalowanych przez szablon czarnych liter.

– Aha – powiedział i S. od razu zrozumiał z brzmienia tego pojedynczego słowa, że ich wyprawa na wyspę Nonsuch się opłaciła.

– Znasz rosyjski, Ambrose. Co tu mamy? – zapytał z podnieceniem.

– Broń. Te litery, KBP, to nazwa znanej rosyjskiej firmy zbrojeniowej. A tu, w następnym wierszu, widać napis „Bizon PP-19". To rosyjski pistolet maszynowy, o ile się nie mylę. Otworzyć tę skrzynię i sprawdzić? Mam scyzoryk.

– Tak, tak, oczywiście – odrzekł S. wyraźnie podekscytowany odkryciem. – Zobaczmy, co tam jest.

Ambrose wsunął ostrze noża pod wieko i podważył je tylko na tyle, żeby wetknąć palce do szczeliny. Małe gwoździe łatwo wyszły ze sklejki. Zdjął pokrywę i odłożył na bok.

– Pistolety maszynowe, zgadza się – stwierdził S., kiedy zajrzał do otwartej skrzyni. – Jak przypuszczasz, po co tej bandzie ćpunów takie niebezpieczne zabawki?

W tym momencie z głębi wyspy dobiegły strzały. Odległe i przytłumione, ale wyraźne. Usłyszeli też, jak ktoś przedziera się przez zarośla w stronę pomostu.

– Ktoś nadchodzi – powiedział S. – Musimy wiać. Do wody, szybko!

– Do wody? Jeszcze nie zwariowałem.

Ambrose nie cierpiał kąpieli w morzu i nie uśmiechało mu się nurkowanie w ubraniu w granatowoczarnej zatoce. Ale wiedział, że nie zdążą wrócić pomostem na ląd. Znów padł strzał, ktoś krzyknął z bólu, teraz dużo bliżej, i Congreve skoczył na nogi do wody, obawiając się najgorszego.

Było zadziwiająco płytko, najwyżej półtora metra, i łatwo znalazł piaszczyste dno. Poczuł, jak coś śliskiego ociera mu się o kostki, ale wolał się nie zastanawiać, co to może być. Wyobraził sobie po prostu, że jest gdzie indziej. W swoim ogrodzie w Hampstead, wśród dalii.

S. został na pomoście i patrzył na zarośniętą wioskę z ręką na rękojeści rewolweru. Ambrose wiedział, o czym myśli. Admirał Trulove, były oficer Królewskiej Marynarki Wojennej, nie unikał walki. Z pewnością korciło go, żeby powystrzelać naćpanych skurwieli. Ale zdawał sobie sprawę, że ci skurwiele mają nad nim przewagę liczebną i ogniową.

– Na dół, prędko! – szepnął głośno Ambrose. – Tylko niech pan nie nurkuje, na litość boską, tu jest płytko!

Trulove dobrze wiedział, że więcej zyskają, czekając i obserwując niż strzelając, usiadł więc na krawędzi pomostu i wyciągnął rewolwer zza paska. Potem zsunął się do wody. Trzymając broń w górze, dołączył do Ambrose'a pod pomostem.

– Ciii! – szepnął. – Idą tutaj.

Czaili się pod zapadniętymi drewnianymi kozłami, woda omywała im podbródki. Mimo przypływu pod pomostem pozostała jeszcze okołopółmetrowa przestrzeń, mogli więc stać na dnie z głowami tuż nad wodą i oddychać swobodnie.

– Cicho – powtórzył szeptem S. – Nadchodzą.

Ambrose czuł ulgę, że sir David ma przy sobie niezawodnego colta. Zobaczył, jak z zarośli wyłania się zakrwawiony mężczyzna i zatacza w kierunku pomostu. Biedak przyciskał jedną rękę do brzucha, jakby próbował przytrzymać wnętrzności.

Potknął się, deski ugięły się i zaskrzypiały pod jego ciężarem. Był już tak blisko, że słyszeli, jak jęczy cicho z bólu.

Kiedy znalazł się dokładnie nad ich głowami, jęknął głośno i runął twarzą w dół.

Ambrose patrzył przez szpary w mrok powyżej i poczuł ciepłą kroplę w oku. Starł ją i spojrzał w słabym świetle na swoje palce. Pozostało na nich coś ciemnego i lepkiego.

Krew. Ciekła obficie z głowy rannego, jęczącego z bólu mężczyzny i barwiła wodę wokół Congreve'a. Niedobrze.

Czy to płetwa grzbietowa? Tak! Cięła wodę przy brzegu. Druga! Trzecia!

– Jak się nazywasz, stary? – zapytał S. tak głośno jak tylko się odważył. Przez szpary widzieli go częściowo. Miał śnieżnobiałe włosy zlepione krwią.

Wymamrotał coś niezrozumiale.

– Kto cię postrzelił? – szepnął S.

– Poszło o broń – wychrypiał mężczyzna. – Powiedziałem im prawdę, ale oni…

Ambrose położył dłoń na ramieniu Trulove'a.

– Nie ma na to czasu – szepnął. – Musimy się stąd wynieść. Natychmiast!

W jego głosie zabrzmiał wyraźny strach.

– Nie możemy – syknął S. – Skurwiele, którzy postrzelili tego gościa, idą tutaj. Nie słyszysz ich? Pewnie są uzbrojeni po zęby.

– Ale do wody kapie krew! Wie pan, czym to grozi. Musimy…

Congreve zamarł. Coś właśnie uderzyło go w udo. Mocno. Spojrzał w dół i zobaczył oddalający się złowrogi podłużny ciemny kształt. W płytkiej wodzie za pomostem krążyło ich więcej.

– Rekiny – powiedział S. – Rany boskie, zobacz, ile ich jest.

– Sir Davidzie – szepnął Ambrose drżącym głosem – mówię o tym niewielu ludziom, ale w tej sytuacji muszę to panu wyjawić. Jestem ablutofobem. Ciężkim przypadkiem. Obawiam się, że wszystko na nic.

– Abluto… czym?

– *Ablutio* to po łacinie „mycie", a *phobos* to po grecku „strach". Patologicznie boję się kąpieli. W morzu, oczywiście. W domu się kąpię. Często.

Trulove uśmiechnął się i oderwał palce Congreve'a od swojego ramienia.

– Dopóki będziemy stali nieruchomo, nie powinny nas zaatakować – uspokoił inspektora.

– Nie powinny. Ale pewności nie ma.

Niebezpiecznych stworzeń przybywało, tak jak Congreve się obawiał. Patrzył na groźne czarne kształty pływające cicho i szybko tuż pod powierzchnią i tnące wodę płetwami grzbietowymi. Były w odległości niecałych trzech metrów. Dwaj mężczyźni spoglądali na siebie, krew umierającego człowieka kapała im na głowy i do wody wokół nich. Ambrose zerkał na colta pythona, którego S. trzymał tuż nad powierzchnią wody. Lepiej zginąć z własnej ręki niż zostać rozszarpanym na kawałki? Być może.

Na brzegu rozległy się podekscytowane okrzyki w jamajskiej gwarze, bandyci wyłonili się z opuszczonej wioski i popędzili w kierunku pomostu i swojej ofiary.

Ambrose spojrzał na S. Obaj zdali sobie sprawę, że wszystko przepadło. Uwięzieni pod pomostem obserwowali z przerażeniem, jak co najmniej pół tuzina rekinów zaczyna się zbliżać, zataczając szybko coraz ciaśniejsze kręgi.

– Chrzanić to. Wolę się wystawić na strzał tym skurwielom na górze niż dać się pożreć żywcem – syknął Ambrose. Całe życie panicznie bał się rekinów, a teraz był wśród nich. Zaczął odchodzić, ale Trulove złapał go i zatrzymał.

– Pociski na pewno cię zabiją – szepnął mu wściekle do ucha. – A z rekinami może mamy cień szansy. Stój nieruchomo. Mam pomysł.

– Jaki? Żeby im przywalić w nos? Co za ulga.

– Ucisz się, dobra? Te parszywe gnojki są już na pomoście!

26

Miami

Czyja jest ta latająca maszyna X-Menów, Stokely? – zapytała nerwowo Fancha, kiedy wjeżdżali ruchomymi schodami do środka statku powietrznego. Lśniący eskalator z nierdzewnej stali sięgał z jego ogona do dachu budynku „Miami Herald". Wyglądało na to, że są ostatnimi wchodzącymi pasażerami i że cała reszta jest już na pokładzie.

– Próbowałem się tego dowiedzieć – odrzekł Stoke. – CAR to główny rosyjski koncern przemysłowo-energetyczny, do którego należy trzeci największy na świecie koncern naftowy i to studio filmowe Miramar w Hollywood. Ale kto jest właścicielem CAR-a? Tego chyba nikt nie wie.

Fancha miała trochę niewyraźną minę. Nie lubiła latać i na pewno nie paliła się do tego, żeby oderwać się od ziemi w czymś rodem z komiksu. Ale była zdecydowana to zrobić. Minął tydzień od ich rozmowy w Elmo z Putowem i Nikitą, dwoma producentami. Fancha bez przerwy odbierała telefony z wytwórni Miramar w sprawie ewentualnego kontraktu na jej udział w filmie akcji *Czoło burzy*.

Zgodziła się na spotkanie z Nikitą vel Nickiem, który nalegał, żeby odbyło się na pokładzie rosyjskiego statku powietrznego. Powiedział, że to będzie coś w rodzaju imprezy dla prasy w czasie lotu na Keys. Zapewnił, że im się to spodoba.

– Chodź, kochanie – powiedział Stoke, kiedy weszli do wnętrza. – Poszukajmy Pana Hollywood. Zobaczmy, co ma do zaproponowania.

Fancha obejrzała się na schody, które wsuwały się do kadłuba.

– Sama nie wiem.

– Chcesz tego, prawda, skarbie? Zostać gwiazdą.

– Bardzo, kochanie.

– To zróbmy tak, żeby to się stało, dziewczyno. Nie zabrałbym cię tutaj, gdybym nie wiedział, czy to coś w ogóle lata.

Główne solarium nazywało się oficjalnie Salą Ikara. Było duże, luksusowe i mogło łatwo pomieścić około setki gości zaproszonych na krótki lot na Keys. Łukowy sufit w dziobie zrobiono głównie ze szkła i stali, salę zalewało światło słoneczne. Miejsce nadawało się doskonale do czytania, relaksu lub popijania koktajlu w jednym z obitych czerwonym aksamitem foteli. Dziś urządzono tu konferencję prasową, na którą najwyraźniej nie zdążyli.

Fancha zostawiła Stoke'a, podeszła do najbliższego okna i spojrzała w dół na zatokę Biscayne. W oddali zobaczyła lekko zamglony zarys Key Largo.

Stoke zauważył puste podium na małej estradzie. Obok stał duży model innego statku powietrznego. Ten, którym lecieli, wyglądał przy nim jak wersja dla początkujących. Model spoczywał na czterometrowym drewnianym stole w szklanej gablocie. Był cały czarny i miał złote wykończenia. Na jego boku widniał napis „Puszkin".

Sądząc z wielkości samochodzików i ludzików na ziemi trzymających liny cumownicze, „Puszkin" był co najmniej pięć razy większy od „Cara". Musiał mieć długość prawie sześciuset metrów. Płaski ekran za modelem pokazywał luksusowe wnętrze statku powietrznego, kabiny pasażerskie, gabinety odnowy biologicznej, kina i maszynownie.

– Sheldon, stary! – zawołał ktoś, przesuwając się przez tłum z ręką w górze. Facet był tak niski, że Stoke nie widział twarzy, ale wiedział, że to jego zastępca, Luis Gonzales-Gonzales.

– Przynęta na rekiny! – wykrzyknął Stoke. – Jesteś.

– Myślisz, że odpuściłbym sobie ten rejs? – zapytał Rekin i wyciągnął pięść do powitalnego uderzenia. – Ta maszyna jest niesamowita, człowieku.

– Gotowy do spotkania, Rekin? Fancha jest tam, jeśli chcesz jej życzyć szczęścia.

– Szczęście jest dla kiepasów. Ci faceci się nie zorientują, kto ich zjadł na śniadanie. Rekin O. Selznick, do usług.

Drobny Kubańczyk uchylił kapelusza. Stoke roześmiał się i obejrzał go od stóp do głów.

– Dobrze wyglądasz, bracie. Podoba mi się twój styl. Mówi: „Pojechałem do Hollywood, ale po drodze wysiadłem z autobusu w Vegas i zrobiłem zakupy".

Luis miał słomkowy kapelusz, zwany przez Stoke'a sinatrą, który nosił na bakier tak jak Frank, różowy blezer, białe spodnie i swoje ulubione charakterystyczne białe zamszowe mokasyny. Taki strój można zobaczyć na okładce albumu Sinatry z lat pięćdziesiątych z samolotem Super Constellation linii TWA stojącym w tle na płycie lotniska.

Fancha zobaczyła Luisa, podeszła i cmoknęła go w policzek.

– Nie uwierzycie, co jest w tym UFO – powiedział. – Zwiedziłem całość, od dziobu do ogona, od góry do dołu. Nie do wiary.

– Widziałeś naszych nowych kumpli z L.A.? – zapytał Stoke.

– Tak, Nick gdzieś tu jest. Putowa ani śladu. Nick was szukał w czasie prezentacji. Nie może się doczekać spotkania z Fanchą. Zarezerwował dla nas małą salę konferencyjną w prywatnej części statku na końcu pokładu nazywanego promenadą. Będzie tam na nas czekał piętnaście minut po starcie. Podadzą lunch.

– Dobra – odparł Stoke i spojrzał na model w szklanej gablocie. – Co jest z tym „Puszkinem", Rekin? Taki wielki zeppelin to obłęd. Czy on istnieje? Zbudowali go?

– Jasne. Będzie gotowy do lotu w tym tygodniu. Jest pięć razy większy od tego. Co najmniej. Ominęła was prezentacja. Jako konferansjer wystąpił ten facet z *American Idol*, Ryan Seacrest. To jest ich nowy pasażerski liniowiec. Największy statek powietrzny, jaki kiedykolwiek zbudowano. Ma ponad pięćset osiemdziesiąt metrów długości. Seacrest powiedział, że to będzie nowy standard podróży transoceanicznych. Z Nowego Jorku do Londynu, Paryża, gdzie chcesz. Zabiera siedmiuset pasażerów. Pięć restauracji. Kabiny, apartamenty, pełen wypas. Naprawdę duży luksus.

Fancha nagle zachwiała się i chwyciła ramienia Stoke'a z przerażoną miną.

– To trzęsienie ziemi, kochanie?

Stoke poczuł lekkość w butach, jakby pięty miały mu się wysunąć do góry z mokasynów. Ale to nie było trzęsienie ziemi. Przyciągnął Fanchę do siebie i przytulił.

– Nie, skarbie, tu, w powietrzu, nie poczulibyśmy trzęsienia ziemi. Wyjrzyj przez okno. Właśnie startujemy, odłączamy się od wieży. Spokojnie. Chodźmy do okna, może uda nam się zobaczyć w dole twój dom? Odpręż się, kochanie, bez nerwów.

Stoke popijał dietetyczną colę i słuchał, jak Nick bajeruje Fanchę. Kiedy przyszli na spotkanie, Nick powiedział „cześć" do Luisa, skinął głową w kierunku Stoke'a i przestał zwracać uwagę na obu mężczyzn. Ignorował ich od dobrych piętnastu minut. Zajmował się tylko Fanchą. Kawiorem karmił ją praktycznie łyżeczką i dolewał jej szampana. Na lunch podano mnóstwo jednego i drugiego.

Poza Fanchą nikt nie pił bąbelków. Luis, który siedział przy przeciwległym końcu stołu i robił notatki ze spotkania, gasił pragnienie perrierem. Stoke uprzedził wcześniej Rekina, że on będzie mówił.

Ale na razie mówił tylko Nick.

Powiedział, że widział lokalną produkcję Univision z Fanchą. Stwierdził, że Fancha ma wszystko, co powinna mieć aktorka. Może grać w komediach i dramatach i śpiewać każdy rodzaj piosenek. Wygląda czarująco i ze swoją twarzą i ciałem doskonale wypadnie przed kamerą. I *Czoło burzy*, film wyreżyserowany przez Ridleya Scotta i wyprodukowany przez niego, Nicka, na sto procent będzie przebojem. Akcja rozgrywa się w latach trzydziestych XX wieku. Bohaterem jest przemytnik rumu, który zakochuje się w piosenkarce śpiewającej w knajpie na Key West podczas huraganu. Romantyczne, ale z mnóstwem akcji.

Gadał to wszystko bajeranckim hollywoodzkim tonem, w dodatku z rosyjskim akcentem.

Powiedział Fanchy, że ona, ze swoją urodą i anielskim głosem, zajdzie na sam szczyt, nic jej w tym nie przeszkodzi. Cieszy się, że był wtedy na przyjęciu urodzinowym i słyszał, jak ona śpiewa, bo nie powierzyłby jej hollywoodzkiej kariery nikomu poza Miramar. On, Nick Duntow, skupi całą swoją uwagę tylko na niej, odeśle wszystkich swoich pozostałych klientów do innych producentów.

– Powiedz mi jedną rzecz, Nick – wtrącił się Stoke, kiedy wyglądało na to, że producent skończył bajerować. – Skąd się wtedy wziąłeś na tej imprezie urodzinowej w Grove?

– Co?

– To żadna sprawa, po prostu jestem ciekaw. Raczej nie było tam ludzi z Hollywood, tylko rosyjscy mafiosi, o ile mogłem się zorientować. Gangsterzy i czeczeńscy nieletni bandyci.

– Panie Levy, nie chcę być niegrzeczny, ale co pan, kurwa, wie o Hollywood? Agencja Artystyczna Słoneczne Wybrzeże to niezupełnie ta liga.

Rekin podniósł wzrok.

– Czy on użył słowa na „k", Shel?

Fancha zachichotała.

– Nie przesłyszałeś się.

– Fakt, masz rację – powiedział Stoke do Nicka. – Po prostu jestem z natury ciekawy. Dbam tylko o moją dziewczynę.

– Tak jak ja. Niech pan posłucha, panie Levy. Obu nam leży na sercu przyszłość Fanchy. Więc może połączymy siły, co? Dobry pomysł? Mam tu coś, z czego na pewno będziecie oboje zadowoleni.

Wyciągnął z wewnętrznej kieszeni kopertę, otworzył ją i podsunął Stoke'owi przez stół żółty czek. Był wystawiony na Słoneczne Wybrzeże dla Fanchy. Suma dopiero po chwili dotarła do Stoke'a. Opiewała na ćwierć miliona dolarów.

– Za co to? – spytał, patrząc na nazwę prywatnego banku w Szwajcarii.

– Niech pan to potraktuje jako dowód mojej bezgranicznej wiary w to, że Fancha zrobi karierę. Załatwiłem jej angaż na jeden wieczór. To jest honorarium.

– Ćwierć miliona dolców za jeden wieczór? – zapytał Stoke. – Bez kitu.

– Sheldon, daj spokój – powiedziała Fancha. – Pozwól człowiekowi wyjaśnić, o co chodzi.

– Dziękuję, Fancha. To będzie wyjątkowa, historyczna chwila. Słuchacie mnie oboje?

– Wal – odparł Stoke i wyciągnął się na krześle. Zerknął na Rekina i przewrócił oczami.

Nick odczekał chwilę dla efektu.

– Fancha, ominęła cię dzisiejsza poranna prezentacja, ale pewnie widziałaś model nowego liniowca firmy CAR? „Puszkina"?

– Tak. Piękny.

– Byłem na jego pokładzie. To najbardziej luksusowy statek powietrzny, jaki kiedykolwiek szybował pod niebem. Został nazwany „Puszkin" na cześć sławnego rosyjskiego poety. Rozpocznie dziewiczy rejs piętnastego grudnia. Wystartuje wtedy z Nowego Jorku do lotu transatlantyckiego i siedemnastego grudnia wyląduje w Sztokholmie. Tego dnia wieczorem odbędzie się uroczystość wręczenia Nagród Nobla w gmachu Stockholm Stadthus. Może zainteresuje was fakt, że właściciel tego statku odbierze nagrodę za swoje osiągnięcia w dziedzinie astrofizyki.

– I ona ma zaśpiewać na tej uroczystości? – zapytał Stoke.

– Nie, na pokładzie „Puszkina" pierwszego wieczoru nad oceanem. Będzie przyjęcie na cześć właściciela i wszystkich innych noblistów oraz nominowanych, którzy wyruszą w tę inauguracyjną podróż. Poleci z nami wiele ważnych osobistości, między innymi prezydenci Stanów Zjednoczonych i Rosji oraz premier Chin, nie wspominając o szwedzkiej parze królewskiej.

– Zaśpiewam dla prezydenta? – spytała Fancha.

– Tak. Dla całego świata. Jesteś tym zainteresowana?

Fancha spojrzała na Stokely'ego.

– Za dwieście pięćdziesiąt tysięcy dolarów? Zrobiłabym to za darmo, kochanie!

Nick uśmiechnął się i wyjął z kieszeni drugą kopertę.

– Co dalej? – zapytał Stoke.

– Właśnie, co dalej? – powtórzył jak echo Rekin.

– Mam tu list intencyjny, w którym jest napisane, że Fancha zgadza się przystąpić do negocjacji w sprawie kontraktu na zagranie przez nią głównej roli kobiecej w filmie wytwórni Miramar pod tytułem *Czoło burzy* w reżyserii Ridleya Scotta z udziałem Denzela Washingtona i Brada Pitta. Producentem wykonawczym jest wasz szczerze oddany Nikita Duntow. Do listu dołączony jest potwierdzony czek od Miramar Pictures na dwa miliony dolarów.

Fancha chwyciła Stoke'a za rękę.

– Och, kochanie. Czy to prawda?

– Nie wiem, skarbie – odrzekł i spojrzał surowo na Nikitę Duntowa. – To prawda, Nick?

– Proszę pójść z tym do banku i sprawdzić, panie Levy.

– Chcesz w to wejść, kochanie? – zapytał Stoke.

Wyglądała, jakby miała za chwilę wyskoczyć ze skóry.

– Jeszcze się pytasz? Marzyłam o tym, odkąd skończyłam pięć lat!

Zerwała się z miejsca, objęła Stoke'a za głowę i przycisnęła ją do piersi. Policzki miała mokre od łez.

– To prawda. Jest tak, jak zawsze sobie wyobrażałam. To rzeczywistość, kochanie, nie czujesz tego? To rzeczywistość!

Stokely wytarł jej delikatnie łzy i pokazał uniesioną dłoń Nikicie.

– Co mokrego mam na ręce, Nick?

– Łzy?

– Zgadza się. Prawdziwe łzy, Nick. Zapamiętaj, jak wyglądają. Bo jeśli zapomnisz, stanie się coś złego.

– Łzy wysychają, panie Levy.

– Nie te, Nick. Możesz być pewien.

27

Bermudy

Ciemnogranatowy gulfstream IV leciał na wysokości prawie czternastu tysięcy metrów. Zwolnił trochę i zaczął schodzić w dół z szybkością czterystu kilometrów na godzinę i mocnym zachodnim wiatrem od ogona. Był niecałą godzinę lotu od celu, Bermudów. Dwaj pasażerowie mocno spali w przyćmionym blasku świateł w kabinie. Młoda ładna stewardesa nazwiskiem Abigail Cromie robiła herbatę, gdy w kuchni z przodu kadłuba rozbłysła żółta lampka. Kapitan ją wzywał.

Zajrzała do ciemnego kokpitu.

– Tak, kapitanie?

Kapitan Tanner Rose odwrócił się do niej.

– Diana Mars dzwoni do jego lordowskiej mości.

Młody Szkot powiedział to bez zwykłego uśmiechu. Najwyraźniej coś było nie tak.

– Obawiam się, że on śpi. Prosił, żeby go obudzić kilka minut przed lądowaniem. Właśnie robię herbatę.

– Lepiej go obudź, Abby. Lady Mars jest bardzo zdenerwowana. Dzwoni z telefonu satelitarnego z pokładu jakiejś żaglówki. Powiedz mu, że to pilne.

– Już idę, kapitanie.

Panna Cromie, ruda kobieta w dobrze skrojonym jasnoniebieskim uniformie, poszła w kierunku ogona samolotu do miejsca po lewej stronie, gdzie spał Hawke. Miał rozłożony poziomo fotel i cicho chrapał. Harry Brock, na siedzeniu przed nim po prawej stronie, chrapał głośno.

– Telefon do pana, milordzie – szepnęła mu do ucha i poklepała go w ramię.

Hawke otworzył zaspane oczy.

– Co się dzieje?

– Dzwoni lady Diana Mars. Z telefonu satelitarnego, z Bermudów. Kapitan mówi, że to niestety bardzo pilne.

– Ach tak – powiedział Hawke, rozbudził się i ustawił pionowo oparcie. – Dobrze, Abby, w porządku, w takim razie odbiorę.

Tuż obok jego fotela był zamontowany telefon. Abby wcisnęła błyskający przycisk i wręczyła mu słuchawkę.

– Alex Hawke – zgłosił się.

– Dzięki Bogu! – powiedziała Diana drżącym głosem.

– Dobrze się czujesz, Diano? O co chodzi?

– O Ambrose'a, Alex. On i David zniknęli. Boję się, że stało się coś strasznego. Wyszli obaj na brzeg. Piętnaście minut później usłyszałam strzały, a potem…

– Gdzie wyszli na brzeg?

– Na wyspie Nonsuch. U wejścia do portu Castle Harbour. Postanowili się tam rozejrzeć. Zobaczyć, co się dzieje z tymi cholernymi rastafarianami, jak im tam?

– Uczniowie Judy. I co się stało, Diano?

– Jak powiedziałam, wyszli na brzeg, a ja zostałam na pokładzie.

– Na pokładzie czego?

– „Swagmana". Wiesz, tego starego slupa mojego ojca. Właśnie stamtąd teraz dzwonię do ciebie. Dzięki Bogu ma telefon satelitarny na stanowisku nawigacyjnym.

– Wyszli na brzeg i co się potem stało?

– Obserwowałam ich, kiedy szli na wschód wzdłuż brzegu. Strasznie się bałam, że Ambrose kuśtyka po ciemku na tej chorej nodze. Dopiero zaczął na niej chodzić po tym, co mu zrobił tamten drań w Amazonii. Na południowym końcu wyspy, gdzie widzieliśmy jakieś światła w głębi lądu, straciłam ich z oczu. Chyba zniknęli za cyplem. Tam jest pomost i widzieliśmy motorówkę płynącą w tamtym kierunku bez świateł nawigacyjnych. Jakieś dziesięć minut po tym, jak straciłam ich z oczu, usłyszałam strzały.

– Byli uzbrojeni?

– Sir David miał rewolwer. To wszystko.

– Jak dawno temu to było?

– Pół godziny temu, może czterdzieści pięć minut. Nie mogę już znieść tego bezczynnego siedzenia, Alex. Mam wyjść na brzeg i poszukać ich?

– Nie, Diano, nie rób tego. Zawiadomiłaś policję?

– T… tak, oczywiście, najpierw zadzwoniłam do nich. Nie chciałam zawracać ci tym głowy. Wiesz, może się okazać, że to nic takiego, ale jednak…

– Uspokój się, Diano. Wszystko będzie dobrze. Policja jest w drodze?

– Nie wiem. Facet, z którym rozmawiałam, przyjął moje zgłoszenie dość obojętnie. Obiecali przysłać patrol wodny, ale nie wyglądało na to, żeby się z tym spieszyli. Minęło już ponad dwadzieścia minut i nikogo nie ma.

Hawke spojrzał na mapę cyfrową wyświetloną na małym monitorze obok jego fotela. Pokazywała pozycję lecącego na wschód samolotu w czasie rzeczywistym, jego prędkość i czas pozostały do końca podróży.

– Posłuchaj, Diano. Jestem teraz około pół godziny lotu od Bermudów. O tej porze w nocy nie ma ruchu w powietrzu, więc powinienem być na ziemi za niecałe dwadzieścia pięć minut. Powiem pilotowi, żeby przyspieszył. Będziesz mogła odebrać mnie z lotniska?

– Jak mam to zrobić?

– Masz ponton, prawda?

– Wzięli go na brzeg. Ale mogę popłynąć tam wpław i zabrać go.

– Grzeczna dziewczynka. Powiedziałaś Castle Harbour, tak? Widzisz lotnisko z miejsca, w którym jesteś?

– Z trudem. Nonsuch jest kawałek drogi stamtąd. Obok wyspy Castle.

Hawke wcisnął przycisk i zobaczył widok Bermudów w Google Earth. Szybko zlokalizował wyspę Nonsuch.

– Silnik zaburtowy jest? – zapytał.

– W pontonie?

– Tak.

– Jasne. Pięćdziesięciokonny.

– Super. Zobaczysz mnie, jak będę lądował. Mój samolot to granatowy gulfstream IV. Przelecę nad masztem „Swagmana". Będę na ziemi, zanim dopłyniesz pontonem do lotniska. Wciągnij go na brzeg, gdzie będziesz mogła na wschodnim krańcu pasa startowego. Masz na pokładzie rakietnicę, kochanie?

– Tak.

– Weź ją ze sobą. Jak wciągniesz ponton na brzeg, wystrzel flarę na spadochronie, żeby mi wskazać swoją pozycję. Znajdę cię. Jest ze mną facet nazwiskiem Harry Brock. On i ja zajmiemy się tym, nie martw się, dobrze? Ambrose i David wrócą cali do domu.

– Alex, nie wiem, co bym zrobiła, gdyby coś mu się stało. Z tą niesprawną nogą jest taki bezbronny i… jest dla mnie wszystkim…

Rozpłakała się.

– Diano, proszę, posłuchaj mnie. Ambrose to mój najbliższy przyjaciel, a sir David to mój przełożony i szef najlepszego wywiadu na świecie. Nie pozwolę, żeby któremuś z nich coś się stało. Do zobaczenia na ziemi najdalej za dwadzieścia pięć minut.

– Proszę, pospiesz się, Alex. Tak mi przykro, że zawracam ci głowę. Do zobaczenia.

Hawke wstał, ruszył do kokpitu i po drodze obudził Harry'ego Brocka. Pokrótce wyjaśnił kapitanowi sytuację i poprosił, żeby dostarczył go na ziemię najszybciej jak to możliwe. Trzymał się przez chwilę oparcia fotela drugiego pilota, gdy samolot wystrzelił naprzód, potem wrócił do kabiny pasażerskiej. W towarzystwie Brocka przeszli na ogon maszyny.

Była tam toaleta z lustrem od podłogi do sufitu na tylnej przegrodzie. Ku zaskoczeniu Harry'ego lustro otworzyło się i odsłoniło wysoką szafę pancerną z bronią i dwie szerokie szuflady poniżej. W jednej leżała amunicja, w drugiej stroje maskujące i inne rzeczy, które mogły się przydać w takiej sytuacji jak dzisiejsza.

Hawke wprowadził kod i ciężkie drzwi sejfu otworzyły się z sykiem.

– Broń – stwierdził Harry Brock z szerokim uśmiechem. Wyciągnął z szafy ręczny karabin maszynowy M349. – To, co lubię.

– Bez tego nie ruszam się z domu – odrzekł Hawke i wziął identyczny erkaem.

M349 nazywano SAW. Hawke lubił jej używać w terenie, bo strzelała ogniem pojedynczym lub ciągłym z szybkością siedmiuset pięćdziesięciu albo tysiąca pocisków na minutę, zależnie od ustawienia. Wyjął z szuflady kilka standardowych magazynków od M-16 z amunicją kaliber 5,56 milimetra i załadował karabin.

Potem włożył na siebie kombinezon z czarnego nomeksu i kazał Harry'emu zrobić to samo.

Harry uniósł do góry jeden ze strojów maskujących.

– Czarny nomex. To też lubię.

– Dlaczego? – zapytał Hawke.

– LNTL.

– Co?

– Laski na to lecą.

– Boże, miej mnie w opiece – powiedział Hawke i przypasał do uda kaburę na rzepy.

Kombinezony z wszytym lekkim opancerzeniem ceramicznym i kevlarowym służyły do walki w dżungli. Zanim dwaj mężczyźni ubrali się i uzbroili w erkaemy, noże bojowe i dziewięciomilimetrowe pistolety SIG-Sauer, samolot podchodził do lądowania.

– Herbaty, panowie, zanim wylądujemy? – zapytała Abby, gdy obaj w czerni wrócili do kabiny pasażerskiej i usiedli w swoich fotelach. Byli zajęci sprawdzaniem broni.

Hawke pojął ironię i się uśmiechnął.

– Nie, dzięki, Abby, boję się, że mogłaby mi się rozmazać farba maskująca.

On i Brock właśnie malowali nią twarze.

– Lądujemy za dwie minuty – oznajmił kapitan. – Proszę zapiąć pasy.

– Jak wyglądam? – zapytał Hawke, uśmiechając się do Abby. Miał teraz twarz w kolorach jasnej i ciemnej zieleni oraz czerni.

Abby się uśmiechnęła.

– Jak poważnie zdefektowana zebra, milordzie.

Brock i Hawke zapięli pasy, Abby wróciła na siedzenie w kuchni.

Hawke popatrzył przez swoje okno na port rozciągający się w dole i zobaczył ładnego białego slupa zakotwiczonego w zatoczce przy wyspie średniej wielkości, blisko wejścia do portu. Chwilę później dostrzegł fosforyzujący kilwater małego pontonu Diany, który zbliżał się do wschodniego krańca plaży ciągnącej się wzdłuż obrzeża bermudzkiego lotniska.

Kawałek dalej na północ leżała inna znajoma wysepka, Powder Hill. Mógł niemal rozróżnić Half Moon House nad zatoczką na skraju gajów bananowych. Czy Azja pracuje? Siedzi przed sztalugą, pali papierosa, popija dżin i maluje jego portret? A może śpi w wielkim łóżku pod obracającym się wolno wentylatorem?

Dziwnie zajmowała jego myśli, ale po raz pierwszy od bardzo dawna był poważnie zainteresowany kobietą. Od tamtej burzy spędzili wiele rozkosznych godzin na szezlongu w pracowni i w jej łożu pod baldachimem. Pragnęli siebie wzajemnie, pożądali. Miłość? Co to jest, do diabła?

Harry też wyglądał przez swoje okno.

– To slup Diany Mars tam w dole? – zapytał, wyrywając Hawke'a z zadumy.

– Tak. „Swagman".

– Na południowym krańcu wyspy jest zalesiony teren – powiedział Brock. – Są tam światła, ale nie widać żadnego ruchu.

– Zauważyłeś pomost? Skądś znam tę białą motorówkę.

– Wszyscy są zapięci? – odezwał się pilot przez interkom. – Lądujemy za piętnaście sekund.

Harry Brock chwycił się podłokietników fotela. Podchodzili bardzo szybko, tak jak prosił Hawke. Zapowiadało się ciekawe lądowanie.

Kiedy opony uderzyły w pas startowy i rozległ się głośny pisk hamulców, Hawke odwrócił głowę i zobaczył, jak pomarańczowa flara Diany szybuje łukiem pod czarne niebo, rozbłyska i zawisa na małym spadochronie, który sunie w powietrzu ku plaży. Wiedział dokładnie, gdzie ją znajdzie.

Diana rzuciła się prosto w otwarte ramiona Hawke'a, gdy tylko zobaczyła go na wydmie. Towarzyszyli mu dwaj mężczyźni, jeden w takim samym czarnym stroju maskującym jak Alex, drugi w ciemnym garniturze i krawacie.

– Dzięki Bogu, że jesteś, Alex – powiedziała zrozpaczona. – Odchodzę od zmysłów z niepokoju.

– Wszystko będzie dobrze, Diano. Ale musimy już ruszać. To jest mój przyjaciel z Waszyngtonu, Harry Brock. Ten drugi dżentelmen to pilot, kapitan Tanner Rose. Dopilnuje, żebyś dotarła bezpiecznie do domu.

– Do domu?

– Tak. Chcę, żebyś tam natychmiast wróciła. Kapitan Rose zostanie z tobą. Nic nie rób i nigdzie nie wychodź, dopóki się nie odezwę do ciebie. Nie odbieraj telefonu. Rozumiesz?

– Alex, ale ja chcę…

– Nie możesz zrobić nic więcej, Diano, wierz mi. Brock i ja popłyniemy na tamtą wyspę. Wrócimy niedługo z twoim narzeczonym i sir Davidem. Musimy już iść. Tanner, weź mój samochód i odwieź lady Mars do domu, dobrze? Mały żółty fiacik. Stoi na parkingu, kluczyki są pod siedzeniem. Chodźmy, Harry.

Hawke otworzył przepustnicę, zaokrąglony dziób małego pontonu uniósł się w powietrze i pomknęli po ciemnej wodzie. Na południowy wschód od nich Hawke widział teraz dwie większe wyspy, odcinające się na horyzoncie w słabym blasku gwiazd. Ta z prawej strony, mocno ufortyfikowana wieki temu, nazywała się Castle. Na lewo leżała Nonsuch. Wziął kurs na jej południowy kraniec, gdzie wcześniej zobaczył pomost i przycumowaną znajomą białą motorówkę.

Ambrose i sir David przypuszczalnie poszli właśnie tam, bo Diana straciła ich z oczu, kiedy kierowali się w tamtą stronę.

Płynęli dziesięć minut. Przez ten czas Hawke podzielił się z Brockiem tym, co wiedział o Królu Coale i jego rastafarianach obozujących na wyspie Nonsuch. Facet był na tyle grubą rybą, że zwrócił na siebie uwagę amerykańskiej agencji antynarkotykowej i spędził dłuższy czas w amerykańskim więzieniu. Teraz wrócił na Bermudy i wykazywał niezdrowe zainteresowanie jego osobą. Dzisiejszej nocy Hawke zamierzał się dowiedzieć dlaczego.

– Czerwony Sztandar przybywa na ratunek – rzucił wesoło Harry, kiedy zbliżyli się do pomostu i zwolnili.

– Lepiej, żeby nasza pierwsza operacja się udała – odrzekł Hawke i zawiesił na ramieniu erkaem. – Nie wiem, co tamci dwaj sobie wyobrażali, wychodząc na brzeg w środku nocy.

– Chcieli być w akcji, Alex. Już nieczęsto im się to zdarza.

– Pewnie masz rację – odparł Hawke.

W rzeczywistości obawiał się o los zaginionych mężczyzn bardziej niż dał to odczuć Dianie. Ambrose był doświadczonym oficerem policji. Przeszedł długą drogę od zwykłego „krawężnika" do nadinspektora i stawiał czoło wielu niebezpieczeństwom. Sir David był starym wilkiem morskim. Nikt nie wątpił w jego odwagę i inteligencję, ale S. od dziesięciu lat siedział za biurkiem. Obaj mieli już swoje lata, w dodatku Ambrose wciąż utykał na jedną nogę.

Uczniowie Judy w najlepszym wypadku byli porąbani. Handlowali marihuaną i z nieznanej przyczyny ktoś im płacił za śledzenie go.

W najgorszym mogli być bandą naćpanych zabójców.

Na brzegu i pomoście nie było nikogo. Hawke wyłączył silnik i dopłynął rozpędem do końca nabrzeża. Przyglądał się uważnie wyspie, badając wzrokiem ciemną roślinność, która sięgała w dół do białej piaszczystej plaży. Zobaczył całkowicie zarośniętą wioskę. Wyglądała na opuszczoną, ale za jednym z okien mógł czyhać snajper. Przypomniał sobie, że na wyspie w złotym okresie załogowych lotów kosmicznych znajdowała się stacja obserwacyjna NASA.

Usłyszał, jak Harry wciska magazynek do karabinu, i spojrzał w górę. Od gnijącego drewnianego pomostu dzielił ich metr. Do wody opadała drabinka i Brock przywiązał do niej faleń. Wydawało się, że szczeble ledwo utrzymają ich ciężar.

– Ty pierwszy, Harry – powiedział cicho Hawke. – Nie zapomnij dać kroku w górę ze środkowego siedzenia. Dla równowagi.

– Myślisz, że nie wiem?

– Ruszaj, Harry.

Po raz ostatni sprawdził broń i wspiął się za Brockiem po drabince. Zobaczył, jak Harry kuca w połowie długości pomostu przy leżącym mężczyźnie, który nie daje znaku życia.

Podbiegł do Harry'ego i usłyszał wściekłą kotłowaninę w wodzie pod deskami.

– Trup? – zapytał i przyklęknął obok Brocka.

– Tak – odparł Harry. – Spójrz na wodę, Alex.

Hawke spojrzał. Szalały w niej rekiny.

– Zobacz to – powiedział Brock i podciągnął mankiet spodni martwego mężczyzny. – Jeden z tych zębatych skurwieli sięgnął z wody aż tutaj i odgryzł mu całą stopę.

28

Rekiny miotały się w szale żarłoczności. Doprowadziła je do tego świeża krew w wodzie, która wyciekała z okaleczonych zwłok. Martwy mężczyzna leżał twarzą w dół, ale Hawke już się zorientował, kim jest. Wystarczająco dobrze znał białą motorówkę.

– Odwróć go, Harry.

Harry wsunął ręce pod ciało i przetoczył je delikatnie na plecy. Nieboszczyk prawie całkowicie się wykrwawił i miał odstrzeloną część twarzy, ale Hawke natychmiast go rozpoznał.

– Nazywa się Hoodoo. To jego motorówka.

– Twój stary kumpel?

– Pracował tu dla Rosjanina nazwiskiem Korsakow. Ten facet jest jakoś powiązany z bandą Jamajczyków. Chodźmy.

Ruszyli szybko w kierunku opuszczonej wioski z bronią gotową do strzału. Rozdzielili się i szukali wzrokiem jakiegoś ruchu za ciemnymi pustymi oknami niskich betonowych budynków. Postanowili porozumiewać się tylko na migi i Harry zasygnalizował teraz Hawke'owi, że wejdzie pierwszy do wioski i w razie potrzeby oczyści ją ogniem erkaemu. Hawke pokazał mu, że zrozumiał. Harry sprawdzi teren, on pójdzie za nim.

Nie musieli strzelać. Ruszyli gęsiego w głąb porośniętej dżunglą wyspy, nie napotykając oporu. Trudno było iść z bronią przed sobą, bo lufy zaczepiały o pnącza i zarośla, ale Hawke przypuszczał, że właśnie tę trasę przebyli Congreve i Trulove. Dżungla ustąpiła miejsca ścieżce, wprawdzie zarośniętej, ale najwyraźniej często używanej jako droga do pomostu i z powrotem. Patrząc na kruszejące betonowe budowle, Hawke domyślił się, że to pozostałości starej, opuszczonej przed laty placówki obserwacyjnej NASA. Ale na razie mijali stacje paliw, warsztaty i magazyny. Główny budynek musiał być gdzieś dalej.

Brock opadł nagle na jedno kolano i wyrzucił do góry otwartą dłoń. Hawke zamarł, potem też przyklęknął i przycisnął mocno karabin do ramienia. Usłyszał przed sobą ciche głosy i poczuł słodki zapach gandzi w nieruchomym nocnym powietrzu. Po chwili on i Harry wyciągnęli noże bojowe przypasane tuż powyżej kostek i ruszyli dalej w kierunku dźwięków rozmowy.

Zobaczyli otwartą przestrzeń i wąwóz, na tyle głęboki i szeroki, że przerzucono nad nim wiszący drewniany most. Przejścia strzegli dwaj wartownicy, choć „strzegli" to za dużo powiedziane. Siedzieli po turecku na ziemi po obu stronach wąskiego wejścia na most z automatami na kolanach. Palili na spółkę skręta i żartowali z czegoś przyciszonymi głosami.

Hawke podszedł z tyłu do Harry'ego i szepnął mu do ucha:

– Mój jest ten z lewej, twój z prawej. Idziemy.

Podkradli się szybko i cicho do dwóch wartowników i błyskawicznie powalili ich na ziemię. Hawke natychmiast sięgnął do gardła przeciwnika, przeciągnął ostrym jak brzytwa nożem od prawej strony do lewej i poczuł ciepłą krew z przeciętej tętnicy szyjnej. Mężczyznę, którego dopadł Harry, spotkał ten sam los. Zostawili obu i przebiegli z bronią gotową do strzału przez kołyszący się gwałtownie most linowy.

Kiedy posuwali się przez ciemną dżunglę po drugiej stronie wąwozu, poczuli, że ścieżka zaczyna się wznosić. Roślinność się przerzedzała, pokazały się gwiazdy i Hawke nabrał pewności, że zbliżają się do obozu uczniów Judy. Dawna stacja obserwacyjna musiała być usytuowana w najwyższym punkcie wyspy, to miało sens.

– Światła – szepnął Harry. Zatrzymali się w przysiadzie obok siebie, na skraju szerokiej otwartej przestrzeni, ukryci w gęstych zaroślach. – Na szczycie wzgórza.

Stał tam zniszczony piętrowy betonowy budynek, prawie niewidoczny przez pnącza i drzewa bananowe. Okna były zasłonięte, ale z tych na górze padał słaby blask. Z uchylonych drzwi frontowych w łukowym wejściu sączyło się światło. Na dachu rdzewiały anteny radiowe i radarowe z minionej epoki wyścigu kosmicznego, który wygrali właściwi faceci.

W stacji obserwacyjnej, mieszczącej się kiedyś w budynku, monitorowano trajektorie ogromnych rakiet Atlas przelatujących tędy trzy minuty po starcie z przylądka Canaveral. Jak nisko upadają stare potęgi. Teraz ruina była główną kwaterą starego Króla Coale, niezbyt wesołego gościa, Hawke mógł się o to założyć.

– Facet przy drzwiach – szepnął Harry, gdy kucnęli w krzakach. – Uzbrojony.

– Widzę.

– Coś mi mówi, że Ambrose i Trulove są w tym budynku – powiedział Harry.

– Mnie też, Harry. Musimy to zrobić dobrze za pierwszym razem, bo inaczej mogą ucierpieć.

– O ile jeszcze żyją.

– Nie byłoby nas tutaj, gdybyśmy tego nie zakładali.

Hawke poczuł dawną irytację. Harry czasami za dużo gadał. Miał taką wadę i to go drażniło. Ale był dobry w walce, trudny do zabicia i Hawke cieszył się, że ma go dziś przy sobie.

Mężczyzna przy drzwiach siedział rozwalony na krześle i palił papierosa. Karabin zwisał luźno w ręku. Hawke dostrzegł coś znajomego: długie dredy do ramion, bluzę z podobizną Sellasjego i ciężkie złote łańcuchy na szyi. A także, mimo słabego światła, blask złota w ustach.

– Znam go – powiedział, przyglądając się mężczyźnie przez lunetkę zawieszoną na szyi.

– Kto to jest?

– Desmond Coale. Ksywa Książę Ciemności. Syn człowieka, który narusza moją prywatność, Samuela Coale. Ojciec jest w tamtym budynku.

– Strzał w głowę – odparł rzeczowo Harry. Założył tłumik na lufę swojego erkaemu i przysunął oko do celownika noktowizyjnego, żeby wpakować pojedynczy pocisk w lewe ucho Desmonda.

– Nie – sprzeciwił się Hawke i opuścił lufę broni. – Wykorzystamy Desmonda, żeby dotrzeć do starego. Rozdzielimy się, okrążymy budynek z obu stron i zajdziemy go z tyłu. Kiedy policzę do trzydziestu, zrobisz jakiś hałas po swojej stronie, żeby zwabić Desmonda. Resztę zostaw mnie. Trzydzieści sekund. Na mój znak. Gotowy, Harry?

– Od urodzenia.

– Pamiętaj, że ten typ jest nam potrzebny żywy. Ruszamy.

Hawke poszedł w prawo, Harry w lewo. Każdy z nich przedzierał się szybko i cicho przez gęstą roślinność wokół starego budynku NASA. Hawke zauważył ruch za zasłonami w oknach na piętrze. Ktoś odsunął zasłonę, wyjrzał w ciemność i po chwili zniknął. Z pokoju na górze dochodziła muzyka, głośne reggae, i hałaśliwy śmiech. Hawke rozpoznał piosenkę Jimmy'ego Cliffa *The Harder They Fall*.

Przebiegł szybko od drzew do ściany kruszejącego betonowego budynku. Przystanął i spojrzał na swój zegarek do nurkowania. Za pięć sekund Harry powinien odwrócić uwagę Desmonda. Dotarł do frontu budynku i wyjrzał zza rogu. Desmond nadal siedział na krześle, ze spuszczoną głową i czytał gazetę w żółtym świetle żarówki nad wejściem.

Po chwili zza budynku wytoczyła się ubłocona stara piłka nożna i znieruchomiała jakieś pięć metrów od stóp młodego Coale'a. Spojrzał na nią, rzucił gazetę na ziemię, wstał i poszedł zobaczyć, co się dzieje.

– Kto tam sobie, kurwa, jaja ze mnie robi? – zapytał głośno, nadal trzymając karabin luźno wzdłuż boku. Nie otrzymawszy odpowiedzi, ruszył dalej, żeby podnieść piłkę.

Wtedy Hawke skoczył. Wypadł zza rogu i znalazł się za Desmondem, zanim rastafarianin zdążył zrobić trzy kroki w kierunku piłki. Kiedy Desmond się zatrzymał, Hawke złapał pełną garść zmierzwionych grubych dredów, szarpnął mu głowę do tyłu i przyłożył płaską stronę ząbkowanego ostrza noża bojowego do jego szyi, tuż pod podskakującym jabłkiem Adama.

– Ja robię sobie z ciebie jaja, Książę – szepnął mu do ucha.

– To znaczy kto?

– Nazywam się Hawke, pamiętasz mnie? Mój kolega i ja przyszliśmy tutaj, żeby cię zabić. Albo zabrać naszych przyjaciół, twoja decyzja. Kiwnij głową, jeśli rozumiesz, że masz do wyboru dwie możliwości, Desmond.

Jamajczyk wydał z siebie zduszony gardłowy dźwięk.

– To nie ja, człowiek. Ja nie jestem Książę, to mój braciak, Desmond. Jest w domu. Ja jestem Clifford.

– Wyglądasz zupełnie jak Desmond.

– Jesteśmy bliźniakami, przysięgam, że nie ściemniam.

Hawke wyczuł, że facet nie kłamie. Trudno to robić przekonująco z nożem przystawionym do gardła.

– Powiesz jedno słowo, Clifford, wydasz jakiś dźwięk, i jesteś trupem. Rozumiemy się?

Clifford zdołał skinąć głową bez przecięcia szyi. Brat go ostrzegł, że z tym gościem nie ma żartów.

– W porządku, Clifford, odpręż się. Wejdziemy teraz do środka.

Hawke obejrzał się przez ramię i zobaczył, że Harry zbliża się do otwartych drzwi z bronią gotową do strzału.

– Twój ojciec jest w domu? Na górze? – szepnął Hawke do ucha Clifforda. – Daj znak głową.

Rastafarianin przytaknął.

– Domyślam się, że ma towarzystwo. Dwóch Anglików. Zgadza się?

Clifford znów kiwnął głową.

– Doskonale. Chodźmy zobaczyć, jak się mieważą. Lepiej zacznij się modlić, żeby byli cali. Rozumiemy się?

Odwrócił go i poprowadził do drzwi frontowych. Przestąpili próg tuż za Harrym Brockiem.

Weszli do pustego dużego kwadratowego pokoju z kanapami i wielkim wyłączonym telewizorem na ścianie. W kątach walały się śmiecie. W następnym, mniejszym pokoju też nikogo nie zastali. Był tu stół bilardowy z zerwanym suknem, używany zapewne podczas zebrań i posiłków. Pod sufitem wisiała goła żarówka dająca słabe światło. Schody na prawo biegły na piętro.

– Gdzie są wszyscy, Clifford? Mów szeptem.

– Większości nie ma na wyspie, dziś jest sobota. Piją w Skanktown, pewnie w Skibo Grill.

– Gdzie jest twój ojciec?

– Na górze. Z więźniami i moim bratem. Mają tam imprezę.

– Przyłączymy się?

Szybko wspięli się po schodach, Harry pierwszy z erkaemem gotowym do strzału. Długi, gorący i duszny korytarz prowadził na tyły budynku. Muzyka brzmiała teraz głośniej, podobnie jak śmiech dochodzący z pokoju, który Hawke obserwował z zarośli. Słodki zapach marihuany niemal dusił. W betonowym budynku panował potworny upał, choć słońce zaszło wiele godzin temu.

– No dobrze – powiedział Hawke. – Harry, wchodzisz pierwszy i pokazujesz wszystkim broń. Będę tuż za tobą z bliźniakiem Księcia. Jasne?

– Załatwione, szefie – odparł Harry z uśmiechem. Uwielbiał takie akcje, żył tym, miał to wypisane na twarzy.

Odrapane drzwi na końcu korytarza były zamknięte. Dochodziły zza nich ryki, śmiechy i odgłos tłuczenia szkła. Hawke stanął za Harrym, trzymając Clifforda nadal pod nożem. Brock uniósł prawą nogę i kopniakiem otworzył drzwi. Wpadł schylony do środka i omiótł pokój lufą erkaemu, żeby wszyscy mogli spojrzeć w jej wylot, czego nie zaleca się ludziom o słabym sercu. Byli zaskoczeni, ale pozostali na krzesłach ustawionych w trzech rzędach wokół środka pokoju.

Hawke poszedł w ślady Harry'ego i się rozejrzał. Temperatura w czterech ścianach z gołego betonu musiała przekraczać czterdzieści stopni Celsjusza. Hawke'a uderzył w nozdrza odór potu, krwi i rozlanego rumu. W środku kręgu z krzeseł miotał się kogut. Mężczyźni siedzący wokół rzucali w niego pustymi butelkami po rumie, ptak wrzeszczał i trzepotał skrzydłami. Kilka razy został trafiony i krwawił na betonową podłogę usłaną potłuczonym szkłem. U stóp jednego z uczestników zabawy leżał stos pierzastych zwłok.

Na ciemnych twarzach mężczyzn zastygły uśmiechy odsłaniające złote zęby i efekt był szokujący. Niektórzy trzymali jeszcze nad głowami opróżnione do połowy butelki rumu, ale opuścili je na widok groźnej miny Hawke'a i drugiego erkaemu w jego lewym ręku.

Hawke popchnął Clifforda naprzód, żeby wszyscy dobrze go widzieli. Harry zaczął obszukiwać imprezujących chłopaków, sprawdzając, czy są uzbrojeni.

– Znalazłeś coś przy nich, Harry? – zapytał Hawke. – Oprócz butelek rumu, oczywiście.

– Na razie są czyści – odparł Brock, posuwając się wokół kręgu i szukając broni u każdego z mężczyzn.

– Który z was, weseli sportowcy, to Król Coale? – zapytał Hawke, choć już się domyślił, że Samuel Coale to ten w purpurowej luźnej koszuli *dashiki* ze śnieżnobiałymi dredami sięgającymi do bioder. Maczeta w pochwie zwisała z szerokiego skórzanego pasa na grubym brzuchu. Na ścianie za nim była wielka etiopska flaga i stary plakat przedstawiający cesarza Hajle Sellasjego z uniesioną pięścią, Lwa Judy we własnej osobie, mimowolnego ojca rastafarianizmu.

Stary Król Coale wstał ze swojego sfatygowanego tronu, jedynego wyściełanego fotela w pokoju. Odkopnął z drogi kilka kogucich zwłok i dał krok naprzód.

– *Yaweh* jest Panem, a ja jestem jego Królem – powiedział w rastafariańskim stylu. – Szuka pan swoich przyjaciół, lordzie Hawke?

– Tak. Gdzie oni są?

Król Coale wskazał głową zamknięte drzwi w ścianie na lewo za nim.

Hawke przycisnął mu lufę erkaemu do brzucha.

– Kazałeś swoim ludziom śledzić mnie na tej cholernej wyspie. Dlaczego?

– Ktoś płaci mi duże pieniądze, człowiek. Czy inaczej coś się robi?

– Kto ci płaci?

– Zapomniałem.

– Niech zgadnę. Korsakow?

– Jak ci powiem, zabije mnie.

– Jak mi nie powiesz, ja cię zabiję – odparł Hawke i popchnął faceta lufą z powrotem na fotel.

Za odrapanymi drzwiami rozległ się głośny krzyk bólu. Hawke rozpoznał głos. Ambrose'a Congreve'a!

– Harry, przypilnuj przez chwilę tych dżentelmenów – polecił i zostawił Coale'a. Przeciął szybko pokój, obrócił gałkę drzwi i otworzył je pchnięciem. Zajrzał do środka, potem zerknął przez ramię na Brocka.

Nie uśmiechał się.

– Obaj żyją – oznajmił.

29

Dwaj Anglicy siedzieli wyprostowani na drewnianych krzesłach z pionowymi oparciami i byli związani plecami do siebie. Na głowach i twarzach mieli ślady pobicia. Sir David krwawił z nosa i ust. Desmond, Książę Ciemności, stał przed Ambrose'em z żelaznym prętem w ręku. Zignorował nagłe pojawienie się Hawke, wziął zamach i uderzył Congreve'a w goleń niesprawnej nogi. Detektyw wrzasnął z bólu i wygiął się do tyłu na krześle, na jego twarzy odmalowało się cierpienie.

Seria z erkaemu zabrzmiała ogłuszająco w małym pokoju. Wszystkie oczy zwróciły się na Hawke'a, który trzymał czarną broń na biodrze. Znów nacisnął spust i podziurawił pociskami ścianę tuż nad głową Desmonda. Na Jamajczyka posypał się tynk.

– Co jest, kurwa?

– Rzuć to żelazo, Książę – powiedział spokojnie Hawke. – Już.

– Raz obraziłeś moją rodzinę, i na tym koniec.

Znów uniósł pręt.

– Odłóż to, bo cię rozwalę – ostrzegł Hawke.

Desmond odwrócił się i spiorunował go wzrokiem, jakby sobie wyobrażał, że Hawke nie wytrzyma jego spojrzenia.

– Rzuć to – powtórzył Hawke. – Bo cię zastrzelę.

– Rzucę pręt, człowiek, jak ty rzucisz karabin. Wtedy zobaczymy, kto jest lepszy. Bez broni.

Desmond miał zaczerwienione i błyszczące oczy, ale Hawke nie wiedział, czy od rumu, czy z wściekłości. Mógł zabić faceta i skończyć z tym. Ale coś prymitywnego w głębi jego umysłu powstrzymywało go od naciśnięcia spustu. Chciał zadać ból człowiekowi, który zadał ból jego przyjacielowi. Chciał to zrobić gołymi rękami. I kiedy patrzył w przekrwione oczy tamtego, uświadomił sobie, że to więcej niż chęć.

To przymus.

Od wczesnej młodości, nie ciągle, ale dość często, przyłapywał się na tym, że pociąga go walka na pięści. Tylko w boksie znajdował podniecającą nieprzewidywalność, której brakowało mu gdzie indziej. Tylko w walce odkrywał własną spontaniczną nieustępliwość, swoje najprawdziwsze „ja".

– Nie chciałbyś ze mną walczyć, Książę. Jestem z zupełnie innej ligi.

– Tak mówisz, człowiek? Bo co, jesteś taki stary? Za stary, żeby walczyć jak mężczyzna?

– Połóż pręt na podłodze. Potem ja położę broń. Zgoda?

– Masz dwie sztuki, człowiek. Pistolet też.

Hawke położył erkaem i sig-sauera na betonie, nie spuszczając Desmonda z oka. Potem wyciągnął nóż z pochwy i rzucił na podłogę.

– Harry? – zawołał.

– Jestem, szefie.

– Kładę tu całą moją broń. Miej swoją w pogotowiu, dopóki nie skończę z tym dzieciakiem. Zastrzel każdego, kto wykona jakiś podejrzany ruch.

– Załatwione.

Desmond wypuścił z ręki żelazny pręt, który upadł z brzękiem na podłogę.

– Może zostało w tobie jeszcze trochę chęci do walki, stary.

– Harry – zawołał znów Hawke przez ramię. – Potrzebuję twojej pomocy. Obecny tu pan Coale wyzwał mnie na pojedynek. Zgodziłem się. Powiedz tamtym facetom, żeby zrobili miejsce i sędziowali.

– Masz to załatwione, szefie. Pozbędę się tylko tych pieprzonych martwych kur i urządzimy tu ring jak trzeba.

– Rozwiąż moich przyjaciół, Desmond – polecił Hawke, rozpiął kombinezon i zdjął go. Pod spodem miał tylko spłowiałą koszulkę Royal Navy i bokserki, nagle bardzo odpowiednie.

Wskazał Desmondowi drzwi i pomógł Ambrose'owi i sir Davidowi wstać. Serce mu się krajało, kiedy patrzył, jak Congreve próbuje utrzymać się samodzielnie na nogach i nie może. Sir David opasał go ramieniem i posadził z powrotem na krześle. Ambrose był śmiertelnie blady, pot kroplił mu się na czole. Wyglądało na to, że sir David czuje się dobrze, masował tylko bolące miejsca po więzach na ramionach.

– W porządku, konstablu? – zapytał Hawke przyjaciela. – Jeśli nie, powiedz. Wezmę moją broń i zaraz odstawimy cię z Brockiem do szpitala.

– Przeżyję – powiedział Congreve przez zaciśnięte zęby. – Posłuchaj, Alex, chyba nie chcesz naprawdę walczyć z tym facetem? – szepnął. – Twierdzi, że jest mistrzem olimpijskim.

– Oczywiście, że będę walczył z tym skurwielem. Po tym, co ci zrobił? To sprawa honoru, *Code Duello*. Na pewno pamiętasz tę starą tradycję. Niewiele ich dziś zostało. Sir Davidzie, czy mógłby pan dać nadinspektorowi trochę wody?

– Rumu! – poprawił szybko Congreve. – Na litość boską, rumu! A potem zaczynajcie! Od lat nie widziałem dobrego boksu!

– Proszę bardzo – powiedział Trulove i wręczył mu opróżnioną do połowy butelkę rumu.

– I niech pan włoży za pasek mój pistolet, sir Davidzie – doradził Hawke. – A ty, Ambrose, trzymaj mój erkaem, jeśli dasz radę. Może tu być gorąco.

– Dobry pomysł. – Trulove schylił się, podniósł broń z podłogi i dał erkaem Congreve'owi.

Hawke zostawił ich i przeszedł do sąsiedniego pokoju. Desmond pozował na środku ringu między rzędami drewnianych krzeseł; siedzący na nich Jamajczycy śmiali się hałaśliwie i stukali butelkami rumu, czując świeżą krew. Król Coale rozparty władczo w wyściełanym fotelu czekał niecierpliwie, aż jego sławny kiedyś syn upokorzy białego człowieka.

Hawke wkroczył na ring i ściągnął koszulkę przez głowę. Starł nią z twarzy zieloną i czarną farbę maskującą i odrzucił na bok. Desmond podskakiwał w złachanych szortach na potłuczonym i zakrwawionym szkle.

W pokoju panował nieznośny upał. Dwaj mężczyźni na ringu już ociekali potem, choć walka nawet się nie zaczęła.

Przy ryku tłumku dopingującego swojego bohatera narodowego dwaj przeciwnicy stanęli do walki i zaczęli się wzajemnie okrążać. Leworęczny Desmond szybko wyprowadził kilka markowanych ciosów lewą, żeby sprawdzić, czy Hawke zareaguje. Przekonał się, że tak. Hawke się cofnął, zamrugał gwałtownie oczami i spróbował skoncentrować. Sporo boksował w marynarce wojennej i odnosił sukcesy. Ale jeszcze nigdy nie walczył z mańkutem.

Zaczął się przemieszczać w prawo. Natychmiast zainkasował lewy prosty w szczękę i jednocześnie tak mocny prawy sierpowy, że zachwiał się do tyłu.

Pierwsza krew. Hawke poczuł jej smak w ustach. Pamiętał, żeby ją szybko połknąć, tak jak go uczono. Zawęziło mu się pole widzenia i przestał słyszeć. Opanowała go wściekłość na tego człowieka za to, co zrobił Ambrose'owi. Ten stan przypominał ekstazę. Hawke nie był wielkim pięściarzem, ale lubił ryzykować, potrafił być brutalny, był silny i zmotywowany.

Miał szanse.

Uśmiechnął się do przeciwnika i otrząsnął w nadziei, że przestanie mu się kręcić w głowie.

– Jeszcze nigdy tak mocno nie oberwałem – powiedział i wyszczerzył zęby. – To będzie ciekawsze niż myślałem.

– Dopiero się rozgrzewam, człowiek.

– Zdaje się, że nadgarstek ładnie ci się zrósł – odrzekł Hawke, starając się zmusić nogi do posłuszeństwa. Liczył na to, że niesprawny nadgarstek dokucza Jamajczykowi.

– Złamałeś rękę Cliffordowi, człowiek – odparł Desmond i uderzył mocno. – Nie mnie.

– Przedstawił mi się jako Desmond, wtedy na Tribe Road.

– Cliff zawsze tak pieprzy w mieście. Ściemnia, że jest Desmondem. Mówi, że jak udaje mnie, to wyrywa więcej cipek.

Hawke trzymał pięści blisko twarzy w postawie obronnej, wciąż oszołomiony po ciosach, i próbował rozpaczliwie dojść do siebie. Wiedział, że musi szybko podjąć walkę. Desmond atakował błyskawicznie i z dużą siłą, toteż Hawke nie mógł dopuścić do tego, żeby znów go trafił.

Poruszał się w lewo i w prawo, grał na zwłokę i kombinował. Wyglądało na to, że doświadczenie z okresu, kiedy trochę boksował podczas pierwszej wojny w zatoce, niewiele się teraz przyda. Ale zaczął sobie przypominać jedną radę. Jak to było, do cholery?

„Kiedy pan walczy z leworęcznym przeciwnikiem, panie Hawke, niech pan zawsze najpierw wyprowadza cios prawą ręką i poprawia lewym sierpowym".

Zgadza się.

Hawke zbliżył się do Desmonda i zadał takie dwa ciosy. Zauważył, że obluzował mu kilka lśniących złotych zębów. Ale Des otrząsnął się i uśmiechnął szeroko.

Jamajczycy zerwali się z miejsc i zaczęli dopingować swojego chłopaka okrzykami, przekleństwami, wyciem i gwizdami.

Desmond nadal podskakiwał i starł krew z ust wierzchem dłoni.

– To wszystko? Tylko na tyle cię stać, człowiek? Pokaż mi coś, białasie.

Hawke zdał sobie sprawę, że właśnie uderzył chłopaka najlepiej jak umiał i że nie zrobiło to na nim prawie żadnego wrażenia.

Walka trwała.

Hawke okrążał Desmonda. Jamajczyk nie cofał się, tylko obserwował go i czekał z szerokim uśmiechem na lśniącej czarnej twarzy. Hawke podskakiwał i kołysał się. Desmond zaatakował go prawymi ciosami. Jeden trafił w lewy łuk brwiowy Hawke'a. Krew z rozcięcia natychmiast zalała Hawke'owi lewe oko.

– Jedno oko załatwione, dziadku. Teraz zamknę ci drugie. Gotowy? Przygotuj się!

Desmond zaczął wściekle uderzać, podskakując wokół na wpół oślepionego Hawke'a. Obrzucał go obelgami i śmiał się głośno, kiedy ciosy Hawke'a trafiały w próżnię. Tłum znów zerwał się na nogi, gdy poczuł krew Anglika.

Hawke wiedział, że jest w poważnych tarapatach. Jego uderzenia nie sięgały głowy przeciwnika. Chłopak był szybki jak błyskawica, a Hawke już niewiele widział. Gorączkowo szukał w myślach czegoś przydatnego ze swojej krótkiej kariery bokserskiej i wreszcie przypomniał sobie zdanie, które trener powtarzał im w czasie sparringów.

„Bij w głowę, to pokonasz ciało".

Zbliżył się do Desmonda i uderzył nagle, mocno, bez ostrzeżenia. Pierwszym lewym sierpowym trafił go w wątrobę, drugim w żebra.

Zobaczył, że zaskoczony Desmond splunął krwią. Jamajczyk przezornie osłaniał wątrobę, trzymając łokcie blisko tułowia, ale Hawke dostrzegł lukę i zadał tam cios. Desmond z pewnością poczuł siłę uderzenia. Zakaszlał i krew pociekła mu z ust.

Hawke cofnął się o krok i wyprowadził prawy prosty na szczękę przeciwnika. Jamajczyk zatoczył się do tyłu, zamachał rękami i omal nie upadł. Dwaj starzy faceci poderwali się z krzeseł, chwycili go za łokcie i utrzymali w pionie. Jeden z nich syknął mu do ucha:

– Des, chcesz, żeby ten stary biały mięczak skopał ci dupę? Na pewno nie! Walcz, dołóż mu! Jesteś Jamajczykiem, synu, jesteś mistrzem!

Desmond znów wrócił do walki. Miał rozbiegane oczy i Hawke zorientował się, że zmusza się do koncentracji.

– Masz dosyć, młody? – zapytał. Poruszał nogami, oddychał, dobrze się czuł i wzbierała w nim żądza krwi.

– Zaczynasz mnie tylko wkurwiać, człowiek. To tyle.

Hawke zobaczył błysk gniewu w oczach chłopaka i wiedział, że ma szansę na zwycięstwo. Trzeba wkurzyć przeciwnika, tak się wygrywa walki.

Chłopak nagle zaatakował serią ciosów. Hawke uniósł ręce, zasłonił się i przyjął uderzenia na ramiona. Kątem oka dostrzegł, że Desmond wyprowadził z dołu prawy sierpowy. Pięść śmignęła w górę, wyglądało na to, że siła ciosu mogłaby przewrócić wysoki budynek.

Ale Hawke sparował uderzenie i znów trafił chłopaka w żebra dwoma lewymi sierpowymi. Usłyszał głośny trzask, jak wszyscy w pokoju, i poczuł jak kość pęka pod jego pięścią. Desmond przestał oddychać, ale Hawke nie odpuścił i zadał mu cztery szybkie ciosy w twarz.

Potem się cofnął. Desmond krwawił obficie z rozciętego prawego łuku brwiowego i z obu nozdrzy.

Hawke zdał sobie sprawę, że Harry Brock okrąża ring i zastanawia się, czy nie wkroczyć i nie przerwać starcia. Ale zawahał się, czuł, że Hawke widzi jeszcze w chłopaku wolę walki i nie ma zamiaru się wycofać. Chciał to zakończyć jednym ciosem.

– Mam to przerwać? – zapytał Brock.

– Pobił mojego przyjaciela. Oko za oko, ząb za ząb – rzucił Hawke, nie odrywając wzroku od przeciwnika. Nie zamierzał mu darować.

Uderzył mocno prawą pięścią w podbródek przeciwnika. Jamajczyk, ze złamaną szczęką, złożył się jak akordeon i upadł na brudną podłogę zaśmieconą potłuczonym szkłem i poplamioną krwią kogutów, z którą zmieszała się jego krew.

Hawke cofnął się i zobaczył, jak Harry Brock pochyla się nad nieprzytomnym Desmondem i liczy do dziesięciu. Dał mu szansę.

– Dziesięć!

Było po wszystkim.

Brock chwycił Hawke'a za nadgarstek i uniósł wysoko jego rękę.

Jamajczycy oszaleli. Niektórzy opuścili miejsca i wiwatowali na cześć Hawke'a. Nie było ważne, kto wygrał, obejrzeli wspaniałą walkę. Na krześle pod ścianą Congreve wyrzucił pięść do góry na znak zwycięstwa. Sir David nawet wszedł na ring. Klepał swojego człowieka po plecach i krzyczał mu do ucha coś, czego Hawke nie słyszał, bo tak mocno pulsowała mu krew w skroniach.

Widział pokonanego Jamajczyka leżącego na podłodze z rozpostartymi ramionami. Desmond ocknął się, zamrugał, otworzył oczy i poruszył ustami. Kiedy Hawke podszedł do niego, ojciec Desmonda, który zajmował się synem, odwrócił się tyłem z odrazą. Hawke złapał go za ramię i zmusił, żeby na niego spojrzał.

– Nie chcę więcej widzieć twoich ludzi siedzących mi na ogonie. Jasne? Wiesz, co będzie, jak ich zobaczę?

Coale skinął głową i odszedł zrezygnowany.

Hawke pochylił się nad chłopakiem i spojrzał mu w przekrwione oczy.

– To nie jest kwestia wieku, młody, tylko motywacji – powiedział cicho, żeby nie usłyszał go nikt poza Desmondem. – Kiedyś ją miałeś, ale ją straciłeś. Może powinieneś pomyśleć, jak ją odzyskać.

– Dziękuję ci, Alex – powiedział Congreve, kiedy wyszli na chłodne nocne powietrze. – Gdybym zainkasował jeszcze parę ciosów w chorą nogę tamtą łyżką do opon, byłbym zupełnie do niczego. Będę potrzebował pomocy, żeby dojść do łodzi.

Trzej Anglicy i Harry Brock zostawili za sobą budynek pełen pijanych Jamajczyków i kierowali się przez ciemny gąszcz w stronę morza. Trulove i Hawke prowadzili Congreve'a między sobą i podtrzymywali na kamienistym terenie. Harry zamykał tyły i ubezpieczał ich odwrót erkaemem.

– Wszystko w porządku? – zapytał Hawke sir Davida. Trulove trochę sapał, bo Congreve nie był lekki jak piórko.

– Chyba tak – odparł S. – Nie straciłem żadnego zęba, mam tylko rozciętą wargę. Ambrose i ja jesteśmy w dużo lepszej formie niż ten gość, którego zostawiłeś na podłodze. Czy tamten facet na pomoście. Widziałeś go, Alex? Zażądałem, żeby udzielono mu pomocy, choć było to mało prawdopodobne.

– Nie żyje – powiedział Hawke. – Nazywał się Hoodoo.

– Znałeś go, Alex? – zapytał S.

– Tak. W każdym razie, wiem, kim był. Wie pan może, co tu robił w środku nocy?

– Owszem – odezwał się Congreve. Mówił wolno z powodu bólu i oddychał szybko. – Dostarczał broń tym typom. Rosyjskie pistolety maszynowe. Są teraz zamknięte w piwnicy. Najwyraźniej doszło do jakiegoś sporu o pieniądze.

– Zanim odkryli naszą obecność, ukrywaliśmy się pod pomostem w czasie wyładunku broni – wyjaśnił S. – Niewiele mogliśmy zrozumieć z tego, co mówili, bo nawet Ambrose nie zna tego jamajskiego dialektu rastafariańskiego, ale usłyszeliśmy nazwisko, być może dostawcy broni.

– Jakie? – spytał Hawke.

– Rosyjskie – powiedział Ambrose. – Korsakow. Gość mieszka gdzieś tutaj, na Bermudach. Słyszałeś może o nim?

– Tak – mruknął Hawke. – To chyba on kazał rastafarianom mnie śledzić.

– Dlaczego?

– Nie mam pojęcia, ale zamierzam się dowiedzieć.

– Alex, odpocznijmy chwilę, dobrze? – poprosił Congreve. – Kręci mi się trochę w głowie.

Trulove i Hawke posadzili go na miękkiej kępie trawy i oparli plecami o gładki czerwony pień drzewa gumbo-limbo. Alex przyklęknął obok przyjaciela.

– Dasz radę zejść ze wzgórza do pontonu, konstablu? – zapytał.

– Chyba tak, tylko trochę odsapnę. Boli mnie ta noga.

– Oddychaj głęboko. Spróbuj się odprężyć. Odstawimy cię do lekarza najszybciej jak można.

Hawke zawiązał własną koszulkę wokół rany na nodze Congreve'a i mocno zacisnął. Krwawienie ustało. Po długiej i trudnej rekonwalescencji Ambrose'a znów czekała rehabilitacja.

– Cholerni lekarze. Myślałem, że już z nimi skończyłem.

Brock pociągnął nosem.

– Czujecie dym?

– Gdzieś się pali. Ale gdzie? – zapytał Trulove.

– Nad wodą – odparł Hawke. – Tam, gdzie zakotwiczyliście jacht. Lepiej ruszajmy. Ambrose?

Congreve skinął głową. Sir David i Harry Brock podnieśli go i zaczęli schodzić stromą ścieżką.

– Harry i ja zajmiemy się Ambrose'em – powiedział S. do Hawke'a. – Idź przodem i sprawdź, czy nie czekają nas kolejne niemiłe niespodzianki.

Hawke zbiegł na dół i pierwszy dotarł do polany i zatoczki, gdzie Diana zostawiła na kotwicy swoją łódź.

I pierwszy zobaczył „Swagmana".

Slup dryfował i płonął.

Widok przypominał pogrzeb wikinga. Ktoś odkotwiczył łódź, podpalił i postawił żagle, żeby odpłynęła.

„Swagman" był już daleko za linią raf i sunął w kierunku ciemnego horyzontu ogarnięty pożarem od dziobu do rufy. Blask ognia rozświetlał nocne niebo, pomarańczowe i czerwone płomienie lizały okna kabiny, pięły się w górę masztu i trawiły grot, od którego odpadały płonące strzępy.

– Boże – powiedział Congreve, gdy trzej mężczyźni stanęli u boku Hawke'a.

– Tak, już niewiele możemy zrobić – odparł Alex.

– Pierścionek – szepnął Congreve takim głosem, jakby uszło z niego życie.

– Co?

– Pierścionek zaręczynowy dla Diany. Z diamentem. Radziłeś mi, żebym go ukrył w bezpiecznym miejscu, zanim go jej dam. Zawinąłem go w chusteczkę do nosa i włożyłem do schowka w forpiku.

– To tylko pierścionek. Kupimy jej inny.

– Należał do mojej matki. Tylko to mi po niej zostało.

– No to go odnajdziemy.

– Jesteś pewien, że się uda?

– Oczywiście. – Hawke otoczył przyjaciela ramieniem dla dodania mu otuchy. – Odstawimy cię pontonem na lotnisko. Polecisz prosto do szpitala, potem zabiorę cię do domu i wypijemy butelkę rumu. Co ty na to?

– Brzmi zachęcająco – odpowiedział Ambrose, patrząc ze łzami w oczach na pięknego starego „Swagmana", który płynął w płomieniach w stronę odległego horyzontu.

– Niezasłużony los pięknej starej łodzi – stwierdził Hawke ze wzrokiem utkwionym w slupie.

– Diana będzie zrozpaczona – dodał Congreve. – „Swagman" spłonie do linii wodnej, a potem na zawsze zniknie pod falami.

Pomyślał, że drogocenny pierścionek jego matki stanie się jeszcze jednym świecidełkiem wśród niezliczonych klejnotów rozproszonych na piaszczystym dnie turkusowego morza.

30

Pelham? – zapytała Anastazja, kiedy podniszczone cedrowe drzwi otworzyły się do środka i ukazał się w nich sympatycznie wyglądający mężczyzna, ubrany elegancko w biały smoking z czarną muszką. Miał puszyste siwe włosy i jasnoniebieskie oczy i trzymał się bardzo prosto. Uśmiechał się przyjaźnie. A więc to jest „partner" Aleksa? Musi mieć co najmniej osiemdziesiąt lat, pomyślała. Od początku była ciekawa, jak wygląda współlokator Hawke'a. A po ostatnich wydarzeniach jej ciekawość jeszcze wzrosła.

– Azja Korsakowa – przedstawiła się. – Jak się miewasz?

– Dziękuję, *madame*, bardzo dobrze. Wejdzie pani?

Zaproszenie do Teakettle Cottage, wytłoczone ozdobnie na sztywnym kremowym kartoniku od Smythsona na Bond Street, dostała z wczorajszą pocztą. Była zaskoczona. Jej piękny plażowy włóczęga zaopatruje się w słynnym londyńskim sklepie papierniczym? „Kolacja o ósmej", przeczytała. Wybrała się trochę za wcześnie z obawy, że zabłądzi w labiryncie piaszczystych wąskich dróg biegnących przez gaje bananowe. Wiedziała, że jedna z nich prowadzi do domu Hawke'a, ale która? Zapukała do drzwi kwadrans przed czasem.

– Może zechce pani zatrzymać okrycie – powiedział Pelham. – Kolacja będzie podana na świeżym powietrzu, a dziś wieczorem jest trochę chłodno na tarasie.

– Dobrze, dziękuję.

Weszła za nim do dużego okrągłego pokoju z wysokim sufitem i pięknymi starymi belkami podtrzymującymi kopułowe sklepienie. W kominku płonął ogień, w pokoju nie czuło się wilgotnego chłodu. Za tarasem rozciągał się piękny widok oceanu i wieczornego nieba. Nad turkusowym morzem zaszło już słońce i zabarwiło horyzont na różowo.

– Mogę zaproponować pani coś do picia, *madame*? Może koktajl? Powiem nieskromnie, że jestem chwalony za przyrządzanie doskonałego mrocznego sztormu.

– To wspaniale, ale poproszę wódkę z tonikiem i lodem.

Pelham skinął głową i wszedł za półkolisty bar. Azja usadowiła się na jednym z dwóch mocnych bambusowych stołków.

Pelham zerknął na nią spod oka.

– Plasterek limety?

– Czemu nie? Kogo jeszcze spodziewacie się dziś wieczorem?

– Słucham, *madame*?

– Ile osób będzie na kolacji?

– Tylko pani, *madame*.

– Tylko ja?

– Tak, *madame*.

– Ach, tak. Myślałam, że to będzie przyjęcie.

– Bez wątpienia będzie, *madame*.

– No dobrze.

– Proszę bardzo, oto wódka z tonikiem. Mam nadzieję, że będzie smakowała.

W czasie, kiedy sączyła drinka, Pelham posprzątał za barem, pokroił limetę, wyjął stary piękny srebrny shaker i napełniał go kruszonym lodem, czarnym rumem i piwem imbirowym.

– Ciekawe zdjęcie – powiedziała Azja i pochyliła się do przodu, żeby przyjrzeć się bliżej jednej z oprawionych czarno-białych nieupozowanych fotografii, które wisiały obok baru na ścianie pokrytej rafią. Stare zdjęcia, głównie amerykańskich i angielskich gwiazd filmowych, były wyblakłe i poplamione. Wyglądały tak, jakby wisiały tu od wieków.

– To Errol Flynn, prawda?

– Tak jest, *madame*. To przeważnie dawni mieszkańcy i goście tego domku. Temat wielu plotek, o ile wiem.

– Uwielbiam plotki. – Azja dopiła wódkę i podsunęła mu pustą szklankę. – Zostało jeszcze trochę tego eliksiru?

– Służę. – Pelham sięgnął po stoliczną. Dopiero teraz zauważył długie czerwone paznokcie Azji. To wyjątkowo piękna kobieta, która ma, jak to się dziś mówi, zwierzęcy magnetyzm. Nagle zrozumiał zachowanie jego lordowskiej mości.

– Pelham, czy mogę ci zadać dość osobiste pytanie?

– Staram się nie unikać żadnego tematu, *madame*.

– Jak długo jesteście... razem? Mam na myśli ciebie i Aleksa.

– Razem? – powtórzył Pelham, najwyraźniej zaskoczony tym słowem.

– Tak. Razem. To znaczy, od jak dawna ty i Alex jesteście ze sobą... blisko? Jestem po prostu ciekawa, jak długo trwa wasza... znajomość. W przybliżeniu, oczywiście.

– Mogę to podać bardzo dokładnie. Dwudziestego czwartego grudnia punktualnie o siódmej wieczorem miną trzydzieści trzy lata, co do minuty, *madame*.

Postawiła szklankę, trochę wódki chlapnęło na bar.

– Trzydzieści trzy lata?!

– Tak. Byłem obecny przy jego narodzinach. Przyszedł na świat w domu. Jego matka przeżywała dość trudny okres i lekarze poprosili mnie, żebym...

– Przy jego narodzinach?

– Tak, *madame*. Jak ten czas leci. Trudno uwierzyć, że jego lordowska mość skończy trzydzieści trzy lata za...

– Przepraszam. Jak przed chwilą nazwałeś Aleksa? Zdawało mi się, że usłyszałam „jego lordowska mość".

– Tak, *madame*.

– Czarujące. To taki wasz żart?
– Żart, *madame*?
– Mam na myśli pieszczotliwe przezwisko. Pary tak się do siebie zwracają po latach spędzonych razem.
– Pary? Nie wiem, o czym pani mówi, *madame*. Nie chciałbym być niegrzeczny, ale muszę stwierdzić, że ta rozmowa jest…
– Chyba nie chcesz powiedzieć, że Alex ma tytuł szlachecki?
– Ależ tak w istocie jest, *madame*.
– Mój piękny plażowy chłopiec to w rzeczywistości lord Hawke?
– Nie jestem zaskoczony, że pani o tym nie wiedziała. Woli nie używać tego tytułu. Proszę mi wybaczyć śmiałość, *madame*, ale proponowałbym, żeby pani też tego nie robiła. Ja zwracam się tak do niego tylko dlatego, że uważam to za absolutny obowiązek na moim stanowisku.
– A jakie ty masz właściwie stanowisko, Pelham, jeśli wolno spytać?
– Jestem u niego na służbie, *madame*. Wydawało mi się, że przynajmniej to jest oczywiste. Służę rodzinie Hawke'ów przez większość mojego osiemdziesięcioczteroletniego życia. Tak jak przede mną mój ojciec, a przed nim jego ojciec.
– Jesteś kamerdynerem?
– Raczej kimś więcej, *madame*, ale to określenie chyba wystarczy.
– A więc nie jesteście… współlokatorami? Partnerami?
– Współlokatorami? – Pelham omal się nie udławił. Sztywny kołnierzyk wydał mu się nagle za ciasny, twarz przybrała niepokojąco czerwony kolor.
– Dobrze się czujesz? – zapytała Azja w obawie, że może dostać zawału. Nalała mu szybko szklankę wody.
Z trudem zachowując godność, Pelham zdołał wykrztusić zduszonym głosem:
– Nie jesteśmy współlokatorami, *madame*.
W tym momencie do pokoju wszedł Hawke. Był nagi, jeśli nie liczyć małego ręcznika owiniętego wokół pasa. Ciemne włosy i skóra jeszcze nie wyschły po prysznicu, na twarzy miał ślady kremu do golenia. W ręku trzymał staromodną brzytwę z uchwytem z kości słoniowej.
Zerknął na Anastazję.
– Bardzo przepraszam. Nie wiedziałem, że już jesteś.
Spojrzał na Pelhama, który wydawał się trochę zdenerwowany i, trzęsąc się, wychylał szklankę wody albo czegoś mocniejszego.
Anastazja obróciła się na stołku w jego stronę.
– To wyłącznie moja wina. Myślałam, że zabłądzę po drodze i przyjechałam dużo za wcześnie. Pelham i ja dobrze się bawiliśmy.
Hawke i Anastazja patrzyli na siebie dłuższą chwilę, żadne z nich nie chciało lub nie było w stanie się odezwać. W końcu Hawke się uśmiechnął.
– To świetnie. Cieszę się, że mieliście okazję pogawędzić. Poznaliście się trochę. Zaraz wrócę. Pelham, masz coś dla mnie?
– Oczywiście, milordzie – wychrypiał staruszek.

Wyszedł zza baru z oszronionym srebrnym pucharkiem na srebrnej tacce. Hawke wziął kieliszek i uśmiechnął się do Azji. – Zawsze piję mały koktajl, kiedy się szykuję do kolacji.

– Dobry pomysł – odparła lekko. – To uspokajające, że jeszcze nie skończyłeś się ubierać.

Hawke spojrzał na nią, potem w dół na ręcznik, jakby chwilowo niezdolny do prowadzenia dialogu.

– Daj mi dziesięć minut. Przy okazji, wyglądasz oszałamiająco w czerwieni.

Skinęła głową i patrzyła, jak Hawke znika w głębi korytarza, który – jak sobie wyobrażała – prowadzi do jego sypialni. Kiedy przeniosła wzrok na Pelhama, miała czułe spojrzenie.

– Wszystko w porządku? – zapytał ją po chwili milczenia.

Popatrzyła na niego błyszczącymi oczami.

– Ten duży mężczyzna ma w sobie wiele z małego chłopca.

– Jest pani bardzo spostrzegawcza, *madame* Korsakowa.

– Ale obawiam się, że smutnego małego chłopca. Jakim był dzieckiem, Pelham? Bardzo smutnym?

– W chłopięcych latach? Przypuszczam, że miał swoje smutki, jak każdy.

– Czy to byłaby z twojej strony straszna niedyskrecja, gdybyś porozmawiał ze mną o nim? W końcu zaledwie mnie znasz.

– Myślę, że znam panią wystarczająco dobrze, *madame*. Przynajmniej od tej strony, która dotyczy jego. Mamy dla siebie kilka minut do jego powrotu.

Anastazja pochyliła się do przodu i oparła podbródek na rękach.

– Opowiedz mi o nim. O małym chłopcu, którego znałeś.

Pelham po raz pierwszy zauważył lśniącą głębię w zielonych oczach.

I omal w nią nie wpadł.

– Może wyjdziemy na taras? – zaproponowała. – Świeża bryza od oceanu jest cudowna.

– Lord Hawke urodził się zdrowy i rozkrzyczany w Wigilię Bożego Narodzenia około siódmej wieczorem. Przyszedł na świat w pełnym zieleni zakątku Sussex jako dziecko kochającej matki i często nieobecnego ojca, który robił karierę w marynarce wojennej – powiedział cicho Pelham.

Anastazja usiadła wygodnie na wyściełanej kanapie i włożyła cienkiego papierosa do rzeźbionej hebanowej fifki. Pelham przysunął sobie krzesło i pochylił się do przodu ze starą stołową zapalniczką Dunhill, która nagle pojawiła się w jego dłoni, żeby podać jej ogień.

– Jego lordowska mość spędzał raczej normalne dzieciństwo w towarzystwie terierów i psów rasy corgie, srogo wyglądających niezamężnych ciotek i niezliczonych surowych nianiek, a wszystko pod nadzorem pani uniżonego sługi, czyli mnie. A jak on się rozpromieniał na widok swojej matki! Często zakradała się na górę do pokoju dziecinnego, by odmówić z nim wieczorną modlitwę, ociekająca kroplami deszczu, które nigdy całkiem nie spadały, po czym szeptała czule: „dobranoc, śpij dobrze" i znikała.

W ciepłe letnie popołudnia Aleksa zawsze przyprowadzano na dół do jej pokoi w porze herbaty. Okna były otwarte, w ogrodach bzyczały pszczoły. Czytała mu opowieści o piratach, rycerzach i damach w opałach. Uwielbiał te historie. Wyobrażał sobie, że jest korsarzem.

Lord i lady Hawke umarli. Zostali zamordowani przez prawdziwych piratów na pokładzie jachtu podczas rodzinnych wakacji na Karaibach. Alex miał wtedy zaledwie siedem lat, ale widział śmierć rodziców. To było makabryczne, *madame*, tak potworne, że nie da się tego opisać. Sądzę, że nie otrząsnął się po tym całkowicie do dziś. A raczej wiem.

Spędzał straszne miesiące po pogrzebie na brzegu morza poniżej domu swojego dziadka, budował wymyślne zamki z piasku, łzy ciekły mu po twarzy. Kiedy zamek był ukończony, tratował mury obronne i baszty, równał wszystko z ziemią. Potem odchodził i zaczynał budować następny zamek gdzie indziej. Tyle zburzonych zamków, tyle smutnych dni.

Jego najszczęśliwsze wspomnienia z dzieciństwa to widok wielkiego rozfalowanego błękitnego oceanu za oknami. Jeszcze teraz widzę, *madame*, jak godzinami siedzi wyprostowany w ogromnym stalowym granatowym wózku dziecinnym na małym urwisku nad morzem. To był jego pierwszy okręt wojenny.

Kiedy nadciągał sztorm, niańki piszczały ze strachu i wiozły go z powrotem do domu. Mały panicz, czerwony z gniewu, że zabrano go z jego ukochanego miejsca, bił piąstkami w stalowe boki wózka, wściekły na tę niesprawiedliwość. Uwielbiał brzydką pogodę.

W wieku szesnastu lat opuścił dom na dobre. Najpierw uczył się w szkole kadetów marynarki wojennej w Homefield w Surrey. Panowała tam surowa dyscyplina, program nauczania był przystosowany do potrzeb przyszłych aspirantów i komodorów. Alex wyróżniał się w nauce i został przyjęty do Królewskiej Akademii Morskiej w Dartmouth. Okazał się urodzonym przywódcą. Odnosił sukcesy w sporcie. Polubił książki z dziedziny historii wojskowości i literaturę klasyczną. Zostało mu to do dziś. Później, na wojnie, przekonał się, że jest dobry w walce.

– Jest żołnierzem?

– Był. Pilotem Królewskiej Marynarki Wojennej. Teraz jest biznesmenem. Prowadzi rodzinne interesy. Dość rozległe.

– Czy jest szczęśliwy?

– Kiedy nie walczy, wpada w zły nastrój. Słońce i słone powietrze pomagają. Między innymi dlatego przyjechaliśmy na Bermudy. Żeby spróbować poprawić…

– Jestem!

Pelham urwał w pół zdania i podniósł wzrok.

Hawke uśmiechnął się do niego.

– Fascynująca opowieść. Mów dalej.

31

A zatem lubisz wojnę? – zapytała Anastazja, kiedy zostali sami na tarasie.

– Jednym z najmilszych doświadczeń w życiu jest być celem, ale nie trafionym. – Hawke podprowadził ją z drinkiem w ręce do stolika w czerwoną szachownicę.

– To Churchill? – spytała.

– Dobra jesteś. Winston trafnie to ujął, jak zwykle. No, kto jest głodny? Bo ja umieram z głodu!

Kolację jedli przy dwuosobowym stoliku z widokiem na morze w blasku księżyca. Pojedyncza świeca w osłonie rzucała chybotliwe światło na twarz Anastazji. Świeżą rybę złowioną w grocie pod domem popijali zimnym białym winem. Hawke znalazł kilka skrzynek w zatęchłej piwnicy.

Azja uniosła serwetkę do karminowych ust.

– Pycha.

– Powiedz to szefowi kuchni. Chyba jest już w tobie zakochany po uszy.

– Coś takiego. Ależ jestem głupia. Myślałam, że to Pelham przyrządził kolację.

– Bardzo śmieszne – odrzekł z uśmiechem Hawke.

– Kiepski żart. Tak czy owak, on kocha ciebie, Alex, nie mnie. Szczęściarz z ciebie, że masz takiego oddanego ci przyjaciela. Zdrowie Pelhama.

Unieśli kieliszki.

– Anastazjo, od tamtego dnia… tamtego burzowego popołudnia, chcę ci powiedzieć, że nie jestem w stanie…

– Przepraszam, zmieńmy temat, dobrze?

– Dlaczego?

– Dlatego że chyba rozmawiamy o nas, Alex. Darujmy to sobie dzisiaj. Boję się tego. Umieram ze strachu. Poza tym tu jest już i tak zbyt romantycznie. Opowiedz mi o sobie, o swoim życiu. O tym, co robisz. Myślałam, że jesteś plażowym włóczęgą bez grosza przy duszy. Ale teraz tak nie sądzę. Kim jesteś, Aleksie Hawke? Powiedz mi, kim jesteś i co robisz.

– Co robię? Wszyscy moi przyjaciele twierdzą, że budzę się rano i Bóg rzuca we mnie pieniędzmi.

Roześmiała się głośno.

Hawke pociągnął łyk wina, patrząc na nią ponad brzegiem kieliszka. Ciemnoblond włosy, złote kolczyki i zielone oczy lśniły w blasku świecy. Była piękna, ale nie musiała się obawiać. Nie zakochał się w niej. Jak mógłby się zakochać? Miłość jest zarezerwowana wyłącznie dla niewinnych.

– Zadałam ci pytanie. Powiedz mi, kim jesteś.

– A tak, przepraszam. No cóż, nikim wyjątkowym, naprawdę. Jednym z wielu najzwyklejszych angielskich biznesmenów. Pół-Amerykaninem, szczerze mówiąc. Moja matka była aktorką z Luizjany.

– Zwykłym biznesmenem? Wątpię. Masz na ciele zbyt dużo podejrzanych blizn jak na biznesmena.

– A, to była paskudna sprawa. Zestrzelili mnie nad Bagdadem. Doświadczyłem irackiej gościnności, zanim wymeldowałem się z mojego apartamentu w hotelu Saddam Hilton.

– I teraz jesteś tylko zwykłym biznesmenem.

– Oczywiście. Powinnaś zobaczyć, jak maszeruję przez City z mocno zwiniętym parasolem i sfatygowanym neseserem. Moja rodzina ma kilka firm, z których żadna zbytnio mnie nie interesuje. Udało mi się zatrudnić tylu menedżerów, że nie muszę się zajmować zarządzaniem. Na jakiś czas przyjechałem tutaj, na Bermudy. Stwierdziłem, że mi się tu podoba. Założyłem małą firmę. Na początek. Blue Water Logistics. To ekscytujące. Naprawdę.

– Logistyka? Nigdy nie rozumiałam tego słowa. Co właściwie oznacza?

– To proste. Ludzie, przyszli klienci, mam nadzieję, produkują różne rzeczy. Trzeba je rozprowadzać po całym świecie. Czasem wielkie ilości ogromnym kosztem. Rury do rurociągów. Śruby i nakrętki. Stal, drewno, ropę. Ty produkujesz, my transportujemy. To moja nowa dewiza.

– Powinieneś poznać mojego ojca. Produkuje mnóstwo rzeczy. Mógłby się okazać dobrym klientem.

– Co robi?

– Przede wszystkim jest wynalazcą. Naukowcem. Skonstruował tani komputer dla całego świata. Tak zwaną zetę. Może słyszałeś o niej?

– O „specjaliście"? Najnowszy model stoi na moim biurku w Londynie. Niesamowita zabawka. Zmieniła świat. To jego dzieło? Musisz być z niego dumna.

– To niezwykły człowiek. Myślę, że najbardziej błyskotliwy na świecie. Naukowiec. Humanista. Filantrop. Zarabia miliardy i większość rozdaje. Buduje szkoły i szpitale. Nie tylko w całej Rosji, w każdym zakątku świata. W Indiach, w Afryce. Przeznacza pieniądze na tworzenie takiego świata, jaki sobie wyobraża.

– To znaczy?

– Ma punkt widzenia fizyka. Uważa, że ludzkość powinna egzystować w harmonii, tak jak planety krążące wokół gwiazd czy elektrony wokół neutronów, jak sama przyroda. Że powinny panować pokój, równowaga i porządek. A także że słońca nie musi przesłaniać cień nadciągającej wojny.

– Romantyczny idealista.

– Być może zmieniłbyś zdanie, gdybyś go poznał.

– Bardzo bym chciał. Gdzie mieszka?

– W chmurach.

– Ach tak. Więc jest bogiem.

Azja się roześmiała.

– Nie. Ma statek powietrzny. Wyjątkowy, sam go zaprojektował. Nazwał go „Car", co jest skrótem nazwy jego firmy naukowo-badawczej, Centrum Analiz i Rozwoju. Podróżuje nim po świecie. Oczywiście ma wszędzie domy. Jeden z nich jest tutaj, na Bermudach. Mogłeś go zobaczyć.

– Przerobiona forteca na Powder Hill. A więc temu służy ten wielki maszt. Do cumowania statku powietrznego.

– Tak. Ojciec spędza na Bermudach trochę czasu. I kilka lat temu podarował mi Half Moon House, gdzie mieszkam i pracuję przez część roku.

– Skąd pochodzisz?

– Z Rosji, oczywiście. Tam się wychowałam. W naszej wielkiej posiadłości pod Sankt Petersburgiem, Jasnej Polanie. Tołstoj nazwał tak swój wiejski dom. Mój ojciec jest wielkim miłośnikiem jego twórczości. Mamy tam piękny pałac i stajnie. Wokół są sady, łąki, wiele strumieni. Polujesz? Wędkujesz?

– Czasami.

– Więc musisz do nas przyjechać. Mógłbyś porozmawiać z moim ojcem o interesach. Co ty na to?

– Bardzo chętnie.

– Świetnie. Jesteś zaproszony.

– Azjo?

– Tak?

– Zostań u mnie na noc.

– Co to za piosenka, która teraz leci?

– *Smoke Gets in Your Eyes*. Najpiękniejsza, jaką kiedykolwiek napisano.

– Kto ją śpiewa?

– Charles Aznavour.

– Zatańczymy, lordzie Hawke?

– Nie nazywaj mnie tak, bardzo cię proszę.

– Zapomniałam. Tylko Pelhamowi wolno tak się zwracać do ciebie. Wstań i zatańcz ze mną, Hawke.

– Zrobię to z wielką przyjemnością.

– Mam nadzieję.

Przez małe okno nad głową Hawke'a wpadały promienie wschodzącego słońca i blask tworzył równoległobok na przeciwległej pobielonej kamiennej ścianie. Przestrzeń wokół łóżka Hawke'a zalewało jasne światło w odcieniach złota i różu. Uwielbiał budzić się w tym pokoju.

– Śpisz? – zapytał Azję w ciszy wczesnego poranka i pogłaskał ją po gęstych złocistych włosach. Wciąż leżała z głową na jego piersi, tak jak zasnęła.

– Uhm.

– Popływamy?

– Uhm.

– Mogę cię o coś zapytać?

– Może później – odrzekła zaspanym głosem.

– Nie, teraz. To nie może czekać. Muszę cię zapytać o Hoodoo.

– Biedak. Był uroczym człowiekiem. Nie żyje. Został zamordowany.

– Wiem. Staram się ustalić dlaczego.

Azja usiadła w łóżku i przetarła zaspane oczy.

– A co napisali w gazecie? Czytałeś. Zabili go ci straszni Jamajczycy mieszkający na wyspie Nonsuch.

– Tak, ale co on tam robił?

– Nie było tego w gazecie?

– Nie. Ty mi powiedz.

– Ojciec wysłał go do nich. Z ostrzeżeniem. Chce, żeby się wynieśli z wyspy. To rezerwat przyrody. Mieszkają tam nielegalnie.

– To dlaczego nie wezwał policji?

– Nigdy tego nie robi. Woli sam załatwiać sprawy. Zresztą policja nie kiwnęłaby palcem. Ojciec mówi, że ktoś bardzo wysoko postawiony bierze pieniądze od Jamajczyków. Dlatego ich nie ruszają.

– Słyszałem, że chodziło o dostawę nielegalnej broni. Transakcja poszła jakoś nie tak i skończyło się zabójstwem.

– Hoodoo miałby handlować bronią? To śmieszne. Ludzie mówią różne rzeczy, żeby zaszkodzić mojemu ojcu. Dawno przestałam tego słuchać.

– Aha.

– Zawsze przesłuchujesz podejrzanych, zanim zdążą się rozbudzić, detektywie?

– Przepraszam, kawał drania ze mnie.

– Zaczynam tak myśleć.

– Chodź. Coś ci pokażę.

Stoczył się nago z posłania i uniósł okrągłą pokrywę, która zasłaniała kolisty otwór w podłodze nad szczytem słupa strażackiego i błękitną grotą poniżej.

Azja zawisła nad krawędzią łóżka i zajrzała do dziury.

– Co to jest?

– Słup strażacki. A dlaczego, to chyba oczywiste. Dokładnie pod nami jest ukryta grota. Zjeżdżasz po słupie prosto do wody. Robię to co rano. Wspaniały sposób na rozbudzenie.

– Zaczekaj. Czemu tak cię interesuje Hoodoo?

– Później ci powiem. – Hawke zniknął w okrągłym otworze.

– Poczekaj na mnie, ja też idę! – krzyknęła Azja i wyskoczyła z łóżka. Chwyciła się oburącz słupa i zsunęła w ramiona Hawke'a.

32

Miami

Lało jak z cebra. Stoke przeczytał gdzieś, że w czasach Robin Hooda koty spały zwinięte w kłębek wewnątrz strzechy. Kiedy mocno padało, zeskakiwały na stół. Cześć, Iskierka, witaj Rudy! Teraz właśnie była taka ulewa. Na szczęście, poza kilku chatkami w seminolskim stylu tiki, w Miami zostało już niewiele domków krytych strzechą.

Minęła druga po południu, gdy skręcił pontiakiem z Collins w Marina w drodze do salonu wystawowego Miami Yacht Group, blisko lokalu Joe's Stone Crabs. Parking przed dużą szklaną halą otaczały wysokie maszty z czerwono-biało-niebieskimi flagami.

Pogoda nareszcie sprzyjała temu, co zamierzał. Wiało z południowego zachodu, od strony Keys nadciągał niż tropikalny i dotarł już do wyspy Islamorada. Kiedy Stoke jechał przez Miami Beach, palmy gięły się pod naporem wiatru i śmieci fruwały na ulicach, ale nie widział żadnych spadających z góry kotów.

Przyjrzał się dobrze morzu z balkonu swojego apartamentu na dachu. Na oceanie dmuchało jak cholera, wichura porywała pianę z grzbietów wielkich fal. Cały tydzień czekał na taką pogodę.

Dziś jest ten dzień, pomyślał i uśmiechnął się do swojego odbicia w lustrze, kiedy wiązał jedwabny włoski krawat. Poprawił okulary przeciwsłoneczne z bocznymi osłonami. Czy Sheldon włożyłby je w taki dzień? Tak. Musi być Sheldonem Levy od góry do dołu. Jest nim, do cholery.

W taką pogodę ruch był mały i Stoke szybko przejechał przez groblę. Siedziba Miami Yacht Group wyglądała jak punkt sprzedaży samochodów, tyle że zamiast aut stały tam łodzie różnej wielkości. Najmniejsze spoczywały na przyczepach przed salonem. Średnie trzymano w środku. Największe i najszybsze, które interesowały Stoke'a, kołysały się na wodzie w basenach portowych za elegancką halą ze szkła i stali.

Kiedy tylko wszedł frontowymi drzwiami w błyszczącym szarym garniturze, krawacie Elsa Peretti, ciemnych okularach Chrome Hearts i szpiczastych półbutach ze skóry aligatora, podskoczył do niego sprzedawca.

– Dzień dobry panu – powiedział.

Stoke uśmiechnął się do niego. Wysoki, kościsty blondyn. Opalony. Spłowiałe szorty khaki, znoszone buty żeglarskie, bez skarpetek, postawiony kołnierzyk granatowego polo. Dwie skrzyżowane flagi na koszulce i napis „Magnum Marine" poniżej. Śmiesznie mówił, przez zęby, jakby miał zadrutowaną szczękę.

– Dzień dobry – odpowiedział Stoke i rozejrzał się po salonie wystawowym.

– Straszny dziś sztorm, co? Kurczę!

„Kurczę"? Kiedy ostatni raz słyszałeś to słowo?

– Właśnie, kurczę. Cholerny – odparł, kiedy się schylił i wyjrzał przez duże okna, jakby pierwszy raz zobaczył, jaka jest pogoda. – Ale mogę się założyć, że magnum sześćdziesiątka poradziłaby sobie, prawda? – dodał i klepnął Szczękościska w plecy, aż się zatoczył.

– P… pewnie – zgodził się sprzedawca, gdy odzyskał równowagę. – Musi być z pana niezły ryzykant, że wyszedł pan z domu w taki dzień. Ale wie pan co? Doskonale pan trafił. Mamy przedgwiazdkową promocję i…

– Możesz mnie uważać za ryzykanta, ale chcę wypróbować którąś z tamtych magnum.

– No wie pan, to chyba nie najlepszy dzień na…

– Wiesz co? Właściwie to przyszedłem się zobaczyć z twoim kolegą. Chyba nazywa się Uryna. Albo coś w tym stylu.

– Może Jurin? – podsunął facet i zachichotał. – Chodzi panu pewnie o Jurija Jurina. To szef działu sprzedaży.

– Jest w pracy?

– Ma przerwę na lunch. Ale może ja mógłbym panu w czymś pomóc? Nazywam się Dave McAllister.

– Na pewno mógłbyś mi pomóc, Dave, ale przyszedłem tu do Jurina.

– W takim razie pójdę po niego, powiem mu, że pan czeka. Jak pana godność?

– Sheldon Levy.

– Słucham?

– Sheldon Levy. Nie, nie, nie przepraszaj. Jestem do tego przyzwyczajony. Nie wyglądam na Żyda, co? Z drugiej strony spójrz na Sammy'ego Davisa juniora. Wiesz, o co mi chodzi?

– Proszę tu zaczekać, panie Levy. Zaraz wrócę z panem Jurinem.

Dwie minuty później zjawił się Jurin, wycierając majonez z dolnej wargi. Duży przystojny blondyn, kulturysta. W kąciku ust został mu skrawek sałaty. Big mac, pomyślał Stoke. Wyobraził sobie, jak facet pożera hamburgera za biurkiem i nagle się dowiaduje, że ma rybę na haczyku. Rosjanie zajadali się big macami, odkąd Mickey D otworzył pierwszą restaurację na placu Czerwonym. Przebiły barszcz.

– Pan Levy! – zawołał Jurin, potrząsając dłonią Stoke'a i próbując sobie przypomnieć, skąd zna tego wielkiego czarnego faceta. Wiedział, że już go gdzieś widział, bo trudno było zapomnieć kogoś o posturze Stoke'a. Ale gdzie?

Jak wszyscy ubrani na czarno ochroniarze na przyjęciu u Łukowa, Jurin był umięśniony, ale zaczynał tyć, co zawdzięczał wygodnemu życiu na słonecznym południu Florydy. Za dużo krabów wieczorami w lokalu Joego.

– Jurin, miło znów cię widzieć, człowieku. Nie pamiętasz mnie, co?

– Pamiętam, pamiętam. Tylko nie mogę sobie przypomnieć, gdzie się poznaliśmy.

– Na imprezie urodzinowej u Łukowa. Musisz ją pamiętać. Bum! – Stoke klasnął głośno w dłonie, kiedy to powiedział, i obaj sprzedawcy zamrugali, a McAllister nawet się cofnął o kilka kroków.

– Jaaasne – odparł Jurin z wyraźnym rosyjskim akcentem, przeciągając to słowo, choć nadal nie kojarzył. Garnitur, krawat i okulary przeciwsłoneczne Stoke'a zbijały go z tropu.

– Menedżer Fanchy. Agencja Artystyczna Słoneczne Wybrzeże – podpowiedział mu Stoke.

– Fanchy! Tej pięknej piosenkarki, która wtedy śpiewała! Oczywiście! Czym mogę służyć, panie Levy? Dave mówi, że interesuje pana nowa magnum sześćdziesiątka.

– Zgadza się – przytaknął Stoke. – To jest maszyna, człowieku. Chcę ją kupić Fanchy z okazji jej nowego kontraktu. Właśnie zrealizowaliśmy pierwszy czek.

Dla podkreślenia tych słów uniósł prawą ręką torbę z prawdziwej krokodylowej skóry.

– To pana szczęśliwy dzień, panie Levy. Mam akurat na składzie trzy nowiutkie sześćdziesiątki. Prosto z fabryki. Proszę wybrać kolor. Jest diamentowa czerń, kobaltowy błękit i wyścigowa żółć. Który panu odpowiada?

– Też pytanie. Jak masz styl, pływasz wyścigową żółcią, dobrze mówię, Jurin?

– Zatem wyścigowa żółć. Chodźmy do mojego biura wypisać zamówienie, panie Levy. Mogę zwracać się do pana Sheldon?

– Możesz.

– Mam na imię Jurij – przypomniał Jurin.

Szeroki uśmiech, ryba już w łodzi, najłatwiejsza sprzedaż jachtu w całej historii tej branży na południu Florydy.

– Wolę mówić do ciebie Jurin. Zostańmy przy tym, dobra? Wiesz, kogo mi przypominasz, Jurin? Właśnie to sobie uświadomiłem. Dolpha Lundgrena. Tego aktora. Kojarzysz? *Agent Red*, *Czerwony skorpion*. Nie? Nieważne.

Jurin speszył się na chwilę, ale złapał Stoke'a za ramię, a przynajmniej spróbował, i skierował go w stronę małych pokoi sprzedawców. Jurin najwyraźniej przyzwyczaił się do tego, że jest największym chłopakiem na podwórku. Widać było po nim, że drugie miejsce go nie interesuje.

– Zaczekaj chwilę – powiedział Stoke i zatrzymał się tuż przed drzwiami biura.

– O co biega? – Pytanie miało zabrzmieć luzacko, ale zadane z rosyjskim akcentem wypadło śmiesznie.

– Ja naprawdę chcę kupić tę łódź. I przyniosłem kasę, żeby od razu zapłacić. Gotówką.

– Przyjmujemy gotówkę – odrzekł Jurin, jakby żartował. Bycie zabawnym nie bardzo wychodziło większości Rosjan.

– Ale, rzecz jasna, chciałbym ją najpierw wypróbować.

– Nie ma sprawy, Sheldon. Możemy to zorganizować, kiedy ci będzie pasowało.

– Jestem gotowy.

– Dobrze, który dzień mam dla ciebie zarezerwować?

– Dzisiejszy.

Jurin się roześmiał.

– Dobry żart. Śmieszny.

– Nie żartuję, Jurin. Chce nią wyjść w morze teraz. Zobaczyć, jak się zachowuje, kiedy jest wiatr i są fale.

– Wiatr? To wichura o prędkości trzydziestu, trzydziestu pięciu węzłów. W porywach do pięćdziesięciu. Od dziesiątej rano nadają ostrzeżenia dla małych łodzi.

– Sześćdziesiąt stóp, czyli osiemnaście metrów, to nie taka mała łódź, Jurin.

– Wiem, ale to szybka łódź wyścigowa do ślizgu po gładkiej wodzie.

– Jurin. Zadaj sobie jedno proste pytanie: chcesz dziś sprzedać jakąś łódź? Tak czy nie?

– Tak.

– Chyba się nie boisz, że trochę wiatru i deszczu ci zaszkodzi, Jurin? Jak mawiała moja babcia, deszcz nic ci nie zrobi, nie jesteś z cukru.

– Boję się? – Mina Jurina mówiła wszystko. Był zdecydowany.

Stoke klepnął go w plecy z taką siłą, że Jurin zaszczękał zębami.

– W porządku, kolego, wkładaj sztormiak i płyniemy!

33

Duża żółta łódź podskakiwała na wodzie, mimo że stała przycumowana w basenie portowym. Jak dziki koń w przegrodzie startowej na rodeo, pomyślał Stoke. Jakby mówiła: „Wypuść mnie, kowboju, to skopię ci tyłek". Choć port Miami Yacht Group był dobrze osłonięty, po wewnętrznej stronie falochronu wyrastały białe grzywy fal. Maszty żaglówek kołysały się gwałtownie, jak las aluminiowych słupów miotanych przez sztorm. Ciemne niebo miało dziwny zielonkawy odcień.

Doskonale.

Jak niektóre piękności znane Stoke'owi wcześniej, magnum sześćdziesiątka wyglądała tak, jakby składała się tylko z dziobu. W małym odkrytym kokpicie na rufie mieściły się cztery głęboko wyprofilowane siedzenia kubełkowe, jaskrawożółte jak kadłub, z uprzężami niczym w promie kosmicznym. W burtach smukłej łodzi, blisko dziobu, było po pięć owalnych bulajów, co wskazywało, że pod pokładem jest kabina.

Stoke pomyślał, że nie służy ona do drzemki, czytania powieści szpiegowskich ani rozwiązywania krzyżówek. Schodzi się tam z dziewczyną, kiedy jest się daleko od brzegu, wyłącza się dwa silniki i uruchamia trzeci, własnego małego johnsona. Na takiej łodzi wydziela się testosteron, trochę za dużo albo trochę za mało, zależnie od właściciela.

– Wygląda jak banan Chiquita na sterydach – powiedział Stoke, odknagował cumę dziobową i rzucił ją na pokład. Rosjanin zaśmiał się sztucznie i odcumował rufę.

– To siostrzana jednostka łodzi, która wygrała największy wyścig morski na świecie, Miami–Nassau–Miami, z najwyższą przeciętną prędkością ponad stu trzydziestu pięciu kilometrów na godzinę. Wiesz, co to znaczy siostrzana jednostka?

– Niech pomyślę. Bliźniacza?

– Jesteś bardzo inteligentny. Słyszałeś o „Bounty Hunterze"? O „Maltese Magnum" Dona Aronowa? Te wspaniałe łodzie tworzyły historię wyścigów.

– Myślisz, że nie wiem? – odparł Stoke, jakby miał o tym jakiekolwiek pojęcie.

Jurin zaczął się opuszczać do kokpitu na siedzenie sternika, ale Stoke chwycił go lekko za ramię i powstrzymał.

– Ja prowadzę. Ty jedziesz na gorącym fotelu, jak mówią rajdowcy.

– Na gorącym fotelu? – zapytał Rosjanin.

– Obok kierowcy, na miejscu pilota.

Obaj mieli już na głowach kaski z hełmofonami. Tylko w ten sposób mogli rozmawiać na pokładzie tego potwora, mimo że nie było huraganu.

– Chcesz prowadzić? – spytał Jurin. – Mówisz poważnie?

– Chcę się tylko pokręcić. Wiesz, po porcie. Wyczuć ją trochę. Bez obaw.

– Myślisz, że sobie poradzisz? Masz jakieś doświadczenie w sterowaniu takimi łodziami? Jakimikolwiek łodziami?

– Służyłem w drugiej drużynie operacyjnej Navy SEAL i zaliczyłem trzy tury na rzecznych łodziach patrolowych w delcie Mekongu.

Rosjanin spojrzał na Stoke'a innym wzrokiem.

– To mi wystarczy – odrzekł, wyszedł z kokpitu na nabrzeże z lewej burty i poluzował cumy. – Wchodź na pokład. Odcumuję cię i wskoczę na łódź.

Stoke zobaczył, że siedzenie sternika to wąska ławka do zaparkowania tyłka i półkoliste oparcie. Boki obejmowały go tak mocno, że przy jego masie było mu wręcz ciasno, ale nie narzekał. Przestawił trzy włączniki akumulatorów, sprawdził poziom paliwa i ciśnienie oleju. Można startować.

Łódź napędzały dwa silniki wyścigowe Detroit o mocy tysiąca ośmiuset koni mechanicznych. Przekręcił kluczyk pierwszego i usłyszał basowe dudnienie. Kiedy uruchomił drugi, poczuł pod stopami wibracje.

Jurin odczepił ostatnią cumę i wskoczył na pokład, gdy Stoke zaczął się wycofywać z basenu portowego. Przy takiej potężnej mocy musiał operować przepustnicami jak narzędziami chirurgicznymi, minimalnymi ruchami.

Jurin przypinał się do prawego siedzenia, kiedy Stoke obrócił magnum i wziął kurs na wejście do portu.

– Gdzie ty, kurwa, płyniesz? – zapytał Jurin. – Na morzu wieje jak cholera! Dostaniemy porządnie w dupę.

– Wyluzuj, stary. – Stoke popatrzył na niego. – Wyskoczymy na Atlantyk. Przetestujemy ją trochę, zobaczymy, jak się spisuje w czasie sztormu.

Jurin chciał coś odpowiedzieć, ale zrezygnował i tylko pokręcił głową. Zaparł się mocno nogami i złapał uchwytu z nierdzewnej stali na desce rozdzielczej przed sobą.

– No właśnie. Po prostu się trzymaj, Jurin. Zanim się obejrzysz, będziemy z powrotem w twoim biurze i podpiszemy papierki.

Stoke skierował się na sam środek wąskiego farwateru i wycelował dziób w punkt między dwoma masywnymi betonowymi falochronami. Wejście do portu miało kształt leja z wylotem zwróconym ku morzu. Atlantyk widoczny za przesmykiem wyglądał jak dzieło speców od efektów specjalnych, jak w filmie *Gniew oceanu*. Ogromne góry wody, przepastne doliny, wichura smagająca grzbiety fal, rozbryzgi piany niesione przez wiatr na południowy wschód. Czarne skłębione chmury na niebie.

Stoke przesunął przepustnice do przodu i zwiększył obroty silników do dwóch i pół tysiąca na minutę. Przygotował się psychicznie jak jeździec na grzbiecie byka w przegrodzie startowej.

Zerknął na Jurina.

– Gotowy?

Byli w połowie farwateru, prawie na morzu, tuż przed lejem.

Rosjanin nie odpowiedział. Patrzył w przestrzeń i zastanawiał się, w co się, do cholery, wpakował, jeśli jego życie jest warte nędzny milion dolców za plastikową zabawkę.

Stoke pchnął nagle przepustnice do oporu. Łódź uniosła się z rykiem silników i wystrzeliła naprzód, śruby wgryzły się w wodę. Przemknęła przez lej, za którym rosła nadciągająca fala, zielona spieniona ściana o wysokości pięciu, a po chwili już dziesięciu metrów.

– Uważaj! – wrzasnął Jurin.

– Wszystko pod kontrolą – rozległ się spokojny głos Stoke'a w hełmofonie.

Rosjanin wytrzeszczył oczy z przerażenia. Jego klient najwyraźniej zamierzał uderzyć magnum w pędzącą na nich ścianę wody. Chciał ją przebić jak pocisk tarczę. Fala miała teraz jakieś dwanaście metrów wysokości. Szklista zielona woda była przezroczysta jak szyba. Śruby zawyły, ostry dziób magnum wbił się w falę i wyłonił po jej drugiej stronie, kiedy Stoke przeprowadził łódź przez ścianę.

Dziób był przez chwilę w powietrzu, zanim część rufowa z kokpitem wydostała się z fali, potem opadł i pomknęli dalej, by pokonać następną dużą falę i ześlizgnąć się do jej doliny.

Jurin wypluł wodę.

– Ja pierdolę.

Stoke spojrzał na przemoczonego pasażera i spodobało mu się to, co zobaczył. Strach.

Z półkolistej owiewki został tylko kawałek pogiętej chromowanej ramki na piersi Rosjanina i potłuczone szkło na kolanach i wokół stóp.

– Nieźle, co? – zapytał Stoke. – Myślałem, że stracimy dużo więcej niż tę cholerną szybę. Zobacz, reflektor na dziobie jeszcze się trzyma. Dobra konstrukcja.

– Odbiło ci, kurwa?

– Wyluzuj, Jurin. Nie można tak mówić do przyszłego klienta.

– Zawracaj! – krzyknął Jurin. – Przełamiesz łódź na pół!

– Zawrócę, ale przedtem zadam ci kilka pytań.

– Pytań? Chcesz się dowiedzieć czegoś o łodzi?

– Nie, o tobie.

– O mnie? Powiem ci o sobie. Zatłukę cię, kurwa, jasne? Urwę ci ten twój paskudny łeb…

Jurin zaczął szarpać swoją uprząż bezpieczeństwa, żeby się oswobodzić i spełnić groźbę. Stoke się uśmiechnął.

– Uspokój się, dobra? Pozwól mi coś wyjaśnić. To zajmie tylko chwilę. Jesteś dupkiem, wiesz?

Nagłe uderzenie fali wcisnęło obu w siedzenia i odrzuciło im głowy do tyłu. Dziób zadarł się pod ostrym kątem i Stoke musiał wykorzystać pełną moc potężnych silników, żeby wspiąć się na niemal pionową ścianę wody i utrzymać Jurina na miejscu.

– Co? – wrzasnął Jurin. – Co chcesz, kurwa, wiedzieć?

– Jesteś w rosyjskich Czarnych Beretach, tak? Jak wszyscy ochroniarze na tej imprezie urodzinowej.

– Nie wiem, o czym ty gadasz. Zawróć do portu, bo nas zabijesz!

– Zawrócę, ale wytrzymaj jeszcze chwilę. Byłeś w Czeczenii, Jurin? Skopałeś Czeczenom tyłki?

– Nie.

Stoke obrócił koło sterowe w lewo i wspinająca się stromo łódź zaczęła się zsuwać bokiem w dół fali. Potem wirujące wściekle śruby zagłębiły się w wodę i magnum skierowała się ukośnie w dolinę między falami. Stoke chwilowo na tyle kontrolował sytuację, że wyciągnął glocka z wewnętrznej kieszeni sztormiaka. Widok broni wydawał się dopełnieniem i tak już wspaniałego dla Rosjanina dnia.

– Odepnij uprząż, Jurin.

Przez moment byli w dolinie fali. Stoke cofnął przepustnice w pozycję biegu jałowego i wypiął się z własnych pasów bezpieczeństwa. Rozstawił szeroko nogi w nadziei, że utrzyma się na nich wystarczająco długo, żeby zrobić to, co zamierzał.

– Co?

– Słyszałeś. Podnieś dupę i uklęknij na pokładzie. Masz trzy sekundy. Potem twój mózg może już nie działać tak dobrze. Jeden… dwa… trzy!

Stoke odwrócił się i strzelił jakieś pół metra przed nosem Rosjanina.

– Kurwa! – Jurin odpiął uprząż i wysunął się z niej, wciąż trzymając się jedną ręką uchwytu na desce rozdzielczej. Nadal kołysali się w dolinie fali.

Przechyły magnum utrudniały Jurinowi zadanie, ale zdołał uklęknąć na pokładzie między dwoma siedzeniami i nie wypaść wcześniej za burtę.

– Rozbieraj się. Od pasa w górę.

– Jezu. Pieprzony czarny pedał z żądzą śmierci.

– Już.

Stoke stuknął Jurina lekko w ciemię chwytem pistoletu. Rosjanin szarpnął suwak żółtego sztormiaka i jakoś udało mu się go zdjąć. Wiatr natychmiast porwał kurtkę z kokpitu i zniknęła wśród piany za rufą.

– Teraz koszulka.

Jurin miał na sobie czarną podkoszulkę, taką samą jak wtedy na urodzinach. W stylu macho. Ludzie, którzy jeżdżą ferrari, nie noszą koszulek tej firmy. A muskularni nie ubierają się tak, żeby pokazać, że są umięśnieni.

Kiedy Jurin ściągnął koszulkę, Stoke zaszedł go ostrożnie z tyłu, oparł mu lewą stopę na karku, pchnął go nogą w przód i przygwoździł twarzą do pokładu. Rosjanin napiął grube mięśnie szyi i ramion i próbował się uwolnić. Scena jak w filmie, pomyślał Stoke. Zobaczył to, czego się spodziewał.

Głowę tygrysa.

34

Głowa tygrysa była wytatuowana między łopatkami. Stoke musiał przyznać, że zrobiła na nim wrażenie, choć miała wielkość zaledwie piłki softballowej. Ale została artystycznie wykonana, pięknie odwzorowana na skórze. Pod wizerunkiem groźnego tygrysa widniał wytatuowany skrót, o którym Stoke myślał od chwili, gdy tylko zobaczył Jurina i jego mięśniaków w czerni.

OMON.

Rosyjskie siły specjalne, Czarne Berety. Szwadrony śmierci, które przemierzały Czeczenię przed nalotami i po nalotach dywanowych na Grozny i zabijały na swojej drodze wszystko, co jeszcze zostało przy życiu. Elitarne oddziały podczas wojny, potem płatni zabójcy. Stoke trzymał język za zębami, nie powiedział Brockowi o swoich podejrzeniach tamtego wieczoru. Postanowił trochę powęszyć i zobaczyć, co się okaże. Ale badał sprawę.

Teraz, kiedy druga wojna czeczeńska prowadzona przez Putina dawno się skończyła, omonowcy służyli nowym ciemnym siłom w kremlowskim Ministerstwie Spraw Wewnętrznych. Jeździli po Moskwie transporterami opancerzonymi piechoty w swoich charakterystycznych czarno-niebieskich mundurach i pracowali dorywczo dla ludzi sprawujących władzę. Kiedy im się nudziło albo się nawalili, zgarniali pijaczków z Placu Czerwonego, zawozili ich na Łubiankę i dawali im wycisk. Albo gorzej.

Stoke pochylił się, żeby mówić Jurinowi prosto do ucha. Trzymał stopę na karku faceta, jeszcze mógłby mu przyjść do głowy jakiś głupi pomysł. Chłopak przestał się miotać i przeklinać, ale tylko dlatego, że Stoke przycisnął go trochę mocniej do pokładu i przygniótł mu struny głosowe.

– Co was wszystkich sprowadza do Miami? – zapytał.

– Słońce – wykrztusił Jurin.

Stoke zwiększył nacisk na kark i znów się pochylił.

– Chcesz wrócić dziś do domu, Jurin? – wrzasnął mu do ucha. – Napić się wódki? Położyć do wygodnego ciepłego łóżka? Czy wolisz być topielcem, kolejną przypadkową ofiarą sztormu? Za dużo piw, szczanie z rufy do wody i tragiczny wypadek gotowy. Fatalny błąd, panie władzo, to się ciągle zdarza. Wybieraj.

– O co ci, kurwa, chodzi?

Stoke poczuł, że magnum zaczyna się przechylać na sterburtę pod naporem spiętrzonej wody.

– Łups, nadciąga kolejna fala. Trzymaj się, tygrysie.

Stoke złapał się oparcia swojego siedzenia i próbował pozostać w pionie z jedną nogą na głowie Rosjanina, a drugą na pokładzie. Znów byli w swobodnym opadaniu, pędzili w dół wielkiej fali ze sterem ustawionym na wprost, ale teraz nikt go nie obsługiwał. Stoke nie mógł puścić siedzenia, żeby chwycić koło sterowe, bo bał się, że zostanie wyrzucony z kokpitu. Łódź poruszała się dziwnie gwałtownie i chaotycznie, ale Stoke przeżył już gorsze przygody. Kiedyś przez sześć dni zmagał się samotnie ze sztormem na środkowym Pacyfiku w dwuosobowym pontonie. W porównaniu z tamtym to był pryszcz.

– Dla kogo pracujesz, Jurin? Chcę znać nazwisko!

– Za... zawróć do po... portu, to mo... może ci po... powiem – wystękał Jurin. Nos i wargi miał rozpłaszczone na tekowym pokładzie, który omywała woda morska i wlewała mu się do ust.

– Mów teraz, zanim dziób znów się zanurzy i zmoczymy sobie tyłki. Dla kogo pracujesz?

– Dla Mrocznego Jeźdźca.

– Jak?

– Dla Mrocznego Jeźdźca. Tak go nazywają. Nikt nie zna jego prawdziwego nazwiska.

Stoke wyciągnął się do przodu i chwycił obracające się koło sterowe. Skręcił mocno, żeby dziób nie poszedł pod wodę i skierował łódź ukośnie w górę następnej fali.

– Od kogo dostajesz rozkazy?

– Bezpośrednio od generała Arkadija Żukowa. Był w KGB, teraz jest już w stanie spoczynku. To wielki rosyjski patriota. Wszyscy jesteśmy patriotami, staramy się przywrócić Rosji dumę.

– Na razie gówno z tego wychodzi, Jurin.

– Wal się.

– Mroczny Jeździec to nie Rostow?

– Nie, to ktoś wyżej.

– Wyżej od prezydenta?

– Możliwe.

– Co mówisz? Nie słyszę cię.

Łódź wymknęła się całkowicie spod kontroli.

– Powiedziałem, że tak! Wyżej od prezydenta!

– Znów idzie duża fala, Jurin. Gotowy? Co rosyjski OMON robi w Ameryce, do kurwy nędzy?

Cisza.

Stoke przesunął stopę na potylicę Jurina i wprasował mu twarz w pokład, gdy pokonywali dziesięciometrową falę. Po kilku sekundach opadli po drugiej stronie.

– Gadaj, co tu robi OMON. Już!

– Kurwa. Mamy zadanie. Ćwiczymy przed operacją.

– Jaką, Jurin?

– Odbicia zakładników.

– Uratujecie ich tak jak tamtych uczniów w Biesłanie?

– Pierdol się. Zastrzel mnie.

Stoke przycisnął mu mocno nos do pokładu i Rosjanin zawył z bólu.

– Gdzie ćwiczycie?

– Jasna cholera! W Parku Narodowym Everglades. Na opuszczonym lotnisku polowym.

– OMON zamierza uwolnić zakładników tutaj, w Miami? O to chodzi? Jakoś nie ma to dla mnie sensu, Jurin. Chyba że chcecie zapobiec odbiciu zakładników?

Jurin milczał.

Stoke zdjął stopę z potylicy rosłego Rosjanina, przeszedł nad nim i usiadł ostrożnie na miejscu sternika. Nie dowiedział się wszystkiego, ale zrobił dobry początek. Wystarczy, żeby zainteresować Harry'ego Brocka. Harry był w drodze na Bermudy na naradę wojenną z Aleksem. Stoke zdobył to, po co przyszedł, dobre informacje wywiadowcze. Wszyscy teraz myśleli o Rosji, zwłaszcza Hawke.

– Wracamy – oznajmił i skręcił z grzbietu fali ukośnie w dół. – Wstawaj. Powoli. Spróbuj usiąść na swoim miejscu, tylko nie wypadnij za burtę, dobra? Nie jestem w nastroju do ratowania twojego tyłka.

Duża żółta łódź wyścigowa ześlizgiwała się z czoła zielonej spienionej fali pod kątem czterdziestu pięciu stopni.

– Jezu – powiedział Jurin. Przytrzymał się uchwytu i zdołał podnieść na nogi. Ulokował się na siedzeniu i przypiął. Stoke nie chował glocka na wypadek, gdyby facet nagle zrobił się odważny. Ale był blady, miał skrzywiony nos, krew i ślina ciekły mu z kącików ust i wiatr zwiewał mu to na policzki. Nie wyglądał zbyt elegancko.

– Masz złamany nos, Jurin. Chcesz, żebym ci go nastawił? Mogę to zrobić, jak wrócimy do portu. Wiesz, jak? Włożę ci do obu dziurek małe palce, trzask, prask, i *voilà*, znów prosty jak strzała. Choć będę brutalnie szczery: boli jak cholera.

Jurin nie odpowiedział, nawet nie spojrzał na Stoke'a.

Nie było łatwo zmieścić się w zwężeniu leja przy mocno wzburzonym morzu, ale Stoke poradził sobie tak, że pokonał ciasny przesmyk na grzbiecie dużej fali.

Kiedy znów wpłynęli na stosunkowo spokojną wodę w porcie, wkurzony Rosjanin zapytał:

– Nie mogliśmy porozmawiać w moim biurze?

– Nie – odparł Stoke i skierował magnum w stronę basenów portowych Miami Yacht Group. – Z dwóch powodów. Po pierwsze, lubię emocje.

– Taaak? Wy, Amerykanie, jeszcze nic nie widzieliście.

– To groźba?

– Obietnica.

– Co masz do Amerykanów, Jurin?

– Jesteście pieprzonym błędem, który trzeba naprawić.

– Więc pewnie nie chcesz znać drugiego powodu?

– Chcę, chcę, mów.

– Ponieważ jestem pieprzonym błędem, jak się wyraziłeś, to pewnie nie sprzedałbyś mi tej łodzi?

– Co?

– Domyślam się, że nie chcesz sprzedać mi tej łodzi, Jurin.

– Mówisz poważnie? Naprawdę chcesz ją kupić?

– Oczywiście.

– Jezu. Ty mówisz serio. Myślałem, że w Moskwie wszystko jest porąbane. Ale w Miami jeszcze bardziej.

– Oczywiście trzeba będzie wymienić owiewkę.

– Oczywiście.

– Daj mi swój numer – powiedział Stoke, uśmiechając się do Rosjanina po raz pierwszy w ciągu całego popołudnia.

35

Salina, Kansas

Burmistrz Monie Bailey włożyła ostatnią łyżkę makaronu z serem do buzi swojej czteroletniej córeczki, a potem starła ścierką kuchenną resztki jedzenia z włosów, uszu, policzków i brudnego śliniaczka dziewczynki, który wisiał na jej szyi na jednej nitce.

– Jeszcze – zażądała Debbie Bailey, uderzając w plastikowy blat wysokiego krzesełka dziecinnego drewnianym konikiem. – Jeszcze makaronu.

– Nie ma!

– Ja chcę jeszcze!

– Powiedziałam, że nie ma. Czas spać!

– Nie chcę spać! Chcę makaronu!

– Wszystko zjadłaś, Debbie. Opakowanie dla całej rodziny. Chyba masz tasiemca.

– Nie mam tasiemca. Nie mów tak!

Monie podniosła dziewczynkę z krzesełka w kuchni i zaniosła na górę do pokoju dziecinnego, który Debbie dzieliła ze starszą siostrą, Carrie. Zawsze się uśmiechała, gdy tu wchodziła. Kiedy sama była dzieckiem, chciała mieć taki pokój, ale nigdy nie miała. O tym marzyła: różowe ściany, dywaniki, zasłony, kołdry, nawet dwie toaletki w tym samym jasnym odcieniu różu. I wszędzie różowe abażury sprawiające, że wszystko jest ciepłe.

Carrie, która w zeszłym tygodniu skończyła dziewięć lat, leżała oparta na pluszowych różowych poduszkach i czytała. Dostała na urodziny ilustrowaną książkę *Czarny Książę* w twardej okładce, ale nawet do niej nie zajrzała. Prezent tkwił na jednej z półek różowej biblioteczki pod oknem, wciśnięty między zniszczone komiksy i książki w miękkich okładkach.

– Cześć, mamo – powiedziała Carrie, nie odrywając wzroku od lektury.

Monie spojrzała na krzykliwą okładkę książki.

– *Uliczna dziewczyna*. Interesujące. O czym to jest?

– O dziwkach. Właściwie, to one nie są dziwkami. Matki ich wszystkich są prostytutkami i dziewczyny wchodzą w robotę, wiesz? Naśladują zachowania rodziców, wiesz, czy raczej rodzica w tym wypadku, bo w tej książce nie ma wielu ojców. Tylko gangsterzy, alfonsi. Ale ta jedna dziewczyna, Amanda, jest bohaterem i…

– Bohaterką.

– No tak, bohaterką, i postanawia wyrwać się z tego kręgu, i zrobić coś ze sobą, wiesz, uciec od tego strzelania i prostytucji.

– To wspaniale, prawda? – powiedziała Monie, położyła Debbie do łóżka i podciągnęła jej kołdrę pod brodę. W nocy miało być naprawdę zimno, niewiele powyżej zera. – Dziewczyna z ikrą, co? Jeśli lubisz takie bohaterki, powinna ci się spodobać Nancy Drew, dziewczynka detektyw. Ta ma ikrę.

– Ona jest super. Lubię ją.

– Tak? Nancy Drew?

– Nieee, Amandę. A teraz cicho, mamo, bo czytam naprawdę dobry kawałek. Amandę zaraz złapią w szkole z fajką do cracku jej matki w torbie. Ona jej tam nie włożyła, oczywiście. Zrobił to jeden ćpun, facet jej matki, Notorious Ludacris.

– Przykro mi, Carrie. Gasimy światło. Jutro idziesz do szkoły, pamiętasz?

– Dobrze, dobrze, mamo. Tylko skończę ten rozdział, dobra?

– Gasimy światło. Już.

– Mój Boże! Dyscyplina w tym domu jest po prostu żałosna! – Carrie zamknęła książkę i odłożyła na nocną szafkę.

– Śpijcie obie. Kolorowych snów.

– Buzi! – zawołała Debbie.

– Cmok, cmok, a teraz śpij.

Monie zgasiła wszystkie lampy wyłącznikiem przy drzwiach.

– Dobranoc, mamusiu – powiedziała Debbie.

– Dobranoc, mamo – zawtórowała jej Carrie. – Kocham cię.

– Ja też cię kocham, skarbie. Obie was kocham.

Monie zamknęła drzwi pokoju dziecinnego i poszła do gabinetu męża parę kroków dalej w korytarzu. George siedział za biurkiem i patrzył na monitor komputera. Najprawdopodobniej eBay Motors, pomyślała. George spędzał każdy wieczór, kiedy nie grał w ligę lub nie oglądał golfa w telewizji, przy tym cholernym eBayu w poszukiwaniu samochodu swoich marzeń. Podeszła i stanęła za nim.

Jasne, eBay.

– Co słychać, kochanie? – zapytała.

– Kiepsko, cholera. Pamiętasz tamtą tanią jak barszcz corvettę rocznik '58, za którą zaoferowałem moją cenę? Rdzawoczerwoną. Z białym wnętrzem.

– Uhm.

– Jakiś palant przebił mnie w ostatniej chwili. Dosłownie sekundę przed upływem czasu. Dał pięć stów więcej niż ja. Niech to szlag!

– Szkoda. Miałeś udany dzień w biurze?

George obrócił się na krześle i uśmiechnął do żony.

– Czy to nie dwie sprzeczności?

– Zapewne.

– Dziewczynki śpią?

– Jedna.

– Druga czyta przy latarce X-Menów pod kocem?

– Przypuszczam, że tak będzie. Pięć minut po zgaszeniu światła. Właśnie powinna ją włączyć. Zaczęła nową książkę.

– *Czarnego Księcia*?

– Nie łudź się, marzycielu. *Uliczną dziewczynę*. Autora *Miasta pokus*. Jej ulubionego.

– To niedobrze.

– Owszem.

– Chyba chcesz pobaraszkować?

– Skąd wiesz?

– Poznaję po twojej pozie. Stoisz z wysuniętym biodrem. To zwykle wyraźny sygnał. Jak było w ratuszu?

– Niekończące się spotkanie ze stowarzyszeniem obywatelskim. Roczne sprawozdanie komitetu do spraw public relations. Wiesz, jak nazywam ten komitet?

– Grupą, która wykorzystuje minuty i marnuje godziny.

– Zgadza się. Zgadnij, co mi powiedział przewodniczący komitetu na zakończenie sprawozdania. Dwugodzinnej prezentacji PowerPointa.

– Nie mam pojęcia.

– Że po dogłębnej analizie komitet jednomyślnie uznał, że miasto Salina nie ma się czym chwalić.

George wybuchnął śmiechem.

– Facet od public relations tak powiedział?

– Tak.

– Czy samą definicją public relations nie jest chwalenie się?

– Tak myślę.

– I co zrobiłaś?

– Rozwiązałam komitet.

– Ludzkość ma jeden komitet mniej.

– Możesz przeszukać każdy park w każdym amerykańskim mieście i nigdzie nie znajdziesz pomnika komitetu.

– To mi się podoba. Rozpędzić ich wszystkich. Nikogo nie zostawiać.

– Wyłącz to i chodź do łóżka – powiedziała Monie, przegarniając palcami miękkie, ale przerzedzone brązowe włosy George'a.

W łazience wciągnęła przez głowę krótką, czarną, przezroczystą koszulkę nocną i przypomniała sobie o telefonie, który odebrała, kiedy wyjmowała makaron z serem z mikrofalówki.

Uchyliła drzwi.

– Kochanie?

– Tak?

– Czyżbym zapomniała o naszej rocznicy?

– Nie, to w przyszłym tygodniu. A dlaczego?

– Dostałam telefon z jakiejś cukierni. Powiedzieli, że przywiozą niespodziankę i chcieli być pewni, że ktoś będzie w domu.

– Z cukierni? To nie ja.

– Dziwne. Myślałam, że może chcesz mnie zaskoczyć jakąś wspaniałą wiadomością. Tym awansem, o którym stale słyszę.

– Zaskoczę cię czymś innym. Też wspaniałym. Chodź tu i zobacz.

– George! Powinieneś się wstydzić!

Zadźwięczał dzwonek przy drzwiach frontowych.

– Kto to może być, do cholery? Jest prawie dziewiąta – zdziwił się George, przyciągnął Monie do siebie i przycisnął wzwiedzionego członka do jej podbrzusza.

Nocny ptaszek, pomyślała Monie i uśmiechnęła się do niego.

– Pewnie z cukierni.

– Co im odpowiedziałaś?

– Że niczego nie zamawiałam. Oczywiście nie byłam całkiem pewna, że ty też nie.

– Spławię ich – zdecydował George.

– Z tym sterczącym interesem nigdzie nie pójdziesz. Włożę szlafrok. A ty wracaj do łóżka. I tak trzymaj.

George podszedł do okna i spojrzał pod zasłoną na podjazd w dole.

– Zgadza się, cukiernia. Duży biały furgon.

Monie wzięła niebieski frotowy szlafrok z wieszaka na drzwiach łazienki, włożyła go na siebie i zeszła boso na dół, zawiązując po drodze pasek.

– Witam – powiedział bardzo gruby cukiernik, kiedy otworzyła drzwi frontowe. Był cały ubrany na biało, nawet buty miał białe. Jego twarz prawie całkowicie zasłaniało białe pudło przewiązane jaskraworóżową wstążką.

– To chyba pomyłka – odrzekła Monie. – Niczego nie zamawialiśmy.

Cukiernik spojrzał na nią ponad pudłem.

– Ale to dom państwa Bailey, zgadza się? Pani burmistrz Monie Bailey?

– Tak, to ja.

– Więc dobrze trafiłem.

– Ale mówiłam już przez telefon, że niczego nie zamawialiśmy.

Poczuła się nieswojo i zdała sobie sprawę, że facet gapi się na jej biust. Nie nachalnie, ale przyłapała go na tym. Zrobiło jej się nagle zimno i spojrzała w dół. Nic dziwnego. Pasek się rozwiązał i szlafrok się rozchylił. Czarna przezroczysta koszulka nocna prawie nie zasłaniała rowka między piersiami. Jej „atutami strategicznymi”, jak je nazywał George. Szybko zebrała szlafrok pod szyją i zdołała zawiązać pasek jedną ręką.

– Co nie znaczy, że ktoś inny nie chce państwu zrobić miłej niespodzianki, prawda?

– N… no nie, ale… Niech pan posłucha, jest dziewiąta i jesteśmy kompletnie wykończeni, więc nie mógłby pan po prostu…

– Mógłbym wejść i postawić to cudo? Waży tonę. I z całą pewnością jest dla państwa.

– No… dobrze, ale co to jest?

– Tort. Wspaniały, czekoladowy z polewą kokosową.

– A kto go zamówił dla nas?

– Nazwisko jest w kopercie w pudełku. Macie państwo krewnych w Topece?

– Moja matka tam mieszka. No tak, to mama. Wszystko jasne. Znów to samo. Ostatnio zaczynają jej się mylić daty. A w przyszłym tygodniu jest nasza rocznica, założę się… Niech pan wejdzie. Przepraszam, że trzymałam pana na tym zimnie. Proszę to postawić w kuchni, jeśli pan taki uprzejmy. Tam.

– Oczywiście, nie ma sprawy – odrzekł grubas i minął ją w drodze do kuchni.

– Za tamtymi uchylnymi drzwiami – zawołała Monie, zapaliła parę lamp w salonie i poszła za nim. Zatrzymała się u stóp schodów i krzyknęła w górę do George’a:

– Wszystko w porządku, kochanie. Wyjaśniło się. To niespodzianka od mamy. Tydzień wcześniej.

– Dobra! – dobiegł z góry przytłumiony głos.

Przeszła przez jadalnię i pchnęła uchylne drzwi prowadzące do kuchni. Cukiernik już postawił pudło na kontuarze i opierał się tyłem o blat obok zlewu. Uśmiechał się szeroko i… co to, do cholery? Rewolwer? Czarna, krótka broń w pulchnej białej dłoni wycelowana prosto w serce Monie.

– O mój Boże.

– Nazywam się Happy. Dziś wieczorem będę twoim najgorszym koszmarem.

– Jezu, o co chodzi? – Serce zaczęło jej nagle walić jak oszalałe, jakby chciało wyskoczyć z piersi. Pomyślała o Debbie i Carrie na górze. Wiedziała, że nie może wpaść w panikę i stracić głowy, musi zachować spokój, opanować strach, wyjść z tego żywa i pozbyć się tego maniaka z domu.

Uśmiechnął się.

– Kiepsko, co? Coś takiego psuje człowiekowi dzień.

– O Boże. Kim… kim pan jest? Cz… czego pan chce?

– To zależy. Przyjechałem tu tylko dostarczyć tort. Ale czasem życie rzuca człowiekowi kość. Rozumiesz?

– Co chcesz wziąć, do cholery? Mów! Pieniądze? Biżuterię? Są twoje! Bierz wszystko i idź sobie, proszę.

– Najpierw chcę dokładnie zobaczyć, co masz pod szlafrokiem. Potem przejdziemy do innych rzeczy, których chcę.

– O Jezu, o Jezu, o mój Boże. Prześladowca. Śledziłeś mnie?

– Tylko przez tydzień.

– Przez tydzień? Dlaczego? Dlaczego akurat mnie?

– Szlafrok, kochanie. Już.

– Mój mąż jest na górze. Jeśli krzyknę…

– To co? Zbiegnie na dół, żeby zastać tu faceta ze spluwą, który chętnie pośle jego mózg na ścianę? Daj spokój. Zdejmij szlafrok i zobaczymy, jak to się ułoży. Może wszyscy wyjdą z tego żywi, jeśli będziesz miła. Bo jeśli nie, może być inaczej.

Zaczęła się nagle cała trząść. Ze strachu, z wściekłości, z zimna.

– Posłuchaj, jeśli chcesz pieniędzy, mamy ich dużo. Są w sejfie. Pokażę ci. Jest ukryty za lustrem w bieliźniarce. Leży tam dwadzieścia tysięcy. W gotówce. I cała moja biżuteria. Bierz to wszystko i wynoś się stąd. Dam ci nawet godzinę przewagi, zanim wezwę gliny.

Podciągnął rękaw i pokazał jej dużego złotego roleksa z diamentami na tarczy. Kupił go w Blue Diamond King na Czterdziestej Siódmej Zachodniej za pieniądze z pierwszej wypłaty za pracę na nowym stanowisku.

– W tej chwili sram biżuterią. Chcę, żebyś zdjęła szlafrok. Mam w ręku spluwę i tyle trupów na koncie, że jeden więcej nie zrobi wielkiej różnicy, uwierz mi.

– O Boże… nie możemy…

– Rozbieraj się!

36

Trzęsącymi się rękami rozwiązała frotowy pasek. Potem zrzuciła z siebie szlafrok, który upadł na podłogę wokół jej bosych stóp. Wyłączyła ogrzewanie na dole i w kuchni zrobiło się już strasznie zimno. Dostała gęsiej skórki. Zobaczyła na kontuarze drewniany stojak na noże. Osiem nowiutkich niemieckich noży z Kitchenworks.com. Nóż przeciwko rewolwerowi? To jak papier przeciwko nożyczkom. Ale lepsze to niż nic.

– Ładne – powiedział, patrząc na jej sutki odznaczające się wyraźnie pod czarną koszulką nocną i piersi jak małe melony obciągnięte jedwabiem. – Wiesz, ile mógłbym za ciebie dostać w Arabii Saudyjskiej? Albo w Dubaju? Ha!

– O czym ty mówisz?

– Naprawdę nie jestem cukiernikiem, jak pewnie się domyślasz. Jestem staromodnym zawodowym cynglem, który urodził się w Nowym Jorku i wychował na ulicach Brooklynu. Ale teraz handluję trochę żywym towarem, sprzedaję na boku kobiety. Cholernie dobry interes. Głównie Ukrainki. Śliczne dziewczyny. Ale nie takie piękne jak ty. Jakiś arabski szejk zapłaciłby kupę szmalu za te cycki.

– Posłuchaj. Czegokolwiek ode mnie chcesz, zrób to, dobra? Zrób to, a potem wyjdź. Nie będę krzyczała, nawet nie pisnę.

Chciała go czymś zająć, a potem chwycić jeden z dużych noży rzeźniczych w stojaku.

– Prawdę mówiąc, lubię od czasu do czasu usłyszeć krzyk, pani burmistrz.

– Pani burmistrz? Dlaczego tak mnie nazwałeś?

– Lubię poznawać moje cele, wiedzieć coś o nich. To część zabawy.

Obejrzała się na uchylne drzwi za sobą. Było w nich małe okno, które kazała wstawić, kiedy mogli sobie pozwolić na kucharkę. Wiedziała, że nie wyjdzie tymi drzwiami żywa.

– Proszę. Pospiesz się i miejmy to za sobą. Mój mąż może zejść na dół w każdej chwili.

– Chodź tu, suko. I rozbierz się.

– W porządku, wygrałeś.

Okrążyła wyspę pośrodku kuchni i ściągnęła nocną koszulkę przez głowę. Jest tylko jedno wyjście z tego koszmaru, pomyślała. Daj temu dupkowi to, czego chce, i módl się, żebyś mogła złapać nóż. A jak się nie uda, to co? Zrób wszystko, żeby się go pozbyć z domu. Cokolwiek, byle był daleko od dzieci. Rzuciła koszulkę na podłogę i zdała sobie sprawę, że jest gotowa na wszystko, żeby uratować rodzinę.

– Proszę – powiedziała, kiedy stanęła przed nim w miejscu, skąd miała nadzieję dosięgnąć nóż. – Tego chciałeś? Śmiało. Wszystko jest twoje, Happy. Bierz to. A potem wynoś się w cholerę.

Nie ruszył się. Celował w nią z rewolweru, w końcu wyciągnął wolną rękę i ścisnął jej lewą pierś. Ugniatał ją delikatnie, jakby sprawdzał twardość owocu na targu, ale sutek szczypał mocno, coraz mocniej. Patrzył jej w oczy i czekał na reakcję, której nigdy nie miał zobaczyć.

Czuła na sobie jego gorący oddech, woń testosteronu wypełniła nagle domową kuchnię, gdzie tak niedawno pachniał makaron z serem. Zadawał jej teraz ból. Chwyciła go nagle za nadgarstek wolnej ręki, poprowadziła ją w dół między swoje uda i pozwoliła, by jego palce rozchyliły miękkie ciało. Oparła się plecami o kontuar, rozpostarła za sobą ramiona i rozstawiła szeroko nogi. Jej prawa dłoń była teraz może metr od ocalenia.

Spojrzał na nią i się uśmiechnął.

– Wygląda na to, że trafiłem pod właściwy adres.

– Zrób to – odparła, kalkulując, jak i kiedy rzucić się po nóż. Wiedziała, że będzie miała tylko jedną szansę. Happy uśmiechał się do niej.

– Zrobić co, skarbie? Poproś o to.

– Chcesz, żebym ci go possała? O to chodzi? Dobra. Zaraz to zrobię.

Sięgnęła pod wystający brzuch, znalazła suwak i szarpnęła go w dół. Wsunęła palce wskazujące za pasek białych spodni i ściągnęła mu je do kolan. Członek sterczał mu jak George'owi na górze. Schyliła głowę, wzięła go do ust i zrobiła, co chciał.

Zamierzała wykorzystać moment, kiedy będzie podciągał obiema rękami spodnie. To byłaby jej jedyna szansa.

– Co tu się dzieje, do cholery? – zapytał gdzieś nowy głos.

George. Stał w drzwiach kuchni. Wyprostowała się i otarła usta wierzchem dłoni. Jej mąż stał w progu w pasiastym wełnianym szlafroku z wyrazem całkowitej dezorientacji na twarzy. Popatrzył na nagą żonę, potem na grubego cukiernika i znów na nią.

– Monie, co jest?

– On ma broń, George. Ale wszystko w porządku. Dostał, czego chciał. Już wychodzi. Wracaj na górę. Poradzę sobie.

– Wracaj na górę? – powtórzył George.

– Latarka, George. Sprawdź latarkę X-Menów. Dopilnuj, żeby była wyłączona, i żeby nikt jej nie wziął. Rozumiesz?

– Sprawdź latarkę X-Menów? – znów powtórzył jak robot jej mąż.

– Wiesz co, George? – wtrącił się Happy i odsunął od Monie, żeby mieć oboje na oku i móc w nich celować. Podciągnął spodnie i zapiął suwak. – Wszyscy pójdziemy na górę. Pokażesz mi sejf, a potem będziemy kontynuowali. Co ty na to?

– Powiedziałeś, że sobie pójdziesz, jak…

– Nic nie mówiłem, złotko. Ty cały czas gadałaś. To był twój pomysł, nie mój. Chodźmy. Zostaw szlafrok i koszulkę nocną na podłodze. Mogą nam się potem przydać. George, zrób mi przysługę. Weź tort na górę, dobra?

George z tortem ruszył pierwszy po schodach, za nim Monie, a za nią Happy z rewolwerem. Czuła jego wzrok na swoich nagich pośladkach przez całą drogę na górę.

– Którędy do głównej sypialni? – zapytał Happy.

– W lewo – odparł George. Skręcił w lewo i poszedł korytarzem do ich pokoju.

Cukiernik przystanął, kiedy minęli różowe drzwi pokoju dziewczynek.

– Dzieciaki są tam? – spytał.

– My nie mamy dzieci – odrzekła Monie, starając się ze wszystkich sił mówić spokojnym głosem.

– Naprawdę? Naliczyłem dwoje.

– To sąsiadów. Przywożę je czasami ze szkoły – odpowiedziała. – Ich rodzice nie żyją. A właściwie żyją, tylko ich nie ma.

– Tutaj? – zapytał George, gdy doszli do sypialni.

– Dokładnie, George. Ty też, skarbie.

Zawahała się. Happy szturchnął ją lufą w prawy pośladek.

– Ty skurwielu – wysyczała. – Cała podległa mi policja dobierze ci się za to do dupy. Rozerwą cię na strzępy.

– Laska z ikrą, tak? Zobaczymy, jak to będzie. Dalej, George, postaw tort na toaletce przy łóżku. Dobra. Teraz ty i twoja żonka wejdziecie do wyrka i przykryjecie się kołdrami. Tylko trzymajcie ręce na wierzchu, żebym je widział. Jasne?

– Do łóżka? Razem? – spytał George.

Monie po raz pierwszy przyjrzała się oczom męża. Był w stanie kompletnego szoku. Żadnej pomocy. Wielkie dzięki, George. Czekała na następną okazję. Musiała jakoś odwrócić uwagę cukiernika i zdobyć rewolwer. Zaraz… albo nożyczki. Miała takie duże, krawieckie, w górnej szufladzie toaletki, na której George postawił pudło z tortem.

– Pozwól mi przynajmniej otworzyć moją niespodziankę – poprosiła i podeszła szybko do toaletki, zanim Happy zdążył cokolwiek powiedzieć.

– Chcesz ją otworzyć? Czemu nie? Śmiało, w końcu jest dla ciebie.

Zauważyła w lustrze, że ją obserwuje. Bawiło go to. Zobaczyła, że George kładzie się do łoża z baldachimem, nadal w szlafroku. Przykrył się kołdrą i położył ręce na wierzchu. Potem oparł głowę na poduszce i zamknął oczy.

– George? – powiedziała do jego odbicia w lustrze. – Może nie zdajesz sobie z tego sprawy, ale jest tu psychol. Zgwałci mnie i zabije nas. A ty leżysz w łóżku z zamkniętymi oczami? Jezu!

Mężczyzna, który był jej mężem od dwudziestu lat, nawet nie mrugnął.

Widziała w lustrze, że Happy wciąż jej się przygląda. Spróbowała zasłonić ciałem rękę, gdy wyciągała małą szufladę ze skarpetkami, gdzie trzymała nożyczki. Sięgnęła do środka, pogrzebała w skarpetkach, rozpaczliwie wsunęła rękę do końca, ale nie natrafiła palcami na nożyczki. Zaraz, może w drugiej szufladzie? Tam, gdzie jest plik starych listów miłosnych od George'a. Tak. Nożyczki leżały na samym wierzchu.

– Co tam robisz, skarbie? – zapytał Happy.

Zerknęła w lustro. Przysunął sobie krzesło i siedział sobie teraz, obserwując to przedstawienie w jej wykonaniu. Trzymał luźno broń w prawej ręce.

– Biorę nożyczki – odrzekła i uniosła je do góry, żeby zobaczył. – Do przecięcia wstążki.

– A, dobra, jasne.

Ale teraz, kiedy już je miała, nie wiedziała, co dalej robić. Zaatakować go? Będzie martwa, zanim zrobi trzy kroki. Nie. Otworzy pudełko, spróbuje ukryć nożyczki w dłoni, schować je jakoś za plecami i zaczeka na okazję. Przecięła różową rypsową taśmę i zerwała ją. Potem zdjęła wierzch pudła i rzuciła na podłogę.

– Przynieś pudełko tutaj – rozkazał Happy głosem pełnym pożądania.

– Idę. – Podniosła pudło i odwróciła się do niego z nożyczkami w lewej dłoni.

– Połóż nożyczki na komodzie, żeby cię nie kusiło być niegrzeczną dziewczynką. Wiesz, co spotyka niegrzeczne dziewczynki.

– Jasne.

Przyniosła mu pudło, starając się gorączkowo wymyślić inną broń, inny plan, nie tracić nadziei. Pudełko było pełne czerwonej krepiny i cięższe niż powinien być tort.

– Postaw to na podłodze. Przy moich nogach.

Wykonała polecenie.

– Zajrzyj do środka. Zobacz, co dostałaś.

Odsunęła papier i wyczuła coś metalowego, gładkiego, ciężkiego i okrągłego. Uniosła to obiema rękami i wyprostowała się. Walnąć go tym w twarz? Uderzyć z całej siły w rękę z bronią? Zdecyduj się! Już! Musisz to zrobić natychmiast, bo...

Usłyszała trzask odciąganego kurka.

– Głupia dziewczyno – powiedział i wycelował rewolwer w jej twarz. – Połóż to na podłodze i właź do łóżka obok męża.

– Co to jest? – zapytała, patrząc na przedmiot w swoich rękach. Srebrzysty bęben miał wiatraczek w pokrywie osłonięty drucianą siatką, jakiś wyświetlacz i parę przycisków.

– Powiem ci, jak będziesz pod kołdrą z George'em, dobra?

Wiedziała, że koszmar sam się nie skończy, ona musi to zrobić. Spojrzała na niego po raz ostatni, szukając w jego oczach Bóg wie czego, może litości lub rozsądku, i nagle grzmotnęła go z całej siły metalowym bębnem w ciemię.

Wrzasnął zaskoczony bólem i odchylił się z krzesłem do tyłu, gdy znów uniosła bęben, krew płynęła mu z głębokiej rany na czole. Krzesło zaczęło się przewracać w tył pod jego ciężarem, rzuciła więc bęben i dała nura po broń, próbując wyrwać ją mu z palców, gdy runął na podłogę.

– George! – krzyknęła. – Biegnij do dziewczynek! Szybko! Zabierz je z domu! Już!

Happy leżał na plecach oszołomiony, ale wciąż sprawny. Skoczyła mu kolanami na pierś. Jedną ręką złapała go za nadgarstek, drugą chwyciła lufę rewolweru. Uderzyła jego dłonią o podłogę, mocno, raz i drugi, żeby wypuścił broń. Ale cholerna lufa była taka krótka, że nie wystarczyła jako dźwignia do wyszarpnięcia mu rewolweru z palców.

– Puszczaj – powiedział zaskakująco spokojnym tonem.

– Pierdol się! – wrzasnęła. Zostawiła broń w spokoju, sięgnęła mu obiema rękami do oczu i przeorała twarz paznokciami. Na skórze natychmiast pojawiło się dziesięć czerwonych pręg.

– Ty suko! – ryknął i odepchnął ją. Poleciała do tyłu, wpadła na toaletkę i osunęła się na podłogę. Zobaczyła, że George podbiega do niej, już bez szoku w oczach, chce jej pomóc.

– George, uważaj! On wciąż ma...

– Żegnaj, George – powiedział cukiernik i strzelił jej mężowi w głowę. Ciemię George'a zamieniło się w czerwoną mgiełkę, zachwiał się i upadł na Monie. Nie żył. Myślała o tym, żeby spod jego zwłok, pobiec do dzieci...

Człowiek, który zabił jej męża i teraz zamierzał zabić ją, stał nad nią z bronią wycelowaną w jej głowę. Miał pokaleczoną twarz, krew spływała na białą koszulę i kapała na nią. Przystawił jej lufę do czoła.

Wiedziała, że zaraz umrze i że już nie uratuje swoich dzieci.

– Dobranoc – powiedział, ale zamiast nacisnąć spust, zdzielił ją mocno chwytem rewolweru w głowę.

Otworzyła oczy. Leżała w swoim łóżku z głową na zakrwawionej poduszce. Spróbowała poruszyć rękami, ale były przywiązane do czegoś. Do słupków baldachimu. Nogi też. Cukiernik przysunął sobie krzesło do łoża i patrzył na nią. Na kolanach miał metalowy bęben. Nie widziała już jego twarzy, bo włożył maskę z dwoma szklanymi oczami i wystającym okrągłym ryjkiem, w której wyglądał jak ogromny owad.

– Wiesz, czym jest twoja niespodzianka? – zapytał przez pochłaniacz maski i uniósł bęben. Jego zniekształcony głos brzmiał jak nagranie komputerowe. Głowa jej pękała i chciała, żeby sobie poszedł. Bolało ją też inne miejsce. Wiedziała, że ją zgwałcił, kiedy była nieprzytomna.

– Nie – wymamrotała. – Proszę.

– Maszyną do usypiania – powiedział.

– Co ona robi?

– Usypia ludzi. Albo na kilka godzin, albo na zawsze, to zależy od stężenia środka nasennego. To nowość. Testuję różne stężenia dla mojej firmy. Twoja rodzina pomaga nam w naszym niewielkim eksperymencie.

– Stężenia czego?

– Pewnej substancji, której użyliśmy przeciwko Czeczenom, kiedy opanowali teatr w Moskwie. Pamiętasz? Wpuściliśmy to do środka przewodami klimatyzacyjnymi, żeby unieszkodliwić czeczeńskich terrorystów. Ta substancja nazywa się kołokol 1. To środek obezwładniający otrzymywany z opiatów. Moje zadanie polega na sprawdzaniu, jak szybko powodują śmierć różne warianty, żeby wykorzystać to potem przy odbijaniu zakładników. Przypuszczam, że ten wariant podziała bardzo szybko. Zwłaszcza na dzieci. Na dorosłych w ciągu jakichś dziesięciu sekund. Zobaczymy.

– Uhm – usłyszała znów własny głos.

– Włączam.

Usłyszała pstryknięcie włącznika i warkot wiatraczka w pokrywie bębna.

Zaczęła się zmagać z więzami, wiercić i wyginać na łóżku. Czuła, jak cienkie plastikowe kajdanki wrzynają się jej w nadgarstki i kostki. Wiedziała, że się nie uwolni, ale nie rezygnowała, dopóki nie zabrakło jej sił.

Przyglądał się jej z rozbawieniem.

Wyczerpana, położyła głowę na poduszce, gorące łzy spływały jej po policzkach. Spojrzała w górę na potwora pochylonego nad łóżkiem.

– A co z moimi... co z moimi dziećmi?

– Już smacznie śpią – odrzekł, wziął przezroczysty plastikowy stożek połączony z długim wężem i przyłożył jej do nosa i ust. Krzyknęła i zaczęła rzucać głową z boku na bok, wstrzymując oddech, żeby nie wchłonąć substancji do płuc, bo wiedziała, że jeśli to zrobi, na pewno...

Po chwili ona też zasnęła na zawsze.

37

Bermudy

Pippa Guinness wetknęła blond główkę w drzwi nowego gabinetu Hawke'a w siedzibie Blue Water Logistics. Biura w stoczni były dość przyjemne. Hawke miał jasny i przestronny pokój narożny na ostatnim piętrze z widokiem na port w Hamilton z południowej strony i na pełne morze od północy. Wielkie działa na murach obronnych celowały w ocean. Umeblowanie było trochę zbyt nowoczesne jak na gust Hawke'a, ale przypuszczał, że pasuje ono do nowo założonej firmy. W końcu zapełni półki książkami i modelami statków i będzie lepiej.

– Alex? S. zaprasza was do sali konferencyjnej za dziesięć minut.

Hawke i Harry Brock spojrzeli na nią i skinęli głowami. Pippa miała na sobie różową lnianą minispódniczkę i obcisłą bluzkę z głębokim dekoltem. Hawke niemal poczuł, jak Brockowi skoczyło ciśnienie.

– Za dziesięć minut – powtórzyła Pippa, uśmiechnęła się słodko do dwóch mężczyzn siedzących przy oknie i zamknęła za sobą drzwi.

– Rany, kto to jest? – zapytał Harry Brock. Wyciągnięty na supernowoczesnym krześle ze skóry i stali, trzymał nogi w wysoce niestosownych japonkach na czarnej skórzanej kanapie zaścielonej gazetami, magazynami żeglarskimi i motocyklowymi, dokumentami przewozowymi i egzemplarzami „Tatlera" i „Spectatora".

– Pippa Guinness – odparł znudzony Hawke. – Czemu pytasz?

– Dlaczego? Żarty sobie robisz? To najatrakcyjniejsza laska, jaką widziałem, a ty mnie pytasz dlaczego?

– Ma swoje zalety.

– Co najmniej dwie. Smakowity kąsek, szefie.

– Którym można się udławić – powiedział Hawke, przeglądając papiery przygotowane na spotkanie.

– Wszystko jedno. Co ona tu robi? Tylko mi nie mów, że jest twoją sekretarką, bo cię zabiję, milordzie.

– Prowadzi ten interes.

– Myślałem, że to twoja działka.

– Nieoficjalnie. Pippa jest urzędującą szefową placówki. Jak wiesz, planuję dużo podróży. Ona zostanie na gospodarstwie, kiedy będziemy w Rosji. Ambrose jej pomoże, gdy tylko wydobrzeje na tyle, że przestanie jeździć na wózku inwalidzkim.

Harry założył złączone ręce za głowę i zaczął śpiewać *Back in the USSR* Beatlesów, prawie nie fałszując.

– No tak, dawno tam nie byłem. Przypuszczam, że Moskwa trochę się zmieniła.

Harry roześmiał się głośno.

– Nie uwierzysz własnym oczom, towarzyszu. Światowa kwatera główna komunistów jest teraz ruiną w bocznej uliczce. W holu serwują ciepłego szampana, starają się namówić ludzi do wejścia głębiej i do lektury fascynujących broszur z najczęściej zadawanymi pytaniami o Stalina, Lenina i Trockiego.

– Ciekawe, jakie może być najczęściej zadawane pytanie o Trockiego.

Harry się roześmiał.

– Tak, jakby ktoś w ogóle miał jakieś pytania. Po drugiej stronie ulicy jest salon Ferrari i Maserati. Tam są o wiele lepsze broszury.

Hawke się uśmiechnął, zerknął na zegarek i wstał.

– A co u Stoke'a w Miami, Harry? Zadowolony?

– Jeszcze jak. Jego narzeczona dostała wielką rolę w filmie, ale nie bardzo podobają mi się ci faceci, z którymi podpisała kontrakt. Pieprzony rosyjski oligarcha kupił całe studio filmowe Miramar za gotówkę i angażuje wystrzałowe laski z Miami, Vegas i Los Angeles.

– Zrobili już jakiś film?

– A gdzie tam. Ale Fancha dostała angaż na występ na statku powietrznym. Zaśpiewa w czasie lotu przez Atlantyk dla grupy ważnych osobistości w drodze na rozdanie Nagród Nobla.

– Na statku powietrznym?

– Tak, tak. Nazywa się „Puszkin". Zabiera na pokład siedmiuset pasażerów. Niesamowita maszyna. Jeszcze takiej nie widziałeś.

Hawke spojrzał na Brocka, ale się nie odezwał. Statek powietrzny?

– Chodźmy, Harry. Nie każe się królowi czekać. – Włożył szaro-biały lniany blezer, który wisiał na drzwiach.

– Królowi? Między tobą a twoim szefem jest jakaś kwestia sporna, o której powinienem wiedzieć?

– Owszem. Pippa. Doprowadza mnie do szału. Stale zagląda mi przez ramię. Ale w tej chwili nie mogę z tym nic zrobić. S. chce, żeby pilnowała tu wszystkiego. Czyli w zasadzie mnie.

– Mam się nią zająć?

– Ale jak, Harry?

– Zaproponuję jej cudowne nowe życie w roli nowej pani Brock. Odsunę ją od tego wszystkiego.

– Myślałem, że jesteś żonaty.

– Nareszcie się rozwiodłem. Trwało to zaledwie siedem lat. Najwyższy czas, żebym się ożenił z jakąś inną, którą znienawidzę, i dał jej dom.

– Przecież byłeś zakochany w tamtej dziewczynie z brazylijskich sił specjalnych, którą poznaliśmy w Amazonii, siostrze Saladina, Caparinie. To była kobieta, Harry.

– Kocham ją. Miłość jest ślepa, Alex. Powinieneś to wiedzieć w twoim wieku.

– Idziemy, Harry.

Bezpieczna sala konferencyjna mieściła się na pierwszym piętrze w samym środku budynku. Można się było do niej dostać tylko jedną windą kursującą z drugiego piętra. Uruchomienie kabiny wymagało użycia klawiatury i skanera siatkówki oka. Telefony komórkowe i komputery kieszonkowe zostawiało się w skrytkach na zewnątrz sali. W wejściu był wykrywacz metali, po obu stronach drzwi pełnili wartę dwaj żołnierze Królewskiej Piechoty Morskiej. Hawke podejrzewał, że jest to najbezpieczniejsze miejsce na Atlantyku.

S. podniósł wzrok, kiedy Harry i Hawke weszli do środka. Uśmiechnął się, wstał i uścisnął im dłonie, najpierw Aleksowi, potem Brockowi. Przy stole siedzieli jeszcze trzej mężczyźni i oczywiście Pippa Guinness. Sir David miał podbite oko po spotkaniu z Jamajczykami na wyspie Nonsuch. Siniak wyglądał dziś lepiej, ale nadal był widoczny. Ambrose leżał w łóżku od tamtej nocy, ale szybko wracał do zdrowia.

– Witam, panowie. Napijecie się kawy, herbaty? – zapytał gospodarz.

Brock i Hawke podziękowali i zajęli dwa ostatnie wolne krzesła przy okrągłym stole pośrodku małego, dźwiękoszczelnego pomieszczenia.

– Chciałbym wam przedstawić naszego przyjaciela profesora Stefana Haltera, który właśnie przyleciał z Moskwy – zaczął S., uśmiechając się do wysokiego, tęgiego mężczyzny, który wstał i uścisnął dłoń Hawke'owi i Brockowi. Był przystojny, miał ostre rysy i bystre ciemne oczy. – Zapozna was z obecną sytuacją polityczną w Moskwie i pomoże potem Czerwonemu Sztandarowi w prowadzeniu działalności wywiadowczej.

– Proszę mówić mi po imieniu – powiedział Rosjanin doskonałą angielszczyzną z akcentem brytyjskich wyższych sfer. Hawke nie mógł nie zauważyć znoszonego tweedowego blezera i starego uczelnianego krawata, dość niezwykłego stroju na Bermudach.

Znał profesora tylko ze słyszenia, ale Halter był legendarną postacią w brytyjskim środowisku wywiadowczym. Dwukrotnie ulokowany w Anglii przez KGB, głęboko zakonspirowany elegancki rosyjski szpieg wykonywał długoterminowe zadania w Londynie, a później w Cambridge, gdzie został zwerbowany przez MI6, kiedy wykładał na tamtejszym uniwersytecie. Od tamtej pory pracował na dwie strony, był teraz podwójnym agentem na liście płac S. i jego kretem w KGB. Kiedy nie działał w Rosji, przebywał w Cambridge na stypendium i przygotowywał do doktoratu kilku absolwentów Wydziału Studiów Zachodnich.

Choć ten potężny, wytworny i czarujący facet wiele razy wpadał w poważne tarapaty, potrafił nie tylko przetrwać, ale również prowadzić niebezpieczną grę, w której orientowało się niewielu ludzi z branży.

Obecnie zajmował dużo niższe stanowisko w nowym KGB prezydenta Władimira Rostowa, gdyż przyłapano go w kompromitującej sytuacji z żoną wysokiego rangą oficera Komitetu Bezpieczeństwa Państwowego. Odsunięto go czasowo od jego ukochanej pracy operacyjnej i przydzielono do działu analiz, gdzie spędzał długie godziny na sporządzaniu raportów, których nikt nigdy nie czytał.

Mimo to był dla MI6 cennym człowiekiem na Kremlu i pomagał Czerwonemu Sztandarowi w odbudowywaniu agentury w Moskwie. Wielu dawnych rosyjskich szpiegów, którzy potajemnie oddawali usługi Brytyjczykom, już nie żyło z przyczyn naturalnych lub innych.

Hawke się uśmiechnął.

– Nie mogę się napatrzyć na pański krawat, profesorze.

Na granatowym tle widniały ukośne jasnoniebieskie paski, a między nimi godło Eton College.

– Ukończył pan Eton? – zapytał Halter.

– Ja nie, mój ojciec. Ale bardzo się cieszę, że pana poznałem. Mój ojciec bardzo pana chwali w swoim niedokończonym pamiętniku.

– Dziękuję, Alex – powiedział Rosjanin. – Tak się złożyło, że byłem mocno zaangażowany w jedną z jego ryzykownych operacji, tamten wypad w pojedynkę do sowieckiej stacji nasłuchowej w Arktyce podczas kryzysu kubańskiego. Ta legenda wciąż żyje. Do dziś nikt nie wie, jak z tego wyszedł.

Hawke próbował wywołać w pamięci obraz żywego ojca, nie tego zamordowanego na Karaibach przez piratów przemycających narkotyki.

Rosyjski szpieg najwyraźniej to wyczuł i powiedział wesoło:

– No cóż, Alex, sir David uważa, że mogę ci się przydać, kiedy przyjedziesz do Moskwy.

– Każda pomoc będzie mile widziana – odparł Hawke.

– Właśnie, Alex – wtrącił się S. – Pomyślałem, że oddamy dziś głos Stefanowi, żeby przekazał nam najświeższe wieści, a potem na pewno chętnie odpowie na wszelkie pytania. Czujcie się swobodnie. Jeśli chcecie o coś zapytać, mówcie śmiało.

Wszyscy skinęli głowami i Halter wziął cienkiego pilota ze stołu. Nagle na końcu sali pojawił się slajd wyświetlony na niewidocznym ekranie wielkości ściany. Wypełniło ją stare zdjęcie Władimira Putina.

– Drogi Wołodia – zaczął Halter. – Marnieje teraz w więzieniu Energietika na wyspie niedaleko Sankt Petersburga. Bardzo przykra sprawa, muszę powiedzieć. Smutny koniec człowieka, który mimo wielu wad ogromnie się przysłużył swojemu krajowi.

– Jak? – zapytał nieco agresywnie Brock. Uważał Putina za twardziela z KGB, który budował państwo policyjne, dopóki nie zniknął. Likwidował wolną prasę, aresztował dysydentów takich jak Kasparow i zamykał ich na Łubiance bez dostępu do adwokatów.

– Musicie na to spojrzeć z punktu widzenia Rosjan. Czy Putin jest prodemokratyczny? Niezupełnie. Ale państwo było w stanie swobodnego opadania. Panowała kleptokracja, w latach dziewięćdziesiątych rządzili przestępcy, złodzieje wyprowadzający niezliczone miliardy za granicę i rujnujący kraj upokorzony przegraną w zimnej wojnie i tym, co postrzegano jako amerykańską arogancję. Putin przywrócił porządek, dał ludziom znów poczucie dumy, powsadzał oligarchów do więzień lub przynajmniej odsunął ich na bok. Tak się zasłużył.

– Jeśli mogę coś dodać – odezwał się sir David – to właśnie Putin wbił ostatnie gwoździe do trumny partii komunistycznej.

– Ale demokracja nie miała szans – odrzekła Pippa i spojrzała na Stefana, czekając na potwierdzenie.

– Miała, Pippo. Ale nie istniała infrastruktura do jej wsparcia i doprowadziło to niestety do chaosu. Tak czy owak, jak mówiłem, Putin nigdy nie był demokratą w zachodnim stylu. Był zawodowym oficerem KGB. Musicie pamiętać, że KGB, skąd Putin się wywodzi, nie interesuje ideologia, tylko władza. Oraz prawo i porządek. I tego pragnęli Rosjanie po latach pijackiego bałaganu na Kremlu i rozlewu krwi na ulicach. Czuli się zawstydzeni i poniżeni. Dlatego kraj jest teraz tak bardzo zjednoczony przeciwko Zachodowi.

Pojawił się następny slajd. Zdjęcie obecnego prezydenta Władimira Rostowa.

– Nasz nieustraszony przywódca – powiedział Halter. – W zasadzie dąży do tego samego celu, co Putin, tylko zajmuje o wiele bardziej agresywne stanowisko wobec Zachodu. Przypuszczam, że znacie wszyscy termin „irredentyzm”?

Hawke, Trulove i Brock zrobili skonsterowane miny.

– Irredentyzm – wyjaśniła Pippa Guinness śpiewnym głosem uczennicy, który wyjątkowo irytował Hawke'a – to dążenie do połączenia w jedno państwo terytoriów zamieszkanych przez ludność o tej samej tożsamości etnicznej.

– Właśnie miałem to powiedzieć – wyrwał się Harry Brock i Hawke uśmiechnął się do niego przez stół.

– Potrafisz użyć słowa „irredentyzm” w zdaniu, Harry? – zapytał.

– Nie. I nie zmusisz mnie do tego.

Obaj roześmieli się głośno. S. spiorunował ich wzrokiem.

– Panna Guinness ma rację – powiedział. – Uważam, że Rostow jest imperialistą, który nie spocznie, dopóki nie przywróci dawnych granic byłego Związku Radzieckiego. W Europie Wschodniej, w krajach nadbałtyckich. On też pracował w KGB w okresie zimnej wojny. Rozumie tylko konflikt, starcie dwóch systemów. Nie obchodzi go etyka osobista, wyznaje zasadę „kto nie jest z nami, jest przeciwko nam”.

Profesor Halter przytaknął energicznie.

– Rewanżystowska Rosja chce wojny, obojętnie jakiej – kontynuował Trulove. – Wystarczy przypomnieć sobie jej niedawne groźby pod adresem niepodległej Ukrainy i Gruzji, jej byłych republik, które rozpaczliwie starają się o przyjęcie ich do NATO. Rostow chce również zmierzyć się teraz z Zachodem, bo widzi, że jesteśmy osłabieni. Tak czy owak Rosja znów jest światowym mocarstwem. Dzięki swoim ogromnym zasobom energetycznym i cenie ropy ma olbrzymie rezerwy finansowe. I przy najmniejszej prowokacji może wstrzymać dostawy paliw do Europy. Nie da się zastraszyć.

– To prawda, sir Davidzie – zgodził się Stefan. – Teraz ci ludzie. – Pokazał slajdy różnych kremlowskich osobistości. – Są nazywani *siłowikami*. To najbliższe otoczenie prezydenta. Było ich dwunastu, ale dwaj zostali ostatnio wyeliminowani, bo przeciągnęli strunę. Wszyscy są kumplami Rostowa z wojska i KGB. Tworzą bractwo, tajne stowarzyszenie. Wyglądają tak samo, mówią tak samo, myślą tak samo. I mają teraz całkowitą kontrolę nad wszystkimi szczeblami władzy ustawodawczej i wykonawczej, centralnej i lokalnej, systemem prawnym i podatkowym, i oczywiście nad wojskiem i KGB.

– System jednopartyjny? – zapytał Hawke.

– Tak jest. Dwupartyjny już nie istnieje. Kreml ma teraz monopol na władzę, skupia w swoich rękach wszystkie jej instrumenty. To bardzo niebezpieczna sytuacja. Na linii Waszyngton–Moskwa panuje napięcie, jakiego nie było od zakończenia zimnej wojny.

– Jakie jest teraz nastawienie Moskwy do Ameryki? – zapytał Brock.

– Odpowiem panu tak. W Moskwie panuje obecnie moda na używanie słowa „nasze", co oznacza rosyjskie. Przeciwstawia się je określeniu „wasze", czyli amerykańskie. Wszystko, co nasze, rosyjskie, jest dobre, a wszystko, co amerykańskie, jest złe. Muzyka, polityka, kultura, co tylko pan chce. Chodzi o umocnienie rosyjskiej dumy narodowej.

– A zatem stosunek do Ameryki jest negatywny.

– Bardzo. Zarówno rosyjskiego rządu, jak i społeczeństwa. Wszyscy czują się zdradzeni przez Amerykę. W mediach jest mnóstwo antyamerykańskiej propagandy, rzecz jasna. O każdej porze dnia i nocy, bo wszystkie media są teraz państwowe.

– Co mówią? – zainteresował się Hawke.

– Że Amerykanie są głupi, chciwi i destabilizują sytuację na świecie bardziej niż jakikolwiek inny kraj. Że utarli Rosji nosa z końcem zimnej wojny, ale teraz Rosja znów jest silna i bogata. I teraz rewanżyści się zemszczą.

– Zemszczą? – zapytał Hawke. – Za co?

– Za skopanie im tyłków w czasie zimnej wojny, Alex – odparł Stefan. – I za bezczelne przypominanie im potem, kto tu rządzi.

– Czy wiemy, jaką zemstę planują? – spytał Hawke.

– Nie. Nie mamy pojęcia, co zamierzają. Liczymy na to, że Czerwony Sztandar pomoże nam to ustalić.

– Pentagon nie sądzi, żeby rozpętali wojnę – wtrącił się Brock. – Nie są jeszcze w stanie. Być może niedługo będą, ale teraz tego nie zrobią.

– A co z tak zwanym trzecim człowiekiem? – zapytał Hawke.

– Dochodzimy do sedna sprawy, Alex – powiedział Stefan Halter. – Mówisz o trzech facetach, z którymi Jelcyn spotkał się przy wódce w białoruskim ośrodku łowieckim. Postanowili wtedy jednostronnie położyć kres istnieniu Związku Radzieckiego. Był tam Krawczuk z Ukrainy i Szuszkiewicz z Białorusi. Tożsamość trzeciego człowieka pozostaje zagadką.

– Ale jest ktoś, o kim od dawna się mówi, że to szara eminencja – przypomniał Trulove. – Nieznany nikomu faktyczny car. Człowiek, który rozmontował Związek Radziecki, żeby móc w przyszłości rządzić nową Rosją.

– KGB nadało mu kryptonim Mroczny Jeździec – dorzucił Halter.

– A może przydałoby się krótkie wyjaśnienie tej kwestii? – podsunął S.

– Oczywiście. W Rosji na szczyt władzy dochodzą dwa rodzaje przywódców. W moim kraju nazywamy ich jasnymi jeźdźcami i mrocznymi jeźdźcami. Jasny jeździec to dobra dusza, słaby charakter, bardziej troszczy się o swoich rodaków niż o państwo. Przykładem może być ostatni car rosyjski Mikołaj II, który zrzekł się swojego imperium i został zamordowany przez bolszewików w 1917 roku.

– Bardziej współczesny przykład to Jelcyn, skorumpowany życzliwy pijaczyna. Po jasnym jeźdźcu zawsze przychodzi mroczny jeździec. Jest twardy i zdeterminowany, interesują go tylko konsolidacja władzy i bezpieczeństwo państwa. Jego racją bytu jest narzucanie społeczeństwu woli rządzących. Poświęci wszystko – prawo, uczciwość, ludzkie życie – dla dobra silnego państwa. Putin był mrocznym jeźdźcem, ale dla niektórych nie dość mrocznym. Dlatego się go pozbyli.

– A Rostow?

– Też taki jest, choć kilka odcieni ciemniejszy. Ale podobno ostatnio dużo pije, no i ma swoje lata. Rosjanie się niecierpliwią, jak słyszałem.

– A trzeci człowiek?

– Jest najciemniejszy z mrocznych. Zaoszczędzilibyśmy mnóstwo czasu, gdybym znał jego tożsamość. Niestety nie wiem, kto to jest. To najbardziej strzeżona tajemnica Kremla.

– Gdzie zaczniemy szukać? – spytał Hawke. – Rosja to duży kraj.

– Brak wiedzy na ten temat to największa porażka w mojej karierze agenta kontrwywiadu. Nie mam pojęcia. Ale mogę powiedzieć jedno. Rostow jest wprawdzie silny i twardy, ale ktoś nim kieruje. Jest marionetką. Być może sznurki pociąga któryś z *siłowików*. Albo ktoś z zewnątrz, o kim nie wiemy nic. Ale pracuję na Kremlu i wyczuwam tam rosnący niepokój.

Może wojskowi zyskali przewagę i spróbują przejąć władzę. Może dokonają jakiegoś ataku wyprzedzającego na Zachód. Ta chęć zemsty, o której mówiliśmy, jest teraz bardzo wyraźna. Po prostu nie wiem. Ale jeśli uda ci się ustalić tożsamość kremlowskiej szarej eminencji, zorientujesz się, co tam się dzieje. Ta wiedza jest kluczową sprawą w pracy Czerwonego Sztandaru.

Hawke myślał przez chwilę, potem spojrzał Halterowi prosto w oczy.

– Słyszałeś o człowieku nazwiskiem Korsakow? O hrabim Iwanie Korsakowie?

– Oczywiście. To jedna z najbardziej interesujących postaci we współczesnej Rosji. Za granicą niezbyt znana, bo bardzo sobie ceni prywatność. Absolutny geniusz ze starej rodziny, niewyobrażalnie bogaty. Kochany w całym kraju za filantropię, dobre uczynki dla biednych. Ale nie zobaczy się tablicy z jego nazwiskiem na żadnej szkole ani szpitalu. Jest zawsze anonimowy.

– Kto to jest? Polityk?

– Nie. Przede wszystkim naukowiec i wynalazca. Obecnie nominowany do Nagrody Nobla. Ale jest też wielkim biznesmenem. Również poetą i utalentowanym kompozytorem. A także, jak już wspomniałem, potomkiem jednego z najstarszych i najpotężniejszych rodów w Rosji. Korsakowowie urośli w siłę za czasów Piotra Wielkiego, który w roku 1722 nadał im tytuły baronów, a później hrabiów. Podbili Syberię i oddali ją we władanie carowi.

– Rozumiem.

– Dlaczego tak cię interesuje, jeśli mogę spytać?

– Zaprzyjaźniłem się niedawno z jego córką, Anastazją. Zaprosiła mnie do wiejskiej posiadłości pod Sankt Petersburgiem. Myślałem o tym, żeby złożyć im kilkudniową wizytę przed przyjazdem do Moskwy. Zastanawiałem się, czy warto poświęcić na to czas. Jej ojciec podobno tam będzie.

– Jeśli masz okazję poznać hrabiego Korsakowa i zdobyć jego zaufanie, wykorzystaj to. Bardzo popchniesz naprzód sprawę Czerwonego Sztandaru. Nikt nie wie lepiej od niego, co się naprawdę dzieje w Rosji. Ma dostęp do największych tajemnic. Może cię nawet doprowadzić do samego Mrocznego Jeźdźca.

S. zapalił jedno ze swoich śmiercionośnych czarnych krótkich cygar. Zaciągnął się, wypuścił kłąb dymu i zapytał:

– Jak blisko jesteś z córką hrabiego?

– Zaprosiła mnie na jakieś domowe przyjęcie gwiazdkowe, to wszystko. Mają na wsi coś w rodzaju pałacu zimowego.

– Gdybyś był z nią w jakimś związku, mogłoby to bardzo pomóc sprawie.

Hawke popatrzył ze złością na swojego przełożonego, ale się nie odezwał. To nie S. postawił go w tym położeniu. Sam stworzył sobie taką sytuację.

– Anastazja jest malarką, prawda? – odezwała się nagle Pippa.

– Owszem.

– Widziałam jej prace w małej galerii przy Front Street. Męskie akty. Szkice postaci, które wyglądały jakby znajomo. Ekscytujące. Jedno duże studium nasunęło mi myśl, że to mógłby być…

W oczach Hawke'a błysnął gniew.

– Pippo, czy możemy porozmawiać chwilę na osobności? – zapytał. – Na zewnątrz?

– Oczywiście – odparła i poszła za nim do drzwi.

– Przepraszam, panowie. – Hawke starał się mówić spokojnym tonem. – Zaraz wrócę.

– Dziewczyno! – Natarł na nią, kiedy znaleźli się w bezpiecznej odległości od dźwiękoszczelnego pokoju i dwóch żołnierzy piechoty morskiej. Musiał się powstrzymać, żeby jej nie spoliczkować.

– O co ci chodzi, Alex? – spytała z niewinnym uśmiechem. – Zakochałeś się w tej małej rosyjskiej księżniczce?

– Pippo, do cholery…

– Nie wstydź się, skarbie. Wszędzie poznałabym twoje… to znaczy ciebie.

38

Waszyngton

Sekretarka prezydenta, szczupła blondynka nazwiskiem Betsey Hall, poszła szybko krótkim korytarzem do małej sali recepcyjnej w Białym Domu, gdzie czekali sekretarz stanu i jej ochrona.

– Dzień dobry, Betsey! – powiedziała Consuela de los Reyes i wstała, żeby uściskać przyjaciółkę. Dwie samotne kobiety często spędzały razem czas. Raz w miesiącu jadły kolację w 1789, jednej z popularnych restauracji w Georgetown, czasami oglądały wieczorem balet z prywatnej loży pani sekretarz w Kennedy Center. Nigdy nie dyskutowały o polityce. Rozmawiały o mężczyznach i rzadko wyrażały się o nich pochlebnie.

– Witam, pani sekretarz. – Betsey podała rękę przyjaciółce i uśmiechnęła się do jej obstawy. – Dzień dobry.

– Jest już ktoś w Owalnym? – zapytała Consuela de los Reyes.

– Tak, ale za wcześnie. Pani jest punktualnie.

– Kto tam jest? Wiceprezydent?

– Nie, McCloskeyowie są w Miami. Wybierają się w tę podróż statkiem powietrznym do Sztokholmu na uroczystość wręczenia Nagród Nobla. Prezydent był zaproszony, ale ma zbyt dużo zajęć.

– A więc kogo tu mamy?

– Członków sztabu kryzysowego. Generała Moore'a z Kolegium Szefów Połączonych Sztabów, dyrektora Kelly'ego z CIA, dyrektora FBI Mike'a Reitera, nowego dyrektora-koordynatora do spraw wywiadu Simona Pinnigera i kilku gości. Brytyjczyków z MI6.

– Alex Hawke tam jest?

– Nie, przykro mi – odparła Betsey i poklepała przyjaciółkę po ramieniu. Wiedziała, co Consuela czuje do dziarskiego brytyjskiego szpiega. Ich związek od początku był burzliwy, rozchodzili się i z powrotem schodzili. Betsey poznała po minie przyjaciółki, że znów nie są razem.

– Więc kto? – spytała pani de los Reyes.

– David Trulove i jego nowa asystentka, szefowa placówki na Bermudach.

– Na Bermudach? Jak się nazywa?

– Pippa Guinness.

Sekretarz stanu westchnęła i szepnęła Betsey do ucha:

– Alex Hawke mieszka teraz na Bermudach, niech szlag trafi pannę Guinness.

– Wiem. Przykro mi.

– Jak ta mała suka teraz wygląda?

– Wije się jak piskorz.

Sekretarz stanu roześmiała się głośno, potem spoważniała.

– No cóż. To chyba nic nowego. On jest, jaki jest. Jaki tu dziś panuje nastrój?

– Rano mieliśmy małą burzę, której sprawcą był senator Kennedy, ale już wszystko w porządku. Prezydent jest w doskonałym nastroju. Bojowym.

– Chyba nie widział ostatnich sondaży.

– Oczywiście, że widział. Wiesz, co powiedział?

– Nawet nie będę próbowała zgadywać.

– Powiedział: „No cóż, Betsey, chyba nigdy nie będę popularny, więc po prostu nadal będę miał rację".

Sekretarz stanu roześmiała się i ruszyła w kierunku drzwi do Gabinetu Owalnego. Nie mogła się doczekać swojego cotygodniowego spotkania z prezydentem. Zawsze było nieoficjalne, w małym gronie, każdy mógł poruszyć temat, jaki chciał. I oczywiście interesował ją obecny kryzys.

Prezydent McAtee wstał, gdy piękna Amerykanka kubańskiego pochodzenia weszła do gabinetu. Członkowie prezydenckiego sztabu też podnieśli się z miejsc, by uścisnąć jej rękę. Pippa również wstała i uśmiechnęła się, ale Consuela zignorowała ją.

– Miło cię widzieć, Conch! – powiedział prezydent. – Gratuluję udanej podróży na Bliski Wschód. Myślę, że zrobiliśmy wielki krok naprzód.

– Sądzę, że porozumieliśmy się z Saudyjczykami i Irańczykami tak, jak tylko to było możliwe, panie prezydencie. Przynajmniej na razie.

Kiedy wszyscy usiedli i podano herbatę i kawę, prezydent Jack McAtee zwrócił się do Consueli:

– Conch, temat twojej ostatniej podróży zostawimy na koniec. Wszyscy niecierpliwie czekamy na twoje opinie i wnioski, ale Brick wrócił właśnie z Estonii ze spotkania z naszym nowym ambasadorem w Tallinie, Dave'em Philipsem, i przywiózł informacje o naszych rosyjskich przyjaciołach, które moim zdaniem powinniśmy natychmiast poznać. Brick?

– Dziękuję, panie prezydencie – odrzekł przeciągle chudy rudowłosy Wirgińczyk. Wyciągnął się w fotelu i wyprostował długie nogi. Dyrektor był jak zwykle w wypolerowanych na wysoki połysk butach kowbojskich i granatowym garniturze.

– Po dwóch dniach spędzonych z ambasadorem Philipsem muszę stwierdzić, że mamy problem na froncie rosyjskim. Krótka anegdota. Tydzień temu Dave poznał na przyjęciu w ambasadzie francuskiej w Tallinie rosyjskiego ambasadora. Zaprzyjaźnił się z facetem, poszli kilka razy na drinka. Nieważne, w każdym razie, sędziwy ambasador Rosji pokazuje się w mundurze wojskowym. Był generałem za czasów Stalina i nosi swój stary mundur.

– Dziwne – powiedział prezydent. – O co chodzi?

– Dave go zapytał. Facet wyjaśnił, że wszyscy rosyjscy ambasadorowie dostali takie polecenie od samego Rostowa. Mają teraz występować w mundurach na wszystkich oficjalnych spotkaniach i uroczystościach państwowych.

– To wiele mówi – odezwał się generał Moore. – Szykują się do wojny.

– Też tak uważasz, Brick? Do wojny? Z nami?

– To może być tylko pozerstwo ze strony odradzającego się Kremla. Część ich nowej kampanii propagandowej. Chcą pokazać, że wracają na światową arenę polityczną. Mogą po prostu moczyć nogi w Bałtyku, żeby zobaczyć, jak głęboko pozwolimy im wejść.

– Jak to oceniają wojskowi, Charlie?

Generał Moore wręczył wszystkim cienkie niebieskie teczki z nadrukiem „Ściśle tajne". Kiedy zebrani zaczęli przeglądać zawartość, powiedział:

– To są ostatnie zdjęcia satelitarne Europy Wschodniej i krajów nadbałtyckich. I to, co na nich widać, to nie pozerstwo, tylko rosyjskie siły zbrojne. Trzy dywizje zostały rozmieszczone wzdłuż granicy z Ukrainą, tu, tu i tu. Następne dwie są tutaj, przy granicy z Estonią. A najbardziej niepokojące jest to, że pięć innych zajmuje pozycje wzdłuż granic z Łotwą i Białorusią. Nasi spece od gier wojennych są zdania, że lokalizacja tych oddziałów piechoty zmechanizowanej i wojsk pancernych wskazuje na zamiar wkroczenia przez Litwę do Polski i Czech, gdzie instalujemy baterie naszych pocisków antybalistycznych.

– Panie prezydencie, pamięta pan, jak Rostow niedawno groził, że rozmieści pociski samosterujące w obwodzie kaliningradzkim, jeśli zaczniemy tworzyć system obrony rakietowej pod jego nosem – zauważył Brick Relly.

– Przypomnij mi, gdzie jest Kaliningrad, Brick – poprosił prezydent. – Jestem kiepski z geografii. Zawsze byłem.

Kelly wstał i zakręcił globusem. Zatrzymał go na Europie Wschodniej.

– Tutaj, między Polską a Litwą. Kreml może zastosować taki wybieg: oznajmi, że wysyła wojsko, by wzmocnić obronność zagrożonej enklawy rosyjskiej. Na razie to tylko potrząsanie szabelką, ale moim zdaniem powinniśmy to traktować bardzo poważnie, panie prezydencie.

– O Boże – powiedział prezydent i rozluźnił krawat. – Czy nikt tego nie przewidział?

– To było nagłe posunięcie, ale planowanie operacji musiało trwać jakiś czas – przyznał dyrektor CIA. – Powinniśmy coś wywęszyć, ale tak się nie stało. Dopiero zaczęliśmy odrabiać straty w Moskwie, panie prezydencie. Upłynie trochę czasu, zanim przywrócimy siatkę naszych agentów terenowych do stanu z okresu zimnej wojny.

– Jesteśmy w takiej samej sytuacji, panie prezydencie – odezwał się Trulove. – Jak pan wie, połączyliśmy ostatnio siły z Langley, by stworzyć sekcję o nazwie Czerwony Sztandar. To tajny wydział do przeciwdziałania odradzającemu się zagrożeniu ze strony Sowietów… przepraszam, doktor Freud się kłania, Rosjan. Sekcja ma siedzibę na Bermudach, a kieruje nią Alex Hawke, którego z pewnością pan pamięta, panie prezydencie.

– Jak on się miewa, Davidzie? Wiem, że był ciężko chory.

– Już całkowicie wydobrzał. Żył sobie wygodnie na Bermudach, dopóki mu w tym nie przeszkodziłem.

– Nie zgodził się pan, żeby przeszedł na wcześniejszą emeryturę, tak?

– Dałem mu zajęcie.

– Niech pan go pozdrowi ode mnie.

– Oczywiście, panie prezydencie.

W tym momencie do Gabinetu Owalnego weszła Betsey Hall. Miała ponurą minę, podeszła do prezydenta, pochyliła się i wyszeptała mu coś do ucha. McAtee wysłuchał jej uważnie, skinął głową i wstał.

– Muszę odebrać pilny telefon – oznajmił. – Siedźcie. Przepraszam na chwilę.

McAtee wszedł za historyczne biurko wykonane z fragmentów brytyjskiego okrętu HMS „Resolute", który w roku 1850 utknął w lodach Arktyki i został tam porzucony, a potem długo dryfował, dopóki nie zauważyła go załoga amerykańskiego kutra rybackiego i nie odholowała do portu. Kongres kupił okręt, oddał go do remontu i podarował królowej Wiktorii jako symbol pokoju. „Resolute" używała Królewska Marynarka Wojenna przez dwadzieścia trzy lata. Kiedy wycofano go ze służby, królowa Wiktoria kazała zrobić dwa identyczne biurka z jego drewnianych elementów, jedno sprezentowała prezydentowi Rutherfordowi B. Hayesowi w roku 1880, drugie poleciła umieścić w pałacu Buckingham, gdzie stoi do dziś.

McAtee usiadł za biurkiem z dwiema flagami po bokach i podniósł słuchawkę telefonu z błyskającą lampką.

– Prezydent przy aparacie – zgłosił się.

Słuchał spokojnie, jego mina niewiele zdradzała zebranym w gabinecie, którzy zerkali w jego stronę. Po kilku minutach powiedział do słuchawki:

– Bardzo dziękuję. Niedługo się odezwę.

Wstał, przeszedł przez gabinet i wrócił na swój ulubiony fotel przy kominku. Westchnął głęboko i położył głowę na oparciu. Nikt nie wiedział, co powiedzieć, cisza się przedłużała.

– Dzwonił gubernator Kansas – oznajmił w końcu McAtee. – Razem z Billem Thomasem z NSA. Wczoraj wieczorem burmistrz Saliny, moja osobista znajoma, została zamordowana w łóżku razem z mężem i dwójką dzieci. Brak podejrzanych, Monie Bailey nie miała wrogów. To robota terrorystów. Jej męża zastrzelili, pozostałą trójkę zagazowali.

Mike Reiter pochylił się do przodu.

– Terroryści zagazowali rodzinę w Kansas? Wielki Boże. Proszę mi wybaczyć, panie prezydencie, ale muszę wykonać kilka telefonów.

McAtee skinął głową i Reiter szybko wyszedł.

– Na zwłokach Monie leżał telefon komórkowy z wiadomością. Zostawił ją członek ugrupowania o nazwie Ramię Boga. NSA już ustaliła, że zadzwonił z innej komórki z kompleksu mieszkalnego na zachodnim przedmieściu Teheranu. Nasi ludzie są w tej chwili w drodze do tamtego budynku.

– Nie do wiary – powiedział generał Moore.

– To nie wszystko – odparł Jack McAtee.

– Przepraszam. Proszę mówić dalej, panie prezydencie.

– Mężczyzna o zmienionym elektronicznie głosie uprzedził, że we wtorek, czyli jutro, punktualnie o szóstej rano czasu środkowoamerykańskiego miasto Salina w stanie Kansas przestanie istnieć. Doradził, żeby ewakuację mieszkańców rozpocząć natychmiast. Potem trzykrotnie zawołał „Allah akbar" i się rozłączył.

Wszyscy w gabinecie siedzieli w milczeniu.

– Salina w Kansas – odezwał się w końcu Moore. – Dlaczego? To bez sensu. Tam nic nie ma.

– Z wyjątkiem szkół, kościołów i rodzin z małymi dziećmi – zauważył McAtee ze smutkiem.

Brick Kelly popatrzył na obracający się globus. Wyciągnął rękę i zatrzymał go palcem. Znalazł na mapie Stanów Zjednoczonych Salinę i powiedział:

– To ciekawe. Salina leży dokładnie w samym środku kraju. Zobaczcie. Na skrzyżowaniu osi północ-południe i wschód-zachód.

– Cios w serce Ameryki? – spytał generał Moore. – Jakieś ostrzeżenie?

– Możliwe – przytaknął w zamyśleniu prezydent. Też tak uważał.

– A co o tym sądzi NSA, panie prezydencie? – zapytał sir David. – Czy to w ogóle realne zagrożenie?

McAtee skinął ponuro głową.

– Bardzo realne. Ich zdaniem powinienem natychmiast zarządzić ewakuację. Historia tego radykalnego ugrupowania, tego Ramienia Boga, jest przesiąknięta krwią. To utrzymywana przez Sowietów siatka terrorystyczna z kwaterą główną w Iranie. Ostatnio szkolą zagranicznych bojowników, którzy mają przenikać do Iraku i Afganistanu i robić coraz wymyślniejsze prowizoryczne miny lądowe z materiałów zastępczych. Negocjują teraz z Rosjanami zakup nowych, odpalanych z ramienia wyrzutni rakietowych, żeby móc zestrzeliwać nasze śmigłowce AH-64 Apache.

– Znowu Rosjanie. Dlaczego stale oni? – rzuciła w przestrzeń Consuela de los Reyes.

– Przepraszam, muszę zadzwonić do gubernatora – powiedział McAtee. – Będę musiał zakończyć to spotkanie. W Salinie zagrożone jest życie czterdziestu dwóch tysięcy osób. Chcę wam wszystkim podziękować za przybycie i obiecuję, że wkrótce znów się zobaczymy. Będę was informował na bieżąco o rozwoju sytuacji. Betsey zawiadomi was telefonicznie o terminie następnego zebrania.

Prezydent wstał, pozostali zrobili to samo. Kiedy wychodzili, McAtee zatrzymał sir Davida i zapytał cicho:

– Mógłby pan zostać jeszcze chwilę?

– Oczywiście, panie prezydencie.

Gdy gabinet opustoszał, McAtee powiedział:

– Chciałbym, żebyś mi coś obiecał, Davidzie, dobrze?

– Naturalnie.

– Chodzi mi o tego twojego człowieka, Hawke'a. Kieruje tym nowym wydziałem. Przypomnij mi jego nazwę.

– Czerwony Sztandar.

– Właśnie. Mam pełne zaufanie do Aleksa Hawke'a. Kilka lat temu w pojedynkę ocalił mi życie podczas mojego inauguracyjnego wystąpienia. Zresztą uratował nie tylko mnie, ale również moją żonę i prawdopodobnie cały rząd. Nie mamy nikogo takiego jak on, Davidzie, nikogo, kto działa tak sprawnie.

Chciałbym go wysłać do Rosji. Jeszcze dziś wieczorem, jeśli to możliwe. Tylko on potrafi ustalić, co kombinują ci szaleni Rosjanie. Powtórz mu to. I dodaj, że nie ma chwili do stracenia.

– Poważnie myśli pan, że Rosjanie mogą mieć coś wspólnego z wydarzeniem w Kansas, panie prezydencie?

– To możliwe. Ale zaczynam podejrzewać, że ostatnio mają coś wspólnego ze wszystkim, co się dzieje na świecie. Niczym mnie już nie zaskoczą. Wycofali się z układu rozbrojeniowego, wysyłają bombowce dalekiego zasięgu nad Guam, koncentrują wojska przy granicach NATO, wycelowują rakiety w europejskie miasta i sprzedają nowoczesną broń naszemu najgroźniejszemu wrogowi, Iranowi. To przyjaciele czy nieprzyjaciele? Sam sobie odpowiedz na to pytanie, Davidzie.

Prezydent westchnął głęboko, usiadł z powrotem w fotelu i spojrzał na szefa brytyjskiego wywiadu.

– Przepraszam, muszę się odezwać do gubernatora Kansas. Trzeba przenieść tych nieszczęsnych ludzi z Saliny w bezpieczne miejsce. Zadzwonię do ciebie wkrótce. Miłej i bez przeszkód podróży do Londynu.

– Do widzenia, panie prezydencie. Dziękuję, że poświęcił nam pan czas. I życzę powodzenia. Wygląda na to, że znów możemy zewrzeć szeregi.

– Z pewnością na to się zanosi.

Prezydent spojrzał na Trulove'a, choć myślami był już przy następnym telefonie, następnym kryzysie.

– Nasze kraje są ostatnią barykadą, Davidzie. Zostaliśmy tylko my. Boże, dopomóż nam.

II

BIAŁE NOCE

39

Rosja

Hawke przycisnął czoło do zamarzniętego okna maleńkiego przedziału w wagonie kolejowym. Trzymał oburącz kubek letniej herbaty, wdzięczny za odrobinę ciepła. Pociąg zwalniał, koła piszczały, w powietrzu wirował śnieg, tumany bieli na zewnątrz przesłaniały wszystko. Gdzieś z przodu dobiegł żałosny gwizd parowozu, jak daremne wołanie, które mogłoby się wyrwać z głębi jego serca.

W końcu dojechali?

Był na ostatnim etapie podróży do Anastazji. Wyglądał przez okno od wielu godzin, patrzył na zamarzniętą tundrę, zahipnotyzowany widokiem i pochłonięty myślami o kobiecie, która wtargnęła w jego życie. Już kilka godzin temu zbudził się ze snu, głębokiego i mrocznego jak grób. Zerwał się z ciepłej kuszetki i z walącym sercem rzucił do okna. Czy to miłość, czy po prostu podniecenie? Być może jedno i drugie. Wiedział, że takie sprzeczne uczucia są wystarczająco silne, by go sparaliżować, jeśli nie będzie ostrożny.

Tkwił przy oknie i zmuszał się do patrzenia na to, co mógł zobaczyć.

Widział Rosję. Pola, stepy, wioski i miasta, wszystko białe w blasku księżyca i jasnych gwiazd. Siedział przez niekończące się godziny i wpatrywał w mijane krajobrazy, skrzący śnieg i lśniący lód.

Upłynęła niemal doba od chwili, gdy otrzymał rozkazy i ruszył w drogę. Na bermudzkim lotnisku pożegnał się z Dianą i Ambrose'em i wszedł na pokład transportowca RAF-u. Spał, marznąc, na workach z pocztą przez cały lot do bazy Sedgwick, potem złapał samolot rejsowy do Rosji i wylądował w Sankt Petersburgu. Występował jako A. Hawke, starszy wspólnik, firma Blue Water Logistics, Bermudy. Miał bermudzki paszport, który był dziełem sztuki. Czterokolorowy prospekt w neseserze opisywał możliwości przewozowe nowej firmy. Na wypadek gdyby kogoś to interesowało.

Odkąd wsiadł do pociągu na dworcu Moskowskij Wokzał w Sankt Petersburgu, dostał do jedzenia tylko ukraińską kiełbasę przypominającą surowy bekon z przyprawą ziołową i niestrawny wędzony ser. Obawiał się, że w każdej chwili może to zwrócić.

Ale rosyjskie piwo było doskonałe. Na ostatniej dużej stacji wszyscy pasażerowie wyskoczyli z wagonów i pobiegli do bufetu. Zrobił to samo i kupił bochenek czarnego chleba i butelkę wódki Imperial. Przede wszystkim na rozgrzewkę, pomyślał. Dawno ją wypił.

Był sam w przedziale. Mimo lekkiego odoru z toalet, nie do końca zneutralizowanego przez zapach wody kolońskiej pasażerów, którzy niedawno wysiedli, i woni pieczonych kurczaków – ich resztki w przetłuszczonym papierze znalazł w końcu wepchnięte pod siedzenia – był właściwie zadowolony.

Kupił bilet sypialny, toteż miał w przedziale do dyspozycji kilka kuszetek, stolik, schowek i – co najważniejsze – możliwość zamknięcia drzwi. Podróż przebiegała stosunkowo spokojnie, jak na rosyjskie warunki. W wagonach niższej klasy oferowano pasażerom leżanki we wspólnym pomieszczeniu dla około czterdziestu osób. Zajmowali je głównie rosyjscy lub mongolscy handlarze z torbami pełnymi towarów na sprzedaż. Niewiele się tam spało, raczej piło dużo piwa i walczyło o dostęp do ubikacji. Gderliwa babcia klozetowa trzymała jedyną czystą toaletę zamkniętą, tylko dla siebie.

Hawke poczuł, że znów jest w Rosji.

Zerknął na zegarek z podświetloną na zielono tarczą. Minęła dopiero druga nad ranem, ale było jasno jak w dzień. Mieszkańcy Sankt Petersburga nazywali tutejsze wieczory podczas przesilenia letniego białymi nocami. To piękne miasto leży tak daleko na północy, że w tym okresie słońce właściwie nie chowa się całkowicie za horyzontem. Teraz był grudzień, ale Alex Hawke i tak jeszcze nie widział równie jasnej nocy. Mógłby bez trudu czytać przy oknie, za którym księżyc w pełni i śnieg, a nie słońce, tworzyły białą noc.

Przyłapał się na tym, że urzekł go widok. Rozległe przestrzenie budziły w nim uczucie takiej swobody, że myślał i marzył o przyszłości, gdzie znalazłoby się miejsce dla pięknej Rosjanki, do której tęsknił.

Ale musiał pamiętać, że ma w Rosji zadanie do wykonania. To nie pora na usychanie z miłości. Czas znów zmierzyć się z twardą rosyjską rzeczywistością i tym wszystkim, co kiedyś oznaczało stare groźne słowo „Rosja".

Wiedział, że trzeba się ponownie uzbroić, przygotować na każdą ewentualność. Znów szykowała się wielka gra z Rosjanami, jak nazywały to brytyjskie tajne służby, i on miał wziąć w niej udział. Harry Brock czekał już na niego w Moskwie, spotykał się z nowo zwerbowanymi oficerami Czerwonego Sztandaru i rozmawiał z potencjalnymi celami w KGB, które wskazał Stefan. W nowej Rosji nietrudno było pozyskać szpiegów za pieniądze.

Na Bermudach Ambrose Congreve, z dnia na dzień w coraz lepszej formie, z zadowoleniem urzędował w gabinecie Hawke'a w siedzibie Blue Water Logistics. Sir David mianował byłego nadinspektora Scotland Yardu tymczasowym szefem placówki nowego wydziału MI6 i Hawke uważał, że S. miał dobry pomysł. Zwłaszcza, odkąd się dowiedział, że Ambrose nieustannie wzywa do siebie Pippę Guinness i prosi ją o napisanie tego czy tamtego listu albo jeszcze lepiej o podanie mu herbaty, bez cytryny. Wciąż jeździł jeszcze na wózku inwalidzkim, powiedział jednak, że noga goi się dobrze.

Pociąg pokonywał niezliczone kilometry, a Hawke tkwił przy oknie i starał się przywołać dawne wspomnienia z Rosji. Pamiętał ponury pejzaż – rozpadające się fabryki, nieczynne kołchozy, boczne ulice w miastach pełne prostytutek, żebraków, domokrążców, kanciarzy i wieśniaków, zatłoczone sklepy w zaułkach z kilkoma bezwartościowymi rzeczami do kupienia i pustymi półkami, sprzedające zapałki i sól, zakłady niewolniczej pracy produkujące bawełniane podkoszulki i plastikowe buty.

Czasem interweniowała milicja i życie toczyło się dalej. Politykę uważano za zło konieczne i traktowano obojętnie. To, co z daleka wydawało się anarchią i chaosem, z bliska okazywało się wzorowym porządkiem.

Hawke zastanawiał się, jak zmieniło się życie kraju od czasu rozpadu Związku Radzieckiego. Tutaj pewnie wcale. Nowa Rosja, o której tyle się czytało, istniała tylko w Moskwie czy Sankt Petersburgu. W nowej Rosji chodziło o zdobycie pieniędzy i władzy, czego nie można było znaleźć tutaj, gdzie ciągnęły się pola i lasy.

Czasem dostrzegał wiejski dom zasypany śniegiem. Tu i tam, na przejeździe kolejowym, widział pustą drogę, która znikała na wzgórzu wśród drzew. Zdał sobie sprawę, że dopiero poza wielkimi miastami można poczuć bezkres tego kraju, jego prawdziwy, niewyobrażalny ogrom.

Nigdzie przed żadnym z tych rzadkich przejazdów kolejowych nie czekała ani jedna ciężarówka, samochód osobowy czy traktor. Czy silniki spalinowe są używane tylko w miastach? A tutaj w ogóle ich nie ma? Kilka godzin wcześniej, kiedy zwolnili przed przejazdem, Hawke zobaczył wóz zaprzężony w muła z wiekowym woźnicą na koźle. Opatulony mężczyzna ściskał lejce w zgrabiałych palcach i siedział tak nieruchomo, jakby zamarzł na śmierć na lodowatym wietrze, przepuszczając długi pociąg.

Znów zwolnili, Hawke spojrzał na zegarek i doszedł do wniosku, że w końcu dojeżdżają do celu jego podróży, wiejskiej stacyjki na trasie donikąd.

Wstał i zebrał rzeczy. Już wcześniej włożył długi, czarny, wełniany płaszcz dla ochrony przed zimnem, kaszmirowy szalik i rosyjską futrzaną czapkę, którą kupił w kiosku na dworcu w Sankt Petersburgu. Sięgnął na półkę po swój bagaż.

Wziął ze sobą do Rosji starą skórzaną walizę Gladstone, przede wszystkim dlatego że miała podwójne dno. W dwóch widocznych przegrodach leżały ubrania, buty i książki. W dwóch niewidocznych znajdowały się dwa pistolety SIG-Sauer i amunicja parabellum wystarczająca do rozpoczęcia małej wojny. W mniejszej skrytce spoczywał telefon satelitarny Iridium Globalstar. Broń i telefon czekały na niego w schowku na bagaż na dworcu w Sankt Petersburgu.

Pociąg zatrzymał się z szarpnięciem i Hawke wyjrzał przez okno. Jego oczom ukazał się widok, który wyglądał jak namalowany pejzaż. Wśród brzóz stał maleńki budynek stacyjny, z komina buchał dym. Gałęzie drzew podobne do nacieków wosku na świecy chyliły się w dół, jakby chciały zrzucić z siebie brzemię śniegu na stromy dwuspadowy dach domku.

Na słabo oświetlonej tablicy nad wejściem widniał napis „Twas". W biurze zawiadowcy paliło się światło i Hawke zobaczył tam wysoką kobietę w futrze, która spacerowała tam i z powrotem. Serce zabiło mu żywiej, wybiegł z przedziału, popędził wąskim korytarzem na platformę i wyskoczył z wagonu.

Patrzyła jeszcze przez okno na pociąg, a on już wpadł do pokoju i natychmiast poczuł błogie ciepło bijące z małego pieca w rogu.

Anastazja odwróciła się do niego z uśmiechem.

– Przyjechałeś – powiedziała tylko.

Była w białym płaszczu z soboli, sięgającym czubków zimowych butów. Sobolowy kaptur okrywał złociste loki, które wiły się wzdłuż policzków zaróżowionych jeszcze od zimna. Ręce trzymała w białej futrzanej mufce, ale upuściła ją na zniszczoną drewnianą podłogę, kiedy ruszyła szybko ku niemu.

Nagle przypomniała sobie o zawiadowcy. Niski gruby mężczyzna nosił szarą koszulę rubaszkę, szeroki skórzany pas, walonki i spodnie wypchane na kolanach. Wyglądał dość sympatycznie, choć małe złote binokle na szerokiej czarnej tasiemce podrygiwały gniewnie na czubku nosa.

– Nikołaj, to mój nowy przyjaciel, o którym ci opowiadałam.

Rosjanin skłonił się i mruknął coś do Anastazji.

– Mówi, że jesteś bardzo przystojny, ale nie powinnam przyjeżdżać po ciebie taki kawał drogi nocą. Bardzo się o mnie troszczy. Znam go od najmłodszych lat.

– Chodź do mnie – powiedział Hawke, postawił walizę na podłodze i rozpostarł szeroko ramiona.

Podbiegła do niego, a on objął ją, przytulił twarz do jej twarzy wewnątrz ciepłego futrzanego kaptura, wdychając zapach świeżego powietrza na jej skórze, woń jej ciała. Poszukał jej ust i pocałował ją, najpierw lekko, potem z nagłą gwałtownością, która zaskoczyła jego samego. Starał się nie myśleć o niej przez całą podróż, a teraz jego uczucia objawiły się nagle z pełną siłą.

– Wyglądasz tak... pięknie – szepnął, wiedząc, że to słowo jest do bólu niewystarczające. Odsunął ją od siebie, by móc spojrzeć w błyszczące zielone oczy i po prostu nie potrafił uwierzyć, że ktoś może wyglądać tak cudownie.

Roześmiała się.

– Ty też, mój książę z bajki. W końcu przyjechałeś. Chodź, przed nami długa droga.

– Pójdziemy pieszo? – zapytał Hawke. – Nie widziałem żadnego samochodu. Ani drogi.

– Samochodu? – powiedziała ze śmiechem. – Myślisz, że jakikolwiek samochód mógłby poruszać się w kopnym śniegu? Bierz swój bagaż i za mną, głuptasku.

Schyliła się, żeby podnieść białą mufkę, a potem poszła szybko w kierunku otwartych drzwi stacji, odwróciła się, pożegnała z zawiadowcą i zniknęła na dworze. Hawke chwycił walizę i dogonił ją pod jedyną lampą oświetlającą zaśnieżony peron. Znów zaczęło padać, białe płatki spływały w dół. Wirowały wolno i jakby z wahaniem, potem osiadały na leżącej już warstwie skrzącego się białego puchu.

– Pocałuj mnie jeszcze raz – poprosiła. Hawke zrobił to, świadom, że stary Nikołaj obserwuje ich przez okno w świetle lampy na słupie. Ona też go zobaczyła i odepchnęła Hawke'a.

– Proszę za mną, mój jaśnie panie. Powóz czeka.

Ruszył za nią, dotrzymując jej kroku, głęboki śnieg skrzypiał im pod butami.

Okrążyli budynek stacyjny, ich cienie poprzedzały ich na białej przestrzeni. W blasku księżyca stały w równym szeregu trzy białe konie, zaprzężone do wspaniałych złocisto-niebieskich sań. Trojka.

Hawke pobiegł w stronę zaprzęgu. Jeszcze nigdy nie widział takiego środka lokomocji.

Przesunął dłonią po parującym, lśniącym boku jednego w wielkich koni. Rumaki parskały niecierpliwie, wypuszczając kłęby pary rozdętymi nozdrzami, i grzebały kopytami w śniegu. Gdy zbliżył się do sań i powiódł po nich palcami, zauważył, że zdobią je wyrzeźbione w drewnie meteoryty i komety pomalowane złotą farbą.

– Mój Boże, Anastazjo, co za piękna rzecz.

– Prawda? – powiedziała i wsiadła do sań. – To prezent od Piotra Wielkiego dla jednego z moich znamienitych przodków. Baron Siergiej Korsakow dał carowi miliard rubli, żeby pomóc mu pokonać Ludwika XIV. Szczęśliwie dla nas Piotr zwyciężył. W nagrodę car zbudował nam dach nad głową, pod którym będziesz dziś nocował.

Hawke się roześmiał i postawił walizę za obitą skórą ławką. Sanie były w środku mniejsze niż sobie wyobrażał, mieściły się w nich tylko dwie osoby, wnętrze wypełniały futra z soboli i norek. Usiadł obok Anastazji i przykrył ją i siebie jednym z futer.

– Szybko jeżdżę – uprzedziła go i ujęła poczwórne wodze.

– Lubię szybkość – odparł, przyglądając się uważnie jej niezwykłym lejcom. Nigdy nie widział trojki z bliska i fascynowała go ta skomplikowana uprząż. – Zazwyczaj – dodał, siląc się na nonszalancję.

– Ruszamy? – zapytała go z uśmiechem i trzepnęła lekko cuglami.

– Zawsze do przodu.

Powiedziała kilka słów do koni i popędzili na złamanie karku. Ominęli ryzykownie kilka drzew i pomknęli przez rozległą zaśnieżoną płaszczyznę. Na jej krańcu zaczynała się wąska droga, która biegła w kierunku wzgórz na południu. Dźwięk srebrnych dzwonków u sań tworzył magiczną atmosferę i Hawke z zadowoleniem milczał, wdychał mroźne powietrze i przyglądał się swojej dziewczynie, koniom i białym chmurom przepływającym na tle żółtego księżyca w pełni.

Środkowy koń, między dyszlami, najwyraźniej prowadził zaprzęg. Biegł kłusem. Dwa boczne ogiery, każdy w oddzielnych cuglach, były zaprzężone pod lekko rozbieżnymi kątami, toteż wszystkie trzy zwierzęta tworzyły wachlarz. Koń z prawej strony galopował zawzięcie, rumak z lewej zachowywał się bardziej kokieteryjnie. Ten rodzaj zaprzęgu był stosowany od wieków z powodzeniem.

Hawke zauważył, że Anastazja nie używa bata, tylko przemawia do koni, woła do każdego z nich i przynagla je na przemian pochlebstwami i wyzwiskami.

Przysunął się do niej tak blisko, żeby go usłyszała.

– Jak się nazywają? – zapytał.

– Burza, Błyskawica i Dym. To moje ulubione konie. Burza to ten z prawej. Dym odwala całą robotę w środku, a Błyskawica biegnie z lewej. No, Burza! Na co się gapisz? Weź się za siebie! Naprzód!

Zatrzymali się przy kępie brzóz na szczycie wzgórza. Poniżej leżała mała dolina. Lśniło tam zamarznięte jezioro, na którego brzegu wznosił się okazały pałac ze światłami w setkach okien. Trzy kondygnacje przepychu i majestatu, połączenie najlepszej rosyjskiej i europejskiej architektury, galerie i boczne skrzydła. Budowla ciągnęła się wzdłuż jeziora na odcinku mniej więcej dziewięciuset metrów.

– Mój Boże, Anastazjo – powiedział Hawke, patrząc w dół oczami wielkimi z zachwytem.

– O co chodzi, kochanie?

– Chyba znaleźliśmy się w jakiejś bajce.

– Ja żyję w bajce od popołudnia, kiedy zobaczyłam na plaży śpiącego mężczyznę. Mogę ci zdradzić wielki sekret?

– Oczywiście.

– Chyba się zakochałam. Nie w tobie oczywiście. W moim życiu.

– Życie jest kiepskie w łóżku, skarbie. Będzie ci do tego potrzebny jakiś facet.

Roześmiała się, pocałowała go w policzek, strzeliła lejcami i zawołała:

– Burza! Śpisz? Do domu! Pędź! Leć!

40

Salina, Kansas

Paddy Byk lubił gwizdać przy pracy. Teraz gwizdał jeden ze swoich ulubionych starych złotych przebojów *Be True to Your School* Beach Boysów. Skończył sprzątać w domu Baileyów, a następnego ranka wrócił do małego nadrzecznego parku, gdzie ukrył w krzakach furgonetkę. Potem dotarł przez las do swojego motelu na uboczu i poszedł spać. Obudził się po sześciu godzinach. Po drodze widział kilka zaparkowanych radiowozów, których załogi piły poranną kawę. Udało mu się je ominąć.

Teraz postawił białą furgonetkę cukiernika ze starannie podrobionymi kansaskimi tablicami rejestracyjnymi na parkingu Szkoły Podstawowej Cottonwood. Wyładował wóz i wbiegł szybko do środka z dostawą. Choć szkoła, podobnie jak parking i całe miasto, była już zupełnie pusta, miał na wózku stosy pudełek z pysznymi pączkami.

Pod ciastkami, na dnie każdego opakowania, spoczywała mała niespodzianka. Taka jak bożonarodzeniowa strzelająca zabawka, tylko o wiele bardziej zaskakująca.

Paddy, wciąż w białym stroju cukiernika Happy'ego, nie zdziwił się ani trochę, gdy zastał jedne z bocznych drzwi szkoły odryglowane. Wydawało się, że wszystkie drzwi w mieście są otwarte, w każdym razie nie była zamknięta połowa tych, które sprawdził. Był już w trzeciej podstawówce i została mu tylko Szkoła Średnia Central, zanim w pośpiechu wyniesie się z miasta. Zajęty cukiernik to szczęśliwy cukiernik. Do roboty.

Czekał cierpliwie cały dzień, aż policja usunie wszystkich mieszkańców. Potem zaczął dostarczać pączki. Kursował całą noc po mieście, oczywiście bez świateł. Na swojej trasie miał biurowce i centra handlowe, ratusz i wodociągi – wszystko. Duża radocha. Podobała mu się zabawa w kotka i myszkę z miejscowymi gliniarzami. Nie wiedzieli, w co ręce włożyć, próbując prowadzić śledztwo w sprawie zabójstw podczas ewakuacji. Liczył na to i się nie zawiódł.

Patrolowali ulice w radiowozach, głównie w poszukiwaniu maruderów, nie bezlitosnych morderców, i Paddy'emu dobrze szło robienie uników. Ilekroć widział zbliżające się reflektory, zjeżdżał na jakiś parking lub po prostu do krawężnika i chował się poniżej krawędzi okien furgonu. Trzymał w pogotowiu małą krótkolufową dziewiątkę na wypadek, gdyby ktoś był wścibski, ale na razie nie musiał jej używać.

Wszyscy opuścili miasto w pośpiechu, kiedy dwanaście godzin temu znaleziono ciała i komórkę, którą zostawił na zwłokach Monie. Potem policja zaczęła krążyć po Salinie i wydawać przez megafony polecenia ewakuacji z powodu niesprecyzowanego zagrożenia. Paddy słuchał w radiu lokalnego *talk-show*. Powtarzano plotki. Niektórzy dzwoniący mówili, że niebezpieczeństwo stwarza podobno fabryka nawozów, inni twierdzili, że gaz ziemny, jeszcze inni, że ptasia grypa. Każdy się pakował i wyjeżdżał w diabły.

Nikt nie wspominał o terroryzmie. Policja milczała. Zresztą chyba nikomu nie przyszło to do głowy. I nic dziwnego. Paddy nie widział tak nieciekawego miejsca jak Salina. A najwyższy budynek w mieście miał zaledwie dziesięć kondygnacji. Daleko do World Trade Center. Kto chciałby rozwalić jakiś pieprzony supermarket?

Tutejsi ludzie wiedzieli, że al-Kaida to banda psycholi, ale nie aż takich, żeby zaatakować miasto Salina w stanie Kansas.

Paddy przypuszczał, że policja bierze teraz pod lupę Ramię Boga i bada trop teherański. Śmiał się w duchu, podróżując furgonetką na zachód. W West Magnolia przejechał pod autostradą międzystanową I-135 i skierował się w stronę pustego parkingu portu lotniczego w Salinie. Lotnisko wyglądało na smutne i opuszczone, jak miejsce, gdzie przydałoby się kilka pączków.

I-135, trasa północ-południe, oraz I-70, autostrada międzystanowa wschód-zachód, zostały natychmiast zakorkowane, gdy ponad czterdzieści tysięcy osób próbowało jednocześnie wyjechać z miasta. Teraz obie trasy opustoszały. Policja zamknęła je piętnaście kilometrów od granic miasta. Zablokowała wszystkie drogi do Saliny, kiedy zarządzono ewakuację.

Paddy pchał wózek po linoleum długim pustym korytarzem szkolnym, mijał puste klasy i z przyjemnością słuchał, jak jego piosenka odbija się echem w budynku. Wszędzie wisiały dekoracje gwiazdkowe, poddał się nastrojowi. Zabawnie mieć całe miasto tylko dla siebie. Być niewidzialnym. Zaczął gwizdać *Jingle Bell Rock*.

Wszedł do pokoju nauczycielskiego i zobaczył, że wszyscy zostawili na biurkach swoje komputery Zeta, tu nie musi robić dostawy. W sąsiedniej pracowni fizycznej pozostało kilka komputerów, ale większość dzieciaki zabrały ze sobą, toteż postawił na stołach pół tuzina pudełek z pączkami i przeniósł się do biblioteki, gdzie powinna być większość komputerów – jeśli jakieś zostały.

Po zakończeniu dostawy wrócił do furgonu z pustym wózkiem. Minęła właśnie piąta rano i nad małym miastem Salina wschodziło słońce. Paddy mieszkał tu od tygodnia w motelu Szóstka na obrzeżach miasta i śledził burmistrz Monie Bailey.

Oglądał też lokalne wiadomości w telewizji, żeby móc składać meldunki o sytuacji. Teraz, kiedy cały kraj wiedział, co się dzieje, CNN i Fox bez przerwy podawały informacje. Ale nie wpuszczano nowych ekip poza zapory wokół miasta, pozostały więc tylko gadające głowy, które nie miały pojęcia, o czym mówią.

Wsiadł za kierownicę i uruchomił silnik. Wyjeżdżał właśnie z parkingu w kierunku szkoły średniej na East Crawford Street, gdy w lusterku wstecznym zobaczył błysk koguta. Koniec zabawy. Uśmiechnął się, wyjął mały rewolwer z kieszeni kurtki i przyspieszył. Nie było mowy, żeby zdołał uciec przed policyjną crown victorią, ale mógł przynajmniej dotrzeć do celu. Nie pędził, po prostu jechał, jakby nie widział za sobą radiowozu z migającymi kogutami i wyjącą syreną.

– Proszę się zatrzymać! – padło polecenie przez megafon. Zatrzymać się? Oszaleli? Za chwilę całe miasto pójdzie z dymem!

Skręcił w prawo w East Iron Street. Ulica prowadziła na wzgórze z parkiem miejskim, który obejrzał już wcześniej. Było tam tylko trochę drzew, strumyk i boisko do baseballa, ale z wysoka rozciągał się widok na małe miasto. Paddy uważał, że to doskonałe miejsce do ekscytującego zakończenia misji. Zwolnił pod górę, nie spieszył się, patrzył na różowy świt wstający nad miastem, którego los był przesądzony.

Gliniarze zostali z tyłu i zadowolili się obserwowaniem go, żeby zobaczyć, co kombinuje. Prawdopodobnie sprawdzali też numer rejestracyjny. I dobrze. Przekonają się, że te tablice ma furgon chevy rocznik '73, taki sam jak jego. Diabeł tkwił w szczegółach.

Była piąta trzydzieści rano.

W wiadomości przysłanej na komórkę, którą zostawił w domu Baileyów, jego ludzie w Iranie podali szóstą czasu środkowoamerykańskiego. Pół godziny. Wystarczy, żeby się nacieszyć chwilą.

Osiągnął szczyt wzgórza i przejechał pod małym łukiem z napisem „Park Hickory Hill". Jego kryjówka. Pokluczył trochę, gliny tuż za nim. W końcu dotarł do miejsca z malowniczym widokiem, które wybrał pierwszego wieczoru, zanim zaczął śledzić rodzinę Baileyów. Zatrzymał się na skraju małego parkingu, wyłączył silnik, schował spluwę do kieszeni i czekał.

Chodźcie do taty, chłopcy.

41

Obserwował w lusterku wstecznym, jak gliniarze wysiadają z radiowozu. Wyciągnęli broń i podchodzili do furgonu od tyłu z obu stron. Kiedy facet z lewej zrównał się z oknem kierowcy, Paddy opuścił szybę i uśmiechnął się do młodego gliny.

– Jechałem za szybko?

– Poproszę pańskie prawo jazdy i dowód rejestracyjny.

– Oczywiście, panie władzo. – Paddy wręczył mu dwa fałszywe dokumenty.

– Naprawdę nazywa się pan Happy? Tak?

– Tak jest. Tak jak nazywał się mój stary.

Gliniarz przeniósł wzrok ze zdjęcia na niego i z powrotem.

– Wie pan, że w tym mieście została zarządzona ewakuacja?

– Właśnie się zastanawiałem, gdzie są wszyscy. Ewakuacja? Co się dzieje?

– Jak pan przejechał przez zapory policyjne?

– Kiedy tu przyjechałem, nie było żadnych zapór.

– A kiedy to było?

– Kilka dni temu.

– A co pan robił?

– Chodzi panu o to, co robiłem od przyjazdu?

– Tak.

– Spałem.
– Spał pan przez trzy dni?
– Tak.
– Gdzie?
– W motelu Szóstka. Przyjemne miejsce.
– Nikt nie śpi przez trzy pełne dni.
– Ja tak. Mam cholerne migreny. Kiedy mnie dopadają, biorę garść proszków nasennych i przesypiam to. Jeśli się obudzę, znów łykam proszki. Gasnę jak światło. Do diabła, wstałem dopiero kilka godzin temu.
– Czym pan się zajmuje?
– Rozwożeniem pączków.
– Po pustym mieście?
– Zaraz to wytłumaczę. Zna pan termin „franczyza"?
– Franczyza?
– Tak. Rozumuję w ten sposób. Jestem cukiernikiem. Piekę najlepsze pączki na zachód od Missisipi. Mój biznesplan zakłada dostawy moich wyrobów bezpośrednio do konsumentów. Dostarczam je do Junction City, Wichity, nawet do Topeki. Gratis. Przywożę po prostu pudełka i daję ludziom spróbować. Na każdym opakowaniu jest mój adres mailowy. Ludzie jedzą pączki, przekonują się, że są dobre, i chcą więcej. Taka jest moja strategia. Na razie jestem jednoosobowym systemem dystrybucji. Ale niedługo ludzie będą pukali do moich drzwi. Zamierzam otworzyć sieć sklepów z moimi pączkami stąd aż do Kanady.
– Ładnie pachną.
– Widzi pan? Właśnie o tym mówię. I wie pan co? Smakują lepiej niż pachną. Mam trochę świeżutkich wypieków, gdybyście chcieli spróbować.
– Hej, Gene, chcesz ciepłego pączka? – zapytał gliniarz starszego i dużo grubszego kolegi.
– Jasna sprawa, Andy – odparł Gene. – Czuć ich zapach na kilometr.
– Proszę bardzo. – Paddy się uśmiechnął. – Pozwoli pan, że wysiądę i otworzę furgon. Zjemy tu na wzgórzu dobre ciepłe śniadanie. Mam też termos z gorącą czarną kawą New Orleans French Quarter.
– Chyba się skusimy. Niewiele można już zrobić. Andy, idź do wozu i zawiadom naszych przez radio, że mamy tu gościa, który potrzebuje pomocy, dobra? Powiedz im, że zostaniemy z nim na wypadek... no wiesz, gdyby coś się działo.
Happy wysiadł i otworzył tył furgonu. Wysunął paletę i rozpakował trzy pudełka z pączkami. W jednym były lukrowane, w drugim z kremem, w trzecim z galaretką.
Dwaj gliniarze poczęstowali się. Kiedy jedli, nalał wszystkim czarną kawę do kubków.
– Super! – stwierdził Andy, który dwoma kęsami pochłonął pączka z lukrem. – To są pączki!
– Smakuje, Andy?

– Jasne.

– To dobrze. Bo mój nowy slogan reklamowy brzmi: „Jedz ze smakiem". Fajny?

– Pewnie. Mogę wziąć jeszcze jednego, tego z kremem?

Dziesięć minut później wszyscy siedzieli na palecie, rozmawiali o futbolu amerykańskim, zastanawiając się głośno, czy Chiefs wygrają decydujące spotkania, i oczywiście o wojnie z terroryzmem. Andy powiedział, że jego zdaniem ta cała ewakuacja to zawracanie głowy. Wymyślona sprawa, żeby wystraszyć Amerykanów i zrobić pośmiewisko z całego miasta. Takie panuje przekonanie.

– Mówisz? – zapytał Paddy. – Może masz rację. Przepraszam na moment. Pójdę po fajki. Wiem, że to głupie, ale nie potrafię wypić porannej kawy bez dymka.

– Idź. Zostaniemy na gospodarstwie. Zobaczymy, czy miasto wyleci w powietrze – powiedział młodszy gliniarz, Andy.

– Właśnie – odparł Gene, starszy. – Nie mogę się doczekać. Kiepsko to wygląda. Jeśli wyleci, będziemy załatwieni. Jeśli nie wyleci, będzie się z nas śmiał cały kraj.

Była piąta pięćdziesiąt pięć rano. Paddy otworzył schowek w desce rozdzielczej i wyjął czarne prostokątne plastikowe pudełko, które przysłano z Moskwy przez Iran i dostarczono mu przez kuriera w Miami tydzień temu. Było to najnowsze urządzenie do zdalnego detonowania ładunków wybuchowych. W każdym komputerze Zeta znajdował się lokalizator GPS i dwieście dwadzieścia pięć gramów podobnego do kitu materiału wybuchowego heksagon. Zety emitowały również swoje numery identyfikacyjne, podobnie jak samoloty, toteż zawsze było wiadomo, gdzie który komputer jest, zanim je uzbrojono lub zdetonowano.

W pudełku, które Paddy trzymał w ręku, mieściły się dwa mikroprocesory i nadajnik radiowy do wysyłania sygnału powodującego wybuch komputerów Zeta. System został tak przeprogramowany, żeby wywołać eksplozję tylko w granicach miasta Salina w stanie Kansas.

– Hej, Happy – zawołał Andy – wracaj tutaj. Przegapisz wielkie bum, jeśli nastąpi.

Gene się roześmiał.

– Właśnie. Ominą cię fajerwerki.

Minęła piąta pięćdziesiąt dziewięć, zbliżała się szósta.

– Nie przegapię tego, Andy. Tylko nie mogę znaleźć tych cholernych papierosów. Nie macie może fajek?

– Nie, glinom nie wolno palić, przepisy ubezpieczeniowe zabraniają. Poza tym moja stara zabiłaby mnie, gdyby wyczuła, że się truję. Ona...

Paddy szedł w kierunku tyłu wozu z palcem na przycisku i wzrokiem utkwionym w czerwonym wyświetlaczu, którego wskazania zbliżały się szybko do zera.

Teraz.

Ziemia zatrzęsła się nawet na szczycie wzgórza Hickory. Trzej mężczyźni patrzyli ze zdumieniem, jak niewielkie miasto w dole eksploduje. Przypominało to filmową scenę walącego się budynku, ale tu runęły jednocześnie wszystkie domy, całe dzielnice. Pod niebo uniosła się ogromna chmura dymu, huk i fala uderzeniowa dotarły na wzgórze, podmuch zakołysał samochodem, wylał kawę z trzech kubków i zrzucił pudełka z pączkami z platformy.

– Niech to szlag! – wrzasnął Andy i podbiegł do krawędzi tarasu widokowego. – Zrobili to! Cholerni Arabowie rozpieprzyli całe miasto!

Wszędzie wybuchały pożary. Przewody wysokiego napięcia iskrzyły, zapalały się, spadały na ulice i wiły jak wściekłe węże. Podziemne linie gazowe eksplodowały i rozrywały asfalt na skrzyżowaniach, elektrownia stanęła w płomieniach, stacje benzynowe zamieniały się w jasne kule ognia, które wznosiły się pod poranne niebo i oświetlały to, co pozostało z Saliny, niczym fajerwerki czwartego lipca każdego lata na wzgórzu Hickory.

Paddy wycelował lufę w plecy kansaskich policjantów. Mógł łatwo wpakować każdemu z nich kulę w potylicę i odejść. Uniósł broń, nacisnął lekko spust i… zmienił zdanie.

Napatrzywszy się z daleka na swoje dzieło, wsiadł do wozu i włożył kluczyk do stacyjki. Miał do pokonania długą drogę i mało czasu na dotarcie na miejsce. Musiał złapać najbliższy samolot z Topeki do Miami. Czekało go mnóstwo pracy przed startem „Puszkina" zaplanowanym za kilka godzin.

Zostawił Andy'ego i Gene'a na krawędzi urwiska, jak z wysychającymi już na policzkach łzami patrzyli na to, co zostało z ich rodzinnego miasta.

Nie wiedział, czy słusznie darował im życie. Ale był zawodowcem. Nie zabijał ludzi dla zabawy, tylko dla forsy. Albo z ważnego powodu. A nie widział powodu w wypadku tych dwóch facetów. Jeśli gliniarze zidentyfikują stukniętego cukiernika, który rozwoził pączki po pustym mieście, to co? Dawno zniknie, zanim ktokolwiek powiąże go z eksplozjami, które zrównały miasto z ziemią. Zresztą nikomu nie przyjdzie to do głowy.

Zanim ktoś się zorientuje, co zniszczyło Salinę, świat będzie już zupełnie inny. Duża część Ameryki może wyglądać tak jak poczerniałe ruiny tlące się u stóp wzgórza Hickory. A Paddy? Będzie szybował pod niebem nad błękitnym Atlantykiem i korzystał z wielu atrakcji latającego burdelu podczas zapowiadającej się bardzo interesująco podróży do Sztokholmu.

Wykonał zadanie i odjechał cicho. Przepadł.

Skuteczny w działaniu, stary.

SWD.

42

Miami

Runęło.

Całe cholerne miasto po prostu się zawaliło.

Stokely i Fancha stali pod jednym z ogromnych monitorów zamontowanych na granitowej ścianie holu i patrzyli wraz z innymi na przekaz CNN z małego miasta w Kansas, które przestało istnieć.

W holu budynku Miami Herald krążyły plotki.

Al-Kaida. Hezbollah. Irańczycy. Mała głowica jądrowa. Brudna bomba. Po prostu wybuch głównej magistrali gazowej pod miastem. Eksplozja w fabryce nawozów. Niektórzy mówili nawet o zdetonowaniu bomby nawozowej przez domorosłych uczniów Timothy'ego McVeigha, którego bojówki antyrządowe utrzymały się jeszcze w Waco i Ruby Ridge.

Prawda była taka, że nikt nie wiedział, co się stało w Salinie w Kansas. Zwłaszcza gadające głowy w CNN, przynajmniej w opinii Stoke'a. A ten, kto wiedział, nie rozmawiał z mediami.

Wielkie monitory w całym holu, przez które biegł u dołu znajomy pasek z napisem „Aktualne wiadomości", pokazywały na żywo przygnębiający obraz tego, co zostało z czterdziestodwutysięcznego miasta w Kansas. Salina była teraz zwęglonym dymiącym pobojowiskiem, gdzie uchowało się tylko kilka ceglanych kominów i poczerniała wieża ciśnień.

– Co tam się stało, Stokely? – zapytała Fancha z zaniepokojoną miną. – Był zamach terrorystyczny?

– Nie wiem, skarbie. Możliwe. Albo po prostu wybuch w jakiejś fabryce chemikaliów lub eksplozja podziemnej magistrali gazowej. Wszystko mogło się zdarzyć. Ale musimy wchodzić na pokład. Dowiemy się więcej, kiedy zajmiemy naszą kabinę.

– Całe miasto? Po prostu runęło? – powiedziała, patrząc na monitor. – Nie do wiary.

– Wszystkich przedtem ewakuowano. Ktoś coś wie, tylko jeszcze tego nie mówi.

Stokely Jones był pewien jednego: to może być bardzo zła wiadomość dla Ameryki. Dla całego świata. Powiedzmy, że to nie był zwykły wypadek, wybuch gazu czy coś innego. Jakieś ugrupowanie terrorystyczne niszczy całe amerykańskie miasto? To przesłanie, wszystko jedno od kogo. Ale uzgodnił tę podróż z Brockiem, miał powęszyć, a poza tym obiecał Fanchy, że będzie jej towarzyszył, musiał więc dotrzymać słowa.

Objął ją czule w talii.

– Chodźmy, skarbie, będzie fajnie.

Denerwowała się przed lotem i liczyła na niego. Uśmiechał się przez całe rano, odkąd się obudził. Żartował przy śniadaniu, potem cały dzień starał się utrzymać optymistyczny nastrój. Wziął ją pod rękę i skierował w stronę krótkich kolejek do wind kursujących na dach. Byli trochę spóźnieni, większość pasażerów weszła już na pokład.

– Widzisz, z iloma znanymi twarzami ocieramy się łokciami? – zapytał. – Nie do wiary.

– Nie ocieramy się łokciami z twarzami, Stokely.

– Nie?

– Twarze nie mają łokci. Ludzie je mają.

– Słusznie.

W holu z trudem mieścili się wszyscy sławni i bogaci z osobami towarzyszącymi, którzy dopiero wchodzili na pokład ogromnego statku powietrznego „Puszkin", wyruszającego w dziewiczy rejs do Sztokholmu na uroczystość wręczenia Nagród Nobla za cztery dni.

Stoke nachylił się do Fanchy i szepnął jej do ucha:

– Podekscytowana?

– Tak, bo ze mną lecisz. Tylko z tobą czuję się bezpieczna. Potrzebuję cię. Taka jest prawda.

– Jestem tu dla ciebie, wiesz o tym.

– A ty? Nie jesteś ani trochę podniecony?

– Kochanie, znasz mnie. Napalam się tylko na dwie rzeczy, seks i jedzenie. Kiedy widzisz, że nie mam wzwodu, rób mi szybko kanapkę. Hej, zobacz, kto właśnie wchodzi. Marlboro Man we własnej osobie.

Do holu wszedł wiceprezydent Stanów Zjednoczonych, wysoki ranczer o surowej męskiej urodzie, pochodzący z części stanu Kolorado położonej po zachodniej stronie Gór Skalistych. Tom McCloskey odprowadzał swoją żonę, Bonnie. Miał z nią lecieć, ale coś mu wypadło w ostatniej chwili. Stoke golił się rano, kiedy usłyszał w radiu, że żona wiceprezydenta będzie podróżowała sama.

Teraz domyślał się, że McCloskeya zatrzymała w kraju katastrofa w Kansas. W Waszyngtonie wiedzieli zapewne więcej niż mówili. Wszędzie kręcili się faceci ostrzyżeni na jeża, którzy gadali do rękawów marynarek. Stoke jeszcze nigdy nie widział tylu agentów Secret Service w jednym pomieszczeniu. Usłyszał, jak jeden melduje, że MM jest w holu i idzie do windy. Wiedział, że Secret Service nazywa tak McCloskeya. Skrót MM pochodził od przezwiska Marlboro Man, które agenci nadali wiceprezydentowi, kiedy zaczął urzędować w Białym Domu.

W podróż wyruszało wielu senatorów z żonami i Bóg wie ilu kongresmenów. Stoke zauważył gubernatora Kalifornii i jego piękną żonę z rodziny Kennedych oraz znanych biznesmenów, Michaela Eisnera i Steve'a Jobsa, tego gościa z Apple. Rzecz jasna, byli też ludzie z Hollywood, sławni producenci i trochę gwiazd filmowych. Kilka nawet rozpoznał.

No i wszyscy geniusze, i mózgowcy, zdobywcy Nagrody Nobla i nominowani z całego świata wraz z rodzinami. Zaproszono też wielu laureatów, jak wynikało z eleganckiego oficjalnego zaproszenia, które doręczono Fanchy do jej domu na Low Key. Stoke przeczytał je. Ta podróż zapowiadała się jako największe zgromadzenie noblistów, jakie kiedykolwiek miało miejsce.

Można było zrozumieć atmosferę podniecenia. Wszędzie media, ważne osoby, znakomitości z różnych dziedzin życia, ludzie myślący i zachowujący się tak, jakby stanowili część historii. I nic dziwnego. Mieli uczestniczyć w pierwszym przelocie nad oceanem największego statku powietrznego na świecie, największego, jaki kiedykolwiek pokonał Atlantyk. Coś jak dziewiczy rejs „Titanica", pomyślał Stoke, ale szybko odrzucił niefortunne porównanie.

Znaleźli się na początku kolejki, teraz czekali jako pierwsi na wejście do windy. Tu też na ścianach wisiały monitory, trwała jakaś konferencja prasowa. Stoke starał się słuchać uważnie, ale wyglądało na to, że nadal jest niewiele nowych informacji.

Najwyraźniej nikt, łącznie z dowódcą kansaskiej policji, który stał teraz na podium na wzgórzu z widokiem na miasto, nie miał pojęcia, co się wydarzyło.

– Stoke, pamiętałeś, żeby zapakować...

– Moment, skarbie, chcę tego posłuchać.

– „Pierwsze pytanie – zwróciła się do kapitana młoda reporterka. – Co się dzieje z panią burmistrz? Podobno nagle przestała się pokazywać.

– Owszem. Burmistrz Bailey ciężko zachorowała w nocy. Jest razem z rodziną w bezpiecznym miejscu i prosi, żeby media uszanowały ich prywatność.

– Ale gdzie są, panie kapitanie?

– Niestety nie mogę tego ujawnić.

– Czy jest jakaś prawda w pogłosce, że padła ofiarą przestępstwa? Że jej zniknięcie ma z tym związek?

– Nie.

– Zostawmy panią burmistrz, panie kapitanie. Kiedy dostał pan rozkaz ewakuacji? – zapytała gadająca głowa z NBC.

– Pierwszy telefon w tej sprawie odebrałem dziś o czwartej rano czasu środkowoamerykańskiego.

– Kto do pana zadzwonił? – spytał inny dziennikarz.

– Gubernator. Drugi telefon dostałem bezpośrednio z kwatery głównej FBI w Waszyngtonie.

– Co pan usłyszał od FBI?

– Że mam natychmiast ewakuować miasto.

– Dlaczego?

– Bo przyszło ostrzeżenie o zamachu.

– Od kogo?

– Tego mi nie powiedzieli. Ale wiarygodne, jak mówili.

– Od Al-Kaidy?

– Powtarzam, tego się nie dowiedziałem.

– Zdążyliście wszystkich ewakuować?

– Tak. Policjanci w Salinie we współpracy z moimi ludźmi wykonali doskonałą robotę. Szef policji w Salinie będzie tu za około dwadzieścia minut z kilkoma swoimi funkcjonariuszami. Oni ostatni patrolowali miasto, zanim wyleciało w powietrze. Na pewno chętnie odpowiedzą...”

Drzwi windy rozsunęły się i Stoke z Fanchą przeszli szybko do tyłu kabiny. Stoke pamiętał, że otwiera się na drugą stronę, kiedy dojeżdża na dach. Gdy dotarli na szczyt budynku, wyszli na słońce i spojrzeli w górę na przycumowany statek powietrzny. Lśniący kadłub zdobiły czerwono-biało-niebieskie chorągiewki. Stoke nic nie powiedział, ale pomyślał, że amerykańskie flagi trochę się gryzą z dużymi czerwonymi rosyjskimi gwiazdami namalowanymi na ogonie statku.

Do ruchomych schodów w części ogonowej prowadził czerwony dywan ogrodzony z obu stron aksamitnymi sznurami. Kiedy szli między nimi, pstrykały aparaty fotograficzne wycelowane w niego i Fanchę. Ale zdjęcia robiono jej, nie jemu.

Dziesięć minut później ubrany na biało steward pokazywał im kabinę po lewej stronie pokładu spacerowego. Była wspaniała, wyłożona orzechową boazerią, z podwójnym łóżkiem i kanapą, oraz stolikiem i fotelami pod trzema dużymi oknami, które wypełniał słoneczny blask i błękit nieba. Na stoliku do kawy leżała wielka kompozycja z białych kwiatów i mała koperta. W srebrnym wiaderku z lodem stała butelka szampana Roederer Cristal. Hollywood, pomyślał Stoke. Jak nic.

Dał stewardowi dwudziestkę i zapytał, gdzie jest telewizor. Młody mężczyzna wziął pilot z nocnego stolika i wcisnął przycisk. Obraz olejny nad komodą wsunął się w sufit i odsłonił płaskoekranową toshibę.

Steward ukłonił się, powiedział coś po rosyjsku i wyszedł. Fancha wyglądała na zadowoloną z kabiny i kwiatów i zaczęła się rozpakowywać. Stoke przysiadł na brzegu łóżka i rozgryzł pilota. Znalazł Fox News, przekaz na żywo z Saliny, aktualne wiadomości. Wiadomości zawsze są aktualne, pomyślał. Problem w tym jak długo.

Kapitana policji stanowej zastąpił szef komendy w Salinie, który właśnie kończył mówić. Stoke żałował, że nie słyszał wszystkiego. To była duża sprawa, a on miał być całkowicie wyłączony z obiegu przez następne cztery dni. Chciał wiedzieć, co się dzieje, do cholery?

– „Dziękuję – powiedział szef policji – chciałbym teraz oddać głos dwóm z moich najlepszych podwładnych. Ci młodzi ludzie stojący za mną patrolowali miasto ostatni. Chętnie odpowiedzą na pytania. Oto funkcjonariusze Andy Sisko i Gene Southey. Panowie?

Stoke zobaczył, jak dwaj schludni mundurowi ze Środkowego Zachodu wchodzą na podium. Obaj wyglądali na trochę speszonych, że znaleźli się przed kamerami telewizji ogólnokrajowej.

– Panie Sisko, pan ostatni opuścił Salinę? – zawołał jakiś reporter.

– Tak jest. Ja i mój partner dostaliśmy rozkaz wyjazdu na ostatni patrol.

– Byliście pewni, że miasto jest puste? Że nie pozostali w nim żadni mieszkańcy?

– Tak. Nasi koledzy i funkcjonariusze policji stanowej doskonale się spisali. Dopilnowali, żeby wszyscy się ewakuowali.

– A psy i koty?

– To było bardzo trudne. Większość mieszkańców zabrała ze sobą zwierzęta domowe, jeśli udało się je znaleźć. Ludzie wyjeżdżali w dużym pośpiechu. Na pewno zostały jakieś zabłąkane stworzenia.

– Panie Southey, nawet kiedy nadciąga huragan, jak to było w zeszłym roku na Key West, dużo osób odmawia opuszczenia domów. Czy w Salinie pojawiły się takie przypadki?

– Nie. Tutejsza społeczność jest bardzo zdyscyplinowana. Każdy pakował się i wyjeżdżał. Choć spotkaliśmy mężczyznę, który pozostał w mieście, ale jego też zdążyliśmy ewakuować.

– Nie chciał zostawić domu?

– Nie, robił dostawę.

– Dostawę? W pustym mieście? Co dostarczał?

– Pączki. To był cukiernik. Samochód miał pełen ciastek.

Stoke pochylił się do przodu i zgłośnił pilotem telewizor.

– Spotkaliście człowieka, który rozwoził pączki w opuszczonym mieście, gdzie zarządzono pospieszną ewakuację?

– Tak. Podobno przespał wszystkie komunikaty. Tak nam powiedział. Nic nie wiedział o ewakuacji. Robił swoje.

– Znacie jego nazwisko?

– Oczywiście. Nazywał się Happy. Miły człowiek. Poczęstował nas śniadaniem z furgonu mniej więcej w tym miejscu, gdzie teraz stoimy. Mój partner i ja zjedliśmy z nim pączki i wypiliśmy kawę tuż przed wybuchem".

Stoke nie odrywając oczu od ekranu, powiedział do Fanchy:

– Cukiernik Happy, skarbie, to tamten wielki facet, który przywiózł tort z bombą na urodziny w Miami.

Ale Fancha była już w łazience, za zamkniętymi drzwiami, i przebierała się. Nie usłyszała go.

W kieszeni Stoke'a zawibrowała komórka.

Otworzył telefon.

– Halo?

Dzwonił Harry Brock. Z Moskwy, gdzie musiał być środek nocy.

– Stokely, oglądasz CNN?

– Owszem, Harry. Cukiernik Happy.

– Zgadza się, nasz stary znajomy z przyjęcia urodzinowego w Grove. Pieprzony Bombiarz. To on wysadził w powietrze miasto. To musi być on. Bo co by tam robił?

– Ale po cholerę je rozwalił?
– Dobre pytanie. Jak szybko możesz tam być?
– W Salinie?
– A gdzie? Tylko ty go widziałeś. Wiesz, jak wygląda, jak mówi. Musisz tam natychmiast polecieć. Będzie z tym jakiś problem?
– Jestem na pokładzie „Puszkina". Z Fanchą. Zaraz startujemy. Miałem powęszyć w czasie podróży do Sztokholmu. Mówiłem ci o tym. Ona chce, żebym...
– Słuchaj uważnie. Od czasu urodzin w Miami przyjrzałem się dokładnie twojemu koledze Happy'emu. To Amerykanin rosyjskiego pochodzenia. Cyngiel *mafiji* z Brooklynu. Naprawdę nazywa się Paddy Strelnikov. W Langley mówią, że to tajny agent KGB. Zamach na Salinę miał wyglądać na robotę Irańczyków, na akcję ugrupowania o nazwie Ramię Boga. Ale to nie Irańczycy, bo nie miałoby to sensu. Ajatollahowie trzęsą teraz portkami ze strachu przed Ameryką. Może to rzeczywiście operacja cholernego KGB? Po tych pieprzonych Ruskich wszystkiego można się dziś spodziewać. Tak że mówię ci, rusz się tam i znajdź tłustą dupę tego Happy'ego albo przynajmniej dowiedz się, dokąd pojechał. Dorwij go i sprowadź. Rosjanie mogą planować coś dużego i wybuch może być częścią operacji. To wszystko, co mogę ci teraz powiedzieć.
– Już się zbieram.
– Dopadnij faceta, Stoke. On jest ważny. I jeszcze jedno. Zanim wysadził w powietrze miasto, zamordował panią burmistrz i jej rodzinę. W łóżkach. Męża i dwie małe córeczki. Na jednym z ciał zostawił komórkę z fałszywą wiadomością od Irańczyków. Nie ujawniono tego lokalnej policji.
– Chryste – powiedział Stoke.
– To ruszasz?
– Ruszam.
Harry rozłączył się w momencie, gdy Fancha wyszła z łazienki. Przebrała się w piękną turkusową spódniczkę i bluzkę. Nigdy nie wyglądała tak bosko. Miała na twarzy uśmiech, który Stoke tak kochał, który mówił, że jest szczęśliwa. Obróciła się jak baletnica.
– Hej, dlaczego jeszcze nie otworzyłeś szampana? Chce mi się pić.
– A, tak. Powinienem to zrobić. Przepraszam.
– Stokely, jakoś niewyraźnie wyglądasz. Coś nie tak?
– Niestety, skarbie.
– Bardzo nie tak?
– Bardzo.
– Nie lecisz ze mną.
– Nie. Przykro mi. Nie mogę.
Odwróciła się, weszła z powrotem do łazienki i zamknęła drzwi. Nie trzasnęła nimi, po prostu je zamknęła. I zaryglowała.
Stoke wziął nierozpakowaną walizkę i zapukał lekko do drzwi łazienki.
– Fancha? Przepraszam. Pozwól mi wyjaśnić.

Cisza. Przycisnął czoło do drzwi.

– Bardzo mi przykro, skarbie – powiedział cicho. – Chciałbym cię chociaż pocałować na pożegnanie. Proszę.

Nic.

– To sprawa służbowa, kochanie. Chodzi o bezpieczeństwo narodowe. Co mam zrobić?

Usłyszał, że Fancha szlocha.

Nie odezwał się więcej, wyszedł z kabiny i zamknął za sobą drzwi. Był zdenerwowany.

Wojna to nie piekło, pomyślał, idąc korytarzem do wind na ogonie statku powietrznego. To coś o wiele gorszego.

43

Twas, Rosja

Teraz widać już było wyraźnie pałac zimowy Korsakowów, światła w niezliczonych oknach błyszczały w ciemnym, zaśnieżonym lesie. Trojka w szaleńczym pędzie przemknęła przez łukowy drewniany most nad zamarzniętą rzeką i przez chwilę sanie poszybowały na szczycie w powietrzu. Szybkość, przenikliwe zimno, dźwięk dzwonków i drzewa skrzące się w blasku gwiazd działały na Hawke'a odurzająco.

Zerknął na Anastazję, wsunął zmarzniętą rękę pod futrzane przykrycie i położył na jej ciepłym udzie. Przysunęła się bliżej do niego, ani na moment nie odrywając wzroku od zadów pędzących koni. Obserwowała każdy ich ruch jak pilot, który stale rzuca okiem na tablicę przyrządów, szeptem korygując ich lot na złamanie karku w ośnieżonym krajobrazie. Hawke'a fascynowała ta umiejętność, o której istnieniu dotąd nie wiedział.

– Która część tego cudownego stepu jest własnością Korsakowów? – spytał. Przez ostatnie pół godziny bez przerwy mijali małe chaty na starannie ogrodzonych polach, otoczonych murami z kamieni. Teraz po lewej stronie zaśnieżonej drogi ciągnął się wysoki żółty mur.

Azja się roześmiała.

– Znalazłeś się na naszej ziemi dwie godziny wcześniej niż twój pociąg dojechał do stacji w Twasie.

– Macie sporo gruntu.

Trzepnęła lejcami.

– Bo ja wiem? Kiedyś należała do nas cała Syberia. Burza! Co w ciebie wstąpiło? Uważaj! Błyskawica, skręcaj! Skręcaj! Nareszcie jesteśmy w domu!

Hawke'a zaskoczył majestat zimowego pałacu Korsakowów.

Trojka skręciła nagle z zaśnieżonej wiejskiej drogi i przemknęła pod wielkim czarnym łukiem z kamienia i kutego żelaza, zwieńczonym złocistym dwugłowym orłem. Konie zobaczyły stajnię i wyrwały do przodu na ubitym śniegu w obsadzonej drzewami alei, która prowadziła do pałacu.

Wrażenie potęgi i bogactwa nasiliło się, gdy podjechali bliżej. Rezydencja była zbyt duża jak na dom mieszkalny. Hawke nie miał pojęcia, ile może być w niej pokoi, ale przyćmiewała wielkością gmachy europejskich parlamentów i muzeów. We wszystkich oknach paliło się światło.

– Przyjęcie? – zapytał. – Specjalnie dla mnie?

– Kolacja i koncert. Dla pięciuset osób.

– Kameralny wieczór?

– Jest tu pół Moskwy.

– Naprawdę? Które pół?

– To, które się liczy. To, które rządzi. Mój ojciec coś znaczy w tym kraju. Opowiada się za nową Rosją, silną, potężną, nieustraszoną. Szanują go. Jest jak… bóg, jak…

– Car?

– To wcale nie jest takie dalekie od prawdy.

Hawke patrzył przez chwilę na Anastazję, ale nie podjął tematu.

– Jesteś głodna? Bo ja umieram z głodu.

– Spóźniliśmy się na ucztę, ale możemy wysłuchać koncertu. I to przyjęcie nie jest zorganizowane dla ciebie. Świętujemy przyznanie tacie Nagrody Nobla i zbliżające się premierowe wykonanie jego nowej symfonii.

Sanie wjechały na rozległy zaśnieżony dziedziniec. Anastazja zatrzymała konie u podnóża szerokich schodów. Spod płóz posypał się tuman skrzącego białego puchu.

Otoczyli ich lokaje w liberiach, pomogli im wysiąść z oblodzonych sań i wzięli bagaż Hawke'a. Ze względu na zawartość walizy wolałby ją nieść sam, ale było już za późno.

Stał przez chwilę i przytupywał na ubitym śniegu, żeby odzyskać czucie w nogach.

Anastazja głaskała grzywę Burzy, kiedy stajenni okrywali dwa pozostałe konie derkami i odprowadzali do stajni. Wydała cicho polecenia wysokiemu brodatemu facetowi, najwyraźniej jakiemuś szefowi. Gdy znów zostali sami i wspinali się po szerokich kamiennych stopniach do głównego wejścia, szepnęła:

– Kazałam Anatolijowi dać ci apartament Delft na drugim piętrze. Sąsiaduje z moimi pokojami i jest z nimi połączony. Mam nadzieję, że nie uznasz tego za zbytni tupet z mojej strony.

– To na pewno tupet, ale może nie zbytni.

Wzięła go za rękę i poprowadziła w górę schodów. Lokaje w czerwonych liberiach ze złotymi galonami i lśniącymi mosiężnymi guzikami otworzyli szeroko dwuskrzydłowe drzwi. Hawke zobaczył wielką oświetloną choinkę ustawioną na środku holu wyłożonego białym marmurem ze złotymi zdobieniami. Wysokie na trzy piętra sklepienie wspierało się na kanelowanych kolumnach wielkości silosów zbożowych. Dwa biegi łukowych marmurowych schodów prowadziły na pierwsze i drugie piętro, skąd dochodziły dźwięki fortepianu i przytłumione śmiechy setek gości.

Hawke wszedł do swojego pokoju, zaskakująco i krzepiąco małego. Ściany pokrywały w całości niebiesko-białe holenderskie kafelki. Wiedział, że Piotr Wielki był miłośnikiem wszystkiego, co holenderskie. Anastazja powiedziała mu, że car nocował właśnie w tym pokoju, ilekroć gościł u Korsakowów. W rogu w piecu z holenderskich kafelków płonął ogień. Hawke zdjął oblodzone czarne palto i resztę cuchnących po podróży ubrań i umył się w gorącej wodzie z dzbana przy łóżku.

Na łożu z baldachimem znalazł świetnie skrojony strój wieczorowy. Ku jego zdumieniu koszula, spodnie, kamizelka i pozostałe części garderoby doskonale na niego pasowały. Podobnie jak czarne aksamitne pantofle ranne z herbem Korsakowów wyhaftowanym złotą nicią, stojące obok łóżka.

Jego walizka leżała na kanapie w kącie pokoju. Sprawdził, czy nikt nie majstrował przy dwóch zamkach szyfrowych i nie próbował się dobrać do bagażu z ukrytą bronią. Wyglądało na to, że nie. W każdym razie kombinacja cyfr, którą zawsze ustawiał, nie została zmieniona. Było to 222, dwudziesty drugi lutego, rocznica ślubu jego nieżyjących rodziców.

Przypuszczał, że jest wprawdzie honorowym gościem, z drugiej strony był jednak w Rosji.

Poczuł nagle zmęczenie, zrzucił pantofle i wyciągnął się w ubraniu na wielkim puchowym łożu. Ogień rzucał chybotliwy blask na baldachim. Hawke miał za sobą długą podróż z Bermudów. Ogarnęła go senność, której nie mógł przezwyciężyć.

Obudziło go głośne pukanie do drzwi. Anastazja była w ciemnogranatowej sukni z głębokim dekoltem, rozpuściła włosy, na jej szyi skrzyła się diamentowa kolia. Otaczał ją piękny, niemal odurzający zapach perfum Diora.

– Bałam się, że cię nie ma – powiedziała.

– Hm – mruknął, bo nie przyszło mu do głowy żadne inne słowo.

Myślał, że drzemał tylko kilka minut, ale gdy zerknął na zegarek, okazało się, że spał ponad godzinę.

– Wygodnie? – zapytała i objęła go.

– Uhm. Bardzo.

– Dobrze ci w białym krawacie, Alexandrze. Powinieneś go częściej nosić.

Pocałował ją w usta, zaskoczony ich ciepłem i miękkością. Przyciągnął ją do siebie, czując na piersi jej na wpół odsłonięty biust. Wdychał zapach jej włosów i skóry.

– Wygodnie z wyjątkiem łóżka – szepnął jej do ucha. – Materac jest trochę za twardy. Chętnie wypróbowałbym twój.

– Spokojnie, głuptasie. – Poczuła na udach jego wzwód. – Musimy się pokazać na przyjęciu. Chcę cię przedstawić ojcu. Chyba liczy na to, że się spotkacie. Moi bracia też nie mogą się doczekać, żeby cię poznać. Chodźmy.

Zszedł za nią po złoconych schodach. Poprowadziła go przez pełne blasku pokoje i lustrzane galerie. Szukali jej dwóch młodszych braci, Siergieja i Maksyma. Po drodze doszły do nich dźwięki instrumentów strunowych, perkusyjnych, klarnetów i waltorni. Grano nową symfonię hrabiego Korsakowa. Anastazja powiedziała Hawke'owi, że bliźniaki nie przepadają za muzyką symfoniczną. Lubią rosyjski hard rock w wykonaniu grupy Jabłoka. Odtwarzają to na swoich iPodach. Nazywają tę muzykę „naszą". Zachodni rock w nowej Rosji zdecydowanie się skończył. Jak wszystko, co zachodnie.

– Pewnie bawią się gdzieś tutaj – powiedziała.

– Bawią? Ileż oni mają lat?

– Dwanaście.

– A co się dzieje z ich matką? Właściwie z waszą matką.

– Umarła przy ich porodzie. A oni też z trudem przeżyli. Mieliśmy szczęście, że ich nie straciliśmy.

– Bardzo mi przykro, Azja. Nie miałem pojęcia.

Weszli do wielkiej barokowej sali, gdzie niedawno zakończyła się uroczysta kolacja. Goście i służba już zniknęli. Jadalnia z beczkowym sklepieniem zadziwiała liczbą luster i lśniącego złota. Niezliczone lustra w złoconych ramach odbijały się w innych, co tworzyło magiczny efekt nieskończonej przestrzeni. Setki świec płonęły jeszcze w kinkietach między oknami.

– Pewnie uciekli do kuchni – powiedziała Anastazja. – Zaczekaj, przyprowadzę ich.

Hawke przystanął obok stołu, wziął czysty kryształowy kielich i nalał sobie krwistoczerwonego wina z jednej z wielu srebrnych karafek. Smakowało wybornie. Podobnie jak udko pieczonej kaczki, które oderwał od na wpół zjedzonego ptaka i zaczął łapczywie obgryzać.

Z długiego stołu, ciągnącego się daleko w głąb sali, jeszcze do końca nie posprzątano. Z białych lnianych obrusów zwisały różnokolorowe wstążki i piękne kokardy. Pośrodku blatu wznosiła się okazała konstrukcja z symbolicznymi rzeźbami, monogramami i koronami różnych dawnych dworów europejskich.

W masywnych srebrnych kandelabrach, które stały rzędem na całej długości stołu, wciąż płonęły świece. Podstawy otaczały gałązki ostrokrzewu i sztuczne kwiaty z czerwonego jedwabiu. Były też maleńkie kwitnące drzewka doniczkowe i girlandy świeżych kwiatów, zawieszone nad miniaturowymi fontannami.

Blask świec odbijał się w złotej i srebrnej zastawie stołowej i wielkich wazach, których pokrywy ozdabiały rzeźby głów dzików, jeleni i bażantów. Hawke stwierdził, że ten wspaniały stół to naprawdę dzieło sztuki. I być może również demonstracja polityczna. Taki przepych z pewnością budził w gościach hrabiego Korsakowa marzenia o powrocie dawnej, nieistniejącej już imperialnej Rosji.

Hawke pomyślał, że to nie jest stół ani zwykłego miliardera, ani naukowego, artystycznego i muzycznego geniusza.

To stół imperatora.

Czy hrabia Korsakow marzy, by nim zostać? Czy to próbowała mu powiedzieć Anastazja, kiedy jechali saniami? Hawke wiedział, że restauracja monarchii nie jest nie do pomyślenia. W Rosji odczuwało się nostalgię za czasami świetności, kiedy rządzili carowie.

Choć Romanowowie byli słabi i zupełnie nie nadawali się na władców tego wielkiego kraju, Korsakowowie, z tego, co Hawke wiedział i widział, byli wystarczająco potężni, by robić to, co im się podoba.

Hawke doszedł do wniosku, że S. miał rację, wysyłając go tutaj, żeby zobaczył na własne oczy zmiany zachodzące w tym kraju, gwałtowne przesunięcie równowagi sił...

– Uważaj! – krzyknęła Anastazja.

Gruby srebrzysty pocisk zmierzał prosto w kierunku jego głowy.

Hawke schylił się i popatrzył na mijający go obiekt, który był latającym modelem statku powietrznego. Miał około metra długości, nazistowskie swastyki na ogonie i czerwone migające światła na kadłubie. Słychać było nawet cichy warkot wielu śmigieł, kiedy się oddalał.

– Co to jest, do diabła? – zapytał Hawke.

– Wyścig – powiedziała Anastazja, która nagle znalazła się tuż u jego boku. – Uważaj, Hawke, nadlatuje „Hindenburg".

Drugi kierowany radiem miniaturowy statek powietrzny, pechowy zeppelin, przeleciał między dwoma płonącymi kandelabrami w pościgu za ZR-1, niemieckim sterowcem, który kiedyś spowodował takie zniszczenia w Londynie.

– Siergiej, Maksym, proszę wylądować, zejść na dół i przywitać się z panem Alexandrem Hawkiem. Jest naszym gościem, zachowujcie się kulturalnie.

– Gdzie oni są? – spytał Hawke, wpatrując się w mrok. Nikogo nie widział w ogromnej, oświetlonej świecami sali.

– Na górze – odparła Anastazja, wskazując balkon wysoko nad nimi. Podczas kolacji śpiewał tam chór i grali muzycy.

Dwaj identyczni chłopcy wychylili się za balustradę i pomachali do Hawke'a. Obaj byli ładni z jasnymi długimi włosami do ramion.

– Jak pan się ma? – zapytali chórem bardzo dobrą angielszczyzną. – Przepraszamy, ale się ścigamy! – dodał jeden z nich.

– Bardzo dobrze, dziękuję – zawołał Hawke. – Nie przejmujcie się mną. Latajcie dalej. Kto wygrywa?

– „Hindenburg" – odpowiedział podekscytowany jeden z braci. – Zaraz przegoni ZR-1! I to trzeci raz – dodał ze śmiechem.

Hawke też się roześmiał.

– Gazu, ZR-1, nie daj się!

Anastazja ujęła go pod rękę.

– Znalazłam ojca przez telefon. Niestety, skończył już koncert, ale pije brandy u siebie w gabinecie. Zaprasza cię tam.

Poszli.

44

Lord Alexander Hawke! – powiedział hrabia Iwan Korsakow, idąc po perskim dywanie z uśmiechem tak ciepłym i promiennym jak ogień w kominku. – Jakże się cieszę, że pana widzę. Moja córka tyle opowiadała mi o panu, że czuję się, jakbyśmy znali się od lat.

– Hrabio Korsakow! – odparł Hawke i uścisnął mu dłoń. – Ja też mam takie wrażenie. Jestem zaszczycony. Bardzo dziękuję za zaproszenie.

– Czy Anastazja oprowadziła pana po domu?

– Nie miałam czasu, tato. – Anastazja podeszła do ojca i objęła go w pasie. – Strasznie nam przykro, że nie byliśmy na twoim koncercie.

Popatrzył na nią z czułością. Hawke miał okazję przyjrzeć mu się z bliska. Przystojny, koło pięćdziesięciu pięciu lat, z nieziemskim blaskiem w jasnoniebieskich oczach. Widać w nim było krew Złotej Ordy, Tatarów i bojarów, zmieszaną z dobrym skutkiem. Barczysty, wysoki i szczupły, nosił śnieżnobiałe włosy do ramion. Był w eleganckim, XIX-wiecznym żakiecie wieczorowym z granatowego aksamitu, krótkich spodniach z tego samego materiału i białych pończochach. Mówił po angielsku bezbłędnie z lekkim rosyjskim akcentem.

– Jak ci poszło przy fortepianie, tato?

Korsakow pocałował Anastazję w czoło.

– Mogłem opuścić jeden czy dwa pasaże, jak mi się zdaje, ale publiczność udawała zachwyconą. Istotą koncertów po kolacji jest krótki czas ich trwania, prawda, lordzie Hawke?

– Proszę mówić do mnie Alex, jeśli nie ma pan nic przeciwko temu. Nie używam tytułu.

– Ci, którzy się chwalą, rzadko zasługują na nagrodę.

Hawke skinął lekko głową.

– Dobrze powiedziane, hrabio Korsakow.

– W porządku, Alex, czego się napijesz?

– Najchętniej rumu. Goslinga, jeśli pan ma.

– Goslinga, to oczywiste. Prawdziwy Bermudczyk.

Korsakow podszedł do stolika z alkoholami, nalał Hawke'owi szklankę czarnego rumu i napełnił swój kieliszek brandy z ciężkiej kryształowej karafki.

– A ty, dziecko? – zapytał córki.

– Tylko wodę. Zostawiam was samych. Rywalizujcie na osobności o moje względy. I niech zwycięży lepszy.

Hawke chciał się uśmiechnąć do ojca ukochanej, ale nie zdołał uchwycić wzrokiem jego spojrzenia.

Zauważył duży obraz nad gzymsem kominka i podszedł go obejrzeć. Płótno przedstawiało Korsakowa, podobnie jak tamto na Bermudach, ale tutaj podczas polowania na lisa. Hrabia siedział w czerwonej kurtce na wspaniałym koniu w otoczeniu psów myśliwskich. Hawke zmrużył oczy, spojrzał na inicjały w dolnym prawym rogu i rozpoznał charakterystyczne zawijasy Anastazji.

Pomyślał o własnym portrecie, już z pewnością skończonym, którego jeszcze nie pozwoliła mu zobaczyć. Nic dziwnego. Nie dosiadał wielkiego rumaka i nie był ubrany na polowanie ani do walki, ani w ogóle. W co on się wpakował?

Stanęła za nim i szepnęła mu do ucha:

– Nie siedź tu za długo, bo zasnę. – Potem odwróciła się do ojca. – Zobaczymy się przy śniadaniu o zwykłej porze, tato. Może później przejedziemy się konno i damy Aleksowi pospać. Biedak ma za sobą męczącą podróż.

– Doskonale. Śpij dobrze, skarbie.

Przesłała mu pocałunek i zamknęła za sobą ozdobne drzwi.

Korsakow usiadł w jednym z dwóch skórzanych foteli po obu stronach przepastnego kominka, Hawke zajął drugi i wyciągnął nogi w kierunku trzaskającego ognia.

Hrabia uniósł swój kieliszek.

– Twoje zdrowie, Alex!

– I pańskie.

Przez chwilę popijali w milczeniu, potem Korsakow powiedział:

– Jestem ci winien przeprosiny, Alex.

– Za co?

– Kiedy się dowiedziałem, że spotykasz się z moją córką na Bermudach, byłem głęboko zaniepokojony. Bardzo się o nią martwię. Została kiedyś skrzywdzona i nie pozwolę, żeby to się powtórzyło. Niestety, kazałem cię śledzić.

– Zatrudnia pan uczniów Judy? – zapytał dobrodusznie Hawke.

– Tak, od wielu lat. Kiedy pierwszy raz przyjechałem na Bermudy, mnóstwo jamajskich imigrantów pracowało na mojej plantacji bananów. Pracowici, lojalni i bardzo religijni ludzie. Zwłaszcza stary Sam Coale, który przez lata był moim karbowym. On, jego dzieci i kilku innych wstąpiło w końcu do moich prywatnych sił bezpieczeństwa. Ostatnio są z nimi problemy. Chodzą słuchy o handlu narkotykami, aresztowaniach i innych skandalicznych rzeczach. Z pewnością wiesz już o smutnym losie Hoodoo, mojego zaufanego pracownika i długoletniego przyjaciela.

– Tak.

– Doprowadziłem do aresztowania Sama Coale i jego dwóch synów pod zarzutem zabójstwa. Siedzą w więzieniu Casemates. Moi przyjaciele w lokalnej policji przygotowują akt oskarżenia. Pozostali mieszkańcy wyspy Nonsuch, głównie motłoch, zostali wysiedleni. Uważam sprawę za zamkniętą. Ale szczerze przepraszam za niedogodności, których mogłem być sprawcą.

– Niedogodności? Chyba trudno tak nazwać porwanie, tortury i zniszczenie pięknej starej żaglówki mojej przyjaciółki.

W oczach Korsakowa błysnął gniew, ale odrzekł spokojnie:

– Bardzo mi przykro. Byłem głupi, że ufałem tym ludziom.

– Rozumiem.

Hawke przyglądał się hrabiemu, przedłużające się milczenie zaczynało być krępujące. Zastanawiał się, czy nie poruszyć tematu rosyjskiej broni, którą Hoodoo miał w motorówce.

– Wspomniał pan, że Anastazja została skrzywdzona – powiedział po chwili namysłu. – Chcę pana zapewnić, że bardzo się troszczę o pańską córkę i nigdy nie dopuściłbym do tego, żeby stała jej się jakakolwiek krzywda.

– Wierzę ci – odparł Korsakow, ani na moment nie odrywając od niego wzroku.

– Zechciałby mi pan wyjawić, co spotkało Anastazję?

– Jest bardzo uparta, jak bez wątpienia zauważyłeś. Często też kieruje się sercem, a nie rozumem. Wyszła za zupełnie nieodpowiedniego dla niej człowieka. Byłem temu zdecydowanie przeciwny. Zagroziłem nawet, że ją wydziedziczę. Ale oczywiście ta stara sztuczka prawie nigdy nie działa w przypadku zakochanych.

– Nie wiedziałem.

– Jej krótkie, nieszczęśliwe małżeństwo zakończyło się tragicznie, tak jak przewidziałem.

– Co się stało?

– Jej mąż zginął w wypadku na polowaniu.

– To straszne.

– Tak. Na moich oczach. Byliśmy w Szkocji, polowaliśmy na bażanty i kuropatwy. Mam tam małą posiadłość z terenem łowieckim, pośrodku doliny Spey, tam gdzie przecina ją rzeka Avon. Ballindalloch Castle. Może słyszałeś?

– Niestety nie.

– Nieważne. Mąż Anastazji został przypadkowo postrzelony w głowę przez jednego z moich gości. Zmarł, zanim zdążyliśmy wezwać pomoc.

– To okropne. Ale takie wypadki się zdarzają, prawda? – Hawke zmusił się do uśmiechu, choć szczerze wątpił, czy to był wypadek.

– Owszem. Ale porozmawiajmy o przyjemniejszych rzeczach. Są święta, powinno być wesoło. O ile wiem, założyłeś na Bermudach nową firmę. Nazywa się chyba Blue Water Logistics?

– O tak. Jestem tym bardzo podekscytowany. Mam dwóch młodych wspólników, Beniamina Griswolda i Fife'a Symingtona. Wiele sobie obiecujemy po naszym przedsięwzięciu.

– Ale głównie prowadzisz interesy w Londynie? Rodzinne?

– Tak. To duży wielobranżowy holding. Nie lubię tych obowiązków i zatrudniam doskonałych menedżerów, którzy wyręczają mnie w codziennej pracy. Blue Water pozwala mi żyć na Bermudach tak jak lubię, podejmować nowe wyzwania.

– Jesteś byłym wojskowym, prawda?

– Sporo pan o mnie wie.

– Dziwi cię to? W tych okolicznościach?

– Nie.

– Służyłeś w Królewskiej Marynarce Wojennej. Byłeś pilotem, prawda? W stopniu komandora?

– Owszem. Latałem harrierami. Brałem udział w pierwszej wojnie w zatoce.

– A teraz?

– Teraz?

– Zerwałeś kontakty z wojskiem?

– Tak.

Krótkie potwierdzenie zdawało się wisieć w powietrzu całą wieczność. Hawke i Korsakow zadowalali się wpatrywaniem milcząco w ogień, popijaniem drinków i własnymi rozmyślaniami. Nagle hrabia klepnął się w prawe kolano.

– Mógłbym wpaść któregoś dnia do Blue Water po powrocie na Bermudy, gdyby to ci odpowiadało?

– Oczywiście.

– Słyszałeś o moich komputerach Zeta, nazywanych powszechnie „specjalistami"?

– Cały świat je zna. Jest pan Henrym Fordem branży komputerowej.

– Pochlebiasz mi. Moja firma CAR rozprowadza na całym świecie miliony komputerów z naszych fabryk tutaj i w Chinach. Może byłoby to interesujące dla twojej nowej spółki logistycznej?

– Na pewno.

– Czy masz jakieś materiały informacyjne o twojej nowej firmie? Prospekty, foldery, które mógłbym przejrzeć?

– Mam. Dam je panu jutro rano.

– Doskonale. Teraz muszę wyznać, że jestem trochę zmęczony. To był długi wieczór. Tobie też przydałby się odpoczynek po podróży.

Hrabia Korsakow wstał i uniósł ręce nad głowę, nie mogąc stłumić zadziwiająco głośnego ziewnięcia.

– Mógłbym spać przez tydzień – powiedział Hawke i też się podniósł, choć godzinna drzemka w zupełności mu wystarczyła. Drzemki to źródło życia, co odkrył jego ukochany Churchill podczas wojny.

Hrabia otoczył go ramieniem i obaj ruszyli do drzwi.

Nagle Korsakow zatrzymał się w pół kroku.

– Ciekawi mnie jedna rzecz. Mówiliśmy o polowaniu w Szkocji. Wiem, że jesteś sportowcem. Bywasz może na wyspie Scarp na Hebrydach?

– Tak. Odziedziczyłem tam domek myśliwski. Poluję od czasu do czasu. Czemu pan pyta?

– Mój starszy brat Siergiej był zapalonym myśliwym. Kiedyś wybrał się na polowanie i niestety przepadł bez śladu. Właśnie na Scarp.

– Na Scarp? To niemożliwe. Na małej wyspie, prawie niezamieszkanej, żyje tylko garstka farmerów. Na pewno usłyszałbym o jego zaginięciu.

– O nie, to było lata temu, Alex. W mrocznych czasach zimnej wojny.

– Jak to się stało, że wybrał akurat Scarp? To przecież najbardziej nieprzystępne miejsce na ziemi.

– Siergiej był oficerem radzieckiego wywiadu, dostał urlop i popłynął na wyspę na jeden dzień małym jachtem. Więcej go nie widzieliśmy.

– Naprawdę? Kiedy to się stało?

– Dokładnie nie pamiętam. Niech pomyślę... W październiku 1962 lub coś koło tego. Byliśmy z bratem bardzo zżyci i strasznie mi go brakuje. Uczyliśmy się obaj w szkole w Szwajcarii, daleko od domu. W Le Rosey, może słyszałeś o niej? Pewnej nocy w internacie wybuchł pożar. Miałem wtedy chyba siedem lat, a Siergiej jedenaście. Stary drewniany budynek doszczętnie spłonął. Tylko my dwaj przeżyliśmy. Siergiej ciężko się poparzył, kiedy mnie ratował. Wszystko zawdzięczałem jemu i do dziś nie mogę się pogodzić z tym, że go straciłem.

– Strasznie mi przykro.

– Twój ojciec był chyba oficerem wywiadu brytyjskiej marynarki wojennej, prawda?

– Tak.

– Pewnie też od czasu do czasu polował na Scarp i korzystał z domku myśliwskiego?

– Możliwe. Lubił przebywać na łonie natury. Miałem zaledwie siedem lat, kiedy zginął. Nie przypominam sobie, żebym słyszał wiele o Scarp. Raz czy dwa wspomniał o jakimś wielkim czerwonym jeleniu. Tylko tyle pamiętam.

– Czy ten jeleń nie nazywał się przypadkiem Czerwona Pałka?

– Nie, Władca Shalloch. Na pewno.

– Hm. To fascynujące, kiedy się pomyśli, że ich ścieżki mogły się niegdyś przeciąć w czasach zimnej wojny, prawda?

– Owszem.

– No cóż, nie zatrzymuję cię. Śpij dobrze.

Hrabia otworzył wysokie drzwi z drewna orzechowego. Za progiem czekał mężczyzna, który wyglądał tak, jakby ktoś powinien go odprowadzić do łóżka. Miał przekrwione oczy i chwiał się lekko na nogach. Zmarszczył brwi, zmierzył Hawke'a wzrokiem od góry do dołu i powiedział bełkotliwie po angielsku:

– Pan jest tym Anglikiem.

– W każdym razie, jednym z wielu. Wie pan, jest nas kilkadziesiąt milionów.

– Hm – mruknął mężczyzna. Nie sprawiał wrażenia rozbawionego.

Korsakow uśmiechnął się z przymusem.

– Władimir, przyjacielu. Wejdź, napij się.

– Aha, tu jesteś! – zwrócił się do niego gniewnie mężczyzna. – Wszędzie cię szukam. Chcę z tobą pogadać, do licha.

– Co powiedziałeś? – zapytał hrabia takim głosem, jakby mówił ktoś inny.

Hawke spojrzał na Korsakowa i zaskoczył go wyraz dzikości na jego twarzy. W zimnych niebieskich oczach pojawił się na moment groźny błysk. W jednym ułamku sekundy Hawke dostrzegł to, co kryło się pod pozorami wytworności, pod maską dostojeństwa. Zobaczył potwora, obce, aroganckie, przerażające wcielenie zła. Był pewien, że gdyby wykonał teraz jakiś nagły, nieprzyjazny gest, Korsakow niczym pies odsłoniłby zęby i wściekle zawarczał.

Kiedy znów zerknął na hrabiego, zobaczył przekonujący obraz życzliwości i uroku osobistego. Zaczął się zastanawiać, czy mu się nie przywidziało.

– Dobrze, pogadamy – zapewnił Korsakow. – Ale najpierw przywitaj się z Aleksem Hawkiem, Władimir. Alex, to mój stary towarzysz, Władimir Rostow.

– Dobry wieczór – wymamrotał Rosjanin, ale nie wyciągnął ręki.

– Dobry wieczór – odparł Hawke i odsunął się na bok, żeby mężczyzna mógł wejść do gabinetu. Dopiero teraz rozpoznał w nim prezydenta Federacji Rosyjskiej.

Kiedy Rostow znalazł się już w środku, hrabia zamknął szybko drzwi i Alex został sam w wielkim korytarzu z łukowym sklepieniem. Z pokoju dobiegły jakieś krzyki po rosyjsku. Natychmiast pożałował, że nie ma u boku Ambrose'a jako tłumacza. Kilka razy usłyszał słowo *amierykanskij* z ust obu mężczyzn, co uświadomiło mu przedmiot gwałtownego sporu.

Postanowił postać chwilę pod drzwiami i zaczekać, czy uda mu się usłyszeć czegoś interesującego. W pewnym momencie pijany prezydent Rosji wrzasnął po angielsku:

– Amerykanie zetrą nas z powierzchni ziemi!

Hawke był ciekaw, za jakie szaleństwo, ale Rostow i Korsakow przeszli szybko z powrotem na rosyjski. Co ci Rosjanie zmalowali, do cholery?

Przypomniał sobie o szklance z dobrym czarnym rumem, którą wciąż trzymał w ręku.

– Szkoda rumu – mruknął pod nosem i opróżnił ją jednym haustem.

Hrabia i prezydent najwyraźniej przeszli w głąb gabinetu, bo ich głosy już nie przenikały przez drzwi. Hawke się rozejrzał. Prawdę mówiąc, nie miał zielonego pojęcia, jak dotrzeć przez to architektoniczne dziwo do własnego pokoju.

Na prawo powinna być wielka jadalnia, gdzie poznał bliźniaków. Jeśli zdoła do niej trafić, stamtąd będzie szukał drogi do łóżka i Anastazji. A przy okazji trochę powęszy. Był rasowym szpiegiem, nie mógł się od tego powstrzymać.

Wcześniej zauważył za stajniami ogromny hangar z aluminiowej blachy falistej, gdzie zmieściłby się „Hindenburg” naturalnej wielkości.

Gdyby ta cholerna zamieć trochę się uspokoiła, i gdyby udało mu się znaleźć jakiś ciepły futrzany płaszcz i gumowce w rozmiarze dwanaście gdzieś w przedsionku, mógłby wyjść na dwór i trochę się rozejrzeć.

Zerknął na zegarek. Nie, ma ważniejsze rzeczy do zrobienia niż zaglądanie do hangaru hrabiego. Dzięki różnicy czasu może jeszcze wykonać kilka telefonów przez satelitę. W Londynie jest jeszcze dość wcześnie, że zdąży złapać S., zanim pójdzie do łóżka. Pomyślał, że Trulove uzna różnicę zdań między Korsakowem i wściekłym Rostowem za bardzo interesującą. Zadzwoni też na Bermudy do Ambrose'a i przedstawi mu obecną sytuację.

Czerwony Sztandar będzie miał sporo roboty.

Harry Brock czekał na niego w Moskwie. Mieszkał w hotelu Metropol pod fałszywym nazwiskiem. Simon Weatherstone, jak wynikało teraz z jego paszportu, spotykał się potajemnie z małą grupą nowo zwerbowanych agentów Czerwonego Sztandaru. Hawke postanowił dzwonić do pokoju hotelowego z samego rana, zamiast budzić go w środku nocy. Harry i jego nowi ludzie mogli się przydać, żeby odkryć przyczynę wściekłości Rostowa.

Szaleństwo? Gniew Amerykanów? Co to mogło znaczyć?

45

Hrabia Iwan Korsakow patrzył z gniewem i niedowierzaniem, jak rozjuszony prezydent stojący przed jego kominkiem wali pięścią w drewniany gzyms i strąca na podłogę cenne fotografie rodzinne w srebrnych ramkach. Znał Władimira Rostowa od wielu, wielu lat i nigdy nie widział go w takim stanie. Przy tej furii jego nietrzeźwość była sprawą marginalną, wręcz komiczną, gdyby nie późna pora i mnóstwo zajęć czekających go od rana.

Spiorunował wzrokiem prezydenta, który deptał potłuczone szkło.

– Amerykanie zetrą nas z powierzchni ziemi za to szaleństwo!

– Uspokój się, Wołodia. Wystarczy.

Hrabia przeszedł na rosyjski. Wysłuchał go w złowrogim milczeniu, wzbierała w nim złość.

– Wystarczy? Straciłeś rozum, kurwa? – ryknął Rostow i rozejrzał się po pokoju, jakby odpowiedzi na wywrzeszczane przez niego pytania mogły się kryć w ciemnych kątach lub unosić pod sufitem.

– Posłuchaj – powiedział Korsakow, siląc się na spokój. – Jesteś gościem w tym domu. Nie pozwolę mówić tak do siebie. Usiądź w fotelu i zamknij się, póki nie ochłoniesz.

– Czy wiesz, co zrobiłeś? Zdajesz sobie z tego sprawę? Odpowiadaj! Unicestwią nas, mówię ci! Unicestwią!

Korsakow zerwał się z miejsca, złapał wzburzonego mężczyznę za ramiona, potrząsnął nim mocno i posadził na dużej skórzanej kanapie. Przytrzymał go, chwycił za gardło i ściskał, póki Rostow nie przestał wymachiwać rękami i nogami.

Prezydent leżał na poduszkach, był czerwony na twarzy i ciężko dyszał, ale już nie wydzierał się na całe gardło.

– Skończyłeś? – warknął Korsakow i puścił zaczerwienioną szyję Rostowa. Z jego rozkazu wielu ludzi zastrzelono, otruto, zgilotynowano, a nawet wbito na pal. Ale nigdy jeszcze nie zabił nikogo gołymi rękami i kusiło go to.

– Pytam, czy skończyłeś?

– Tak, tak. Tylko daj mi spokój.

Hrabia przeszedł przez gabinet i podniósł słuchawkę telefonu na biurku. Rzucił cicho parę słów i się rozłączył. Spojrzał gniewnie na zniszczone ramki i potłuczone szkło leżące na kamiennej podłodze przed kominkiem i opadł na fotel. Po chwili nachylił się do przodu, oparł ręce na kolanach i ściągnął na siebie wzrokiem uwagę pijanego prezydenta.

– Powiedz mi teraz powoli i spokojnie, co cię tak rozwścieczyło? Jeśli podniesiesz głos, nawet trochę, każę służącym wyrzucić cię na śnieg. Zrozumiano?

– Niech to szlag trafi – odparł Rostow, usiadł i nalał sobie drżącą ręką wódki z karafki na stoliku. – Dlaczego nie zostałem poinformowany o tej decyzji? Jeszcze rządzę tym krajem, jeśli się nie mylę.

– Co dzień podejmuję wiele decyzji. O której mówisz?

– O tej, żeby wysadzić w powietrze całe amerykańskie miasto, do cholery! Zetrzeć je z powierzchni ziemi! Wiesz, że znajdą trop prowadzący do nas. I to w ciągu doby. A może nawet szybciej. I co dalej? Wojna? Z Ameryką? Wiesz równie dobrze jak ja, ile amerykańskich atomowych okrętów podwodnych jest w tej chwili na Morzu Czarnym.

– Nie będzie wojny z Ameryką, Wołodia, zapewniam cię.

– Nie? Wiesz, jak Amerykanie załatwili sprawę z Syryjczykami, Irańczykami i innymi. Zagrozili im, że jeśli jakikolwiek akt terroru na terytorium Ameryki zostanie powiązany z Damaszkiem lub Teheranem, miasta te przestaną istnieć w ciągu dwudziestu czterech godzin. Wiesz to tak samo dobrze jak ja!

– Syria i Iran to nie Rosja.

– Dzięki Bogu. Wszyscy chcemy ruszyć na Amerykanów. Każdy z nas. I zrobimy to. Ale nie teraz, Iwanie. Nie jesteśmy jeszcze gotowi, daleko nam do tego!

– Uważam, że jesteśmy. Przeznaczenie nie będzie czekać.

– Twoim zdaniem rozmieszczenie naszych wojsk przy granicach krajów nadbałtyckich i wschodnioeuropejskich nie jest wystarczająco prowokacyjne? Nie sądzisz, że rzucamy zbyt wyraźne wyzwanie Białemu Domowi? Już słychać szum w Radzie Bezpieczeństwa. Myślisz, że ONZ, choć żałosne i godne politowania, będzie udawało, że niczego nie widzi? Albo NATO? Nie wierz w to. Duma zażąda za to twojej głowy. Obiecuję ci.

– A może być tak, Wołodia, że to głowy Dumy polecą.

Rostow popatrzył na Korsakowa z niedowierzaniem. Taki zamach stanu wykracza daleko poza wszystko, co wydawało mu się możliwe. Nawet szaleniec Stalin okazywał powściągliwość, gdy dochodziło do...

Przerwało im pukanie do pokoju. Do gabinetu wkroczył umundurowany mężczyzna, zamknął za sobą drzwi i zaryglował je.

– Uspokój się, Wołodia. Zobacz, to twój stary przyjaciel generał Kuragin przyszedł, żeby się z nami napić. Nikołaj, przynieś karafkę mojej specjalnej wódki ze stolika z alkoholami i siadaj przy nas, dobrze?

Generał Nikołaj Kuragin, od lat bliski współpracownik Rostowa, również od lat stał potajemnie na czele prywatnej armii Korsakowa. Wykonał polecenie i podszedł do stolika z alkoholami. Chudy mężczyzna, który wyglądał bardziej na Niemca niż na Rosjanina w szytym na miarę czarnym mundurze, był bezwzględny. W prawym ręku trzymał duży czarny skórzany neseser przymocowany do nadgarstka łańcuchem i bransoletą z nierdzewnej stali.

W środku mieściło się jedno z dwóch istniejących urządzeń elektronicznych z kodami do zdetonowania każdej bomby zeta na świecie. To, które nosił ze sobą generał, było rezerwowe. Główne miał zawsze przy sobie Korsakow. Kuragin znał również kody, na zawsze wyryte w jego mózgu. Nigdy ich nawet nie zapisał.

Krótko skinął Rostowowi głową.

– Dobry wieczór, panie prezydencie.

– Bierzesz w tym udział, Nikołąj, tak? – Rostow zmiażdżył go wzrokiem. – Ty kłamliwy skurwielu. Po tylu latach wspólnej pracy, po tym wszystkim, co dla ciebie zrobiłem. Udawałeś mojego przyjaciela i sojusznika. A teraz zdradziłeś mnie dla tego zdemoralizowanego pyszałka?

– Uważaj na to, co mówisz – warknął Kuragin i Rostow zapadł się jeszcze głębiej w poduszki. Wiedział, że to koniec. Wszystko stracone. Wszystko.

Korsakow spojrzał na Kuragina z krzywym uśmiechem.

– Prezydent martwi się, że mogliśmy trochę przeciągnąć strunę, niszcząc to amerykańskie miasto, Nikołaj.

– Naprawdę? Czemu?

– Obawia się reakcji Amerykanów, NATO i ONZ-u.

– Boi się własnego cienia – odparł Kuragin. – Jak zawsze.

– Może trzeba mu dodać odwagi. Nalej mu następnego drinka. Z mojej karafki.

Kuragin wyjął z ręki Rostowa kryształową szklankę, napełnił ją ze srebrnej karafki z herbem Korsakowów i oddał mu.

– Pij.

Rostow potrzebował w tym momencie trochę otuchy. Wychylił wódkę jednym haustem i wyciągnął rękę po następną.

– Jeszcze jedna? – zapytał Kuragin i spojrzał na Korsakowa.

– Czemu nie, Nikołaju?

Kiedy szklanka znów była pełna, Rostow wlał w siebie alkohol, przełknął i otarł usta wierzchem dłoni. Zgromił wzrokiem dwóch mężczyzn, którzy go zdradzili.

– I jeszcze ten pieprzony lis w kurniku – zdołał wychrypieć.

– Jaki lis? – zapytał go Korsakow. – W jakim kurniku?

– Anglik, którego zaprosiłeś do domu! Kto to jest? Wiesz coś o nim? Może to szpieg.

– O, znamy tego lisa dość dobrze, prawda, Nikołaju? Mamy go na celowniku od bardzo dawna. Napij się jeszcze, Wołodia.

Prezydent Rostow podniósł się chwiejnie, postał chwilę, po czym opadł z powrotem na miękkie skórzane poduszki.

– Chcecie wojny z Ameryką, tak? Wiecie, że jej okręty podwodne okrążają nas jak wilki. Z pociskami rakietowymi wycelowanymi prosto w nas. Prowokujecie tego, kogo powinniście uspokajać. Przynajmniej do czasu... do czasu...

Wydał odgłos, jakby się dusił, i nie zdołał dokończyć. Głowa opadła mu do tyłu, spojrzał na dwóch dręczycieli szklistymi oczami. Pusta szklanka wysunęła mu się z palców i roztrzaskała na kamiennej podłodze.

– Co ci jest? – zapytał Korsakow, przyglądając mu się uważnie.

– Aaa... Strasznie boli mnie głowa. Czuję...

– Wołodia. Drogi stary przyjacielu i towarzyszu. Obawiam się, że nadszedł już czas, żebyś opuścił ten padół – powiedział Korsakow, zakładając nogę na nogę. – Z pewnością nastąpi to przedwcześnie. Miałem cię pożegnać jutro rano, kiedy przyleci helikopter, żeby zabrać cię z powrotem na Kreml. Ale teraz...

– Jutro? – wychrypiał prezydent.

– Tak. Fatalny lot. Nieszczęście. Katastrofa na Uralu. Tragedia narodowa. Światowa. Ale, mój drogi, takie rzeczy się zdarzają. A życie toczy się dalej.

– Fatalny lot?

– Umierasz, stary. Otruty. Ale nie powoli i nie w bólach, jak nasz dawny przyjaciel Litwinienko parę lat temu w Londynie. To nie powinno długo potrwać. Ile, Nikołaj, jak myślisz? Dwadzieścia minut?

– Cyjanek uniemożliwia organizmowi wchłanianie tlenu, śmierć powinna nastąpić szybko.

– Ale zdążymy pokazać mu przyszłość?

Kuragin się uśmiechnął.

– Wystarczy mu czasu, żeby zobaczyć, że przyszłość jest w naszych rękach.

Umierający Rostow z trudem uniósł powieki.

– Iwan? Jesteś tu?

– Tak, Wołodia. Słyszysz mnie jeszcze? Widzisz neseser w ręku generała Kuragina? Wiesz, co w nim jest? Nasza własna nuklearna piłka, jakby powiedzieli Amerykanie. Ja nazywam to Betą albo po prostu czarną skrzynką.

Rostow spojrzał na neseser, który trzymał Kuragin.

– Widzę – odparł słabym głosem.

– Wypiłeś wódkę z cyjankiem. Może jestem staroświecki, Wołodia, ale wymyślne trucizny promieniotwórcze, takie jak polon, uważam za zbyt kłopotliwe. Chyba że ktoś chce przekazać jakąś wiadomość. Dziś tak nie jest. Przyszłość po prostu pogrzebie przeszłość.

– Człowieku, mówię ci – wykrztusił Rostow – że Amerykanie nas unicestwią.

– Pozwól, że cię uspokoję w ostatnich chwilach twojego życia. Nikołaj, otwórz neseser. Pokaż naszemu umierającemu przyjacielowi, co tam masz.

– Tak jest – odpowiedział generał Kuragin. Odczepił skórzany neseser od nadgarstka i położył na niskim stoliku, żeby Rostow mógł zobaczyć, co jest w środku. Kiedy wystukał kod na klawiaturce, wieko się otworzyło i uniosło automatycznie. Po jego wewnętrznej stronie monitor CRT wyświetlał w czasie rzeczywistym satelitarną trójwymiarową mapę świata. Na każdym kontynencie błyskały miliony świetlnych punkcików.

– Te światełka oznaczają niezliczone komputery Zeta. Każdy jest wyposażony w GPS i podaje swoją dokładną pozycję i numer identyfikacyjny – wyjaśnił Korsakow. – Jak widzisz, są na całym świecie. Wszędzie. W każdym mieście, miasteczku, wiosce. I w każdej zecie jest dwieście dwadzieścia pięć gramów heksagonu. To potężne ładunki wybuchowe, które czekają tylko na mój sygnał, impuls detonacyjny.

– Wszędzie bomby – wymamrotał Rostow.

– Na całym świecie. Wiele z nich jest pod kontrolą moich agentów, którzy wiedzą tylko tyle, ile muszą. Ale w skali globalnej można zdetonować wszystkie tym jednym urządzeniem. Zrobię ci zbliżenie jakiegoś miasta. Które wybierasz? Paryż? Honolulu? Bombaj? Nie, pokażę ci Los Angeles.

Korsakow pokręcił sterownikami i cały ekran wypełnił widok Los Angeles. Błyskała tam zbita masa punkcików świetlnych.

– Wskaźnik w rogu ekranu, tutaj, informuje o liczbie komputerów Zeta w tym mieście. Jak widzisz, są ich dokładnie trzy miliony czterysta tysięcy. Tylko w samym Los Angeles. Gdybym chciał, mógłbym teraz zdetonować każdą z tych bomb. Albo wszystkie jednocześnie, żeby było bardziej dramatycznie.

Nikołaj Kuragin się roześmiał.

– Moglibyśmy w tej chwili zrobić z Los Angeles dokładnie to samo, co z Saliną.

– Albo wybrać Londyn, Honolulu, Buenos Aires czy Pekin – dodał Korsakow i szybko wyświetlił panoramę każdego z tych miast.

– Jesteście szaleni – szepnął Rostow i były to jego ostatnie słowa.

– Mam go stąd zabrać? – zapytał Nikołaj, patrząc obojętnie na zwłoki.

– Później. Ale każ go spalić w nocy. Szczątki umieścić rano w helikopterze, kiedy tylko przyleci. Razem z bagażem, gdzie już włożyłem zetę. Znajdą jego prochy i drobiny kości w górach w wypalonym wraku.

– Tak jest, Najjaśniejszy Panie.

– Najjaśniejszy Panie. Podoba mi się to. Ładnie brzmi. Wreszcie nie musimy się przejmować Rostowem. Bardzo dobrze. A jakie są nastroje w Dumie? Mam tam wystąpić jutro wieczorem, jak wiesz.

– Nie przewiduję żadnych problemów z objęciem przez pana urzędu prezydenta. Spodziewam się wręcz jednogłośnego poparcia pańskiej kandydatury. Rostowa już nie ma i sprawa jest oczywista. Cieszy się pan szacunkiem w całym kraju. Większość rozgoryczonych komunistów, członków Innej Rosji i pozostałych partii, którzy mogliby się sprzeciwić, zmieniła już zdanie, gdy zaproponowaliśmy im pieniądze, posiadłości lub stanowiska w pańskim nowym rządzie. A oporni i niezdecydowani są daleko.

– To nie wystarczy. Pozbądź się ich.

– Załatwię to.

– A jak się miewa nasz stary przyjaciel Putin? Zadowolony z przymusowej emerytury w więzieniu Energietika?

– Powinienem powiedzieć, że promieniuje z niego entuzjazm – roześmiał się szyderczo Nikołaj. – Ale zastanawiam się, dlaczego nie umieści go pan po prostu na czubku drzewa bez gałęzi.

– Wbić go na pal? Nie, za szybko by umarł. Chcę, żeby siedział w celi i gnił powoli, tracił włosy i zęby, dopóki nie zdechnie, by już nigdy więcej nie sprawiać nam kłopotu.

46

Salina, Kansas

Stoke przyleciał samolotem rejsowym z Miami do Topeki przez Charlotte. Wylądował na lotnisku w Topece, przy wyjściu z rękawa czekał na niego młody facet z FBI. Granatowy garnitur, biała koszula, ciemny krawat, blond włosy ostrzyżone na jeża i lśniące czarne sznurowane półbuty. Stoke z miejsca go polubił. Gość miał szeroki uśmiech człowieka ze Środkowego Zachodu, ale co ważniejsze, wyglądał tak, że mógłby się załapać do zapaśniczej drużyny olimpijskiej, gdyby nie wybrał FBI. Nie mógł mieć więcej niż dwadzieścia cztery lata.

– Stokely Jones? – zapytał i wyciągnął rękę.

– Tak jest – przytaknął Stoke i uścisnął mu dłoń.

– Agent specjalny John Henry Flood – przedstawił się chłopak i błysnął odznaką. – Mam tu na lotnisku helikopter, który zabierze nas tam, gdzie była Salina.

– No to chodźmy, Johnie Henry Flood – odrzekł Stoke. Miał ze sobą tylko podręczny bagaż z jednym ubraniem na zmianę, przyborami do golenia i dziewięciomilimetrowym sig-sauerem z dwoma zapasowymi magazynkami. Agent specjalny Flood już torował sobie drogę przez zatłoczoną halę przylotów i Stoke musiał się pospieszyć, żeby za nim nadążyć. Chłopak działał. To dobrze.

Doszli do nieoznakowanego wyjścia i agent Flood skręcił w lewo. Drzwi pilnował umundurowany facet z ochrony portu lotniczego. Otworzył je przed nimi. Prowadziły prosto na płytę lotniska. Czarny śmigłowiec czekał z obracającymi się wirnikami.

Stoke uśmiechnął się do agenta Flooda.

– Tylko tak można latać. Nieoznakowanymi czarnymi helikopterami.

Schylił się pod wirującymi rotorami i okrążył za agentem specjalnym ogon maszyny. Weszli na pokład przez właz z prawej strony. Pilot skinął im głową i uścisnął dłoń każdemu z nich, kiedy już znaleźli się w środku. John Henry zajął miejsce z tyłu, Stoke usiadł z przodu po prawej stronie. Obaj włożyli słuchawki z mikrofonami i zapięli szybko pasy.

– Dobry, panowie – przywitał ich pilot przez interkom.

– Dobry – odpowiedzieli.

– Krótka podróż, startujemy.

Pilot uśmiechnął się, pokazał uniesiony kciuk i przesunął drążek skoku ogólnego. Mały helikopter oderwał się od ziemi, nabrał wysokości i wziął kurs na północ. Przelecieli szybko nad skupiskiem hangarów i wzbili się wyżej w drodze do Saliny.

Stoke odwrócił się i uśmiechnął do chłopaka z FBI.

– Jak cię nazywają, John czy John Henry?

– Matka dała mi imiona John Henry, panie Jones.

– Daruj sobie tego „pana". Mów mi Stoke.

– Cieszę się, że przyleciałeś. Jesteś z Langley, z CIA?

– Nie. Mam w Miami małą firmę zajmującą się bezpieczeństwem. Nazywa się Tactics International. Współpracuję z Agencją i Pentagonem. Wykonuję zadania specjalne. Przeważnie dla faceta nazwiskiem Harry Brock. Słyszałeś o nim?

– O tak. Jest żywą legendą. To on poprosił Biuro, żeby cię ściągnąć.

– Co tam mamy, Johnie Henry? Jaka sytuacja?

– Syf. Cztery trupy, pani burmistrz i jej rodziny. Zamordowani w łóżkach. I miasto zrównane z ziemią.

– Są jakieś ślady?

– Telefon komórkowy zostawiony na zwłokach jednej z ofiar. Z wiadomością, żeby ewakuować miasto wczoraj do szóstej rano. Ustaliliśmy, że połączenie przeszło przez stację przekaźnikową w Teheranie. Do zamachu przyznało się ugrupowanie o nazwie Ramię Boga.

– To potwierdzone?

– Nie.

– Dlaczego Irańczycy chcieliby nas sprowokować? I tak już balansują na krawędzi, budując bomby jądrowe i grożąc Izraelowi. Po co mieliby nam dawać doskonały pretekst do rozprawienia się z nimi? To bez sensu.

– No właśnie. Mamy nadzieję, że rzucisz na to trochę światła. Harry Brock powiedział mojemu szefowi, że możesz spojrzeć zupełnie pod innym kątem na to, co się stało w Salinie.

Stoke skinął głową, ale się nie odezwał. Chciał usłyszeć, co wie FBI, zanim im powie o cukierniku. Myślał o swoim spotkaniu z Happym, kiedy facet przywiózł tort urodzinowy z niespodzianką. Eksplozja była potężna. A Harry Brock powiedział, że to Amerykanin rosyjskiego pochodzenia. Być może agent KGB. Ale co KGB wykombinowało w Salinie w Kansas, do cholery?

Salina i Hiroszima miały ze sobą wiele wspólnego. Stoke i agent Flood jechali w milczeniu ulicami pełnymi powalonych i poczerniałych drzew, domów i budynków spalonych do fundamentów, i stosów szczątków zalegających na skrzyżowaniach. Smród był nieprawdopodobny. Nad wszystkim unosiła się chmura gryzącego dymu i odór rozkładu. Na rogach ulic leżały sterty zwęglonych zwłok psów i innych pozostawionych przez właścicieli zwierząt. Poprzedniej nocy przeszła burza i ulice pokrywała warstwa szarego błota i czarnego brudu.

Dzień był zimny i jasny. Kiedy zza chmur wyglądało słońce, powierzchnie czarnych i pustych terenów nabierały dziwnego blasku, jakby godzinę temu rozsypano tam szkło lub jakiś olbrzym rozrzucił wielkie garście maleńkich srebrnych monet w całym zniszczonym mieście.

John Henry miał ponurą minę i rzadko się odzywał. Patrzył prosto przed siebie; najwyraźniej zobaczył już wystarczająco dużo, by zapamiętać to do końca życia. W górze krążyły stada ptaków i Stoke'owi przyszło do głowy, że po prostu nie mają gdzie usiąść.

– Gdzie robimy pierwszy postój? – zapytał w końcu Johna Henry'ego.

– Mamy tu tymczasową bazę. W przyczepie mieszkalnej na szczycie wzgórza. W parku stanowym Hickory Hill. To gęsto zadrzewiony teren, ale nie spłonął, bo jest położony wysoko nad miastem. Podobnie jak motel Szóstka, gdzie zarezerwowałem ci pokój. Nie ma tam luksusu, ale tylko on ocalał.

Stoke wyglądał przez okno i patrzył z ciężkim sercem na obraz całkowitego zniszczenia. Stare amerykańskie miasto o długiej historii, której nie znał i już nigdy nie pozna, zniknęło z powierzchni ziemi.

– Wiesz, że to serce Ameryki, Johnie Henry?

– Co masz na myśli?

– To miasto leży, a raczej leżało, dokładnie w połowie odległości między wschodnim i zachodnim wybrzeżem Stanów. I w połowie odległości między naszą północną i południową granicą. W samym środku kraju. Dokładnie w zagnieceniu mapy, kiedy ją rozłożysz.

– Myślisz, że to celowe?

– Owszem. Chcieli, żeby zabolało.

– Udało im się.

– Miałeś tu rodzinę?

– Wychowałem się w dużym żółtym domu z zielonymi okiennicami, który stał na tamtym rogu.

– Przykro mi.

Wjechali w wąską krętą drogę prowadzącą na szczyt wzgórza z widokiem na miasto. Blisko krawędzi urwiska stała duża srebrzysta przyczepa mieszkalna, tymczasowa baza FBI. Stoke chwycił za klamkę i uśmiechnął się do agenta Flooda.

– Rozchmurz się, Johnie Henry. Złapiemy tę gnidę i przybijemy mu jaja do ściany, dobra? Nie martw się o to.

– Jak to zrobimy?

– Na początek powiem ci, że wiem dokładnie, kto to jest.

– To już coś. – John Henry uśmiechnął się po raz pierwszy, odkąd wylądowali w Salinie.

47

Witamy, panie Jones. Nazywam się Hilary Spurling i jestem tu agentką dowodzącą – powiedziała atrakcyjna blondynka, gdy Stoke i John Henry weszli z przejmującego zimna na dworze do przyjemnie ciepłego wnętrza przyczepy. Agentka Spurling była po trzydziestce i sprawiała wrażenie rzeczowej. Przedstawiła Stoke'a reszcie grupy składającej się z miejscowego lekarza sądowego Bruce'a Barnetta, faceta z Ośrodka Badań Materiałów Wybuchowych Wydziału Antyterrorystycznego FBI w Waszyngtonie, nazwiskiem Peter Robb, i dwóch mundurowych gliniarzy, których Stoke widział w relacji CNN z Saliny.

– Jak leci? – zapytał z uśmiechem Stoke. – Tworzycie zespół?

– Tak jest – powiedział lekarz sądowy.

– Panie Jones – oznajmiła Spurling – przejdźmy od razu do rzeczy. Wiem od mojego dyrektora, Mike'a Reitera, i naszych kolegów w Langley i Departamencie Bezpieczeństwa Wewnętrznego, że pan i agent Brock możecie mieć pewne informacje, które pomogłoby nam w tym śledztwie. Czy tak?

– Owszem. Ale jeśli nie ma pani nic przeciwko temu, to zanim podzielę się z wami tym, co wiem, chciałbym usłyszeć, co dotąd ustaliliście. Dobrze?

– Oczywiście. Nie zajmie to wiele czasu, bo nie jest tego wiele. Może zaczniemy od ciebie, Bruce? Doktor Barnett jest stanowym lekarzem sądowym przydzielonym do tej sprawy przez policję w Salinie.

Barnett włożył okulary na czubek nosa.

– Jak pan wie, panie Jones, nie było ofiar eksplozji i ostatnich dwanaście godzin spędziłem na miejscu czterokrotnego zabójstwa w domu burmistrz Bailey i jej rodziny przy Roswell Road 1223.

– Kto znalazł zwłoki? – zapytał Stoke.

– Gosposia, kiedy przyszła rano do pracy – odparł Barnett.

– Jest osiągalna? Może będę chciał z nią porozmawiać.

– Tak.

– Niech pan mi opowie o miejscu zbrodni.

– Zabójca nie wdarł się siłą. Został wpuszczony do domu. Albo był znany ofiarom, albo użył jakiegoś podstępu, żeby wejść. Dwie z ofiar, dziewczynki w wieku czterech i dziewięciu lat, znaleziono w ich łóżkach. Mąż pani Bailey zginął od strzału w głowę, ona sama zmarła z powodu wchłonięcia trującego gazu, tak jak jej dzieci.

– O Boże – powiedział Stoke. – Zagazował ich?

– Tak – potwierdziła Spurling. – Co gorsza, zabawił się z panią burmistrz, zanim ją zabił.

– Co zrobił? – zapytał Stoke.

– Zgwałcił ją i odbył z nią stosunek analny.

Stoke odwrócił na chwilę wzrok.

– Zidentyfikowaliście już gaz?

– To był narkotyk obezwładniający, podany w śmiertelnej dawce. Najprawdopodobniej na bazie fentanylu. Wysłaliśmy próbki tkanki płucnej ofiar do laboratorium Biura w Waszyngtonie, żeby sprawdzili, czy mają w bazie danych jakiś materiał porównawczy. Na razie mogę tylko powiedzieć, że była to substancja pochodzenia zagranicznego, nie nasza. Czekamy na wiadomość.

Stoke spojrzał na antyterrorystę.

– Jaki niejądrowy ładunek wybuchowy mógł spowodować zniszczenia, które widzimy?

– Po pierwsze – powiedział Peter Robb – to nie była jedna bomba, tylko setki.

– Setki?

– Może nawet tysiące. Nasz ośrodek zajmuje się przede wszystkim badaniem materiału dowodowego z miejsca eksplozji w celu identyfikacji składników bomby. Na razie mamy tylko to.

Robb wręczył Stoke'owi mały poszarpany kawałek bardzo cienkiego metalu. Srebrny i lśniący jak lustro. Stoke spróbował go zgiąć, ale nie mógł.

– Co to jest? Widziałem te szczątki wszędzie.

– Sprawdzamy. Znaleźliśmy to na miejscu każdej eksplozji. Całe miasto jest tym zaśmiecone. Moi ludzie robią w tej chwili analizę metalu w poszukiwaniu pozostałości materiału wybuchowego i akcelerantu. Na razie bez skutku. Jeszcze nie widziałem takiego miejsca przestępstwa, a jestem w branży od dawna. Ten bombiarz użył czegoś, z czym nie mieliśmy do tej pory do czynienia.

– Co pan ma na myśli? – spytał Stoke.

– Bomby połączone jak petardy. Wszystkie zostały zdetonowane jednocześnie jednym zapalnikiem. Wiem, że to brzmi bezsensownie, ale tylko tak potrafię to wyjaśnić.

– Dziękuję panu – powiedział Stoke i zajął się z kolei dwoma mundurowymi policjantami. – Jesteście tymi policjantami, którzy spotkali marudera, tak? Dostawcę pączków? Rozmawialiście z nim. Byliście razem z nim, kiedy nastąpiła eskplozja.

– Tak jest – odrzekł Andy Sisko.

– Znacie jego nazwisko?

– Happy – powiedział Gene Southey. – Tak miał napisane na bluzie. Cukiernik. Twierdził, że jest w mieście od kilku dni. Przesypiał migrenę i nie wychodził z motelu.

– Co powiedział, kiedy miasto wyleciało w powietrze? Jak na to zareagował?

Gliniarze popatrzyli na siebie.

– Co on powiedział, Andy? Pamiętasz?

– Wydaje mi się, że nic – odparł Sisko. – Chyba po prostu wsiadł do swojego samochodu i odjechał.

– Dużej białej furgonetki z napisem „Cukiernik Happy" na boku?

– Zgadza się.

– Po prostu odjechał. I zostawił dwóch świadków.

– Świadków czego? – zapytał Southey.

– Przestępstwa. To Cukiernik Happy zrównał wasze miasto z ziemią. Nie wiem, jak to zrobił, ale to on.

– Niech to szlag! Mieliśmy go w ręku!

– Panie Jones – wtrąciła się agentka Spurling – proszę nam powiedzieć, co...

– Chwileczkę – przerwał jej Stoke. Wyjął komórkę i wybrał numer Rekina w nowej siedzibie swojej firmy w Coconut Grove w Miami. Telefon zadzwonił cztery, może pięć razy. Stoke widział w wyobraźni swoje biuro ukryte za drzewami bananowymi, mały różowy bungalow z otwartymi oknami i bambusowym szezlongiem, na którym ucinał sobie drzemkę, kiedy nic się nie działo. Podejrzewał, że Luis śpi teraz na tych miękkich zielono-białych poduszkach.

– Tactics – zgłosił się w końcu Rekin zbyt wesoło, jakby chciał sprawiać wrażenie zupełnie przytomnego.

– Kimasz w pracy, synu?

– Nie, byłem na zapleczu, miałem problem z klimą i...

– Czas wziąć się do roboty, Rekin. Coś tu mamy.

– Mów, już to załatwiam.

– Słuchaj uważnie. Chodzi o tamto nagranie wideo sprzed tygodnia, które zrobiliśmy wieczorem w Grove z pokładu łodzi. Nie o całe. Znajdź tylko ujęcia Paddy'ego Strelnikova, alias Szczęśliwego Cukiernika. Wszystkie. Są na samym końcu. Pokazują, jak wychodzi z tamtej imprezy z tortem. Wytnij to i wyślij e-mailem na adres, który ci zaraz podam.

Stoke zapytał agentkę Spurling o jej adres mailowy i przekazał go Luisowi.

– Materiał jest nam potrzebny natychmiast – ciągnął. – Zrób kopię. FBI musi zaraz rozesłać zdjęcie faceta po całym kraju. Zadzwoń do Barry'ego Picka z komendy policji w Miami. Powiedz mu, że Salinę zniszczył gość od tortu. Niech obserwują port lotniczy. Happy może wrócić do domu albo nawet już tam jest. Kumasz?

– Spoko, szefie.

– Trzym się, Rekin.

– Naprawdę ma pan zdjęcia tego faceta? – zapytała agentka Spurling.

– I to mnóstwo. Inwigilowaliśmy czeczeńsko-rosyjską mafię i przypadkowo wszedł nam w kadr. Jest powiązany z gościem nazwiskiem Jurin, którego obserwujemy z innego powodu.

Agentka Spurling zmarszczyła brwi ze zdziwienia.

– Jurin?

– Wiem, wiem, to brzmi jak siki. Ten Happy, znany też jako Paddy Byk, dostarczył bombę w torcie urodzinowym na przyjęcie, gdzie Jurin robił za ochroniarza. Zarządziła pani poszukiwania białego furgonu?

– Już trwają. – Spurling zatrzasnęła komórkę.

– Trzeba założyć, że porzucił go gdzieś niedaleko. Za bardzo wpadał w oko. Happy pewnie gdzieś go ukrył, ukradł jakiś samochód i pojechał na lotnisko. Proponowałbym skierować do poszukiwań tego furgonu wszystkich wolnych ludzi i przeczesać okolicę w promieniu jakichś dziesięciu kilometrów.

– Słusznie. Przepraszam, ale jeszcze nie zaczęliśmy uważać tego faceta za podejrzanego. Myśleliśmy, że to jakiś wariat. Kto to jest, do licha?

– Naprawdę nazywa się Paddy Strelnikov. To Amerykanin rosyjskiego pochodzenia. Uważamy, że z KGB. Uśpiony zabójca. Możliwe, że pracuje bezpośrednio dla kogoś na Kremlu. Ostatni raz widziałem go w Miami. Zabił czeczeńskiego terrorystę, który był odpowiedzialny za zamachy na Rosjan i groził Kremlowi.

– Co jest, do cholery? – odezwał się Southey. – Rosjanie w Salinie?

– Nie inaczej. Wy dwaj macie szczęście, że żyjecie. Johnie Henry, chciałbym porozmawiać z kierownikiem motelu, gdzie mieszkał Paddy, i zobaczyć jego pokój.

– Nic prostszego. Tam pan mieszka. To motel Szóstka.

– Chodźmy.

John Henry zatrzymał samochód służbowy FBI w miejscu, skąd Paddy i dwaj gliniarze widzieli, jak miasto wylatuje w powietrze.

– Stąd wszyscy trzej, podejrzany i dwaj policjanci, obserwowali eksplozję. Furgon cukierniczy był zaparkowany dokładnie tam, gdzie stoisz.

Stoke podszedł do krawędzi urwiska i spojrzał w dół na dymiące i skrzące się gruzy Saliny. Potem odwrócił się i popatrzył na gęsty las za sobą. Zobaczył parę zarośniętych dróg gruntowych, które prowadziły w głąb parku.

– Gdzie jest motel? Chyba gdzieś tu na górze?

– Tak. Za tamtym lasem. Tuż przy autostradzie stanowej, mniej więcej dwa kilometry stąd. Na tej wysokości nic nie ucierpiało, dlatego motel i park ocalały.

– Dasz radę przebić się tamtędy do autostrady czy musimy pojechać dookoła?

– Nie wiem, czy nie ugrzęznę. Tam są tylko naturalne szlaki. Gęsto zarośnięte.

– No to się przejdźmy, Johnie Henry. Uwielbiam przyrodę.

Pięć minut później Stoke zerknął w górę.

– Dużo tu połamanych gałęzi. I to wysoko. Po obu stronach szlaku.

– Zauważyłem.

– Wygląda to tak, jakby niedawno przejeżdżała jakaś cholerna ciężarówka.

– Jest. Tam, w wąwozie.

Stoke spojrzał w lewo. Na dnie głębokiego jaru zobaczył biały furgon cukierniczy. Samochód leżał na boku, kabina była częściowo zanurzona w rwącym strumieniu.

– Chodźmy – powiedział Stoke.

Zaczęli schodzić po stromym zboczu i dziesięć minut później udało im się dotrzeć do furgonu. Został dość mocno uszkodzony, nie miał przedniej szyby, przez kabinę płynęła woda. Jedna połowa tylnych drzwi wisiała uchylona.

– Wypadek? – zapytał John Henry.

– Nie, raczej celowa robota. Happy porzucił go tutaj, poszedł przez las do motelu, przebrał się w swoim pokoju, ukradł jakiś samochód pozostawiony na parkingu i odjechał. Ale przeszukaj kabinę najdokładniej jak tylko można. Zajrzyj do schowka w desce rozdzielczej i pod siedzenia. Może znajdziesz coś ciekawego, choć wątpię, żeby nasz przyjaciel czegoś zapomniał. Ja sprawdzę, co jest z tyłu.

Stoke uniósł tylne drzwi i zajrzał do środka. Zobaczył mnóstwo pudełek z pączkami, które wyglądały jak przepuszczone przez betoniarkę. Większość była szczelnie zamknięta, ale wiele się otworzyło i setki pączków z maziowatym kremem, czekoladą, lukrem i galaretką przykleiło się do sufitu i ścian i walało dookoła. Stoke zabrał się do przeszukiwania pudełek. W końcu tak właśnie działał Happy. Ostatnio dostarczył bombę w torcie.

– Johnie Henry – zawołał po dziesięciu minutach.

– Tak? – odpowiedział agent z kabiny.

– Chodź tu i spójrz na to!

– W kabinie nic nie ma – oznajmił John Henry, zaglądając do mrocznego wnętrza furgonu. Stoke siedział wśród otwartych pudełek z pączkami, umazany brejowatym kremem.

– Pomóż mi – powiedział Stoke. – Wyciągnij mnie z tego bajzla. Podłoga jest taka śliska, że nie mogę wstać.

– Obrzydliwe.

– Względne pojęcie. Elvis pomyślałby, że umarł i trafił do nieba.

Agent Flood chwycił Stoke'a za rękę i pomógł wielkiemu czarnemu mężczyźnie wydostać się z przewróconego furgonu. Stokely stanął jedną nogą w lodowatym strumieniu, uwalany od stóp do głów kremową polewą karmelową i różnokolorową posypką.

– Obejrzyj to – polecił i starł wolną ręką polewę z oczu.

W drugiej ręce trzymał mały srebrzysty przedmiot, który wyglądał jak rzeźba ludzkiego mózgu do postawienia na biurku. Ale uwagę Johna Henry'ego przykuło to, że przedmiot lśnił niczym nowe lustro. Tak jak mały kawałek metalu, który widział w przyczepie. I jak te, które walały się wszędzie w zgliszczach jego rodzinnego miasta.

– Co to jest? – zapytał.

– Komputer Zeta – odparł Stoke. – Nazywany „specem". Sprzedają je na całym świecie pięćdziesiąt dolców za sztukę. A w krajach Trzeciego Świata nawet taniej.

– A tak, widziałem je.

– Na pewno. W ciągu ostatnich kilku lat pojawiły się ich miliony. Musimy wrócić do przyczepy i pokazać to facetowi od materiałów wybuchowych. Jak on się nazywa?

– Robb. Peter Robb.

– Zgadza się, Robb. Musi to zobaczyć.

– Dlaczego?

– Bo moim zdaniem, Johnie Henry, w środku tego komputera jest bomba. A im dłużej o tym myślę, tym bardziej obawiam się, że może ich być więcej.

– Czego? Bomb w komputerach?

– Tak. Ale mogę się mylić.

John Henry obracał zetę w dłoniach i patrzył na nią z niedowierzaniem.

– Mój chłopak chodzi do piątej klasy i używa tego na zajęciach w szkole.

– Przerażające, prawda? – zauważył Stoke. – Musimy pogadać z Robbem. Niech zajmie się tym całe cholerne FBI. Trzeba ustalić, ile może być tych bomb komputerowych.

W kieszeni Stoke'a zadźwięczała komórka. Odebrał telefon.

– Tak, to ja – powiedział.

– Tu Luis.

– Co się urodziło?

– Dwie minuty temu dostałem telefon od mojego kumpla z policji. Namierzyli naszego cukiernika, Paddy'ego Strelnikova Byka. Wrócił do Miami. Jeden z miejscowych gliniarzy, który widział jego zdjęcie w biuletynie informacyjnym, zauważył go w budynku „Miami Herald". Ubranego jak deratyzator. Z dwoma wielkimi zbiornikami na plecach, jak butle tlenowe czy coś w tym rodzaju.

– Jest ciągle w Miami?

– Już nie. Wymknął się im. Przeszukali budynek od góry do dołu. Podejrzewają, że mógł wejść na pokład „Puszkina", tego statku powietrznego.

– Posłuchaj, Luis. Czy ktoś go widział na pokładzie?

– Nie. Ale był na schodach prowadzących na dach kilka minut przed rozpoczęciem przygotowań do startu.

– Nie mów mi, że już odleciał, Rekin.

– Jest w drodze do Sztokholmu od kilku godzin, człowieku. Zadzwoniłbym do ciebie wcześniej, ale sam dopiero się dowiedziałem.

Stoke zatrzasnął komórkę i spojrzał na Flooda.

– Zbiorniki? Butle tlenowe?

– Co?

– W tych butlach nie było tlenu, tylko gaz. Wypróbował trujący gaz na pani burmistrz i jej rodzinie. Sprawdził, ile czasu upłynie, zanim usypiająca dawka stanie się śmiertelna. To samo zrobili Rosjanie w moskiewskim teatrze opanowanym przez terrorystów. Wpuścili gaz przez przewody klimatyzacyjne, żeby wszystkich uśpić. Ale zastosowali zły wzór chemiczny i większość zakładników zmarła. Happy mógł przemycić ten cholerny gaz na pokład statku powietrznego.

– Przepraszam, o czym mówisz?...

– Fancha – mruknął pod nosem Stoke i szybko zaczął się wspinać po stromym zboczu wąwozu. Gdyby John Henry Flood tego nie widział, nigdy by nie uwierzył, że facet o jego rozmiarach może się poruszać w takim tempie.

48

Twas, Rosja

Był wczesny poranek. Promienie słońca padały na złocone meble, wspaniałe łoże z baldachimem i perskie dywany. Anastazja weszła do pokoju i zastała Hawke'a w wielkim łóżku. Leżał nagi pod pikowaną niebieską jedwabną kołdrą, podciągniętą pod szyję, i uśmiechał się szeroko.

– Hawke, wstawaj!

– Jesteś pewna, że jeszcze leżę, kochanie?

W ostatniej chwili zdążył sięgnąć w dół i wsunąć telefon satelitarny pod łóżko, żeby go nie zauważyła. Właśnie skończył rozmawiać z Harrym Brockiem. Powiedział mu o kłótni Rostowa z Korsakowem poprzedniego wieczoru. I dzięki Harry'emu już wiedział, dlaczego prezydent Rosji tak się wściekał. O jakim „szaleństwie" mówił. Całe amerykańskie miasto zostało zmiecione z powierzchni ziemi. Gniew Rostowa mógł oznaczać tylko jedno: to Rosjanie stali za zniszczeniem amerykańskiego miasta. Najwidoczniej byli zdecydowani i gotowi zaryzykować wojnę jądrową ze Stanami Zjednoczonymi.

I to Korsakow kazał dokonać tego nieuzasadnionego zamachu bez wiedzy prezydenta Rostowa. Poprzedniego wieczoru Hawke był świadkiem starcia na najwyższym szczeblu władzy w Rosji. Brock przekazywał teraz tę informację swoim przełożonym w Langley i Pentagonowi. Biały Dom też miał się wkrótce o tym dowiedzieć.

A Hawke? Piękna córka Korsakowa stała przy jego łóżku i traktowała go jak niegrzecznego chłopca, choć telefon satelitarny leżał na podłodze kilka centymetrów od jej małej stopy.

Uśmiechnął się, żeby odwrócić jej uwagę. Miał nadzieję, że ujmująco.

– Alex! Nie ma na to czasu. Idź do swojego pokoju, ubierz się i spakuj. Za godzinę wyjeżdżamy.

– Dokąd? Dopiero przyjechaliśmy.

– Wstawaj! – Anastazja zerwała z niego kołdrę. Widok podnieconego kochanka, nagiego w porannym słońcu, przemówił na korzyść Hawke'a.

– Spójrz na siebie.

– Hm.

– *Niet, niet, niet.* Wstawaj i zmykaj stąd. Mówię serio. Ojciec się wścieknie, jeśli nie będziemy gotowi na czas. – Złapała go za rękę i zaczęła ściągać z łóżka.

– Dobrze, dobrze, już wstaję – powiedział Hawke ze śmiechem. – Piękny poranek, prawda?

Podniósł się, wsunął ramiona w rękawy jedwabnego płaszcza kąpielowego, który przed nim rozpostarła, i ukradkiem wepchnął nogą telefon głębiej pod łóżko. Później go zabierze. Odwrócił się, objął Anastazję, pocałował ją w usta i poklepał po cudownie zaokrąglonym tyłeczku. Zauważył, że pod szlafrokiem jest naga. No cóż, trudno, czas nagli. Nic na to nie poradzi.

– Trudno, poddaję się. Ale po co wyjeżdżamy? Zacząłem się już przyzwyczajać do tego wspaniałego życia, które wy, nieprzyzwoicie bogaci Rosjanie, bardzo lubicie, jak się wydaje.

– Ojciec właśnie wezwał mnie do siebie. Musi być dziś w Moskwie. Wydarzenia polityczne w stolicy wymagają jego obecności. Zaproponował, żebyśmy z nim wrócili, i zgodziłam się. Zaoferował nam lożę w Teatrze Wielkim dziś wieczorem, bo jest premiera *Jeziora Łabędziego* z Nasimową. To będzie wspaniały spektakl. Idź.

– Jak się tam dostaniemy? Mam nadzieję, że trojką…

– Czymś lepszym. Polecimy statkiem powietrznym.

– To cudownie. Marzyłem, żeby wejść na pokład tej maszyny i obejrzeć ją. Myślisz, że pozwoli mi ją popilotować?

– Sławnemu lotnikowi Królewskiej Marynarki Wojennej? Na pewno. Rusz się wreszcie.

Pobiegła do łazienki. Hawke wyciągnął telefon spod łóżka i poszedł do siebie.

Przyglądał się z nieukrywanym podziwem, jak obsługa naziemna wycofuje powoli lśniący srebrzysty zeppelin z wielkiego hangaru. Każdy z wielu mężczyzn w niebieskich mundurach trzymał jedną z lin zwisających z kadłuba. Statek powietrzny miał około stu dwudziestu metrów długości, jak oceniał Hawke, i okrągły otwór w dziobie. Niezwykła konstrukcja, pomyślał, ale przecież zaprojektował ją niezwykły człowiek.

Na burtach widniała dość trafna nazwa „Car". Każdy ze stateczników w części ogonowej, skąd teraz opuszczano schody, zdobiła czerwona gwiazda. W blasku słońca odbijającym się od śniegu sterowiec kojarzył się z obiektem latającym z innej planety.

– I co? – zapytała Anastazja, która dołączyła do Hawke'a. Miała na sobie białe sobole i taką samą czapkę, i wyglądała pięknie.

– Jestem oszołomiony.

– Możemy wejść na pokład. Nasz bagaż jest już w środku. Ojciec też. Ma jakieś spotkanie biznesowe ze swoimi wspólnikami. Obawiam się, że nie znajdzie dla nas czasu, dopóki nie wylądujemy w Moskwie.

– No trudno. Cieszę się, że mogłem z nim porozmawiać wczoraj wieczorem. Poznaliśmy się trochę.

– On też jest z tego zadowolony.

– Jaką prędkość osiąga „Car"? Muszę przyznać, że robi wrażenie.

– Teoretycznie do dwustu czterdziestu kilometrów na godzinę. Ale kapitan powiedział mi, że będziemy lecieli z wiatrem. Powinniśmy być w Moskwie w porze lunchu.

– Muszę sobie załatwić jakieś lokum – powiedział Hawke. – Zdążę zadzwonić?

– Już się tym zajęłam, kochanie. Zarezerwowałam ci apartament w hotelu Metropol. W sąsiedztwie placu Czerwonego i bardzo blisko teatru Bolszoj. Wchodzimy na pokład? Ojciec na pewno chciałby wystartować jak najszybciej.

– Co się dzieje w Moskwie? – zapytał Hawke. Wziął ją pod rękę i ruszyli przez śnieg w kierunku hangaru.

– Nigdy nie pytam – odrzekła z cierpkim uśmiechem. – A on nigdy nic nie mówi.

Kiedy znaleźli się na pokładzie, poszli aż do Sali Widokowej im. Juliusza Verne'a, półokrągłego pomieszczenia pod samym dziobem statku. Było całe ze szkła i stali i komfortowo urządzone. Steward przyjął od nich zamówienie na śniadanie. Usiedli wygodnie w skórzanych klubowych fotelach, by cieszyć się wspaniałą panoramą. Szybki cichy lot nad rozległą białą przestrzenią, niecałe trzydzieści metrów nad bezkresnymi zaśnieżonymi lasami, hipnotyzował. Ale Hawke'a najbardziej interesowały rozwiązania techniczne, zastosowane w statku, a zwłaszcza gondola mieszcząca kokpit.

Kiedy tylko zjedli śniadanie, zostawił Anastazję z amerykańską powieścią (przywiózł jej w prezencie *Przygody Huckleberry Finna*) i wybrał się na zwiedzanie. Przeszedł od dziobu do ogona, omijając tylko te miejsca, gdzie ochroniarze patrzyli na niego groźnie i kręcili przecząco głowami. Ale Anastazja zadzwoniła na mostek i umówiła go z kapitanem.

Przezroczysta kabina pilotów była oddzielną gondolą podwieszoną pod środkową częścią kadłuba. Miała kształt wydłużonego jaja, które spoczywało w obejmach z perforowanego metalu, przymocowanych do dna statku. Spiralne schody prowadziły z najniższego pokładu w dół na poziom mostka. Samotny ochroniarz na górze uśmiechnął się do Hawke'a.

– Oczekują pana.

Chwilę później Hawke zauważył, że nabrali wysokości. Stał tuż za kapitanem, z prawej strony, patrzył w dół i widział pod nogami zaśnieżone góry sześćdziesiąt metrów poniżej. Na prawo dostrzegł głęboką dziurę w śniegu, fragment belki ogonowej śmigłowca i porozrzucane wokół czarne szczątki. Długa czarna łopata rotora wystawała ze śniegu niczym ogromna narta biegowa. Rozbity helikopter musiał spaść niedawno, bo główna część zwęglonego wraka jeszcze się paliła, czarny dym unosił się spiralnie pod błękitne niebo.

– Co tam się stało? – zapytał Hawke mężczyznę za sterami.

– Wypadek – odparł lotnik, jakby to nie było oczywiste. Mówił po angielsku z lekkim rosyjskim akcentem. – Właśnie zgłosiliśmy to przez radio. Wygląda, że wydarzył się niedawno.

– Są jakieś oznaki, że ktoś przeżył?

– Nie. Ale ekipy ratownicze są już w drodze.

– Kapitanie Marłow, nazywam się Alex Hawke. Anastazja Korsakowa dzwoniła podobno do pana, że wpadnę tu na chwilę, żeby się szybko rozejrzeć.

– Tak, tak, oczywiście! – potwierdził kapitan, drobny mężczyzna z szopą jasnych włosów pod czapką. Nosił niebieski mundur z czterema złotymi paskami na rękawach. – Witamy na pokładzie. Jak się podoba podróż?

– Bardzo. Mogę tu zostać kilka minut i popatrzeć, jak pracujecie, panowie?

– Naturalnie. Jak widać na wyświetlaczu powyżej, trafił nam się wspaniały dzień na latanie. Mamy stały silny wiatr w ogon i wyciągamy prawie dwieście sześćdziesiąt kilometrów na godzinę.

– Ile gazu potrzeba, żeby utrzymać tego olbrzyma w powietrzu?

– Transportujemy osiemset czterdzieści tysięcy metrów sześciennych helu – odparł z dumą kapitan. – „Puszkin" trzy razy więcej.

– Wciąż używacie helu? Myślałem, że jest wybuchowy.

– Przeciwnie, to naturalny środek gaśniczy. Kiedyś był rzadki, teraz jest dostępny na całym świecie jako produkt uboczny powstający przy produkcji gazu ziemnego.

– Fascynujące.

Hawke uśmiechnął się i powiódł wzrokiem po sterach i tablicy przyrządów. Po dziesięciu minutach obserwowania pracy załogi uznał, że pilotowanie tego statku jest dość proste. Pokład był zrobiony z grubego przezroczystego leksanu i miał kształt wydłużonego jaja. Pośrodku znajdował się duży okrągły metalowy właz z kołem ryglującym z nierdzewnej stali. Wokół pokrywy leżał mniej więcej trzydziestometrowy zwój nylonowej liny.

– Wyłaz ewakuacyjny? – zapytał Hawke kapitana.

– *Da, da*. Dla załogi na wypadek niebezpieczeństwa. I dla pasażerów na górnych pokładach, gdyby gdzieś na statku wybuchł pożar i odciął drogę do innych wyjść.

– Dokąd polecicie z Moskwy, kapitanie?

– Do Sztokholmu. Na uroczystość wręczenia Nagród Nobla. Spotkamy się tam z naszym bliźniaczym statkiem, wielkim liniowcem pasażerskim „Puszkin". Może pan o nim słyszał. Jest teraz w drodze z Miami do Szwecji.

– Widziałem jego zdjęcia. Wspaniała maszyna. Musicie być z niej bardzo dumni.

– Hrabia ma nadzieję, że pewnego dnia po niebie będą kursowały setki takich wielkich statków. Przyzna pan, że to doskonały środek transportu.

– Bardzo cywilizowany. Dziękuję panu, kapitanie. Nie będę dłużej przeszkadzał. Szkoda ludzi w tamtym helikopterze, prawda?

Myślał o rozbitym śmigłowcu, kiedy wrócił na pokład widokowy, gdzie zastał Anastazję pogrążoną w lekturze powieści. Wziął angielskojęzyczne wydanie „Prawdy" i przebiegł wzrokiem nagłówki. Ani słowa o niepokojach wewnątrz murów Kremla. Nic dziwnego, bo władza kontrolowała wszystkie media. Sięgnął po stary egzemplarz „Sports Illustrated" i udając, że czyta, analizował ostatnie wydarzenia.

Zamierzał zadzwonić do Białego Domu, kiedy tylko będzie mógł. Musiał porozmawiać z samym prezydentem, powiedzieć Jackowi McAtee, jak ocenia to, co się dzieje.

Reszta krótkiego lotu minęła bez przygód. Dopiero cumowanie statku wewnątrz murów Kremla wyrwało Hawke'a z zadumy. Podszedł do okna i spojrzał w dół na zaśnieżony plac Czerwony.

– Plac Czerwony to zaskakująco ładne miejsce – stwierdził. – Szkoda, że nadal nosi starą komunistyczną nazwę.

– Nie ma nic wspólnego z komunizmem – odparła Anastazja. – Plac nazywa się tak od wieków. *Krasnyj*, czerwony to po rosyjsku także „piękny".

– Plac Piękny. Tak brzmi dużo lepiej.

Na placu stały tłumy ludzi, którzy przyglądali się, jak wielki statek powietrzny schodzi wolno w dół ku wieży cumowniczej. Wydawało się, że wiwatują.

– O co tam chodzi? – zapytał Hawke Anastazję, kiedy dołączyła do niego przy oknie.

– Nie wiem. Dziś wieczorem ma być nadzwyczajne posiedzenie Dumy. Poproszono ojca o obecność. Na pewno dowiemy się więcej po spektaklu.

– Na pewno. – Hawke patrzył na wiwatujące i machające do statku powietrznego tłumy. Przy Mauzoleum Lenina zebrała się grupka protestujących, głównie starszych wiekiem komunistów, którzy wymachiwali podartymi czerwonymi sztandarami, obserwowani uważnie przez omonowców w charakterystycznych niebiesko-czarnych mundurach. Ich opancerzone transportery stały w pobliżu. Rzucono cumy „Cara" i obsługa naziemna przejęła kontrolę nad statkiem. Hawke poczuł, jak część ogonowa zadrżała, i domyślił się, że opuszczono na ziemię schody.

Nadal nie dawał mu spokoju płonący helikopter w górach. Odegrał jakąś rolę w tym wszystkim, ale jaką?

– O której mam po ciebie wpaść? – zapytał Anastazję, głaszcząc ją po policzku.

– Gdzieś znikasz, kochanie?

– Tak. Muszę się zobaczyć z przyjacielem. Przepraszam, powinienem cię uprzedzić wcześniej. Nasza firma ma jutro prezentację i chcę sprawdzić, czy wszystko jest przygotowane.

– Kto to jest?

– Amerykanin. Nazywa się Simon Weatherstone. – Hawke niechętnie skłamał, ale nie mógł wymienić prawdziwego nazwiska Harry'ego Brocka. – Mieszka w Metropolu. Umówiliśmy się w barze.

– Spotkajmy się przed teatrem kilka minut przed siódmą. Siedzimy w loży ojca, więc nie musimy być wcześniej.

Pocałował ją na pożegnanie w usta, nienawidząc się za to, że okłamał kobietę, w której chyba był zakochany. Ale wiedział, że nie ma wyboru, choć zawsze uważał to za poważną wadę swojej pracy.

Wojna to piekło.

A czasem trochę nieba.

49

Moskwa

Na nadzwyczajnym posiedzeniu Dumy Państwowej, izby niższej rosyjskiego parlamentu, panowała początkowo ponura i napięta atmosfera, która następnie przerodziła się w narastające wzburzenie. Krążyły plotki. Stronnicy nieżyjącego prezydenta Rostowa twierdzili po cichu, że został zamordowany. Jego helikopter rozbił się w tajemniczych okolicznościach przy doskonałej pogodzie w drodze do Moskwy z pałacu zimowego Korsakowa i wielu winiło za to hrabiego.

Dziesięciu najpotężniejszych ludzi na Kremlu, i wielu innych, było gotowych bronić Korsakowa. Zaprzeczali gniewnie oszczerstwu i straszyli plotkarzy konsekwencjami politycznymi lub nawet użyciem przemocy, jeśli natychmiast nie przestaną szkalować tak szanowanego człowieka.

W próżni, jaka powstała po śmierci prezydenta, rozgorzała zaciekła walka o władzę. Narodowców ze skłonnościami do histerycznej retoryki w końcu zakrzyczano. Inni, głównie twardogłowi komuniści, którzy grozili wywołaniem zamieszek, zostali usunięci siłą przez przewodniczącego Dumy, Gienadija Sielezniowa. Ludzie z Dziesiątki siedzieli oczywiście cicho, zachowywali stoicki spokój i nie odkrywali kart.

Zgodnie z logiką, następcą Rostowa powinien zostać premier Borys Żyrinowski, który zajmował miejsce na trybunie przez ponad dwie godziny, usiłując przemawiać żarliwie, ale jego wystąpienie było w sumie żałosne. Potrzebował trzystu głosów, by zapewnić sobie urząd, a miał może połowę. W dodatku liczba jego zwolenników stale malała, nie rosła. Ględził tak długo, aż deputowani siedzący w rokokowej sali zaczęli przysypiać.

W pewnej chwili rozeszła się wieść, że do Moskwy przyleciał swoim statkiem powietrznym bohater całej Rosji, hrabia Iwan Korsakow. Podobno jest w drodze do Dumy, by zaapelować o rozsądek i spokój po porannej tragedii. Tylko bardzo niewielu posłów, mających zdolność przewidywania, domyślało się, że Korsakow zamierza przedstawić zgromadzeniu ustawodawczemu dużo ambitniejszy program.

Premier, obojętny na to wszystko, przemawiał dalej.

Nagle szerokie drzwi z tyłu sali otworzyły się gwałtownie i do środka wmaszerował duży oddział sił bezpieczeństwa w pełnym oporządzeniu bojowym. Uzbrojeni po zęby omonowcy w mundurach i ciężkich wojskowych butach podzielili się na dwie grupy. Jedna skierowała się w lewo, druga w prawo. Żołnierze ustawili się szybko pod ścianami pół metra od siebie i wpatrzyli w przestrzeń, jakby czekali na dalsze rozkazy.

Do sali wkroczył niczym zwycięzca generał Nikołaj Kuragin. Wyglądał olśniewająco w świetnie skrojonym czarnym mundurze, do nadgarstka trzymał przypięty czarny skórzany neseser. Szedł środkowym przejściem w kierunku podium z uniesioną głową, wysuniętą do przodu szczęką i wzrokiem utkwionym w premierze.

Na jego widok premier przerwał w pół zdania, jakby odjęło mu mowę. W sali wybuchło zamieszanie. Po chwili przewodniczący sprowadził premiera z trybuny i wrócił na swoje miejsce, by przywołać zebranych do porządku.

Kiedy wśród czterystu deputowanych zapadła względna cisza, zaprosił generała Kuragina na trybunę, by przemówił do zgromadzenia.

Generał odchrząknął i spojrzał na zebranych z miną człowieka, którego chwila w końcu nadeszła.

– Przyjaciele, patrioci, staję dziś przed wami pogrążony w smutku, lecz również pełen nadziei – zaczął. Jego słowa natychmiast wywołały głośny i długotrwały aplauz. Niektórzy już wiedzieli, a wielu zaczynało się domyślać, co będzie dalej.

– Mój bliski przyjaciel prezydent Władimir Władimirowicz Rostow służył naszemu krajowi wiernie i z wielkim oddaniem. Czcimy jego pamięć i opłakujemy tragiczną śmierć. Ale w tym historycznym…

– Morderca! Kłamca! Wszyscy jesteście mordercami! – krzyknęła drobna siwa kobieta, która zerwała się na nogi. Stała i wrzeszczała na Kuragina. Generał skinął głową i dwaj omonowcy ruszyli szybko w jej kierunku z obu końców rzędu. Poderwali pomstującą wdowę po Rostowie do góry i zanieśli do najbliższego wyjścia.

Gdy wrzawa wywołana incydentem umilkła, Kuragin mówił dalej, jakby nic się nie wydarzyło.

– Czcimy jego pamięć i opłakujemy tragiczną śmierć zaledwie kilka godzin temu. Ale w tym historycznym momencie w bohaterskich dziejach naszej ojczyzny nie możemy się rozwodzić nad przeszłością nawet przez chwilę. Sytuacja nie pozwala nam na taki luksus. Musimy się zająć najbliższą przyszłością Rosji. A ta przyszłość, drodzy towarzysze, czeka właśnie za progiem tej sali. Powitajmy, proszę, hrabiego Iwana Iwanowicza Korsakowa, który pokornie prosi o pozwolenie na wejście tutaj i przemówienie do tego szacownego grona.

Reakcja była do przewidzenia. Z wyjątkiem kilku oponentów rozproszonych tu i tam wśród rzędów krzeseł, wznoszących się tarasowo ku tyłowi sali, czterystu członków Dumy wstało z miejsc i, patrząc w stronę drzwi, zgotowało wielkiemu człowiekowi gorącą owację.

Korsakow, w eleganckim szarym garniturze i długiej szarej pelerynie, przystanął na chwilę w wejściu i uśmiechnął się skromnie, po czym ruszył środkowym przejściem w kierunku trybuny. Dotarł do mównicy, odwrócił się przodem do zebranych i skłonił nisko. Aplauz w odpowiedzi na ten gest był ogłuszający. Korsakow wykorzystał to do zastąpienia generała Kuragina na trybunie. Potem uniósł obie ręce w daremnej próbie uciszenia zgromadzonych.

Generał stał u jego boku i obserwował czujnie tłum jak wyszkolony ochroniarz, którym zresztą kiedyś był. Gdyby ktoś w ogóle usiłował dokonać zamachu, to tylko teraz, toteż Kuragin i jego ludzie przygotowali się na to. Wielu goryli wokół podium bez wahania oddałoby życie za przywódcę. Ale nie Nikołaj Kuragin. Nie zamierzał nikogo zasłaniać własnym ciałem.

– Jestem dumnym obywatelem Rosji – zaczął Korsakow, kiedy wreszcie zapadła cisza. – Całe życie byłem dumny z mojej ojczyzny, ale nigdy bardziej niż teraz. Wiele w naszym kraju osiągnęliśmy od końca epoki komunizmu. Ten postęp to głównie zasługa prezydenta Rostowa i jego poprzednika, prezydenta Putina. Teraz stoimy razem u progu wielkości, jakiej dotąd nie znaliśmy.

Przyjaciele! Rosja znów jest mocarstwem i z każdym dniem rośnie w siłę. Pragnę, by stała się jeszcze potężniejsza. Nadszedł wreszcie nasz czas, towarzysze. Stoję dziś przed wami jako pokorny patriota, ale również jako człowiek gotowy poprowadzić was ku wspaniałej, świetlanej przyszłości. Tam, gdzie jest historyczne miejsce Rosji. A jest ono na samym czele wielkich państw świata! Przysięgam doprowadzić tam naszą ukochaną Matkę Rosję!

Dlatego pozwolę sobie zaproponować wam moją skromną osobę jako kandydata na prezydenta Federacji Rosyjskiej. Będę zaszczycony, jeśli się na to zgodzicie.

Korsakow skłonił lekko głowę, pomachał do tłumu i usunął się na bok, by z powrotem wpuścić Kuragina na trybunę.

– Hrabia Iwan Iwanowicz Korsakow zgłasza swoją kandydaturę na prezydenta. Kto jest za, niech powie „tak". Kto jest przeciw, niech wstanie.

W sali rozległo się chóralne „tak". Zachwycony Korsakow uśmiechnął się życzliwie do swoich zwolenników. Wszystko działo się tak, jak sobie wymarzył.

Kiedy ucichł hałas, zapadła cisza. Drżący przeciwnicy prezydentury hrabiego Iwana Korsakowa zaczęli jeden po drugim podnosić się z miejsc.

Wstało ich niewielu, tylko ze zdecydowanej opozycji, głównie twardogłowi komuniści i członkowie partii Kasparowa Nowa Rosja. Demonstrując sprzeciw, wykazali się wielką odwagą. Stali wyprostowani, poszarzałe twarze lśniły od potu, ale oczy były utkwione w trybunę. Omonowcy podeszli do końców rzędów w oczekiwaniu na rozkaz wyciągnięcia ich z sali. Nie krzyczeli i nie stawiali oporu, choć wiedzieli, że czeka ich dożywocie w łagrze.

Albo gorzej.

Korsakow popatrzył na twarze tych, którzy ośmielili się mu przeciwstawić, i wykonał drobny ruch ręką. Omonowcy cofnęli się i z powrotem zajęli stanowiska wzdłuż ścian.

Gromkie brawa nagrodziły ten wielkoduszny gest, akt łaski. Oto nareszcie władca dla wszystkich ludzi!

– Panie i panowie – powiedział Kuragin. – Rosja ma nowego prezydenta! Panie prezydencie, czy zechce pan wygłosić kilka słów?

Nagle z ostatnich rzędów dobiegł pojedynczy głos, który górował nad innymi.

– Car! – krzyknął mężczyzna. – Car! Car! Car!

Skandowane słowo zabrzmiało zaskakująco w tej sali. Nie używano go w Rosji od tamtej strasznej nocy roku 1917, kiedy w piwnicy w Jekaterynburgu rozstrzelano ostatniego cara i jego rodzinę, a ich zwłoki wrzucono do dołu głęboko w lesie.

Ale posłowie zasiadający w Dumie nie zapomnieli, jak wymawia się to słowo, i wkrótce dźwięk wypełnił całą salę, gdy wszyscy zaczęli tupać i wołać na całe gardło: – Car! Car! Car!

Prezydent Korsakow odszedł od trybuny. Stał teraz w milczeniu z rękami złączonymi za plecami, uniesioną wysoko głową i błyszczącymi oczami. Po jakimś czasie zrozumiał, że skandowanie może trwać kilka godzin, jeśli go nie przerwie, wrócił więc na mównicę i powiedział do mikrofonu dziewięć historycznych słów:

– Przyjęcie tego wspaniałego pradawnego tytułu będzie dla mnie zaszczytem.

Wybuchła radosna wrzawa.

Po przeszło dziewięćdziesięciu latach Rosja znów miała cara.

Hawke zapamiętał słonie na scenie. Tylko tyle przypomniał sobie z *Aidy* Giuseppe Verdiego, pierwszej i ostatniej opery, jaką kiedykolwiek widział. Miał wtedy sześć lat i siedział między swoimi rodzicami w Operze Królewskiej w Covent Garden. Nie należał do miłośników opery i baletu. Nigdy nie był na żadnym balecie i nie palił się do obejrzenia go.

Zaskoczyło go to, co zobaczył.

Od momentu, kiedy Nasimowa pojawiła się jako biały łabędź sunący spokojnie po zamarzniętym jeziorze, patrzył na scenę jak urzeczony. Może sprawił to geniusz Czajkowskiego i mistrzostwo orkiestry, a może baletnice, jedna piękniejsza od drugiej. Spektakl poruszył w nim coś, czego istnienia nawet nie podejrzewał.

Czuł się szczęśliwy, gdy sięgał w ciemności po ciepłą rękę Anastazji. Zdumiewała go tajemnica schizofrenicznej rosyjskiej duszy: narodu, który tolerował takie potwory jak Stalin, zabójca milionów Rosjan, ale wydał także ludzi zdolnych stworzyć takie arcydzieła.

Sam w mroku prywatnej loży Korsakowa, z Anastazją u boku, patrzył i słuchał jak urzeczony. Pochylony do przodu w miękkim wygodnym fotelu oparł łokcie na półokrągłej balustradzie, a brodę na dłoniach. Obserwował uważnie scenę, nie chcąc przeoczyć żadnego ruchu ani stracić choćby jednego taktu wspaniałej muzyki.

Anastazja nachyliła się do niego.

– Podoba ci się? – zapytała cicho.

Oderwał wzrok od Nasimowej szybującej nad taflą jeziora i spojrzał na piękną twarz swojej kochanki. Wyglądała dziś olśniewająco w diamentowym diademie na złocistych włosach i w diamentowych kolczykach. Była w granatowej jedwabnej sukni wieczorowej z głębokim dekoltem, której kolor kontrastował z jej pełnym bladym biustem. Cała postać jaśniała w łagodnej niebieskiej sztucznej poświacie księżyca padającej ze sceny.

– Nie wiem, jak ci za to dziękować – szepnął i pocałował ją w usta. – Nie miałem pojęcia, że może istnieć coś tak cudownego.

– Mój kochany – szepnęła z głębokim uczuciem w jasnych oczach, jakiego jeszcze nie widział.

– Tak, skarbie? – Od razu czuł, że Anastazja chce mu coś powiedzieć i czeka właśnie na ten moment.

– Muszę... ci coś wyznać. Ale... boję się. Wiem, że cię kocham. Chyba zakochałam się w tobie od pierwszego wejrzenia. I myślę, że z wzajemnością. Ale coś się wydarzyło. Coś, przez co możesz ode mnie uciec. Dla ciebie jest na to jeszcze za wcześnie i boję się, że odejdziesz. Wtedy cała moja radość się skończy.

– Jesteś taka piękna... Co cię gnębi, kochanie? Nie bój się. Powiedz mi.

– To coś najpiękniejszego co może kiedykolwiek dać kobieta.

– Powiedz mi.

– Będziemy mieli dziecko, Alex. Jestem z tobą w ciąży.

Hawke zobaczył łzy spływające jej po policzkach i dostrzegł w jej oczach pytania i nadzieję. Otarł je i pocałował ją w usta. Mieszane uczucia przelatywały mu przez głowę tak szybko, że nie miał czasu pomyśleć. Po prostu powiedział to, co podyktowało mu serce:

– To cudownie, kochanie. Wspaniale.

– Cieszysz się? Nie uciekniesz?

– Jestem szczęśliwy – odparł, całując jej oczy, policzki i wargi.

– Poczęliśmy nasze dziecko w czasie burzy na Bermudach, kochanie. Jestem tego pewna. To była wspaniała burza. On też będzie wspaniały. Będzie miał grzmot w sercu i błyskawicę w żyłach. Jak ty.

– Jesteś pewna, że to chłopiec?

– W stu procentach. Serce mi to mówi.

Dwie godziny później wyszli z teatru, promieniejąc, zachwyceni baletem i uradowani wspaniałą wiadomością. Hawke otoczył Anastazję czule ramieniem i przytulił mocno do siebie, chroniąc ją i swoje dziecko, gdy razem z tłumem widzów schodzili po schodach.

Zaczął padać gęsty śnieg. Ciepły front atmosferyczny znad Morza Śródziemnego zderzał się z zimnym znad Syberii, mocno wiało. Prawdziwa orzeźwiająca zadymka.

Burze i dzieci, pomyślał Hawke i uśmiechnął się do Anastazji. Chyba jeszcze nigdy nie czuł się tak szczęśliwy. Jego życie wydawało się coś warte, skoro oprócz tragedii mogły się w nim zdarzać takie chwile. Mieli przed sobą całą noc i życie we dwoje, pełne cudów i nieograniczonych możliwości. Hawke czuł, że naprawdę kocha tę kobietę. I że jego złamane serce wreszcie na tyle się zagoiło, by znalazło się w nim miejsce dla niej.

– Czy to nie piękne? – zapytał, patrząc na zamarznięte miasto.

Moskwa wygląda najlepiej pod warstwą białego puchu. Jest stworzona do takich śnieżnych nocy. Hawke spieszył do Café Puszkin pięć czy sześć przecznic od Teatru Wielkiego, gdzie zamówił przytulny stolik na piętrze, żeby przy szampanie zaplanować wspólną przyszłość.

Był w połowie schodów, gdy poczuł ostry ból w żebrach. Spojrzał w dół i zobaczył krępego mężczyznę w czarnym płaszczu, który trzymał rękę między połami jego palta. Zorientował się, że mężczyzna przyciska mu lufę do ciała.

– Jesteś aresztowany – oznajmił facet. Nie podniósł nawet wzroku, tylko mocniej wbił broń w klatkę piersiową.

Hawke wykonał jednocześnie dwa ruchy. Prawą ręką delikatnie odsunął Anastazję na bok, lewą chwycił mężczyznę za gruby kark i pociągnął w dół. Facet uderzył podbródkiem w jego uniesione prawe kolano i poleciał do tyłu ze złamaną szczęką.

– Alex! – krzyknęła Anastazja. – Co się…

Hawke nie miał czasu na odpowiedź.

Otoczyło go pięciu mężczyzn w czarnych płaszczach, ale ci byli potężnie zbudowani. Wszyscy pokazali mu, że mają pistolety.

– Pójdziesz z nami – syknął mu do ucha jeden z nich.

– Dokąd?

– Niedługo się dowiesz.

Wyciągnęli broń i sprowadzili go szybko po stopniach na zaśnieżoną ulicę. Nie musiał się zastanawiać, dokąd zabierają go typy z KGB. Wiedział.

Na Łubiankę.

Odwrócił głowę i spojrzał na Anastazję. Stała na schodach tam, gdzie ją zostawił, trzymała ręce przy twarzy i patrzyła na niego z przerażeniem w oczach.

– Znajdź Amerykanina! – krzyknął do niej. – Tego, o którym ci mówiłem, że mieszka w Metropolu!

Poczuł cios w tył głowy. Zanim stracił przytomność, zdążył pomyśleć, że podczas lotu statkiem powietrznym podał Anastazji fałszywe nazwisko, pod którym Harry Brock zameldował się w hotelu.

Harry go znajdzie. Pomoże mu.

Może.

50

Na pokładzie „Puszkina", nad morzem

Fancha śpiewała, kiedy zgasło światło. Wykonywała utwór *A Minha Vida*, największy przebój z albumu *Dziewczyna z zielonej wyspy*, który właśnie zdobył Platynową Płytę. Czuła, że widowni naprawdę podoba się jej występ, śpiewała więc dalej piękną piosenkę w ciemności, przypuszczała, że światło wyłączył dla efektu ekstrawagancki rosyjski inspicjent imieniem Igor. Widziała go za kulisami tuż przed rozpoczęciem występu. Pił wódkę z piersiówki z jednym z muzyków.

A może to po prostu chwilowy brak prądu na pokładzie statku powietrznego? Pomyślała, że są teraz daleko nad Atlantykiem, na północ od Bermudów. Powrót nie jest już możliwy, jak w jej ulubionym filmie z Johnem Wayne'em *Noc nad Pacyfikiem*. Odkąd zobaczyła ten film, bała się latać, ale nadal go uwielbiała i czasem przyłapywała się na tym, że gwiżdże zapadającą w pamięć piosenkę.

Kiedy skończyła śpiewać, rozległy się głośne oklaski. Jacyś Francuzi i Włosi krzyczeli nawet *Brava! Brava!* Jeszcze nie występowała przed tak znakomitą publicznością składającą się w końcu głównie z noblistów. No i żona wiceprezydenta McCloskeya, Bonnie, siedziała tuż przy małej estradzie i klaskała najgłośniej.

Fancha skłoniła się nisko, mimo że nikt nie mógł tego zobaczyć.

Nagła i całkowita ciemność była zaskakująca. Nie świecił księżyc i mimo dużych okien w sali balowej statku Fancha widziała tylko sylwetki trzystu osób na widowni. Prawie wszyscy siedzieli przy czteroosobowych lub większych stolikach, ale dużo par wciąż otaczało parkiet i mały zespół muzyczny za jej plecami zaczął grać jakiś nieznany riff.

Dansing po ciemku?

Ludzie wciąż klaskali, myśląc zapewne, że światło raz jest, a raz go nie ma. To się stale zdarza na pokładach statków. Podczas koktajlu wypito mnóstwo mocnego alkoholu, a podczas kolacji – wina. Fancha nie piła, ale później pamiętała, że się nie bała w tym momencie, bo uważała to wszystko za zabawę.

– Jeśli ktoś zapali świecę, zaśpiewam następną piosenkę – powiedziała, co przyjęto wybuchem śmiechu.

Ktoś zawołał:

– *Ave Maria*!

Zaczęła śpiewać piękną arię. Czuła moc swojego głosu i czekała, aż dołączą skrzypce.

Nagle z powrotem rozbłysło światło.

I ktoś krzyknął.

Terroryści weszli pod osłoną ciemności, ale wielu jeszcze wchodziło do sali wszystkimi drzwiami. Nosili wojskowe buty i czarne mundury polowe, ale każdy z pasażerów statku patrzył tylko na ich broń: duże karabiny szturmowe o skomplikowanym wyglądzie, które trzymali jak niemowlęta na rękach, ładownice, lśniące noże i różnego rodzaju pistolety za paskami lub w kaburach na udach.

Fanchę najbardziej przeraził widok masek gazowych na ich głowach.

Gaz? A potem zobaczyła grubego mężczyznę z dwoma zbiornikami na plecach. Cukiernik! Ten z przyjęcia urodzinowego. To on przywiózł bombę w torcie. Grubas stanął obok muskularnego blondyna, w którym rozpoznała ochroniarza z tamtej imprezy. Jasnowłosy facet sprawiał wrażenie przywódcy. Wykrzykiwał rozkazy i groźby do przestraszonych pasażerów. Ludzie byli zbyt zaszokowani, żeby wpaść w panikę, mężowie szukali żon, inni naradzali się gorączkowo, co robić, i natychmiast rezygnowali z działania sparaliżowani strachem, świadomi daremności tych planów.

– Uwaga! – krzyknął blondyn, wymachując uniesionym wysoko karabinem. – Jesteście zakładnikami Czeczeńskiego Frontu Wyzwolenia. Róbcie, co wam każemy, i nikt nie zginie. Jeśli nie będziecie wykonywali moich rozkazów, zostaniecie zabici wszyscy. Lecimy teraz na wysokości tysiąca pięciuset metrów. Jeśli ktoś nie wykona rozkazu lub będzie sprawiał kłopoty, pięciu wybranych losowo pasażerów zostanie wyrzuconych.

Stokely, pomyślała Fancha, drżąc na całym ciele. Gdzie jesteś, kochany?

Jasnowłosy przywódca nadal wykrzykiwał rozkazy i groźby. Przypomniała sobie, że ten facet ma na imię Jurij.

Na parkiecie powstało zamieszanie. Ludzie wpadali na siebie, każdy wiedział, że w najgorszym wypadku zginie, w najlepszym czeka go długa męka. Jakieś małżeństwo kłóciło się i Fancha usłyszała, jak żona wrzeszczy do męża:

– Zrób coś, do cholery! Zrób coś!

Fancha powiedziała do mikrofonu:

– Spróbujmy wszyscy zachować spokój. Róbmy, co mówią, to nic nam się nie stanie.

Ale kobieta, która żądała działania, spoliczkowała męża, odwróciła się od niego i zaczęła przepychać przez przerażony tłum na parkiecie w kierunku przywódcy terrorystów. Ludzie potykali się, przewracali i podnosili, by usunąć się jej z drogi.

– Stać – rozkazał Jurij, kiedy zobaczył, że kobieta kieruje się w jego stronę. Wyciągnął wielki pistolet kaliber 11,43 i wycelował jej w głowę.

– Zabij mnie! – wrzasnęła na całe gardło. – Na co czekasz? Zastrzel mnie, skurwielu!

– Stój, ostrzegam!

– Pamiętasz lot numer dziewięćdziesiąt trzy linii United, dupku? Byłam tam! To ja! – Powiodła dzikim wzrokiem po tłumie za sobą. – Ruszcie się!

Parła dalej przed siebie, ignorując wycelowaną w nią broń. Kiedy wydostała się z tłumu i była może dwa metry od blondyna, jeden ze stojących blisko terrorystów, który mógł mieć najwyżej dwadzieścia lat, wystąpił naprzód i poderżnął jej nożem gardło, niemal ją gilotynując. Krew chlusnęła na białą suknię wieczorową.

Kobieta upadła. Ludzie najpierw zamilkli, potem zaczęli wrzeszczeć w nowym przypływie przerażenia i odpychali się wzajemnie z drogi w przekonaniu, że zdołają uciec z tego piekła.

Kiedy Fancha rozglądała się rozpaczliwie w poszukiwaniu jakiegoś wyjścia, huknęły strzały. Nie zobaczyła, kto został trafiony, bo znów zgasło światło.

Przywódca terrorystów wrzeszczał, że wszyscy mają się natychmiast położyć na podłodze, inaczej zginą. Tym razem ludzie posłuchali; Fancha usłyszała, jak się kładą. Jej wzrok zaczął się przyzwyczajać do ciemności i dostrzegła drogę ucieczki.

Za aksamitną kurtyną było małe zaplecze sceny z drzwiami do kuchni. Fancha wiedziała, że z kuchni trafi do głównych schodów i swojej kabiny, o jeden pokład niżej. Okrążyła cicho muzyków, którzy siedzieli, jakby przyrośli do krzeseł, i wśliznęła się za ciężką kurtynę. Na pustym zapleczu sceny panowała całkowita ciemność, ale Fancha dojrzała wąską smugę światła pod drzwiami do kuchni.

W kuchni nie zastała nikogo. Być może cały personel został wyrzucony albo po prostu uciekł w panice. Przebiegła szybko przez pomieszczenie, omijając garnki i rondle na podłodze, gdzie je porzucono, i dotarła do uchylnych drzwi na korytarz. Wyszła przygotowana na to, że spotka za progiem uzbrojonych ludzi, ale i tutaj też nikogo nie było. W lewo, w prawo? W którą stronę? Dyszała ciężko, serce jej waliło. Zdezorientowana, wzięła głęboki oddech i oparła się ręką o ścianę, żeby się uspokoić.

Myśl, Fancha.

W lewo. Schody są na lewo od niej na samym końcu korytarza.

Popędziła tam i zbiegła po trzy stopnie naraz na pokład spacerowy. Miała kabinę numer 22, piąte albo szóste drzwi po lewej stronie. Szczęście jej nie opuszczało. Korytarz był pusty, choć zwykle kursowały tu jedna lub dwie piękne pokojówki o słowiańskiej urodzie, pchające wózki.

Klucz, gdzie jest klucz? Drzwi otwierała karta magnetyczna i tkwiła tam, gdzie Fancha ją włożyła, w wewnętrznej kieszonce czarnego aksamitnego bolerka. Wyciągnęła ją i wsunęła do szczeliny, modląc się, by rozbłysła zielona dioda. Czasem zapalała się czerwona i wtedy musiała szukać stewarda lub pokojówki, żeby ją wpuścili.

Zielona.

Wpadła do środka. Widok opuszczonego w dół łóżka i łagodny blask lampy na nocnym stoliku podziałał na nią kojąco. Zaryglowała drzwi na dwa razy, przywarła czołem do chłodnego drewna i rozpłakała się cicho. Nie wydawała żadnego dźwięku, nie mogła sobie na to pozwolić, bo ktoś mógł przechodzić korytarzem, stała więc tylko i szlochała bezgłośnie, trzęsąc się jak osika.

– Jezu – szepnęła w końcu i otarła oczy.

Usiadła na brzegu łóżka i spojrzała na siebie w lustrze toaletki. I wtedy przypomniała sobie o telefonie satelitarnym, który Stoke wypakował i położył na toaletce. Nie zabrał go ze sobą, schowała więc aparat do górnej szuflady. Stoke pokazał jej kiedyś, jak z niego korzystać. Było to dość proste.

Otworzyła szufladę, wzięła telefon i położyła się na łóżku z dwiema poduszkami pod głową.

Słyszała wprost, jak telefon dzwoni w Miami, raz, drugi, trzeci.

Odbierz! Odbierz!

– Halo? – zgłosił się Stoke.

– Kochanie, to ja – powiedziała łamiącym się głosem.

– Coś się stało? Mów...

– Tak, stało się.

– Co? Powiedz, co się dzieje.
– Śpiewałam, wiesz, i zgasło światło. Kie... kiedy znów się zapaliło, w sali było pełno terrorystów. Z pistoletami, nożami, w maskach g... gazowych. Strzelali.
– Kim oni są? Przedstawili się?
– Jako Czeczeński Front czegoś tam.
– Gdzie teraz jesteś? Skąd dzwonisz, jak?
– Z naszej kabiny. Mam twój telefon satelitarny.
– O Boże.
– Co mam robić? Nie wiem, co robić, Stokely!
– Zaryglowałaś drzwi?
– Uhm.
– I nikt nie wie, gdzie jesteś?
– Chyba nie...
– Posłuchaj, kochanie. W szafie na górnej półce leży moja brezentowa torba. Zapomniałem jej zabrać.
– Tak?
– W środku jest pistolet. Ten, z którym byliśmy razem na strzelnicy. Heckler i Koch, kaliber 9 milimetrów. Pokazywałem ci wtedy, jak się z niego strzela, pamiętasz?
– Tak.
– Weź go. Jest naładowany. Musisz tylko wprowadzić nabój do komory, tak jak cię uczyłem. W torbie są dwa zapasowe magazynki po czternaście naboi każdy. Usiądź na krześle na wprost drzwi i nie wpuszczaj nikogo, dobrze? Jeśli ktoś spróbuje wejść, strzelaj.
– Dobrze.
– Opowiedz mi wszystko, co się wydarzyło. Najlepiej jak umiesz.
Zdała mu krótką relację. Serce znów jej waliło.
– Zabili już jedną zakładniczkę?
– Nożem. Ale słyszałam strzały, kiedy wymykałam się z estrady. Może jeszcze ktoś inny nie żyje...
– Opisz mi jeszcze raz przywódcę.
– Blondyn, muskularny, wygląda znajomo.
– Czy to nie Jurin, ochroniarz z przyjęcia urodzinowego?
– Nie jestem pewna, ale tak mi się wydaje. Przypomniałam sobie; powiedział, że są z Czeczeńskiego Frontu Wyzwolenia.
– Czeczeńskiego czy Rosyjskiego?
– Powiedział, że z Czeczeńskiego, ale to Rosjanin, tak?
– Tak.
– Kochanie, boję się.
– Wszystko będzie dobrze, skarbie. A co z tym cukiernikiem, Happym? Grubasem, który przywiózł tort na urodziny. Widziałaś go?

– Tak, jest z nimi. Ma dwa... dwa, eee, zbiorniki przypasane do pleców. I maskę na twarzy. Chyba gazową.

– Gazową?

– Wszyscy je mają, Stoke. Chcą nas zagazować? O to chodzi?

– Nic wam nie zrobią. Właśnie w tej chwili pracujemy nad tym. Dowiedziałem się, że cukiernik może być na pokładzie. Zawiadomiłem już CIA, FBI i Pentagon. Teraz wszyscy w Waszyngtonie szukają najlepszego sposobu na uratowanie was. Sam wiceprezydent organizuje ratowniczy oddział specjalny. Z jego żoną wszystko w porządku? Muszę mu powiedzieć.

– Chyba tak. Do mojego wyjścia nic jej się nie stało.

– Skarbie, nie ujawniaj się, póki nie nadejdzie pomoc. I zastrzel każdego, kto spróbuje wejść do twojej kabiny. Zgoda?

– Jak nas uratujecie? Zagrozili, że jeśli w promieniu pięćdziesięciu mil morskich pojawi się jakiś okręt lub samolot, zaczną wyrzucać ludzi na zewnątrz, po jednej osobie.

– Nie zdążą się zorientować, co ich trafiło, kochanie. Wierz mi. Wyciągnę cię z tego.

– Będziesz tu?

– Jasne. Trzymaj się, dobrze? Ani się obejrzysz, jak mnie zobaczysz.

– Mówiłam, że nie chcę lecieć bez ciebie.

– Wiem. Miałaś rację. Przepraszam.

– Jesteś mi potrzebny. I nam wszystkim. Jeszcze nie widziałeś tak przerażonego tłumu ludzi.

– Nie zostawię was.

– Muszę kończyć, Stoke. Wezmę pistolet. Ale odbierz telefon, jeśli zobaczysz, że dzwoni. Mam tylko ciebie.

– Kocham cię.

– Ja ciebie bardziej.

– Nie.

– Do zobaczenia, kochanie. Bądź dzielna.

– Pa.

51

Waszyngton

Prezydent Jack McAtee pożegnał się z ambasadorem Wielkiej Brytanii, odłożył słuchawkę telefonu, pokręcił ze zmęczeniem głową i spojrzał na swój sztab kryzysowy zebrany w Gabinecie Owalnym. Obecni byli wiceprezydent,

Tom McCloskey, przewodniczący Kolegium Szefów Połączonych Sztabów, Charlie Moore, sekretarz stanu, Consuela de los Reyes, nowy dyrektor Rady Bezpieczeństwa Narodowego, Lewis Crampton, dyrektor FBI, Mike Reiter, i dyrektor CIA, Patrick Brickhouse Kelly, znany lepiej jako Brick.

Sztab.

Napięcie rosło. Całe amerykańskie miasto leżało w gruzach i wszystko wskazywało na to, że winny jest rosyjski terrorysta. Gdyby to się potwierdziło i McAtee znalazłby dowód współudziału Kremla, kwestia konfrontacji militarnej z Rosją znów stałaby się aktualna, po raz pierwszy od pięćdziesięciu lat, kiedy to Kennedy zmusił Chruszczowa do wycofania rakiet z Kuby, siedząc za tym samym biurkiem.

A teraz dotarła jeszcze informacja od jednego z członków zespołu dochodzeniowego w Salinie, że statek powietrzny z setkami polityków i noblistów na pokładzie, nie mówiąc już o żonie wiceprezydenta, może być celem ataku tych samych terrorystów, którzy zamordowali panią burmistrz Saliny i jej rodzinę i zniszczyli miasto. Głównego podejrzanego widziano w Miami tuż przed startem statku.

– Jesteście przygotowani na kolejną złą wiadomość? – zapytał McAtee, próbując się uśmiechnąć.

Był zmęczony. Sprawy wymykały się spod kontroli, wiedział, że jest bezsilny. Mógł tylko starać się dowiedzieć jak najwięcej i podjąć najlepsze z możliwych decyzje w tych okolicznościach.

Na pociechę pozostawała mu jedynie świadomość, że jego sztab miał już do czynienia z sytuacjami kryzysowymi, choć może nie aż tak poważnymi, i zawsze potrafił sobie poradzić. Gdyby wszyscy zachowali trzeźwość umysłu, mogliby z tego wybrnąć. Ale nie ma wątpliwości, że znaleźli się w bardzo trudnym położeniu. Rosjanie wydawali się poza kontrolą, z tysiącami głowic jądrowych wycelowanych w Amerykę.

– Co się stało, panie prezydencie? – zapytał Brick Kelly.

– Telefonował brytyjski ambasador – powiedział McAtee. – Dostał właśnie z Londynu telegram CSDCD. Czy ktoś wie, co to znaczy?

– „Co się, do cholery, dzieje”? – odezwał się Lew Crampton.

– Słusznie, Lew. Informacje MI6 z Moskwy to zupełny obłęd. Po pierwsze, prezydent Rostow zginął właśnie w katastrofie helikoptera. Piękna pogoda, wojskowa maszyna, bardzo podejrzane. Po drugie, trwa nadzwyczajne posiedzenie Dumy. Przy drzwiach zamkniętych, bez mediów, krążą plotki. Po trzecie, jeden z najlepszych agentów brytyjskiego wywiadu, stary przyjaciel Bricka i tego urzędu, został aresztowany po wyjściu z Teatru Wielkiego.

Kelly zaniepokoił się.

– Chyba nie Alex Hawke?

– Niestety, Brick.

– O Boże. KGB go zgarnęło? To niedobrze – powiedział Brick Kelly. – Jak pan wie, panie prezydencie, Hawke jest szefem nowej tajnej sekcji MI6 o nazwie Czerwony Sztandar. Powołanej do przeciwdziałania wzmożonej aktywności rosyjskiego wywiadu. Pojechał do Moskwy, bo...

– Bo ja go tam wysłałem, Brick. – Rozdrażnienie w głosie prezydenta świadczyło najlepiej o stanie jego ducha. – Wiem wszystko o Czerwonym Sztandarze. Sir David Trulove wprowadził mnie w sprawę podczas ostatniej wizyty w Białym Domu.

– Przepraszam, panie prezydencie, powinienem się domyślić. Jeden z moich ludzi pełni rolę łącznika Agencji z Czerwonym Sztandarem. To Harry Brock. Jest teraz w Moskwie i na pewno pomoże.

– A tak, Harry Brock. No cóż, dobrze jest mieć kogoś takiego w obozie przeciwnika, Brick. – Sarkazm prezydenta nie uszedł niczyjej uwagi.

– Przyznaję, że to oryginał, ale bardzo dobry w terenie. Skontaktuję się z nim i z naszym ambasadorem po zakończeniu tego spotkania. Spróbujemy załatwić zwolnienie Hawke'a jak najszybciej.

– Dobrze, Brick, dziękuję – odparł McAtee.

Prezydent wstał zza biurka, podszedł do swojego ulubionego fotela przy kominku i usiadł.

– Czy ktoś ma jakiś pomysł? – zapytał.

Jak zwykle członkowie rządu nie zgadzali się ze sobą w kwestii tego, co należy zrobić. Dlatego zebrał swój sztab, żeby spróbować wspólnie podjąć jakieś rozsądne decyzje, jak przejść przez to pole minowe.

Sekretarz stanu poprawiła się na kanapie.

– Kartą przetargową Rosjan jest energia. Po pierwsze, petroruble uodporniają ich na pewne groźby. Po drugie, jeśli zostaną sprowokowani, mogą przestawić przełączniki w Gazpromie i Rosnefcie i zgasić światło w całej Europie.

– Nie mówiąc o krajach nadbałtyckich, Ukrainie i tak dalej – dodał wiceprezydent. – Sukinsyny. Myślą, że przyparli nas do muru. Zasada numer jeden: nigdy nie próbuj osaczyć szczura i amerykańskiego wojska.

Tom McCloskey, niegdyś ranczer w Kolorado, był inteligentny, twardy i potrafił się skoncentrować. Dlatego McAtee powołał go na stanowisko wiceprezydenta i nigdy tego nie żałował.

Prezydent zwrócił się do Kelly'ego.

– Masz swoich ludzi w Gazpromie i Rosnefcie, prawda, Brick? Głęboko zakonspirowanych.

– Tak, panie prezydencie. Trzej rosyjscy inżynierowie, którzy obsługują przełączniki, są na naszej liście płac. Mają tajne konta w Genewie.

– Czy ci faceci mogliby coś zrobić, gdyby Kreml postanowił wyłączyć gaz i ropę dla Europy albo dawnych republik sowieckich?

– Mogliby to opóźnić, ale nie uniemożliwić. Ale przynajmniej zyskalibyśmy na czasie. Dlatego tam są.

McAtee się uśmiechnął.

– Nareszcie jakaś dobra wiadomość. Ruszyliśmy z miejsca. Ktoś jeszcze?

Generał Moore pochylił się do przodu i spojrzał na szefa.

– Dziś rano kazałem skierować wszystkie nasze satelity niskiego pułapu nad Rosję, panie prezydencie. Całą szesnastkę. Mamy pełny obraz obszaru.

– Dobra robota – pochwalił McAtee. – Będziemy potrzebowali…

– Panie prezydencie? – przerwała mu sekretarka, Betsey Hall. Uchyliła drzwi i zajrzała do gabinetu.

– Tak, Betsey?

– Pilny telefon do pana. Z Moskwy.

McAtee zerknął na błyskającą kontrolkę.

– Kto dzwoni?

– Ktoś nazwiskiem Korsakow. Zdaje się, że to następca prezydenta Rostowa.

– Włącz nagrywanie, Betsey – polecił McAtee, wrócił za biurko, wcisnął przycisk i podniósł słuchawkę.

– Prezydent McAtee, słucham – powiedział.

– Mówi Iwan Korsakow, panie prezydencie. Właśnie zostałem wybrany przez rosyjską Dumę Państwową na szefa naszego rządu. Jest pan pierwszą osobą, do której dzwonię.

– Miło mi. Gratuluję, panie prezydencie Korsakow.

– Muszę sprostować. Ogłoszono mnie carem.

– Carem, tak? To interesujące. Historyczna chwila, można by rzec.

McAtee zasłonił słuchawkę i powiedział do swojego sztabu:

– Rosjanie mają cara. Chryste.

– Panie prezydencie, bardzo się cieszę, że mamy okazję porozmawiać – mówił dalej Korsakow. – Liczę na to, że będziemy współpracowali. I wspólnie dążyli do stworzenia lepszego świata.

– Miło mi to słyszeć w obecnej niepokojącej sytuacji.

– Panie prezydencie, moi rodacy mają nadzieję, że przywrócę im dumę i honor. Wszyscy Rosjanie, bez względu na to, czy mieszkają na Litwie, w Estonii, na Ukrainie, czy gdziekolwiek indziej, pragną, bym odbudował spójność rosyjskiego narodu.

Odbudować spójność?

McAtee milczał przez chwilę, żeby zebrać myśli.

– Jestem przekonany, że z czasem uda nam się rozwiązać te kwestie i jednocześnie opracować plan utrzymania obecnej integracji Europy.

– Panie prezydencie, nie wiem, czy dobrze pana rozumiem, ale uważamy, że musimy ponownie zjednoczyć naszych obywateli w krajach nadbałtyckich i na Ukrainie.

– To wygląda na irredentyzm. Nie sądzę, by pan…

– Jeśli tym słowem określa pan dążenie jakiegoś państwa do odzyskania terytoriów, które powinny do niego należeć, to owszem, właśnie o to mi chodzi.

Na razie mówię tylko o wymienionych przeze mnie terenach. O Mołdawii i „stanach" możemy podyskutować.

– Obawiam się, że pana nie rozumiem. Chyba nie zamierza pan zmieniać granic Unii Europejskiej?

McAtee podniósł wzrok zaskoczony. Cały jego sztab wstał i zgromadził się wokół biurka, by udzielić mu wsparcia. Uśmiechnął się do nich z wdzięcznością. Potrzebował tego.

– To, co pan sugeruje – ciągnął – cofnęłoby nas do okresu konfrontacji, który szczęśliwie mamy za sobą od chwili zakończenia zimnej wojny.

Sekretarz de los Reyes pokiwała energicznie głową.

– Ależ, panie prezydencie – odparł Korsakow. – Dlaczego mielibyśmy wrócić do okresu konfrontacji? Nawet o tym nie wspominajmy.

– Jeszcze się nie znamy, panie Korsakow. Ale zapewniam pana, że nie będę czekał biernie w sytuacji, gdy odrzuca pan wszystkie precedensy i instrumenty prawne, dzięki którym świat cieszy się dziś pokojem. Mówi pan o bezprawnym wchłonięciu suwerennych państw zamieszkanych przez miliony własnych obywateli.

– Panie prezydencie, to nie są negocjacje. Miałem nadzieję uniknąć gorącej retoryki w tym rodzaju. Ale być może nie zastanowił się pan nad tym, do jak niebezpiecznego momentu doszliśmy.

– To groźba?

– Wie pan o strasznym wydarzeniu w Salinie w Kansas.

– Oczywiście. To się z pewnością nie powtórzy.

– Przeciwnie. Z pewnością się powtórzy. Tylko tym razem w wielkim mieście i bez ostrzeżenia.

– Panie Korsakow, niech pan dobrze przemyśli to, co teraz powiem. Nie jest pan nawet w przybliżeniu tak nietykalny, jak się panu wydaje. Odwet będzie szybki i miażdżący.

– Zapewniam, że nie jest pan w stanie mi zagrozić.

– Nie?

– Nie. Może mi pan wierzyć. Niedługo przekona się pan o tym.

McAtee popatrzył na członków swojego sztabu, zanim odpowiedział. Wszyscy przeciągnęli kantem dłoni po gardle.

– Przykro mi, panie Korsakow. Nie mogę dłużej prowadzić tej rozmowy. Nasi ambasadorowie będą w kontakcie.

Rozłączył się.

– Puść to nagranie przez głośnik, Betsey, dobrze? – polecił po chwili.

Członkowie sztabu stali wokół biurka i słuchali zarejestrowanej wymiany zdań. Ich twarze wyrażały stan ich ducha, ale nikt się nie odezwał, gdy zapadła cisza. Konsekwencje tego, co usłyszeli, były zbyt poważne, by mogli je sobie od razu uzmysłowić. Wahnęła się oś świata i mieli wrażenie, że podłoga pod ich stopami może lada chwila się zapaść.

– I co? – powiedział prezydent. – Witamy w równoległym wszechświecie. Wypadliśmy z dziury zrobionej przez kornika. Zawsze się zastanawiałem, czy sprawy mogłyby przybrać jeszcze bardziej zwariowany obrót. Teraz wiem.

Wiceprezydent zdobył się na ponury uśmiech.

– Cofnęliśmy się do października 1962 roku. Albo gorzej.

– Zdecydowanie gorzej. Ten facet to szaleniec. Być może geniusz, ale kompletnie obłąkany i z manią wielkości. Chruszczow był po prostu komunistycznym oprychem po szkole podstawowej – powiedział Mike Reiter. Przystojny młody dyrektor kierował FBI dopiero od kilku lat. Z zawodu był historykiem i wykładowcą na Wydziale Studiów Rosyjskich Uniwersytetu Georgetown, zanim wstąpił do Federalnego Biura Śledczego.

Consuela de los Reyes poczuła wibracje komórki i zrobiła kilka kroków w kierunku okien z widokiem na Ogród Różany, żeby odebrać telefon. Słuchała przez chwilę, potem odwróciła się do grupy i pokręciła głową. Zobaczyli, że zbladła.

– A żona wiceprezydenta? Nic jej się nie stało? – zapytała przez komórkę. Wysłuchała odpowiedzi, spojrzała na McCloskeya, skinęła głową, uśmiechnęła się do niego i przekazała mu, że żona jest cała i zdrowa.

– Co się stało, Conch? – spytał prezydent, kiedy skończyła rozmowę.

– Statek powietrzny „Puszkin" lecący z Miami do Sztokholmu na uroczystość wręczenia Nagród Nobla został opanowany przez rosyjskich terrorystów. Jednej z zakładniczek udało się dotrzeć do telefonu satelitarnego i zadzwonić do narzeczonego w Miami. Ten mężczyzna nazywa się Stokely Jones i pracuje na kontrakcie dla Pentagonu.

– To przyjaciel Hawke'a – powiedział Brick Kelly. – Były komandos Navy SEAL.

Specjalista od uwalniania zakładników.

Wiceprezydent osunął się na pobliską kanapę.

– Boże, biedna Bonnie. Nic jej nie jest?

– Nie. Zakładniczka, która rozmawiała z panem Jonesem, widziała ją. Z Bonnie wszystko w porządku.

Prezydent wstał i spojrzał na Charlie'ego Moore'a.

– Słuchajcie uważnie. Chcę, żebyście wy i wasi podwładni natychmiast podjęli następujące działania. Zająć całą rosyjską własność w kraju. Wszystko. Zablokować konta bankowe. Aresztować załogi wszystkich rosyjskich statków we wszystkich amerykańskich portach. Postawić w stan gotowości dowództwo amerykańskich sił zbrojnych w Europie, w Niemczech, generale Moore. Ocenić naszą zdolność uderzeniową. Niech szef operacji morskich zarządzi alarm we wszystkich naszych flotach na całym świecie. Proszę mu przekazać, że musimy wiedzieć, gdzie są wszystkie nasze okręty podwodne na Morzu Północnym, w rejonie Sankt Petersburga, Kilonii i Władywostoku. Niech natychmiast skieruje nasze lotniskowce na bezpieczne pozycje. Czy wszystko jasne?

– Tak jest, panie prezydencie.

– Następnie skontaktować się z siłami powietrznymi. Musimy dokładnie wiedzieć, jaka jest natychmiastowa zdolność uderzeniowa naszych bombowców i myśliwców, i gdzie. Trzeba też zneutralizować rosyjskie satelity wojskowe niskiego pułapu. Bezzwłocznie. Jasne?

– Tak jest, panie prezydencie.

– Tylko tyle przychodzi mi do głowy w tej chwili. Na pewno będziecie mieli więcej pomysłów w miarę rozwoju sytuacji. Do roboty.

Moore, który już szedł do drzwi, przystanął.

– Jeszcze jedno, panie prezydencie. Zamierzam natychmiast przydzielić sprawę porwania jednostce antyterrorystycznej SEAL. Jeśli ktoś potrafi coś wymyślić, to właśnie oni.

– Dobry pomysł. Teraz Brick i Mike – powiedział prezydent. – Ta jednostka SEAL będzie potrzebowała każdej informacji o sytuacji zakładników, jaką uda wam się zdobyć. Jak się, do licha, postępuje w wypadku porwania statku powietrznego? To nie samolot, któremu zabraknie paliwa i będzie musiał kiedyś wylądować. Antyterroryści SWAT nie opanują go na ziemi. Ten cholery zeppelin może się unosić w powietrzu w nieskończoność. Co zrobimy?

– Właśnie się nad tym zastanawiam, panie prezydencie – odrzekł Mike Reiter. – I nie mam zielonego pojęcia.

52

Energietika

Hawke'a obudził krzyk mężczyzny. Straszny wrzask, który trwał i trwał. Zaczął się głośno i przycichł, jakby ktoś skoczył w przepaść. Krzyk śmierci. Ktokolwiek to był, już nie żył. I skończył tragicznie. Mężczyzna znajdował się niedaleko, gdzieś na prawo od Hawke'a, może zaledwie pięćdziesiąt metrów lub coś koło tego. Co się z nim stało?

Okna zaciemnionej maszyny, w której ocknął się Hawke, pokrywała gruba warstwa szronu. W wojskowym helikopterze panowało przenikliwe zimno. Hawke widział parę własnego oddechu w bladoniebieskim blasku świateł, który padał w dół, jakby z wysokich murów wokół śmigłowca. Półprzytomny chciał unieść rękę, żeby oczyścić kawałek szyby obok swojej głowy, ale nie mógł. Nadgarstki miał skrępowane giętkimi plastikowymi kajdankami, jego dłonie spoczywały bezradnie na podołku.

Spojrzał w dół. Ręce miał połączone cienkim stalowym łańcuchem z kajdankami na kostkach. Jak długo był nieprzytomny? Czuł jeszcze działanie narkotyku, ale zdawało się ustępować. Zobaczył, że jest sam, porywacze zostawili go własnemu losowi. To mu jest pisane? Zamarznąć na śmierć w rosyjskim helikopterze? Nie powinien tak ginąć, to nie fair.

Gdzie on jest?

Na ziemi. Na pewno nie na Łubiance. Nie wyglądało na to, że jest w Moskwie ani w jakimkolwiek mieście. Z zewnątrz dochodziło wycie wiatru, czuł zapach morza i słyszał fale rozbijające się o skały. Naszprycowano go narkotykiem i przetransportowano śmigłowcem tutaj. Ale „tutaj", to znaczy gdzie, do cholery? Oparł zranioną i obandażowaną głowę z powrotem o metalową przegrodę za sobą i spróbował zmusić umysł do pracy.

Kiedy zamroczenie minęło, przypomniał sobie mgliście ostatnie chwile świadomości przed teatrem. Został aresztowany. Odciągnięty od Anastazji. Zanim stracił przytomność, był pewien, że zabierają go do najsłynniejszego więzienia w Moskwie, prywatnego piekła KGB. Ale nie. Siedzi zupełnie sam w helikopterze i zamarza na śmierć. A na zewnątrz, niezbyt daleko, ktoś właśnie zginął w męczarniach.

Na dworze rozległo się skrzypienie śniegu pod czyimiś ciężkimi butami. Pojawiły się ruchome niewyraźne kręgi światła latarek i pijackie śmiechy czterech czy pięciu mężczyzn, którzy zbliżali się do śmigłowca. Jeden z nich, pilot, otworzył szarpnięciem przednie lewe drzwi i władował się na siedzenie. Do kokpitu wdarł się lodowaty wiatr. Hawke usłyszał, jak silnik turbinowy nabiera obrotów. Pilot krzyknął coś bełkotliwie po rosyjsku do swoich towarzyszy na zewnątrz.

Prawe tylne drzwi otworzyły się i ktoś zaświecił Hawke'owi latarką w twarz, tuż przy jego nosie, co wywołało kolejny wybuch wesołości u mężczyzn.

Czerwony na twarzy typ nachylił się do środka i rozwrzeszczał niezrozumiale po rosyjsku. Hawke w końcu przerwał mu tyradę:

– Dajcie tu kogoś, kto mówi po angielsku.

Znów krzyki, potem włączył się ktoś inny.

– Wyłaź! – wrzasnął po angielsku młodszy strażnik.

– Wal się – odpowiedział Hawke. Był śpiący. Głowa go bolała. Nie zamierzał nigdzie iść.

Ręce sięgnęły po niego i wyciągnęły go na zmarzniętą ziemię. Ledwo trzymał się na nogach i bał się, że upadnie. Ktoś krzyknął na niego po rosyjsku i szturchnął go lufą. Zdołał zrobić chwiejnie kilka kroków naprzód i pozostać w pionie.

Rozejrzał się. Helikopter startował z rykiem i silnym podmuchem od rotora z dziedzińca, na którym wcześniej wylądował. Wokół wznosiły się wysokie mury z czarnymi basztami co pięćdziesiąt metrów. Na ich szczytach paliły się światła, w środku kręcili się ludzie. Wieże strażnicze. Więzienie. Na wyspie, pomyślał Hawke, bo nie miał wrażenia, że jest na stałym lądzie, i słyszał morze wszędzie dookoła, kiedy śmigłowiec pochylił dziób i zniknął w ciemności nocy.

– Idź! – rozkazał mówiący po angielsku strażnik i popchnął go w kierunku trzypiętrowego budynku, który wyglądał tak, jakby zaprojektował go Charles

Addams. Wszędzie iglice i gargulce, czarne od sadzy. Ponieważ Hawke miał skrępowane kostki, mógł posuwać się tylko drobnymi kroczkami po czarnym skrzypiącym śniegu. Rosjanin poszturchiwał go i obrzucał obelgami.

Hawke zobaczył ludzkie zjawy snujące się po dziedzińcu, prawie nagie. Kobiety i mężczyźni, wszyscy z rozbieżnym zezem i wyłysiali, wyglądali na zagubionych i obłąkanych. Jedna z osób, być może kobieta, wyrosła przed nim jak duch i otworzyła bezzębne usta w niemym krzyku. Strażnik powalił ją na ziemię i usunął kopniakami z drogi.

Szli przez las grubych okrągłych słupów. Hawke mrużył oczy w zadymce i próbował uwierzyć, że tylko sobie wyobraża to, co widzi. Na szczytach pali widział rozkraczone ciała mężczyzn i kobiet. Końce słupów tkwiły w ich pachwinach. Niektórzy jeszcze skręcali się i jęczeli z bólu. Inni, którym ostre końce pali wystawały z piersi lub gardeł, szczęśliwie już nie żyli.

Wbici na pale.

Hawke wystarczająco dobrze znał historię, by wiedzieć, że był to kiedyś ulubiony sposób wykonywania egzekucji w tej części świata. Ostry słup przebijał odbytnicę i powodował powolną śmierć, czasem dopiero po dwóch, trzech dniach, kiedy rozerwał narządy wewnętrzne. Umieranie na palu z tępym końcem, który posuwał się wolno do góry, gdy ciało ofiary opuszczało się pod działaniem siły grawitacji, mogło trwać tydzień lub dłużej. Iwan Groźny zawdzięczał swój przydomek temu, że wbijał na pal tysiące ludzi. Piotr Wielki też zrobił swoje w tej materii. Nie mówiąc o Władzie Palowniku, szerzej znanym jako Drakula.

Ale Hawke nie przypuszczał, że ten barbarzyński sposób egzekucji jest jeszcze stosowany, dopóki sam nie zobaczył przerażającego lasu słupów.

Kiedy pomyślał, że gorzej chyba już nie może być, strażnik zatoczył się w kierunku najbliższego pala, podskoczył do góry, złapał jakąś nieszczęsną kobietę za kostkę i pociągnął ją około pół metra w dół zakrwawionego słupa. Wrzasnęła z bólu, mężczyzna puścił ją i upadł ze śmiechu na ziemię. Hawke nie zdołał powstrzymać mdłości, wyrwał się strażnikom, zgiął wpół i zwymiotował na świeży śnieg.

Już wiedział, co spotkało biedaka, którego krzyk obudził go z narkotycznego snu. Zamknął oczy i chwiał się w miejscu na nogach, dopóki nie został popchnięty naprzód w kierunku schodów, prowadzących w górę do masywnych drewnianych drzwi, poczerniałych jak po pożarze, ale nienaruszonych.

W ten sposób trafił do okropnego więzienia, znanego jako Energietika. Wydawało się, że pod nim szaleje ogień piekielny. Poczerniałe mury na zewnątrz... A w środku ściany, podłogi, okna, nawet ciężkie stare sprzęty pokryte warstwą sadzy. A przecież nigdzie w pobliżu wyspy nie istniał żaden przemysł. Jeśli Energietika nie była piekłem na ziemi, to niewiele jej do tego brakowało.

Nadzorca o głupiej twarzy pod zielonym daszkiem chroniącym oczy przed zbyt jaskrawym światłem siedział w brudnym ubraniu za wielkim rzeźbionym biurkiem, na którym walały się papiery. Ledwie zerknął w górę, kiedy zameldowano mu doprowadzenie Hawke'a. Pociągnął łyk wódki z otwartej butelki stojącej na blacie, nagryzmolił coś na przypadkowym świstku papieru i wskazał ciemny korytarz na lewo.

– Dlaczego tu jestem? – krzyknął do niego Hawke, kiedy strażnicy usiłowali pociągnąć go dalej. Zaparł się nogami i wywinął im.

– Bo zostałeś aresztowany, to chyba jasne – odparł mężczyzna.

– Mówi pan po angielsku?

– Jak widać. Możesz wierzyć lub nie, ale mamy w Rosji szkoły. Nawet uniwersytety. Wysoka cywilizacja.

– Pod jakim zarzutem?

– Szpiegostwa na szkodę państwa rosyjskiego. Nasz nowy car nie toleruje szpiegów. Likwiduje ich. Do zobaczenia o świcie, Angliku. Już szykują dla ciebie świeży pal.

– Nowy car? – zawołał Hawke, kiedy znów go złapali. – Kto nim jest? Jak się nazywa?

– Jego Cesarska Wysokość, Imperator Iwan Korsakow.

– Znam go! Jesteśmy przyjaciółmi! Muszę z nim porozmawiać.

– Porozmawiać z carem? – Mężczyzna wybuchnął śmiechem, podobnie jak jego towarzysze. – Zabrać go – rozkazał, wycierając łzy rozbawienia z kaprawych oczu.

Nowe lokum Hawke'a znajdowało się pod ziemią, trzy niekończące się kondygnacje stromych kamiennych schodów prowadziły w dół w gęsty mrok. Stalowe drzwi stały otworem, wepchnięto go do środka i zatrzaśnięto je za nim. Został sam w małej celi przypominającej beczkę, gołe mokre ściany zdawały się ociekać łzami. Na stołku w kącie stała zapalona lampa z knotem zanurzonym w cuchnącej nafcie i rzucała chybotliwe światło na celę.

Rozejrzał się. Wiadro na odchody. Metalowa płyta przymocowana poziomo do ściany z cienkim materacem na wierzchu, który poczerniał ze starości i Bóg wie od czego jeszcze. Podszedł do pryczy i usiadł na niej, zdecydowany nie oszaleć do rana i przetrwać za wszelką cenę.

W końcu ma syna. Będzie ojcem. Trzymał się myśli o chwili, kiedy Anastazja wyszeptała mu w ciemności radosną nowinę, i zbudował z niej własną fortecę z grubymi, wysokimi murami. Do obrony przed światem.

W pewnym momencie w nocy musiał spaść z pryczy we śnie, bo poczuł, jak podnoszą go szorstkie ręce i usłyszał krzyki. Sen? Nie, zobaczył nadzorcę o nalanej twarzy i dwóch innych cuchnących pachołków. Przyszli po niego. Pewnie świta.

Już czas.

– Dokąd mnie zabieracie? – zapytał ostro. Narastał w nim strach. Wiedział z doświadczenia, że tylko siłą woli zdoła go pokonać i stawić czoło temu, co go czeka, jak mężczyzna.

Postawili go na nogi.

– Powiedzcie mi, dokąd mnie zabieracie – powtórzył. Słyszał żałosną słabość w tej prośbie, ale nie mógł się powstrzymać.

Musiał wiedzieć. Czuł taką potrzebę. To jest właśnie to? Koniec? Tak czy nie?

Jeśli koniec, stary, nie możesz na to nic poradzić, pomyślał, rozchmurz się, do diabła. Trzymaj fason. A jednak...

– Mówcie, do jasnej cholery!

– Cicho! – krzyknął nadzorca i popchnął go brutalnie w kierunku drzwi. Hawke zmagał się z plastikowymi kajdankami, choć wiedział, że to na nic. Było ich trzech, dwaj uzbrojeni. Co mógł zrobić? Musiał coś wymyślić. Ale co? Celowo powłóczył nogami, potknął się i przewrócił do przodu, wyciągając przed siebie skrępowane ręce, żeby zamortyzować upadek.

Przetoczył się na plecy i kiedy strażnik się schylił, żeby go podnieść, podciągnął gwałtownie kolana i trafił go w podbródek. Oberwał za to kolbą karabinu w szczękę i został z powrotem postawiony na nogi.

Oczywiście wiedział, dokąd go zabierają. Musiało już świtać.

I poprowadzili go prosto na dziedziniec z palami.

53

Ale na końcu korytarza, zamiast skręcić w prawo i wspiąć się na dziedziniec, strażnicy skierowali go w lewo i zaczęli schodzić po innych stromych kamiennych schodach. A potem po następnych, coraz gorzej widocznych w migoczącym świetle lamp zawieszonych na ścianach. Eskorta za bardzo się spieszyła i zastanawiał się, dokąd idą.

– Do jakiego nowego piekła mnie prowadzicie? – zapytał. Nie spodziewał się odpowiedzi, ale poczuł ogromną ulgę. Cokolwiek go czekało, nie mogło być gorsze od tego, czego się najbardziej obawiał.

– Do lochu – odparł po prostu nadzorca.

– To lochu? A to, gdzie dziś nocowałem z tymi wszystkimi robalami łażącymi po podłodze? To był apartament dla nowożeńców?

Żart nie wywołał śmiechu, ale podniósł go na duchu w drodze do nieznanego miejsca. Przypuszczał, że idą z nim do *oubliette*, głębokiego szybu, takiego jak w starych fortach, gdzie wtrącano człowieka i po prostu zapominano o nim.

Co jest, do cholery? – pomyślał. Musi się stąd wydostać. Jeśli to ma być jego postój, niech tak będzie.

Szli brudnymi korytarzami. W łukowych niszach po obu stronach były ciężkie drewniane drzwi z zakratowanymi okienkami.

– To my – oznajmił nadzorca, wyjął kółko z kluczami i wsunął jeden do zamka. Rozległ się szczęk i drzwi otworzyły się ze skrzypnięciem. Hawke wszedł za nadzorcą do środka, wciąż trzymany przez strażników. Opuścili go na kamienną podłogę, najpierw na kolana, a potem pozwolili mu przewrócić się na bok.

– Wracam za godzinę – zapowiedział nadzorca i wyszedł z dwoma strażnikami. Zatrzasnęli ciężkie drzwi i zaryglowali je z metalicznym dźwiękiem.

– Halo? – odezwał się Hawke. Poczuł, że nie jest sam.

Było zupełnie ciemno, ale na prawo od siebie zobaczył pomarańczowy ognik papierosa, który rozżarzał się i przygasał, kiedy palacz się zaciągał, a potem wypuszczał dym.

– Dobry wieczór – odrzekł uprzejmie bezcielesny głos angielszczyzną z mocnym akcentem. – Niech pan spróbuje dopełznąć tutaj i usiąść obok mnie na pryczy.

Hawke zdołał dźwignąć się na wilgotnej podłodze twarzą do dziwnie znajomego głosu.

– Dlaczego? – zapytał, wytężając wzrok. Próbował zobaczyć w ciemności, z kim rozmawia.

– Bo mam materac wyłożony ołowiem.

– Brzmi zachęcająco, ale nie, dziękuję.

– Jak pan chce. To więzienie zbudowano na najniebezpieczniejszym składowisku odpadów radioaktywnych w Rosji. Marynarka wojenna miała tu swój jądrowy śmietnik przez pięćdziesiąt lat. Jeśli zje pan rybę złowioną gdzieś na tych wodach, będzie pan świecił w ciemności przez tygodnie.

– Nie mówi pan poważnie? Więzienie na składowisku odpadów promieniotwórczych?

– Szatański pomysł, co?

– Rozumiem, dlaczego dzieli nas przepaść kulturowa.

– Wam, Angolom, brakuje mongolskiej krwi. To wasza wielka wada.

– Może jednak przysiądę się do pana. Trochę tu chłodno na podłodze.

– Złudnie chłodno. W rzeczywistości jest gorąco. Jedną z tajemnic przetrwania jest unikanie kontaktu z podłogą, o ile to możliwe. Ten najniższy poziom Energietiki jest bardzo blisko piekła.

– Można tu przeżyć? Ale jak?

– Przepraszam. Powinienem powiedzieć „odwlec to, co nieuniknione".

Hawke podniósł się z podłogi.

– Zdecydowanie skorzystam z pańskiej propozycji.

– Proszę bardzo. Przesunę się. Miejsca jest dość.

– Gdzie my jesteśmy? – zapytał Hawke współwięźnia i usiadł obok niego na materacu osłoniętym ołowiem.

– Na małej wyspie niedaleko Sankt Petersburga. Energietika była początkowo twierdzą, którą zbudował Piotr Wielki, by strzegła dostępu do bazy morskiej w Kronsztadzie.

– Mógłbym dostać papierosa? – zapytał Hawke i usadowił się najwygodniej, jak mógł. Opierał się plecami o zimną kamienną ścianę, skrępowane nogi zwisały mu poza krawędź cienkiego materaca.

– Oczywiście, przepraszam. Powinienem pana poczęstować.

Mężczyzna pochylił się do przodu z paczką w wyciągniętej ręce. Wciąż trzymał papierosa w ustach i w czerwonym blasku ognika Hawke wreszcie zobaczył, z kim rozmawia.

– Dzięki – powiedział, uniósł skrępowane ręce i wyciągnął papierosa z paczki. Włożył go do ust, otworzył kartonik zapałek, zapalił i zaciągnął się łapczywie.

– Nie ma za co – odparł Władimir Putin. – Jestem dobrze zaopatrzony. Nadzorca siedzi u mnie w kieszeni. Tak jak większość strażników. Wódki?

– Chętnie.

Były prezydent Federacji Rosyjskiej wyjął butelkę stolicznej i dwa małe cynowe kubki. Napełnił oba po brzegi i podał jeden Hawke'owi. Alex pociągnął łyczek wbrew przemożnej chęci wypicia wszystkiego jednym haustem. Nic mu tak jeszcze nie smakowało, nie było tak koniecznie potrzebne. Nigdy.

– Słyszałem, że siedzi pan tutaj – powiedział. – Ale nie spodziewałem się, że złożę panu wizytę. Nazywam się Alex Hawke.

– Wiem, lordzie Hawke. Czekałem na pana.

– Proszę mi mówić Alex.

– Nie dbasz o tytuły – odrzekł Władimir Putin i wyciągnął rękę. – Teraz przypominam to sobie z twoich akt. Nazywają mnie Wołodią.

– Jesteś tu już jakiś czas, ale nie straciłeś włosów ani zębów – stwierdził Hawke. – W przeciwieństwie do większości nieszczęśników, których widziałem na dziedzińcu.

– Dzięki materacowi wyłożonemu ołowiem. Jest strasznie niewygodny, ale spełnia swoje zadanie. W butach też mam ołowiane wkładki. Nie mogę tu zostać na zawsze, ale na razie wszystko jest w porządku.

– Jeśli można to tak określić.

– Lepsze to niż las drzew bez gałęzi na dziedzińcu. Na pewno widziałeś nasz sad śmierci.

– Sad śmierci. Wielki Boże. Kto jest odpowiedzialny za to barbarzyństwo?

– Twój nowy przyjaciel, hrabia Korsakow. A raczej car Iwan. To staroświecki Rosjanin i wbijanie na pal bardzo mu się spodobało. Na pewno chce być obecny przy twoim pierwszym kontakcie ze słupem, bez względu na to, kiedy to nastąpi.

– Naprawdę ogłosili go carem?

– Tak. Od początku miał taki plan. A teraz, kiedy usunął wszystkie przeszkody i pozbył się opozycji, stało się to faktem.

– On cię tu wsadził?

– Tak. A raczej zlecił to Kuraginowi. Korsakow woli pozostawać w cieniu i wyręczać się innymi, żeby osiągnąć swój cel. Bawi go rola człowieka za zasłoną. Odkąd go znam, ani razu nie ubrudził sobie rąk.

– Za co tu trafiłeś? Nikt nie wie, czemu zniknąłeś. Nawet Ciocia Beeb.

– Kto?

– Przepraszam, to slangowe określenie BBC.

– Sukces był moją największą winą. Cofnąłem Rosję z krawędzi chaosu. A on naturalnie nie mógł znieść tego, że jestem demokratą.

– Demokratą? Nie tak cię widzieliśmy.

– Wy na Zachodzie nigdy mnie nie rozumieliście. Budowałem demokrację, ale robiłem to w swoim tempie. Odpowiednim dla kraju, gdzie autokracja ma wielowiekową tradycję. Widziałeś, co się stało, kiedy rzuciliśmy się w wir demokracji. Skończyło się to fiaskiem i zapanował chaos. Nastąpiła największa katastrofa polityczna XX wieku. Ale to już przeszłość. Stałem się zbyt popularny i przez to zbyt potężny dla człowieka, który marzył o przywróceniu autokracji w postaci caratu.

– No i wygląda na to, że mu się udało.

– Oczywiście. I będzie rządził całym światem. To tylko kwestia czasu.

– Już to słyszeliśmy. Stalin i Lenin mieli podobne plany. Nazywano to wtedy wielką rewolucją robotniczą.

– Korsakow jest inny. To prawdziwy geniusz. Nikt go nie powstrzyma. Nawet Amerykanie, choć zestrzeliwują satelity tajną bronią rodem z *Gwiezdnych wojen*, nic mu nie zrobią. Jeszcze wódki?

– Tak. Z chęcią się napiję. Dziękuję.

– Muszę stwierdzić, że w podziwu godny sposób zachowujesz pogodę ducha, Alex.

– Pogoda ducha w obliczu przeciwności losu. Na pewno to słyszałeś.

– Nie.

– To z kodeksu Królewskiej Piechoty Morskiej. Komandosa powinny cechować cztery rzeczy: odwaga, determinacja, bezinteresowność i, moja ulubiona, pogoda ducha w obliczu przeciwności losu. Ojciec nauczył mnie tych rzeczy, kiedy miałem sześć lat. Przez całe życie staram się brać sobie do serca jego rady.

Putin uniósł kubek.

– Twój ojciec był zdumiewającym człowiekiem.

Stuknęli się kubkami.

– Przebrniemy przez to. Trzeba się po prostu przygotować na najgorsze. Wcześniej czy później wyjdziemy na prostą – powiedział Hawke.

– Nad moją głową wisi lampa naftowa. Jeśli zwrócisz mi zapałki, zrobię tu trochę światła.

Hawke oddał zapałki i Putin zapalił knot. Na przeciwległej ścianie pojawiły się cienie dwóch mężczyzn. Putin popatrzył uważnie na Hawke'a w chybotliwym blasku lampy, jakby podejmował jakąś decyzję.

– Wiesz, czemu znalazłeś się w Energietice, Alex?

– Nie mam pojęcia. Jestem angielskim biznesmenem w podróży służbowej. Jak każdy w więzieniu jestem całkowicie niewinny. Nie popełniłem żadnego przestępstwa.

– On cię wpakował do tej zatrutej dziury, wiesz o tym.

– Kto?

– Korsakow. Poznałeś go?

– Tak. To czarujący człowiek, ale ma oczy fanatyka.

– Chce cię zabić.

– Dlaczego? Co mu zrobiłem? Jestem do szaleństwa zakochany w jego córce, na litość boską. Chcę się z nią ożenić.

– Ona też jest w tobie zakochana, o ile wiem. I to właśnie część problemu.

– Jakiego problemu?

– Jesteś zupełnie nieodpowiednim mężem dla Anastazji, księżnej Rosji. Twoje pochodzenie jest absolutnie nie do przyjęcia.

– Nie do przyjęcia? Jestem wprawdzie potomkiem piratów, ale to chyba nie powinno przemawiać na moją niekorzyść.

– Po pierwsze, chodzi o twojego ojca.

Hawke omal nie zakrztusił się wódką.

– O mojego ojca? Zginął, gdy miałem siedem lat. Po długiej i chwalebnej służbie w marynarce wojennej, mogę dodać. Co on, do licha, ma z tym wszystkim wspólnego?

– Odpowiem ci jednym słowem – odrzekł Putin i wychylił kubek. – Scarp.

– Scarp – powtórzył Hawke i oparł się z powrotem o ścianę, radując się w milczeniu smakiem papierosa i wódki.

– Scarp – przytaknął Putin. Lubił wymawiać to słowo, podobało mu się ostre brzmienie pojedynczej sylaby.

– To zabawne – odezwał się w końcu Hawke. – Drugi raz w ciągu trzech dni wypływa w rozmowie temat tej skalistej wysepki. Korsakow też o niej mówił w swoim pałacu zimowym. Coś o polowaniu na Scarp w czasie zimnej wojny. Nie wiem, o co mu chodziło. Wydawał się trochę zbzikowany na tym punkcie.

– Korsakow ma listę ludzi, których chce zabić. Ja naturalnie na niej figuruję. Dlatego tu jestem. Spalam się powoli, jak mówią. Ale ciebie wpisał na tę listę w dniu twoich narodzin.

– Naprawdę? Rozumiem, że umieścił tam ciebie. To polityka. Ale co ma do mnie?

– W październiku 1962 roku twój ojciec zabił jedyną osobę, jaką Iwan Korsakow kiedykolwiek kochał. Jego starszego brata, Siergieja.

– Mój ojciec zabił na Scarp człowieka? Jak? To niemożliwe. Moja rodzina ma tam domek myśliwski od pokoleń. Sam tam bywam od lat. To malutka wysepka. Każde przestępstwo czy zaginięcie zostałoby zgłoszone. Nigdy nie słyszałem o czymś takim. Nawiasem mówiąc, ojciec zabił na służbie wielu ludzi. Ale nie był mordercą.

– A któż mówi o morderstwie? Brat Iwana był w KGB, jak my wszyscy. Podczas kryzysu kubańskiego wyszło na jaw, że twój ojciec figuruje w brytyjskim planie infiltracji tajnej radzieckiej bazy wojskowej w pobliżu koła podbiegunowego. Operacja „Czerwona Pałka". To był krytyczny moment impasu. Chruszczow nie mógł dopuścić do tego, żeby rozpracowano nasze działania. KGB wysłało pułkownika Siergieja Korsakowa na Scarp, żeby zlikwidował twojego ojca. Alc najwyraźniej to twój ojciec zlikwidował pułkownika Korsakowa.

– A ciało?

– Przypuszczam, że twój ojciec je zakopał i nic nikomu nie powiedział. Ja bym tak zrobił.

– I dlatego zostałem wtrącony do lochu niczym hrabia Monte Christo w Château d'If za jakieś przestępstwo, którego nie popełniłem?

– Tak. Co za ironia losu, prawda, że rodzona córka cara znalazła cię na odludnej plaży i przywiodła do ołtarza ofiarnego swojego ojca.

– A więc chodzi o zemstę, tak?

– Tak. O zemstę najlepszego rodzaju. Długo i niecierpliwie oczekiwaną.

– No to dziwię się, że nie wykończył mnie wcześniej.

– Nie, nasz car lubi się napawać zemstą. Na jego liście są setki przeciwników politycznych do odstrzału, a jednak wysunąłeś się przed nich. Ciebie uważa za czystą rozrywkę. Chce się z tobą pobawić w kotka i myszkę.

– Ile zostało mi czasu na tę zabawę?

– Do egzekucji? Jest przewidziana o świcie. Nie dziś, to jutro. Ale odpręż się. Uważam, że masz co najmniej czterdzieści osiem godzin. Nasz nowy car uczestniczy teraz w uroczystych przyjęciach i spotkaniach w Moskwie, a potem leci do Sztokholmu na wręczenie Nagród Nobla. Potem pojawi się tutaj w swoim wielkim statku powietrznym i obawiam się, że zostaniesz wbity na pal.

Hawke się wzdrygnął.

Nigdy nie bał się śmierci. Wiedział, że w jego branży może zostać zabity szybko i brutalnie w każdej chwili.

Ale nie w ten sposób.

Nie na palu.

Sad śmierci budził w nim prawdziwe przerażenie.

54

Hawke wypił łyk wódki:

– Jak ci się udaje unikać tak długo wbicia na pal? – zapytał.

– Zadałeś dobre pytanie. – Putin przytknął zapałkę do kolejnego papierosa. – Wbrew życzeniu Korsakowa, żebym obracał się tu wolno w proch, jestem chroniony.

– Przez kogo?

– Przez potężnych ludzi uważających Iwana Korsakowa za szaleńca, który doprowadzi do tego, że Rosja zamieni się w dymiące zgliszcza po wyniszczającej wojnie światowej z Zachodem. Ja oczywiście podzielam tę opinię. – Zaciągnął się papierosem. – To obłęd.

– I ci ludzie pragną twojego powrotu do władzy?

– Naturalnie.

– Czemu więc nie wydostaną cię z tej cholernej dziury?

– Nie przeżyłbym dwunastu godzin na wolności. Za czarnymi murami czai się armia zabójców Korsakowa. Nazywa ich Trzecim Wydziałem. Dopóki car żyje, dopóty najbezpieczniejszym dla mnie miejscem jest ten przedsionek piekła. Czekam tu cierpliwie na mój czas, wiedząc, że nadejdzie.

– Trochę trudno czekać cierpliwie na swój czas, kiedy tak jak ja ma się przed sobą tylko czterdzieści osiem godzin życia albo i mniej.

– Owszem. Dlatego posłałem po ciebie dzisiejszej nocy.

– To znaczy, że jeszcze nie świta? Przypuszczałem, że już wzeszło słońce.

– Nie. – Putin wcisnął przycisk i tarcza jego zegarka się rozświetliła. – Jest dopiero druga nad ranem.

– Czemu posłałeś akurat po mnie? Oczywiście jestem ci za to ogromnie wdzięczny.

– Chciałem cię poznać. Stałeś się żywą legendą.

– Legendą? Bez przesady.

– Kiedy sprowadza się czyjeś życie do konfrontacji fakty kontra legenda, zawsze zwracaj uwagę na legendę, Alex, dobrze ci radzę. Masz doskonałą opinię w KGB. Jesteś bardzo szanowanym oficerem wywiadu. Śledzę uważnie twoją karierę od lat. Kiedy byłem szefem KGB, próbowałem cię zwerbować na naszą stronę. Przypomnij sobie pewną posągową blondynkę, którą poznałeś w jednej z budapeszteńskich kawiarni jakieś sześć lat temu. Wieczorem przenieśliście się oboje do hotelu Mercure w Budzie. Pokój 777.

– Katerinę Oboleńską. Nigdy jej nie zapomnę.

– Postarałem się o to. Niestety jesteś uparcie lojalny wobec swojej ojczyzny. Później, już na Kremlu, dalej obserwowałem twoje wyczyny. Kuba, Chiny, Bliski Wschód i tak dalej. Między innymi dlatego nie mogłem się doczekać naszego spotkania, wymiany zdań między ludźmi z jednej branży.

– A były inne powody?

– W moim interesie leży to, żeby pomóc ci stąd uciec. Po naszej rozmowie jestem przekonany, że nie myliłem się co do ciebie. Uważam, że jesteś jednym z bardzo niewielu ludzi, którzy mają jakąś szansę stawić czoło Korsakowowi. I teraz, kiedy już wiesz, przez kogo i dlaczego zostałeś skazany na straszną śmierć w tej dziurze, będziesz miał bardzo silną motywację do zabicia go, zanim on zabije ciebie. Oczywiście, jeśli zdołamy cię stąd wyciągnąć.

Hawke westchnął głęboko, starając się uwierzyć, że straszna śmierć nie jest nieunikniona i możliwy jest jakiś ratunek.

– Idźmy dalej tym tropem, dobrze? Zastanawiam się, jak dyżurują strażnicy. Na pewno nie mogą tu przebywać długo ze względu na promieniowanie.

– Zmieniają się bardzo często. Pracują cztery godziny dziennie trzy razy w tygodniu. Dwanaście godzin tygodniowo nie jest zabójcze. Dwa promy kursują stale do Sankt Petersburga i z powrotem. Wahadłowce, jak to się chyba mówi po angielsku. Kiedy jeden przypływa, drugi odpływa.

– To mogłoby się udać.

– Nie. Promy nie są pod kontrolą moich „przyjaciół". Przeszukuje się je bardzo dokładnie. Złapaliby cię.

– Mógłbym się ukryć w koszu z praniem. Tak to się robi.

– W filmach, ale nie tutaj. Nikt jeszcze nie wydostał się stąd żywy. Niektórzy próbowali uciec wpław. Były trzy takie wypadki, odkąd tu jestem. Do stałego lądu jest osiem mil morskich. Woleli zamarznąć i utonąć niż nabawić się choroby popromiennej. Albo umrzeć na palu.

– To cenna informacja.

Zapadła długa cisza.

– Myślisz? – zapytał w końcu Hawke.

– Stale myślę – odrzekł Putin.

– Coś ci przychodzi do głowy?

– Kiedy przyjdzie, dowiesz się pierwszy.

Siedzieli obok siebie w milczeniu, palili, popijali i myśleli. Hawke'owi przyszło do głowy, że on i towarzysz Putin zaczynają być trochę wstawieni. Było to całkiem przyjemne.

Putin pochylił się nagle do przodu.

– Pokażę ci coś, czego jeszcze nie pokazywałem żadnemu gościowi, tutaj na dole. Potraktuj to jako dowód zaufania i szacunku.

– Co to jest?

– Drugie pomieszczenie.

– Drugie pomieszczenie?

– Patrz i ucz się – odparł Putin i wyciągnął cienkiego pilota spod materaca. Wcisnął przycisk i wąski prostokąt światła pojawił się w ścianie na wprost pryczy, na której siedzieli. Rozległ się syk siłownika pneumatycznego, duży fragment kamiennego muru przemieścił się i odsłonił małą oświetloną komorę.

– Cudom nie ma końca – powiedział Hawke przekonany, że tak jest. Przede wszystkim jeszcze żyje. Siedzi w lochu i rozpija flaszkę wódki z byłym prezydentem Federacji Rosyjskiej. A nowa księżna Wszechrosji jest z nim w ciąży. Niesamowite.

– Co tam jest? – zapytał.

– Mój pokój wyłożony ołowiem. Zbudowany w całkowitej tajemnicy i ogromnym kosztem z pomocą nadzorcy, który cię tu przyprowadził. Ten człowiek jest na mojej liście płac. To były zabójca KGB. Pracował dla mnie w Niemczech Wschodnich. Wygląda na zwykłego zbira i matoła, ale w rzeczywistości jest bardzo błyskotliwy.

– Co jest w twojej sekretnej ołowianej krypcie?

– Hm. Prawdziwe łóżko. Muzyka i DVD. Moje książki i trochę pamiątek. I mała lodówka pełna dobrej wódki i kawioru.

– A jaki masz plan ocalenia mnie?

– Jest tam też telefon satelitarny, mogę utrzymywać łączność z dowódcami moich sił podziemnych, którzy przygotowują mój tryumfalny powrót do władzy.

– A czy ja mógłbym skorzystać z tego telefonu i wezwać kawalerię?

– Spryciarz z ciebie, Hawke. Tak, możesz. Jest w górnej szufladzie obok łóżka. Jedna rozmowa. Lepiej, żeby była owocna.

Hawke wstał i uśmiechnął się do Putina.

– Naprawdę mogę się stąd wydostać.

– Zapewniam cię, że to o wiele lepszy wybór niż ostry pal w odbycie, lordzie Hawke.

Trzy godziny później Hawke trząsł się z zimna przycupnięty na dziedzińcu w ciemnej niszy pod jedną z wież strażniczych. Niebo różowił wczesny świt. Nieszczęśnicy w sadzie śmierci nie wydawali żadnych odgłosów. Zamarzli w nocy na śmierć, jeśli mieli szczęście. Zerknął na zegarek. Powinien coś usłyszeć dwadzieścia minut temu. Gdzie ta kawaleria, do cholery?

Usłyszał nadlatujący helikopter, zanim go zobaczył. Sądząc po warkocie, śmigłowiec był blisko. Harry? Niech to będzie on.

Na murze pojawili się strażnicy z automatami zawieszonymi na ramionach. Jeden uniósł lornetkę do oczu, obserwował przez chwilę zbliżającą się maszynę, po czym dał znak swoim towarzyszom, że wszystko jest w porządku.

Wrócili na swoje stanowiska w ciepłych wnętrzach wież.

Dlaczego pokazał im, że jest w porządku? Przecież to była próba odbicia więźnia.

Widocznie nie.

Niech to szlag!

Helikopter zawisł nad dziedzińcem. Nie wyglądał na maszynę, którą mógłby przylecieć Harry Brock. Był to rosyjski wojskowy Kamow Ka-50 Czarny Rekin, najeżony rakietami przeciwczołgowymi i trzydziestomilimetrowymi działkami podwieszonymi pod małymi skrzydłami. Rosyjski śmigłowiec bojowy! Gdzie jest Harry, do jasnej cholery?

Kiedy pilot zszedł dwa metry nad ziemię w kurzawie śniegu od podmuchu wirników, ktoś otworzył drzwi pasażera po prawej stronie.

Z wnętrza przywoływał Hawke'a gestem uśmiechnięty od ucha do ucha Harry Brock.

Hawke popędził schylony przez cienie na dziedzińcu i wpadł pod wirujące rotory. Drugie drzwi z prawej strony otworzyły się, dał nura do środka, nie czekając, aż czarna maszyna wyląduje. Dostrzegł, że strażnicy na murach wyglądają przez okna. Jeden czy dwaj wyskoczyli na dwór, biegli wzdłuż parapetu i coś krzyczeli, ale ich słowa zagłuszał wiatr i ryk potężnych silników helikoptera, które nabierały obrotów.

Pilot natychmiast wystartował, przechylił kamowa w ostrym skręcie i poleciał nad smaganą wiatrem Zatoką Fińską w kierunku kontynentu.

– Harry, ty stuknięty sukinsynu, skąd wziąłeś śmigłowiec bojowy armii rosyjskiej? Takie maszyny nie są dostępne dla amerykańskich cywilów.

– Myślisz, że strażnicy pozwoliliby mi wylądować bellem jet rangerem z flagą Stanów Zjednoczonych na ogonie?

– Nie, pytam poważnie, Harry. Jak to zrobiłeś, do cholery?

Brock wskazał kciukiem tył śmigłowca.

– Zapytaj jej królewską wysokość, szefie. Mała księżniczka tatusia dostaje to, czego zechce.

Anastazja w lotniczym kombinezonie na futrze czekała w głębi maszyny. Hawke wgramolił się tam i wpadł jej w ramiona. Przytuliła go. Trząsł się z zimna, objął ją i pozwolił, by jej ciepło i zapach zaczęły wymazywać ponure obrazy ostatnich dwunastu godzin.

Odsunęła go na odległość wyciągniętej ręki.

– Moje biedne kochanie. Tak się bałam. Nie mogłam złapać ojca, żeby mu powiedzieć o tym niedorzecznym aresztowaniu. Udało mi się to dopiero kilka godzin temu. Był oburzony. Ktokolwiek to zrobił, zostanie surowo ukarany. Ojciec dopilnuje tego.

Hawke zastanawiał się, jak powinien się zachować w tej niezręcznej sytuacji, gdy usłyszał słowa Harry'ego:

– Muszę cię o coś zapytać. Pozwolili ci skorzystać z telefonu na tej cholernej wyspie grozy?

– Niezupełnie. To długa historia.

– Anastazja była ze mną, kiedy zadzwoniłeś do mnie na komórkę – powiedział Brock. – Siedzieliśmy przy drinkach w barze w Metropolu i zastanawialiśmy się, kogo zaprosić na twój pogrzeb. Zasmuci cię to, ale lista była krótka.

– Pogrzeb odłożony bezterminowo – odparł Hawke, sięgnął przed siebie i ścisnął Harry'ego za ramię. – Dzięki, stary, jestem ci winien kolejkę. Dokąd lecimy?

Harry odwrócił się na siedzeniu.

– Ani chwili odpoczynku. Walimy prosto do bazy lotniczej w Ramstein w Niemczech. Dwa F/A-18 Super Hornet grzeją już silniki, żeby nas przerzucić na Bermudy. Czeka tam na nas Stokely.

– I co. Tu jest za głośno, żeby rozmawiać. – Brock wskazał znacząco wzrokiem rosyjskiego pilota. – Wprowadzę cię w sprawę, kiedy wylądujemy w Ramstein.

– A co z tobą, kochanie? Wybierasz się na Bermudy? – zapytał Hawke Anastazję, ujął jej dłoń i przyłożył sobie do policzka. Zatoka Fińska z białymi grzywami fal zwiewanymi przez wiatr znikała pod helikopterem w zdumiewającym tempie.

– Nie, skarbie, nie mogę. Wracam do Moskwy. Dziś wieczorem jest przyjęcie na cześć ojca w Granowitym Pałacu. A za dzień lub dwa lecimy statkiem powietrznym do Sztokholmu na uroczystość wręczenia Nagród Nobla, przecież wiesz?

– Słyszałem, że został carem – powiedział Hawke z serdecznością, która zabrzmiała strasznie fałszywie. – Musisz być z niego bardzo dumna.

Rozpromieniła się.

– Jestem. To cudowne, Alex. Nie dla niego, ale dla mojego kraju. Rosja znów będzie wielkim państwem. Pierwszy car noblista. Tak się cieszę. Obiecaj mi, że przyjedziesz do Sztokholmu na tę uroczystość! Zarezerwuję ci miejsce.

– Oczywiście, że przyjadę, Anastazjo. Jeśli chcesz, żebym tam był, to na pewno będę.

– Na tej uroczystości może być mnóstwo wolnych miejsc – powiedział Harry Brock, patrząc znacząco na Hawke'a, ale ani Alex, ani Anastazja nie zrozumieli, o czym mówi. Hawke dał temu spokój. Harry najwyraźniej miał mu dużo do powiedzenia. Alex musiał zaczekać, aż wylądują w Ramstein.

Przez resztę podróży patrzył w dół na morze, całą drogę do zamarzniętych białych pól w Niemczech. Był dziwnie niespokojny jak na człowieka, który właśnie uniknął straszliwej śmierci. Coś mu stanęło ością w gardle i nie mógł dojść, co to jest. Po półgodzinie już wiedział: bezceremonialna uwaga rzucona przez Putina ostatniej nocy, proste zdanie, które wtedy wydawało się niewinne:

„Co za ironia losu, prawda, że to właśnie jego córka cię znalazła i przywiodła do ołtarza ofiarnego?"

Sam na odludnej plaży. Jednej z setek takich samych. Nie. Jak mógł zwątpić w jej miłość? Właśnie ocaliła mu życie. Ta cudowna kobieta nosi w sobie jego dziecko. Jest naprawdę piękna. A prawdziwe piękno, jak mu powiedziała pewnego popołudnia w Half Moon House, bierze się z wnętrza.

Sięgnął po jej dłoń i ścisnął ją delikatnie.

– Mogłem o tym nie wspomnieć – szepnął jej do ucha – ale chcę ci podziękować za uratowanie mi życia.

– Nie miałam nic do uratowania, dopóki cię nie spotkałam. Teraz, kiedy mam ciebie, mam już wszystko.

55

Moskwa

Padał śnieg.

Piękną zimową nocą Anastazja szła szybko przez plac Soborowy do Wielkiego Pałacu Kremlowskiego; długie białe sobolowe futro ciągnęło się za nią po sypkim śniegu. Była spóźniona, zdyszana i chyba po raz pierwszy w życiu szczęśliwa. Wiedziała, że jej serce w końcu jest pełne. We wszystkich oknach pałacu paliło się światło. Nic nigdy nie wyglądało tak olśniewająco.

Okazała i majestatyczna moskiewska siedziba carów dominowała w południowej części Kremla. Okna głównego skrzydła wychodziły na ciemną rzekę Moskwę pełną grudniowej kry. Mimo śnieżycy wzdłuż brzegu i na mostach stały tłumy ludzi. Wszyscy patrzyli w górę na oświetlony pałac. Cała Moskwa zdawała się rozumieć, że to historyczna noc, której nie wolno przeoczyć. Miasto jakby zamarło, nawet ruch uliczny całkowicie ustał.

Po raz pierwszy od ponad dziewięćdziesięciu lat Rosja miała cara. Dzwony biły we wszystkich cerkwiach, gdzieniegdzie zebrały się grupy ludzi, którzy śpiewali stare rosyjskie pieśni i przekazywali sobie butelki wódki na rozgrzewkę.

Wielki Pałac Kremlowski przyćmiewa wielkością i przepychem wszystkie zachodnioeuropejskie pałace z tamtego okresu. Tak powinno być, pomyślała Anastazja, że jej ojciec świętuje swój największy tryumf w tym wspaniałym miejscu. Wbiegła po białych marmurowych schodach prowadzących do sal na pierwszym piętrze, gdzie zwykle odbywały się uroczystości państwowe. Wejście było dziś zamknięte, ale nie dla niej, księżnej.

Dwaj wartownicy w paradnych strojach stali na baczność po obu stronach starych drewnianych drzwi w wielkim wschodnim skrzydle pałacu. Wrota miały ponad cztery i pół metra wysokości i były arcydziełem XIX-wiecznych rosyjskich stolarzy, zrobionym z drewna orzechowego bez użycia jednego gwoździa i jakiegokolwiek kleju.

Za tymi drzwiami znajdowały się sale, którym nadano nazwy rosyjskich świętych: świętego Jerzego, świętego Włodzimierza, świętej Katarzyny, świętego Andrzeja i świętego Aleksandra. Anastazja zatrzymała się tuż za progiem, by zostawić sobole, czapkę, mufkę i futrzane buty, które zamieniła na pantofelki na szpilkach przyniesione w torbie.

Potem przeszła szybko przez ośmioboczną Salę Świętego Włodzimierza, obcasy stukały na parkiecie. Jedno z łukowych przejść wychodziło na korytarz prowadzący prosto do największej i najbardziej odświętnie wyglądającej Sali Świętego Jerzego. Piękne wnętrze miało prawie sześćdziesiąt metrów długości i niemal dwadzieścia szerokości. Anastazji zrobiło się przyjemnie, gdy usłyszała, że orkiestra na końcu sali gra nie Czajkowskiego czy Rachmaninowa, lecz nową symfonię jej ojca *Światło świtu*.

Zaczęła torować sobie drogę w jego kierunku przez morze pięknych sukni i galowych mundurów. Na tłum gości padał z góry blask ponad dziesięciu tysięcy świecowych żarówek w sześciu masywnych złoconych żyrandolach. Zobaczyła go! Stał z grupką osób na podwyższeniu tuż przed orkiestrą w jednym ze swoich najwspanialszych białych mundurów.

Podbiegła do niego z błyszczącymi oczami.

– Tato – powiedziała i objęła go. – Przepraszam za spóźnienie.

– Moja droga córko, właśnie poprosiłem o walca. Zatańczysz ze mną?

– Będę zaszczycona, tato.

Podał jej rękę i zszedł z estrady. Kiedy dotarli na środek parkietu, zabrzmiał piękny walc Straussa. Tłum się rozstąpił. Wszyscy patrzyli na cara i jego piękną córkę w szkarłatnej sukni. Spojrzała na ojca, który wyglądał olśniewająco w swoim mundurze, i przypomniała sobie słowa Aleksa tamtej nocy w trojce:

„Chyba znaleźliśmy się w jakiejś bajce".

Ona z pewnością. Kiedy szła przez pałacowe sale, słyszała po drodze szepty:

– Księżniczka! Widzicie? Jaka piękna!

A teraz ojciec tańczył z nią walca na opustoszałym nagle parkiecie, bo goście cofnęli się pod ściany i zostawili cara i jego córkę samych, by rozkoszowali się zachwytem całej Moskwy. I nikt obecny tej nocy w sali balowej nigdy nie zapomni, jak pięknie wyglądała nowa księżna Rosji w tańcu z carem.

– Och, tato, czy to nie cudowne?

Przyciągnął ją do siebie i szepnął jej do ucha słowa, które okazały się okrutnym szokiem.

– Jak śmiałaś? – wycedził. – Jak śmiałaś?

– Co? – odsunęła się, żeby móc spojrzeć mu w twarz. – Co jak śmiałam, tato?

Jeszcze nigdy nie widziała takiego gniewu w jego oczach. Spróbowała się cofnąć, ale trzymał ją mocno w talii jedną ręką, a drugą ściskał brutalnie palce. I tańczyli tak dalej na oczach oczarowanego tłumu pozostającego w błogiej nieświadomości tego, że na środku parkietu rozgrywa się dramat.

– Zdradzić mnie, to chyba jasne – odparł cicho, ale groźnie.

– Nigdy cię nie zdradziłam!

– A teraz jeszcze kłamiesz, suko.

– Powiedz mi! Powiedz, co zrobiłam.

– Zaprosiłaś do naszego domu tego pieprzonego Anglika. Myślisz, że cię kocha? Skąd! Wykorzystuje cię tylko, żeby mnie szpiegować. Jest agentem MI6! Kazałem go aresztować i wysłać do Energietiki, na co w pełni zasłużył. Tylko po to, żeby się dowiedzieć, że został uwolniony! Ale nie przez swoich towarzyszy, o nie! Przez moją własną córkę!

– Tato, co ty mówisz? Kazałeś aresztować Aleksa? Przecież, kiedy cię zawiadomiłam, że go zabrali, powiedziałeś, że to pomyłka. Że każesz go wypuścić!

– Chodziło o bezpieczeństwo państwa. Nie mam obowiązku wtajemniczać cię w te sprawy.

– Tato, Alex nie jest szpiegiem. Ma na to zbyt łagodny charakter. Zresztą nigdy bym cię nie zdradziła. Myślałam, że chcesz go uwolnić, i wzięłam to w swoje ręce. Kocham go, tato. Chcę za niego wyjść. Chciałam, żebyście się poznali, bo ciebie też kocham. I jestem z was obu taka dumna, że...

– Milcz! Nie wiesz, o czym mówisz, kretynko. Słuchaj mnie uważnie. Zabraniam ci widywać się z nim. Koniec z tym. *Smiert' szpionam*, Anastazjo. Pamiętaj o tym. I śmierć wszystkim, którzy z nimi spiskują. Rozumiesz?

– Grozisz mi? Swojej jedynej córce?

– Dbam o dobro państwa.

– Tato, proszę cię, błagam. Nie możemy porozmawiać o tym później? W jakimś spokojnym miejscu, a nie tutaj, na oczach całej Moskwy?

– Nie ma o czym rozmawiać. Jesteś córką cara. Księżniczką Anastazją. Pewnego dnia zostaniesz carycą i zasiądziesz na tronie. Znajdę ci odpowiedniego męża, bez obaw. Ale muszę mieć spadkobiercę godnego mojego dziedzictwa. Rozumiesz?

– Tato, noszę już jego dziecko. Jestem z nim w ciąży. – Głos jej się załamał, łzy popłynęły z oczu.

– Musisz po prostu pozbyć się tego bękarta.

– Tato...

– Przestań płakać! Co ludzie pomyślą?

– Przepraszam, tato, nie mogę na to nic poradzić. Nie... nie wiem, co mam teraz zrobić? Kocham go całym sercem. I on mnie też kocha. Chcę urodzić jego dziecko, tato. Musisz mi na to pozwolić.

– Nigdy!

– O Boże, o Boże – zaszlochała i ojciec szybko zorientował się, że jest bliska histerii. Przycisnął ją mocno do siebie, obrócił w tańcu i wyszeptał jej gorączkowo do ucha:

– Posłuchaj, kochanie. Być może masz rację. Powinniśmy porozmawiać o tym później, kiedy nie będziemy się znajdować w centrum uwagi. Po uroczystości w Sztokholmie wyjedziemy gdzieś na kilka dni. Jak to robiliśmy dawniej. Wakacje ojca i córki. Może nad jakiś fiord. Albo do naszego starego pałacu letniego na Morto. Spróbujemy rozwiązać ten nieszczęsny problem tak, żeby to było do przyjęcia dla nas obojga. Co ty na to?

– Tato, musisz mi uwierzyć. Nigdy nie zrobiłabym nic, co mogłoby cię zranić. Naprawdę. Dziękuję, że starasz się mnie zrozumieć. Porozmawiamy później, kiedy oboje nie będziemy tak zdenerwowani. Rozumiem, o czym mówisz. Postaram się, żebyś znów był ze mnie zadowolony.

– Teraz słyszę moją córkę.

– Kocham cię, tato. Wiem, że będziesz wspaniałym carem. Mądrym i dobrym. Ojcem całego naszego kraju.

Puścił ją i skłonił się nisko. Tłum zgotował im gorącą i długą owację.

– Jej cesarska mość, księżniczka Anastazja! – zawołał głośno car i tłum po prostu oszalał. Uśmiechnęła się, obróciła tak, by móc spojrzeć zebranym w twarze, pomachała do nich i powiedziała tak cicho, że nikt jej nie usłyszał, ale wszyscy zrozumieli: – Dziękuję wam, dziękuję.

– Dziękuję ci za taniec – rzucił lodowato ojciec, kiedy szli z powrotem w kierunku estrady.

Nowa księżna Rosji nie mogła powstrzymać łez. Ale uśmiechała się.

56

Nad morzem

Alex Hawke miał najlepsze miejsce, tuż za pilotem. W normalnych okolicznościach ten fotel zajmował WSO, operator systemów uzbrojenia i jednocześnie nawigator, którego jankescy lotnicy nazywali „wizzo". Z lekko podwyższonego siedzenia rozciągał się nad hełmem pilota wspaniały widok na wprost. Dwumiejscowy myśliwiec F/A-18 Super Hornet, model F, należał do amerykańskiej marynarki wojennej i wykonał swoje pierwsze zadanie bojowe w roku 2002.

Ale to nie były normalne okoliczności. Podczas tego lotu *wizzo* nie był potrzebny. Ten model F, jako jeden z niewielu, został znacznie zmodyfikowany. Miał dwie oddzielne osłony kabiny i służył do tajnych operacji, takich jak ta.

Dwa identyczne super hornety mknęły obok siebie skrzydło w skrzydło tuż nad grzbietami fal z prędkością prawie dwóch tysięcy dwustu kilometrów na godzinę poniżej zasięgu nieprzyjacielskiego radaru, Atlantyk piętnaście metrów pod samolotami rozmazywał się w niebieską plamę. W myśliwcu z prawej strony Hawke'a na fotelu *wizzo* podróżował Harry Brock. Dwa odrzutowce po przybyciu na pozycję znajdowały się około pięćdziesięciu mil morskich na północ od Bermudów. Nagle oba jednocześnie włączyły dopalacze i z silnie odczuwalnym przeciążeniem wzbiły się stromo w górę.

Na wysokości tysiąca pięciuset metrów natychmiast wypoziomowały i uruchomiły hamulce aerodynamiczne. Hawke sprawdził swój sprzęt i spowolnił oddech. Utrzymywali ciszę radiową, spojrzał więc w bok na Harry'ego i pokazał mu znak „okej". Dostał taką samą odpowiedź. Nadszedł czas.

W słuchawkach Hawke'a rozległ się na moment szum zakłóceń, a potem głos pilota, kapitana Leroya McMakina mówiącego z przeciągłym zachodnioteksaskim akcentem:

– Siema, ludzie, mówi wasz kapitan z nosa samolotu. Było mi bardzo przyjemnie gościć was dziś na pokładzie podczas tego krótkiego lotu z Niemiec na środek tego pustkowia. Dziękuję, że wybraliście linie lotnicze Czarne Asy. Wiemy, że macie wybór przewoźników powietrznych, i doceniamy waszą decyzję.

Hawke się roześmiał. Piloci amerykańskiej marynarki wojennej byli jedyni w swoim rodzaju.

– Dziękujemy za transport, kapitanie – odrzekł i wyjrzał, żeby spojrzeć na powierzchnię morza w dole.

– Życzymy miłego pobytu na środku Oceanu Atlantyckiego czy gdziekolwiek zaprowadzą was wasze plany podróży. Mam nadzieję, że jeśli w przyszłości będziecie planowali podróż samolotem, pomyślicie o Czarnych Asach.

Kapitan McMakin odwrócił się do pasażera i wyszczerzył zęby w szerokim jankeskim uśmiechu. Hawke pokazał mu w odpowiedzi uniesiony kciuk.

Potem sięgnął w dół do jednego z dwóch uchwytów po bokach wyściełanego kubełkowego siedzenia. Podciągnął go do pozycji odpalenia, odczekał chwilę i szarpnął drugi. Przez jedną długą sekundę nic się nie działo, po czym uruchomił się mechanizm odstrzelenia tylnej osłony kabiny. Kiedy została odrzucona, odpaliła katapulta rakietowa pod fotelem i przypięty do niego Hawke poszybował pionowo na wysokość stu metrów od samolotu z przeciążeniem 3 g.

Podróżował teraz w fotelu katapultowym typu Zero-Zero, zdolnym uratować mu życie nawet po wystrzeleniu przy zerowej prędkości na zerowej wysokości.

Dwie dziesiąte sekundy po odpaleniu katapulty stabilizatory żyroskopowe fotela zneutralizowały asymetryczne siły powodujące jego koziołkowanie i obracanie się. Sześć dziesiątych sekundy po oderwaniu się fotela od podłogi myśliwca uaktywnił się system uwolnienia pasażera. Pas bezpieczeństwa został odpięty i Hawke oddzielił się od siedzenia. Czasza jego spadochronu otworzyła się i zaczął opadać ku morzu. Jednocześnie zmaterializował się zestaw przeżycia i mała tratwa ratunkowa.

Jeszcze nigdy dotąd się nie katapultował.

Doznanie było niezwykłe, kiedy wiatr wydmuchiwał mu w bok powietrze z nosa. Kiedyś, gdy dopiero uczył się skakać z samolotu, nie odczuwał takich emocji. Kazano mu szybować ku ziemi z głową trochę niżej niż stopy w momencie otwierania spadochronu, żeby po rozwinięciu się linek i rozpostarciu czaszy taśmy nośne obróciły go pod nią i nie było nieprzyjemnego szarpnięcia w kroczu.

Wisząc w uprzęży, widział, jak otwiera się spadochron Harry'ego. Spojrzał na zegarek.

Na razie w porządku.

Dziesięć minut później wiosłował w kierunku Harry'ego, który też był już w swojej tratwie, ale najwyraźniej miał problemy z uwolnieniem się od spadochronu.

– Harry? – zawołał Hawke, kiedy był pięć metrów od niego. – Wszystko gra?

– Tak, tak, tak, tylko żebym jeszcze mógł się pozbyć tej cholernej uprzęży.

Hawke dopłynął swoją tratwą do Brocka. Harry wyjął groźnie wyglądający nóż i przecinał jeden z pasów.

– Fajna przygoda, co?

Brock oswobodził się wreszcie z uprzęży i wyrzucił plątaninę pasów za burtę. Spojrzał na Hawke'a.

– Było nieźle. Ale dostawałem już mocniejszego kopa w dupę niż ten.

Dwaj mężczyźni dryfowali wokół siebie przez kilka minut, kołysząc się na falach. Patrzyli na bezkresne błękitne morze i niebo.

– Dobra zabawa – powiedział w końcu Brock.

– Owszem – odparł Hawke i przesunął palcami po wodzie. – Bije na głowę pobyt w Energietice, możesz mi wierzyć.

– Masz jakiś pomysł?

– Niestety nie. A ty?

– Znasz jakieś gry? Moglibyśmy zagrać w dwadzieścia pytań.

– Załatwiłbym cię – powiedział Hawke.

– A w szpiega? – zapytał Harry. – Grałeś w to kiedyś? Szpieguję bokiem moim małym okiem…

Hawke się roześmiał.

– Zabawny jesteś, Harry. Naprawdę. Tylko dlatego zadaję się z tobą.

Kilkaset metrów od nich morze zaczęło kipieć. Na powierzchni wyrósł spieniony biały grzyb, jakby gdzieś w głębinach nastąpiła erupcja podwodnego wulkanu.

– To nasz? – spytał Harry.

– Mam nadzieję. Bo jeśli nie, to pływamy po szyję w gównie.

Smukły czarny dziób ogromnego atomowego okrętu podwodnego przebił powierzchnię pod kątem czterdziestu pięciu stopni, kaskady wody spływały po kadłubie. Wspaniały widok, pomyślał Hawke. Można na to patrzeć bez końca.

USS „Benjamin Franklin" pełnił służbę od roku 1965. Starą jednostką SSBN-640 dowodził kapitan Donald Miller. Okręt miał kiedyś na pokładzie pociski balistyczne, potem został zmodyfikowany, by wspierać operacje specjalne marynarki wojennej. Cały przedział rakietowy przerobiono na kwatery dla uczestników tych operacji, gdzie mogli je planować, odpoczywać i ćwiczyć w dość komfortowych warunkach.

Okręt nosił teraz nazwę „Kamehameha", stacjonował w Stoczni Królewskiej Marynarki Wojennej na Bermudach i był na stałe przydzielony do wspólnej amerykańsko-brytyjskiej grupy wywiadowczej Czerwony Sztandar.

57

Chciałbym zacząć od powitania komandora Hawke'a i pana Brocka na pokładzie „Kamehamehy" – powiedział Stokely Jones w okrętowej sali odpraw.

Stał przed tablicą, na ścianie obok niego wisiały powiększone zdjęcia porwanego statku powietrznego, zrobione pod każdym możliwym kątem. Grupa wokół stołu składała się z Hawke'a, Brocka i dwóch czternastoosobowych drużyn komandosów SEAL.

Starannie wyselekcjonowani członkowie elitarnej jednostki antyterrorystycznej amerykańskiej marynarki wojennej, szóstego plutonu SEAL, zaczęli się przygotowywać do zadania dziesięć minut po otrzymaniu przez prezydenta wiadomości o porwaniu. Normalnie ćwiczenia polegały na wykorzystywaniu zdobytych doświadczeń. Ale nikt jeszcze nigdy nie zaatakował statku powietrznego.

Okręt płynął w zanurzeniu ponad godzinę, od momentu, kiedy zabrał Hawke'a i Brocka. Byli teraz w zawisie dokładnie pod statkiem powietrznym na głębokości sześciuset metrów. Mikrokamera wideo zamontowana na niewidocznej, cienkiej jak igła antenie wystającej z kiosku okrętu przekazywała na żywo obraz statku powietrznego. Większa część statku była ciemna, niewiele świateł zabłysło na pokładzie po zachodzie słońca i zapadnięciu zmroku.

– Sytuacja wygląda tak – powiedział Stoke, żeby dwaj nowi członkowie zespołu byli na bieżąco. – W zeppelinie jest czterystu przerażonych pasażerów. Uważamy, że są nadal przetrzymywani tutaj, w wielkiej sali balowej na pokładzie spacerowym. Zakładników pilnuje około dwudziestu uzbrojonych po zęby terrorystów, doskonale wyszkolonych żołnierzy OMON-u, rosyjskich sił specjalnych. Istnieje też prawdopodobieństwo, że zabójca nazwiskiem Strelnikov, Amerykanin rosyjskiego pochodzenia, wniósł na pokład „Puszkina" trujący gaz, narkotyk obezwładniający na bazie fentanylu, użyty przypadkowo w śmiercionośnym stężeniu w moskiewskim teatrze opanowanym przez terrorystów. Są jakieś pytania?

– Czego ci Rosjanie chcą, do cholery? – zgłosił się Hawke.

– Głównie tego, żeby Ameryka i jej europejscy sojusznicy nie wtrącali się do ich spraw. Kiedy nowy car zaanektuje wszystkie terytoria, które Rosja utraciła po rozpadzie Związku Radzieckiego.

– Czy ich wojska przekroczyły już granice jakichś suwerennych państw?

Hawke chciał to wiedzieć. Od kilku dni nie oglądał żadnych wiadomości. W Energietice nie było CNN.

– Jeszcze nie. Ale rosyjska armia rozmieściła dziewięćdziesiąt dywizji wzdłuż różnych granic, od krajów nadbałtyckich do Ukrainy. Waszyngton uważa, że najpierw wkroczą do Estonii. Zamkną most graniczny na rzece Narwa dla wszystkich z wyjątkiem wojska, zablokują Internet, jak to zrobili niedawno, zorganizują demonstrację obywateli rosyjskich i zastrzelą kilku z nich, żeby sfingować konflikt na tle etnicznym. Wtedy zaczną przeprowadzać przez most czołgi i piechotę zmechanizowaną, aby przyjść „na ratunek" ludności rosyjskiej mieszkającej po drugiej stronie rzeki.

– A jeśli Zachód zareaguje?

– Zaczną zabijać zakładników. Będą ich wyrzucali ze statku powietrznego. Jednego po drugim, łącznie z żoną wiceprezydenta Stanów Zjednoczonych, dopóki Zachód się nie wycofa. Jeszcze jakieś pytania?

– Tylko jedno – powiedział Brock. – Jak zamierzacie uratować tych ludzi?

Stoke się uśmiechnął. Znał Harry'ego Brocka od lat, Harry lubił od razu przechodzić do rzeczy.

– Faceci z OMON-u zażądali „czystego nieba" w promieniu pięćdziesięciu mil morskich wokół statku powietrznego. Jeśli w tej strefie znajdzie się jakiś samolot, zaczną wyrzucać zakładników na zewnątrz. To samo dotyczy okrętów.

– Na jakiej wysokości jest ten cholerny sterowiec? – zapytał Hawke.

– Stu pięćdziesięciu metrów.

– W zawisie?

– Tak było, kiedy ostatni raz sprawdzaliśmy.

– Posłuchaj. Leciałem jego bliźniakiem, tylko trochę mniejszym, o nazwie „Car". Na tamtym zdjęciu od spodu widać chyba identyczny okrągły właz w podłodze gondoli sterowniczej. Wygląda na to, że nie ma na nim zewnętrznego rygla, można go otworzyć tylko od środka. Jak się tam dostaniemy?

– Bierzemy pod uwagę kilka możliwości, łącznie z tym włazem – odrzekł Stoke, przesuwając wskaźnik laserowy. – Tędy, tędy i może tędy.

– Żadne z tych miejsc nie wygląda dobrze – zauważył Brock.

Jeden z komandosów SEAL, zgromadzonych wokół stołu, powiedział:

– Na pewno ma pan lepszy pomysł.

– Owszem – zgodził się Brock. – I zdradzę wam ten sposób, kiedy tylko go wymyślę.

Stoke zmarszczył brwi.

– Wystarczy już tego gadania. Wszyscy wiemy, że to nie będzie łatwe. Ale dwie rzeczy zadziałają na naszą korzyść. Po pierwsze, element zaskoczenia. Nie wiedzą, że tu jesteśmy. Po drugie, mamy kogoś wewnątrz statku. Zakładniczkę z telefonem satelitarnym.

– Naprawdę? – Hawke dostrzegł pierwszy promyk nadziei. – Jak ci się to udało?

– Została zaproszona – odrzekł spokojnie Stoke, patrząc mu prosto w oczy. – To moja przyjaciółka.

– Ach tak – powiedział Hawke i zdał sobie sprawę, co musi przeżywać Stokely. W środku była jego narzeczona, Fancha. Dla Stoke'a zwiększało to ogromnie ryzyko przeprowadzenia i tak już bardzo niebezpiecznej operacji.

Traktował akcję jak sprawę osobistą. Niedobrze.

Hawke spojrzał na zegarek. Komandosi mieli wkroczyć do akcji za sześć godzin.

O północy. Nie świecił księżyc, na niebie błyszczało niewiele gwiazd. Przynajmniej część zakładników powinna spać. Gdyby antyterrorystom dopisało szczęście, może trafiliby tylko na garstkę czuwających omonowców.

Szczęście? Szczęście jest dla kiepasów. Do rozpoczęcia operacji zostało sześć godzin, a oni nie mieli jeszcze żadnego planu.

Hawke musiał szybko porozmawiać ze Stoke'em na osobności.

58

To wszystko nie wygląda dobrze, Stoke – stwierdził Hawke z górnej koi, gdzie siedział z dyndającymi nogami. Stokely wyciągnął się na dolnej.

– O nie, szefie.

Znajdowali się w maleńkiej kajucie Stoke'a tuż za torpedownią, jedynym miejscu na okręcie, gdzie mogli porozmawiać w cztery oczy. Putin dał Hawke'owi paczkę papierosów. Alex wytrząsnął teraz jednego i zapalił.

– Super. W dodatku palisz – powiedział Stoke. – Dobre rozumowanie.

– Za kilka godzin mogę nie żyć. Doskonały moment, żeby zacząć palić.

– Właśnie to nazywam inspirującym dowództwem. Od razu poczułem się lepiej, cholera. Jestem zmotywowany. Happy i ty, Jurin, lepiej uważajcie tam w górze na swoje tyłki. Dopadnie was ktoś z żądzą mordu.

– Jurin, Siki? – zapytał Hawke.

– Tak mi się kojarzy to nazwisko. To ten facet, co szkolił omonowców w Miami, o którym ci opowiadałem. Wielki blondyn, mięśniak. Pieprzony gnojek. Prawdopodobnie zabił kilka tysięcy dzieci w Czeczenii.

– Myślisz, że to on dowodzi porywaczami?

– Wiem to. Jest zawodowym zabójcą. Ćwiczyli operację przez kilka miesięcy w Everglades. Między innymi dlatego przewiduję kłopoty.

Hawke skinął głową i zaciągnął się głęboko papierosem. Nie pamiętał, żeby kiedykolwiek tak się denerwował. Szósty pluton SEAL, znany teraz oficjalnie pod niezbyt dźwięczną nazwą DEVGRU, miał duże doświadczenie w uwalnianiu zakładników. Jedną z pierwszych operacji przeprowadził na porwanym statku wycieczkowym „Achille Lauro". Akcje na statkach i platformach wiertniczych były dla „szóstki" chlebem powszednim. Ale jeszcze nigdy nie ratowali ludzi przetrzymywanych w cholernym sterowcu!

Wystarczy, żeby rozsądny człowiek zaczął palić, pomyślał Hawke. Zaciągnął się i wydmuchnął dym pod sufit. Myślał o czekającej ich operacji przez cały lot z Ramstein, aż rozbolała go głowa. Rosjanie mieli genialny pomysł, żeby opanować statek powietrzny. Uwolnienie zakładników, uwięzionych na jego pokładzie, stwarzało mnóstwo problemów. Ale musiał być jakiś sposób, jak zawsze. Tylko że nic nie przychodziło mu do głowy.

– Wiem, że to kiepsko wygląda – odezwał się Stoke po długim milczeniu. – Niech to szlag! W ogóle nie powinienem pozwolić dziewczynie wejść do tego pieprzonego zeppelina. Wiesz, że nie chciała lecieć? Ja ją do tego namówiłem. Jak coś jej się stanie, to nie wiem, co zrobię.

– Stoke, martwię się o Fanchę tak samo jak ty. Ale chodzi o to, że cała operacja kiepsko wygląda.

– Myślisz, że o tym nie wiem, szefie? Wszystko jest do dupy. Szósty pluton SEAL to najlepsza jednostka antyterrorystyczna na świecie. Gdyby zakładnicy byli na statku wycieczkowym albo w jumbo jetcie, stojącym na pasie startowym, nie byłoby sprawy. „Szóstka" wchodzi i wychodzi, porywacze nie żyją, nikt z uwolnionych zakładników nie jest nawet draśnięty. Ale to? Pieprzony zeppelin zawieszony w powietrzu? Nikt na świecie nie jest do tego wyszkolony.

– Właśnie dlatego go wybrał – odparł Hawke.

– Kto?

– Korsakow. Nowy car Rosji. Możliwe że zbudował ten cholerny statek powietrzny tylko po to.

– Spryciarz. No to jak to rozegramy bez strat własnych i ofiar wśród zakładników?

– Mam myśl. Ale nie spodoba ci się.

– Tak? Przekonajmy się. Chyba spodoba mi się wszystko inne od tego, co mamy. Siedzimy tu w zanurzeniu w starej łajbie i dostajemy świra od dwóch dni. Przydałby się jakiś dobry pomysł. Chłopaki z SEAL nie zniechęcają się łatwo. To tamtych trzeba zniechęcić.

– Musisz zadzwonić do Fanchy, Stoke. Nie mam serca tego mówić, ale ona jest naszą jedyną szansą.

– Słucham.

– Tamten właz w podłodze gondoli sterowniczej to dla nas jedyne dobre wejście. Tylne schody się nie nadają, podobnie jak wyjścia ewakuacyjne w części dziobowej, środkowej i ogonowej. Odpadają. Zgadza się?

– Zgadza. Trzeba byłoby użyć helikopterów i dokonać szybkiego desantu linowego z góry na sterowiec, ale kiedy tylko wleciałyby do pięćdziesięciomilowej strefy wokół niego, terroryści zaczęliby wyrzucać pasażerów na zewnątrz. Uderzenie w wodę z wysokości stu pięćdziesięciu metrów to jak upadek na beton.

– Dobra, dostajemy się do środka przez właz w gondoli sterowniczej. Ale jest zaryglowany od wewnątrz. Jak masz zamiar go otworzyć?

– Założę ładunki wybuchowe na zawiasach i rozwalę go. To jedyny sposób.

– Równie dobrze mógłbyś zadzwonić, Stoke. Cześć, Jurin, masz towarzystwo! Zacznij wyrzucać zakładników do morza.

– Myślisz, że tego nie wiem?

– Zakładnicy zostaliby wyrzuceni ze statku, zastrzeleni albo zagazowani, zanim zdążylibyśmy wpuścić przez ten właz trzech naszych.

– Fakt. Zdradź mi swój pomysł, zanim umrę z ciekawości.

– Fancha musi go otworzyć.

– Jak ma to zrobić, do licha? Zabiją ją. Jej kabina jest dwa pokłady w górę i pół długości statku od mostka. Chyba zapomniałeś o uzbrojonych zabójcach, którzy łażą po tym pieprzonym zeppelinie i szukają kłopotów.

– Jeszcze nie wiem, jak mogłaby to zrobić. Przykro mi. Ale musi spróbować. To jedyna możliwość. Gdybym miał lepszy pomysł, nawet bym tego nie proponował.

Na dolnej koi zapadło długie milczenie.

– Ma broń – powiedział cicho Stoke.

– Tak? Człowieku, to wspaniale. Co to za broń?

– Moja dziewiątka, H&K. Z dwoma zapasowymi magazynkami załadowanymi amunicją z wgłębieniem wierzchołkowym.

– Tłumik?

– Jest.

– Doskonale. Jak to się stało?

– Zostawiłem torbę z bronią w kabinie przez zapomnienie. I dzięki Bogu.

– Fancha umie strzelać?

– Trochę. Zabrałem ją kilka razy do Gator Guns. Ćwiczyła tylko na strzelnicy. Ale zna ten pistolet.

– To ma szansę, Stoke. W zeppelinie prawie wszędzie jest ciemno. Przy odrobinie szczęścia zejdzie do gondoli sterowniczej niezauważona. Ktoś tam może być, ale niekoniecznie. Statek jest w zawisie, nie potrzebuje pilota. W gondoli jest niewiele do roboty poza obserwowaniem na monitorze radaru, czy w strefie „czystego nieba" nie ma intruzów, sprawdzaniem wysokości sterowca i korygowaniem jego pozycji zależnie od wiatru, zgadza się? Ilu ludzi może być na dole? Jeden, maksymalnie dwóch?

– Tak. Może dwóch. Na pewno nie spodziewają się, że ktoś ich zaatakuje na mostku. Większość pasażerów jest po siedemdziesiątce. Wszyscy z ilorazem inteligencji liczonym w tysiącach. O wiele za mądrzy na to, żeby zrobić coś tak głupiego.

– Posłuchaj. Byłem w identycznej gondoli. Fancha będzie mogła oddać czysty strzał z okrągłego włazu na szczycie drabinki. Zdejmie ich, zanim zejdzie na dół. Potem otworzy nam właz w podłodze. I to wszystko. Po sprawie. Wchodzimy. Najlepsza jednostka antyterrorystyczna na świecie plus element całkowitego zaskoczenia. Jak spacerek po parku, Stoke.

– Takie to proste, że dziecko potrafiłoby to zrobić, no nie? Sam nie wiem, czego się boję.

– Stoke, wiem, że ją kochasz. Wiem, że to, co proponuję, jest niebezpieczne jak cholera. Ale to nasza jedyna szansa. Nie tylko na uratowanie życia czterystu osobom, ale również na powstrzymanie rosyjskiej agresji, która mogłaby wywołać wojnę światową. Rozumiesz to, prawda?

– Fancha ratuje świat. Człowieku, w co ja się pakuję, trzymając z tobą.

Stoke wstał, wziął telefon satelitarny, który leżał na maleńkim szarym biurku, wybrał numer i przysiadł na rogu blatu ze zbolałą miną i wyrazem obawy w dużych piwnych oczach.

– Cześć, skarbie. Jak sobie radzisz? Wiem, wiem. Ale wydostaniemy cię stamtąd. Niedługo. Dlatego dzwonię. Uspokój się teraz i posłuchaj. Może będziesz mogła pomóc nam…

Hawke zeskoczył lekko na podłogę, wyśliznął się z kajuty Stoke'a i cicho zamknął za sobą drzwi. Nie chciał słyszeć tej rozmowy. Gdyby sprawy na górze poszły źle, jak to się często zdarzało, można byłoby winić tylko jednego człowieka, i nie miał teraz czasu myśleć o tym. Puścił się biegiem w kierunku rufy wąskim korytarzem, który prowadził do okrętowej sali odpraw w dawnym przedziale rakietowym. Siedzieli tam Harry Brock i zastępca dowódcy szóstego plutonu SEAL, kapitan Jack Stiglmeier.

Hawke musiał ułożyć z nimi jakiś plan, który miałby choćby minimalną szansę powodzenia. Przed każdą akcją komandosów SEAL pododdział szturmowy opracowuje trasy, które będą wykorzystane do przejęcia kontroli nad celem. Na statkach nawodnych, gdzie są trzymani zakładnicy, antyterroryści zwykle kierują się najpierw na mostek, bo to centrum dowodzenia jednostką pływającą. Posuwają się pod „wzajemnym nadzorem", jedna część grupy zawsze osłania drugą. Każdy zauważony przeciwnik może być natychmiast zlikwidowany bez konieczności otwierania ognia przez innych.

Obecność na pokładzie uzbrojonej zakładniczki gotowej i zdolnej do zneutralizowania załogi mostka i otwarcia grupie abordażowej drogi do środka była kluczowym punktem planu, jaki układali teraz trzej mężczyźni. Hawke wiedział, że powodzenie operacji będzie o wiele bardziej problematyczne, jeśli Fancha nie zdoła dotrzeć do sterowni żywa.

Po długiej, męczącej godzinie Hawke odsunął się z krzesłem do tyłu, położył nogi na stole, zapalił kolejnego papierosa od Putina i uśmiechnął się do Brocka i Stiglmeiera.

– No dobrze – powiedział. – Myślę, że wreszcie możemy zaczynać. Co wy na to? Jesteście gotowi?

– Tak – odrzekł Harry, patrząc na rysunek gondoli, pokazujący plan działania dwóch drużyn. Harry miał być w grupie dowodzonej przez Stoke'a i pełnić funkcję jego zastępcy.

– Zgadzam się – przytaknął Stiglmeier. – Jestem gotowy.

Hawke spojrzał na zegarek.

– No to do roboty. O której chcesz to zrobić, Jack?

– Nadal o północy.

– Wchodzimy o północy – powiedział Hawke i uśmiechnął się szeroko do plutonu.

59

Fancha też była gotowa. Miała dokładnie piętnaście minut na pokonanie drogi w kierunku ogona statku powietrznego, zejście dwa pokłady niżej, uwolnienie się od każdego, kto próbowałby ją zatrzymać, znalezienie gondoli sterowniczej i otwarcie włazu dla Stoke'a i jego ludzi z wybiciem północy. Znów spojrzała na zegarek. Jeśli dopisze jej szczęście, dotrze na mostek kilka minut przed czasem. Jeśli będzie miała pecha, no cóż, nikt nie gniewa się na martwego za spóźnienie.

Pistolet i telefon satelitarny Stoke'a zawiesiła z tyłu za paskiem czarnych dżinsów. Wyciągnęła ciemnoczerwoną bluzkę ze spodni, żeby zasłaniała obie rzeczy. Nie wiedziała, czego się spodziewać, kiedy wyjdzie z kabiny, ale pomyślała, że trzymanie broni i telefonu w rękach to chyba zły pomysł, bo może się natknąć na któregoś z terrorystów.

Popatrzyła na siebie w lustrze po raz ostatni.

– Uda ci się, dziewczyno – powiedziała do swojego odbicia i prawie w to uwierzyła. Bóg jeden wiedział, ile razy już to powtórzyła, odkąd się rozłączyła po rozmowie ze Stoke'em.

Nie uchylała drzwi kabiny od niemal trzech dni. Żyła w ciągłym strachu, że terroryści będą jej szukali we wszystkich pomieszczeniach. Na szczęście albo o niej zapomnieli, albo uznali, że nie jest warta zachodu. Żywiła się zakąskami, napojami chłodzącymi i piwem z minibaru. Ale rozumiała, czego Stokely od niej oczekuje, jakie to jest ważne, i była zdecydowana zrobić to za wszelką cenę.

Odryglowała dwa zamki na drzwiach, chwyciła za gałkę i obróciła ją. Powoli i najciszej jak mogła uchyliła drzwi. Ktoś nadchodził! Zamknęła drzwi i oparła się o ścianę. Serce jej waliło.

Z korytarza dobiegł jakiś dźwięk. Dochodził do niej z lewej strony. Ktoś pogwizdywał. Kobieta. Wyglądało na to, że pokojówka. Czy rzeczywiście kazali personelowi nadal sprzątać ten cholerny statek, na którym pasażerowie są przetrzymywani jako zakładnicy? A może nawet zabijani? Pewnie tak. Kiedy wchodzili na pokład, Stoke powiedział jej, że panuje tu surowa dyscyplina.

A te „pokojówki", jak o sobie mówiły, wcale nie wyglądały na pokojówki. W większości były to bardzo ładne blondynki po dwudziestce. Głównie Ukrainki, przynajmniej te, z którymi rozmawiała. Ale widywała tu piękne dziewczyny wszystkich ras, wyszkolone tak, że chodziły i mówiły niemal identycznie, prawie bez różnic.

Przypuszczała, że to niewolnice. Ubogie dziewczyny z małych miasteczek, które rozpaczliwie pragnęły się z nich wyrwać. To straszny los, ale i tak lepszy od tego, jaki spotyka tysiące innych, takich jak one dziewczyn na całym świecie. Te młode kobiety miały szczęście; pechowe zostały sprzedane.

Przyłożyła ucho do drzwi. Pogwizdująca kobieta właśnie przechodziła obok. Fancha wyciągnęła broń zza paska, otworzyła cicho drzwi i wysunęła się na korytarz.

– Przepraszam – powiedziała, podchodząc do kobiety z tyłu. Pokojówka przystanęła, ale zanim zdążyła się odwrócić, Fancha z całej siły zdzieliła ją chwytem pistoletu w głowę. Kobieta runęła na podłogę.

Fancha schyliła się, chwyciła ją pod pachami i wciągnęła szybko do kabiny. Zamknęła i zaryglowała drzwi, potem popatrzyła na nieprzytomną kobietę, dysząc ciężko i nie mogąc uwierzyć, że to zrobiła. Złapała ją za nadgarstek i sprawdziła puls. Wyraźny. Ale zaraz. Kobieta ma na sobie uniform. Czarną satynową sukienkę, biały fartuszek z falbankami i taki sam czepek.

Niezupełnie w odpowiednim rozmiarze, ale prawie.

Fancha się pochyliła i zaczęła rozpinać jej bluzkę.

Pełne dwie minuty zajęło jej rozebranie kobiety, potem siebie i włożenie stroju pokojówki. Przyjrzała się sobie i upchnęła ciemne włosy pod czepek w miarę starannie. Wetknęła broń i telefon za tasiemki fartucha zawiązane mocno z tyłu, znalazła w szafie długi czarny rozpinany sweter i wciągnęła go na siebie. Zasłaniał oba przedmioty na plecach. Pomyślała, że od biedy może uchodzić za pokojówkę, dopóki ktoś nie przyjrzy jej się uważnie.

W łazience wisiały dwa frotowe płaszcze kąpielowe. Wyciągnęła z obu paski i skrępowała nieprzytomnej kobiecie nadgarstki i kostki. Zakneblowała ją ręcznikiem do rąk, który zawiązała mocno z tyłu jej głowy. Modliła się, żeby to wystarczyło, kiedy dziewczyna się ocknie.

Uchyliła drzwi, zobaczyła, że w słabo oświetlonym korytarzu jest pusto, i ruszyła do schodów na końcu. Nie biegła, bo pokojówki nie biegają. Starała się nie spieszyć. I próbowała pogwizdywać, bo chyba wszystkie to robiły. Spotkanie z kobietą, którą unieruchomiła, kosztowało ją cenne minuty. Ale pomyślała, że uniform może uratować jej życie. Weszła szybko po schodach dwa poziomy wyżej, żeby wykonać pierwsze zadanie – sprawdzić, czy zakładnicy są nadal przetrzymywani w sali balowej. Stoke przypuszczał, że tak. Uważał, że terroryści będą ich więzili w jednym miejscu, żeby mieć wszystkich na oku.

Wpadła na pewien pomysł, który mógł się okazać dobry. Najpierw przeszła przez kuchnię, gdzie nie spotkała żywej duszy. Potem weszła na zaplecze sceny i poszukała małych drzwi prowadzących w górę do kabiny projekcyjnej. W sali balowej wyświetlano co wieczór filmy. Miała przeczucie, że dziś nie będzie seansu i w kabinie nikogo nie zastanie. Nie myliła się.

Wyjrzała przez maleńkie okienko obok projektora i zobaczyła w dole zakładników. Większość była stłoczona na podłodze i spała na kocach, choć niektórzy siedzieli przy stolikach. Wyglądali tak źle, jak należało się spodziewać. Mało jedzenia, mało wody, mało snu. Otaczało ich dziesięciu uzbrojonych terrorystów na wypadek, gdyby komuś strzeliło coś do głowy. Wycofała się do kuchni i zeszła szybko na pokład B.

Stoke wyjaśnił jej, jak trafić do gondoli sterowniczej. Było to przezroczyste plastikowe jajo podwieszone pod kadłubem statku powietrznego, które widziała wcześniej. Powiedział, żeby doszła do samego środka pokładu A, gdzie znajdzie drabinkę prowadzącą w dół do gondoli.

W części ogonowej pokładu B, gdzie teraz była, mieściły się głównie kwatery załogi. Nie było w nich żadnych udogodnień, wyglądały dość ponuro w porównaniu z luksusowymi wnętrzami na górze. W jej kierunku szli dwaj członkowie załogi w kombinezonach. Roześmiani, objęci, pijani. Wzięła głęboki oddech, pogwizdywała dalej i uśmiechnęła się do nich, kiedy się zbliżyli. Ten po jej stronie spojrzał na nią pożądliwie, wyciągnął rękę i złapał ją za ramię. Syknęła groźnie i wyrwała się mu.

– Dupek! – powiedziała z akcentem mieszkanki jej ojczystych Wysp Zielonego Przylądka.

Najwyraźniej uznali, że nie jest warta zachodu, bo poszli dalej.

Ona też. Przebyła korytarz i dostała się zejściem służbowym na pokład A. Tam zawróciła w kierunku dziobu statku. Usytuowane tu kwatery załogi wyglądały jeszcze mniej zachęcająco niż piętro wyżej.

– Hej! Stój! – zawołał ktoś po angielsku, kiedy mijała jakieś otwarte drzwi. Zerknęła do środka i trochę przyspieszyła. Zdążyła dostrzec kilku mężczyzn, którzy chyba grali w karty w kłębach dymu nad głowami i śmiali się hałaśliwie, pijacko.

– Hej! Głucha jesteś? Powiedziałem stój.

Zatrzymała się z walącym sercem. Gdyby uciekała, dogoniłby ją. Wszystko byłoby skończone. Odwróciła się.

Facet wychylał się przez próg na korytarz i trzymał do połowy opróżnioną butelkę wódki. Wyglądał jakby znajomo. No tak. Cukiernik Happy. Boże, miej ją w swojej opiece.

– Chodź tu.

– Okej – powiedziała, używając uniwersalnego słowa i starając się nadać mu trochę wyspiarskiego akcentu. Podeszła do niego ze spuszczoną głową i rękami założonymi z tyłu. Posłuszna pokojówka, ale z palcem na spuście.

– Jeszcze cię nie widziałem. Jak masz na imię, kotku? Wydajesz mi się znajoma.

– Tatiana.

– Wszystko jedno. Wejdź, mała, przyłącz się do imprezy – powiedział wielki grubas i klepnął ją w pośladek, kiedy wchodziła do zadymionego pokoju. Zamknął za nią drzwi i zaryglował je.

Zły znak.

Dwie czternastoosobowe drużyny komandosów tłoczyły się u stóp stalowej drabinki w kiosku okrętu podwodnego. Przez ostatnią godzinę mieli wyczerpującą odprawę. Panował dobry nastrój. Plan działania wyglądał na wykonalny i ufali dwóm ludziom dowodzącym akcją. Jeden z nich, Amerykanin Stokely

Jones, był w swoim czasie żywą legendą SEAL. Drugi, Angol nazwiskiem Alex Hawke, sprawiał wrażenie faceta, znającego się na rzeczy, a poza tym podobało im się to, co widzieli w jego oczach.

Zwierzęca żądza mordu.

Każdy z mężczyzn był ubrany w czarny nierozdzieralny kombinezon z nomeksu z lekkim kevlarowym i ceramicznym opancerzeniem osobistym. Twarze mieli pomalowane czarną farbą maskującą. Dźwigali dużo sprzętu, między innymi nowe karabiny szturmowe M8, być może najbardziej śmiercionośną broń ręczną na świecie. W kaburach biodrowych tkwiły pistolety sig sauer 228 jako broń zapasowa. Magazynki do pistoletów zwisały z pasów, magazynki do karabinów trzymali w ładownicach udowych, żeby móc je szybko wyciągać. Niektórzy byli uzbrojeni w strzelby bojowe M4-90 używane w walkach ulicznych.

Oprócz noży i amunicji zawieszonej na uprzężach mieli granaty błyskowo-hukowe, które oślepiały i ogłuszały cele dźwiękiem o natężeniu stu osiemdziesięciu decybeli, oraz granaty dymne, by móc stawiać zasłonę lub dezorientować przeciwnika.

Wszyscy nosili kevlarowe hełmy ze słuchawką w lewym uchu i mikrofonem włóknowym tuż pod dolną wargą. Teraz nie korzystali z bezprzewodowego systemu łączności Motorola, bo większość ćwiczyła wymowę okrzyków „Rzuć broń!", „Na podłogę!" i „Zamknij się, kurwa!" po rosyjsku.

Hawke, Stoke, Brock i Hynson stali z boku i powtarzali po raz ostatni instrukcje z kapitanem okrętu podwodnego. Najważniejsza była teraz koordynacja. Nie mogli sobie pozwolić na najmniejszy błąd z czyjejkolwiek strony.

Hawke spojrzał na zegarek. Dziesięć minut.

Byli gotowi. Pozostało im czekać i modlić się o telefon od Fanchy.

Cukiernik Happy. To był on. Facet z przyjęcia urodzinowego w Coconut Grove, którego FBI nazywało Bombiarzem, jak powiedział Stoke. Krążył po świecie i wysadzał w powietrze ludzi, którzy nie podobali się Rosjanom.

Happy i dwaj inni faceci siedzieli przy stoliku do kart, na którym stały przepełnione popielniczki, puste butelki i brudne szklanki. Wyglądali na rosyjską obsługę maszynowni. Nosili poplamione olejem podkoszulki z ramiączkami. Cuchnęli potem, jakby dawno się nie myli.

Jeden z nich przyjrzał się Fanchy od góry do dołu, wziął popielniczkę i wysypał zawartość na dywan.

– Łups – powiedział ze śmiechem, wzbudzając wesołość towarzyszy. Patrzyli na Fanchę spod opuszczonych powiek, ich ręce sunęły po zatłuszczonych spodniach roboczych w kierunku kroczy.

Grubas Happy zmrużył świńskie oczka i musnął ją nosem w ucho z dłonią na jej pośladku, na szczęście był zbyt pijany, żeby ją zapamiętać z Miami.

– Posprzątaj to, suko – rozkazał bełkotliwym głosem pełnym pożądania. Stał tuż za nią, czuła na szyi jego cuchnący oddech, ugniatał szorstkimi rękami jej pośladki, sięgał w górę pod pachy i ściskał jej piersi tak mocno, że się krzywiła. Nie był jeszcze tak blisko, by wyczuć broń, ale przysuwał się.

Musiała się go pozbyć. Ich wszystkich.

Natychmiast.

– Okej – odrzekła i odeszła szybko od Happy'ego.

Opadła na jedno kolano i zgarnęła dłonią pety i popiół z powrotem do popielniczki. Potem wstała i zaniosła ją do stolika między dwoma niepościelonymi łóżkami. Postawiła popielniczkę na blacie i usiadła na łóżku tym bardziej oddalonym od drzwi. Zobaczyła czarne maski gazowe wiszące na oparciach krzeseł. A w kącie za stolikiem do kart zbiorniki, które widziała na plecach Happy'ego, kiedy terroryści opanowali statek. Mogła zginąć, ale przynajmniej to jedno zagrożenie miała szansę wyeliminować od razu.

– Po co siedzisz na tym swoim pięknym tyłeczku, skarbie? – zapytał Happy z brooklyńskim akcentem. – Chłopcy chcą, żebyś zatańczyła.

Uśmiechnęła się słodko.

– Zatańczyć? – Wstała, sięgnęła za plecy i rozwiązała fartuszek. – Nie powinnam najpierw zdjąć tego wszystkiego?

– Jasne, mała. Świetny pomysł – odparł Happy. – O to chodzi. Zdejmuj wszystko. Ale powoli.

– Powoli – powtórzyła z lubieżnym uśmiechem i wyciągnęła zza siebie dziewięciomilimetrowy pistolet.

– Kurwa – zaklął Paddy.

– Ty to powiedziałeś – odrzekła Fancha.

Uniosła broń i nacisnęła spust. Cukiernik Happy dostał w krocze. Dała mu sekundę, żeby spojrzał w dół na rosnącą plamę krwi i uświadomił sobie, co go właśnie spotkało, a potem wpakowała mu kulę w twarz. Na grzbiecie nosa wykwitła wiśniowoczarna plamka i kawałek czaszki wielkości mniej więcej ćwierćdolarówki uderzył w ścianę za nim w rozbryzgu czerwonej mgiełki.

Dwaj przerażeni mechanicy dali nura na podłogę. Zrobiła krok naprzód, żeby oddać czysty strzał do każdego. Nie spieszyła się, trzymała pistolet oburącz przed sobą, tak jak uczył ją Stoke na strzelnicy, celowała dokładnie i ściągała delikatnie spust. Trafiła każdego z mężczyzn w głowę.

Raz, potem drugi.

Opadła z powrotem na łóżko i wyjęła telefon satelitarny. Dzięki Bogu za funkcję szybkiego wybierania numeru. Ręce tak jej się trzęsły, że nie zdołałaby wcisnąć więcej klawiszy niż jeden.

– Stoke?

– Fancha, jesteś cała?

– Kochanie, właśnie zabiłam trzech ludzi. Chcieli… mnie zgwałcić i po prostu… Nic mi się nie stało. Happy nie żyje. Zastrzeliłam go. Te butle z gazem, o których ci mówiłam, są tutaj, w pokoju. Chyba zmieszczą się w oknie, jeśli uda mi się któreś otworzyć.

– Wyrzuć je natychmiast, zgoda? Wolałbym, żeby na pokładzie nie było gazu, kiedy tam wejdziemy.

– Zaczekaj.

Wróciła na linię minutę później.

– Butle za burtą. Nie ma już gazu.

– Doskonale. A co z zakładnikami? Nadal są w jednym miejscu?

– Tak. W sali balowej. Wszyscy. Większość próbuje spać na podłodze. Niektórzy siedzą przy stolikach. Otacza ich dziesięciu uzbrojonych facetów.

– Więc dziesięciu czuwa, dziesięciu ma wolne. Może śpią. Bardzo nam pomogłaś.

– Dzięki.

– Ile ci zajmie droga na dół do sterowni, kochanie?

– Dziesięć minut. Jeśli będę miała szczęście.

– Nie licz na szczęście, bądź ostrożna. Kocham cię. Do zobaczenia!

60

Okręt podwodny tkwił na głębokości stu osiemdziesięciu metrów i utrzymywał neutralną pływalność.

Pośrodku sterowni były dwa peryskopy na podwyższonej platformie. Jeden z nich miał zamontowaną nawodną kamerę wideo, która przekazywała obraz do monitorów w sterowni i do kajuty kapitana. Wszystkie monitory pokazywały teraz ogromnego zeppelina wiszącego sto pięćdziesiąt metrów nad powierzchnią oceanu. Z wyjątkiem błyskających czerwonych świateł nawigacyjnych wzdłuż kadłuba i kilku oświetlonych okien w środkowej części statek powietrzny tonął w gęstym mroku, ciemniejszym nawet od czarnego nieba za nim.

Tuż przed dwoma peryskopami znajdowało się stanowisko dowodzenia, miejsce oficera wachtowego. Tej nocy był nim komandor porucznik Lawrence Robins. Na prawo od siebie miał stanowisko kierowania ogniem. Przed nim dwa z trzech foteli z przodu sterowni zajmowali podoficerowie obsługujący ster kierunku i stery głębokości. W środku siedział operator zanurzenia. Na lewo od operatora sterów głębokości znajdował się panel obsługi balastu z dwoma uchwytami do alarmowego opróżniania zbiorników.

Robins spojrzał za siebie na grupę szturmową, czekającą niecierpliwie u podstawy kiosku. Dostrzegł wzrok komandora Hawke'a, który skinął mu głową i uniósł kciuk. Dwie drużyny komandosów SEAL były gotowe. Nadszedł czas.

– Opróżnienie alarmowe głównych zbiorników balastowych – powiedział cicho Robins.

Operator zanurzenia sięgnął do dwóch zaworów i wcisnął oba jednocześnie, a potem pociągnął do góry, powodując alarmowe wynurzenie okrętu. Dwa zawory wpuściły sprężone powietrze do zbiorników balastowych i okręt podwodny natychmiast wystrzelił ku powierzchni jak torpeda o masie sześciu tysięcy ton.

Dziób wyłonił się z morza niemal pionowo, kadłub wzniósł pod niewiarygodnym wręcz kątem i opadł z powrotem do ciemnego oceanu dokładnie pod zeppelinem w zawisie.

Dwaj podchorążowie, Blair i Mansfield, pierwsi wbiegli po drabince. Do nich należało otwarcie głównego włazu w kiosku. Kiedy komandosi SEAL ruszyli tłumnie naprzód, by zacząć szybką wspinaczkę po szczeblach, ich koledzy, teraz już na górze, zamontowali na obrotowej podstawie wyrzutnię harpuna zasilaną sprężonym dwutlenkiem węgla. W podstawie mieściła się szybkoobrotowa wciągarka elektryczna o ogromnej mocy. Wyrzutnia harpuna, używana normalnie podczas akcji ratowniczych, wystrzeliwała pokryty gumą hak abordażowy, który ciągnął za sobą trzysta metrów stalowej liny.

– Mamy tylko jeden strzał – powiedział Blair do Mansfielda.

– Wiem. Musi być w dziesiątkę.

Tak jak przy ratowaniu tonącego statku, który pogrąża się szybko w pięciometrowych falach. Trzeba zaczepić hak o stalową gródź lub coś równie solidnego, zanim pójdzie na dno lodowatego morza z całą załogą.

Mansfield przyłożył oko do silnej lunety i spojrzał wzdłuż lufy wyrzutni harpuna. Miał środek gondoli na przecięciu linii celownika. Podwójne stalowe belki biegły w przód i w tył po obu stronach włazu ewakuacyjnego w podłodze gondoli. Te perforowane stalowe obejmy trzymały ją pod kadłubem. Musiał strzelić prosto w tę bliżej włazu. Gdyby dopisało im szczęście, gruba gumowa powłoka na haku abordażowym stłumiłaby odgłos uderzenia na tyle, że nie zaalarmowałoby ono nikogo.

W każdym razie, takie założenie przyjęto na odprawie. Dwaj podchorążowie mieli wątpliwości, ale nie byli od tego, żeby zgłaszać wnioski, tylko od tego, żeby zaczepić linę o statek powietrzny i zacząć przyciągać studwudziestometrowe monstrum do okrętu podwodnego.

Terroryści zagrozili, że wyrzucą zakładników na zewnątrz, jeśli ktoś się wtrąci. Zadanie Mansfielda polegało na opuszczeniu sterowca do poziomu morza tak szybko, by wyeliminować to niebezpieczeństwo.

– W porządku – powiedział Mansfield, patrząc przez lunetę na swój cel. – Ognia!

Blair szarpnął linkę i odpalił harpun. Rozległ się poszum uchodzącego gazu i hak abordażowy wystrzelił do góry w kierunku spodu zeppelina, ciągnąc za sobą linę. Mansfield nie odrywał prawego oka lunety.

W końcu uniósł głowę i uśmiechnął się do Blaira.

– Udało się.

– Strzał w dziesiątkę?

– Jak cholera. Hak jest zaczepiony o belkę pół metra od włazu.

Blair pchnął czerwoną dźwignię, która uruchamiała wciągarkę w podstawie wyrzutni harpuna. Lina momentalnie się naprężyła, gdy tylko bęben się obrócił, i potężny statek powietrzny zaczął się powoli zbliżać do kiosku okrętu podwodnego.

– Z drogi! – ryknął pierwszy komandos, który wyłonił się z włazu. Wielki czarny facet, weteran nazwiskiem Stokely Jones, zabrany na pokład na Bermudach, chwycił się stalowej liny i zaczął po niej wspinać ręka za ręką z szybkością, która zaskoczyła Blaira i Mansfielda. Jeszcze nie widzieli człowieka poruszającego się w takim tempie. Zwłaszcza faceta o jego wadze, obładowanego bronią, sprzętem i amunicją ważącymi osiemnaście kilogramów.

– Coś jest nie tak – powiedział pierwszy oficer „Puszkina" do kapitana Dimitrija Boroskowa. Patrzył z niedowierzaniem na wskaźniki rozmieszczone na konsoli sterowniczej statku.

– Co?

– Tracimy wysokość.

– Bzdura. To niemożliwe – odparł kapitan i omiótł szybko wzrokiem konsolę, zwracając szczególną uwagę na wskaźniki ciśnienia gazu. Wir 1 miał dwa kadłuby – zewnętrzny z cienkiego nierozdzieralnego materiału i sztywny wewnętrzny z bardzo cienkiego tytanu, który mógł ulec zniszczeniu tylko w wypadku najgroźniejszej katastrofy. Przestrzeń międzykadłubową wypełniało dwa miliony pięćset dwadzieścia tysięcy metrów sześciennych helu.

Utratę wysokości mógłby spowodować tylko silny wiatr lub nieszczelność zewnętrznego kadłuba. W promieniu pięćdziesięciu mil morskich nie było sztormu. I żaden ze wskaźników nie sygnalizował wycieku. Ciśnienie gazu we wszystkich komorach między kadłubami utrzymywało się w normie. Żadnej nieszczelności. Żadnego wiatru. Bez sensu.

– Ciśnienie jest na normalnym poziomie – powiedział Boroskow. – Mamy słaby wiatr z północnego wschodu, wiejący z szybkością dwóch węzłów, w porywach do pięciu.

– W porządku, panie kapitanie. Ale niech pan spojrzy na wysokościomierz. I na wariometr. Zdecydowanie opadamy.

– Nie wierzę. To musi być awaria wysokościomierza. Źle wskazuje.

Kapitan pochylił się do przodu i popatrzył na czarne niebo z kilkoma gwiazdami na horyzoncie.

– W każdym razie, na pewno jesteśmy w bezruchu.

– Tak się tylko wydaje, bo opadamy bardzo wolno, panie kapitanie. Niech pan zobaczy! Jesteśmy sto czterdzieści siedem metrów nad poziomem morza. Według wysokościomierza straciliśmy trzy metry! I tempo opadania rośnie!

– Niemożliwe.

– Mam zawiadomić komendanta Jurina? Kazał się informować na bieżąco o wszystkim.

– Jeszcze nie. Wyjdziemy na idiotów, a może być jakieś proste wytłumaczenie tego, co się dzieje. Niech pan najpierw wezwie techników. Gdzieś musi być nieszczelność. Być może nawaliły systemy komputerowej kontroli ciśnienia. Taki może być problem. Ale lepiej nie ryzykować. Niech technicy sprawdzą każdy centymetr kwadratowy wnętrza statku. Jeśli jest przeciek, niech to naprawią!

– Tak jest! – powiedział pierwszy oficer i pobiegł do drabinki. Kapitan popatrzył nerwowo na radar w poszukiwaniu intruzów w strefie „czystego nieba".

– Panie kapitanie? – odezwał się po chwili pierwszy oficer. Stał u stóp drabinki i patrzył w górę na otwarty właz.

– Co znowu? – Kapitan omiatał gorączkowo wzrokiem wysokościomierz, wskaźnik pozycji i przechyłomierz. Na poziomie wzroku miał wariometr, który wskazywał prędkość wznoszenia się lub opadania statku. Lewą ręką obrócił koło steru wysokości, starając się wyczuć i skorygować zmiany. Zamierzał przesunąć statek naprzód i próbował nabrać wysokości, ale nie mógł.

To było najdziwniejsze uczucie w całej jego karierze.

Miał wrażenie, że statek „ugrzązł" w powietrzu.

Usłyszał za sobą głos pierwszego oficera:

– Chyba mamy jeszcze jeden problem, panie kapitanie.

Obejrzał się szybko przez ramię. Widok na pierwszy rzut oka nie wyglądał źle.

Po drabince schodziła para zgrabnych nóg. Kształtne łydki, kolana, uda. Najpierw pomyślał, że ich właścicielka jest naga, potem zobaczył krótką czarną satynową spódniczkę i fartuszek. W końcu piękna kobieta z ciemnorudymi włosami zeszła z ostatniego szczebla. Miała na sobie strój pokojówki, ale nie znał jej. W ręku trzymała pistolet. Same dziwne rzeczy. Kapitan pokręcił gwałtownie głową, jakby w ten sposób chciał się otrząsnąć z szaleństwa.

– Mówicie obaj po angielsku? – zapytała ciemnoskóra kobieta.

– *Da, da* – przytaknął kapitan. – Tak, tak, oczywiście.

– To dobrze. Zachowujcie się cicho. Trzymajcie ręce w górze, żebym je widziała. Dobrze. Teraz podejdźcie do włazu.

Dwaj oficerowie wykonali polecenie.

– Otwórzcie go.

– Otworzyć?

– Słyszeliście. Otwierać!

Kapitan sięgnął do włazu, ale pierwszy oficer miał inny pomysł. Odwrócił się, wrzasnął coś po rosyjsku do Boroskowa i rzucił się na Fanchę z wyciągniętymi rękami, żeby odebrać jej broń.

Nie było czasu na wahanie. Nacisnęła spust. Trafiła go w kolano, runął na podłogę i zwinął się z bólu.

Wstrząśnięty rosyjski kapitan obrócił kilka razy duże koło z nierdzewnej stali. Rozległ się odgłos, jakby korek wyskoczył z butelki, potem syk powietrza i nagle okrągła stalowa pokrywa została gwałtownie pchnięta do góry przez kogoś z dołu. Krawędź uderzyła Boroskowa w podbródek i Rosjanin rozciągnął się na podłodze, krwawiąc z głębokiej rany.

Fancha spojrzała w dół i zobaczyła uśmiechającego się do niej Stokely'ego.

– Cześć – powiedział. – Zobacz, kto przyszedł.

Sięgnęła w dół, by dotknąć jego twarzy.

– Kochanie.

– Skarbie, musisz się odsunąć. Mam na ogonie trzydziestu naładowanych aniołów śmierci, którzy wdrapują się tutaj jak wariaci, żeby jak najszybciej wejść na pokład.

Fancha cofnęła się w głąb gondoli sterowniczej i patrzyła, jak do środka wlewa się bez końca potok uzbrojonych po zęby ludzi w czerni, którzy wspinali się ręka za ręką po stalowej linie i wchodzili przez właz. Stoke zabrał na bok kapitana i pierwszego oficera i przesłuchiwał ich agresywnie pod lufą broni, żeby się dowiedzieć, gdzie są terroryści, zwłaszcza ci, którzy nie czuwają w sali balowej.

Zobaczyła w otworze włazu przystojną twarz Aleksa Hawke'a. Jeszcze nie widziała tak zadowolonego człowieka.

Uśmiechnął się do niej szeroko.

– Brawo, Fancha.

61

Komandosi SEAL nie ćwiczą strzelania do przepisowych ludzkich sylwetek, lecz do ponaklejanych na nie małych kart katalogowych o wymiarach siedem i pół na dwanaście i pół centymetra. Żeby się zakwalifikować, musisz trafić w kartę dwoma oddanymi szybko po sobie strzałami, czy to wyłaniając się spod wody, czy to wpadając do porwanego samolotu pełnego przerażonych pasażerów. Instruktorów SEAL nie obchodzi to, jak strzelasz – jedną ręką, dwiema rękami, prawą ręką, lewą ręką – byleś trafiał w cel za każdym razem.

Amunicja, której używały tej nocy dwie drużyny SEAL, miała wystarczającą moc obalającą, by wyeliminować terrorystów na pokładzie statku powietrznego bez względu na to, gdzie zostaną trafieni – w głowę, pierś, ramię czy nogę. To było bez znaczenia. Porywacze jeszcze o tym nie wiedzieli, ale średnia ich dalszego życia spadła do zera.

Pluton podzielił się szybko na dwie drużyny, jedną po każdej stronie drabinki z gondoli na pokład A. Stoke i Harry Brock wzięli drużynę Alfa. Stoke dowodził. Mieli przeszukać statek powietrzny od dziobu do ogona, znaleźć terrorystów, którzy nie pełnią warty, śpią lub po prostu się ukrywają, i aresztować ich lub wyeliminować. Zasadniczo musieli sprawdzić każde pomieszczenie.

W tym samym czasie Hawke i czternastu ludzi z drużyny Bravo mieli skierować się prosto do sali balowej, zdjąć rosyjskich porywaczy pilnujących pasażerów i zapewnić bezpieczeństwo zakładnikom, którzy są poza główną grupą, na przykład w izbie chorych.

– Słuchajcie – zwrócił się Hawke do plutonu. – Jak wszyscy wiecie, trzeba myśleć, a nie strzelać. Zawsze tak jest, a dziś szczególnie. Kiedy wpadniemy tam z granatami błyskowo-hukowymi i dymnymi, zastaniemy pełną salę wrzeszczących, przerażonych zakładników, wiclu starszych i niedołężnych, i zapewne tuzin świetnie wyszkolonych rosyjskich terrorystów. Jak wiecie, ci faceci to niebezpieczni przeciwnicy, byli komandosi ze szwadronów śmierci w Czeczenii.

– OMON, szefie?

– Tak. Sztuczka będzie polegała na tym, żeby nie otwierać ognia. Każdy oddany przez nas strzał będzie później wymagał wyjaśnienia. Nie muszę wam przypominać, że jest tam żona amerykańskiego wiceprezydenta, być może na podłodze. I jej ochrona z Białego Domu. Kiedy zaczną latać pociski i zrobi się gorąco, a na pewno tak będzie, agenci Secret Service natychmiast zasłonią ją własnymi ciałami. Pamiętajcie, że oni jej nie napastują. Powtarzam: nie napastują.

– Dzięki za ostrzeżenie, szefie – odezwał się ze śmiechem jeden z młodszych komandosów SEAL.

– Trochę humoru – odrzekł z uśmiechem Hawke.

Cholernie łatwo było się za bardzo zdenerwować na samym początku. Chciał, żeby się odprężyli.

Rozległo się kilka chichotów, a potem Stoke dodał:

– To poważna sprawa, panowie. Każdy głupi potrafi strzelać do ludzi. Orientujecie się lepiej od innych, że liczą się ułamki sekund, kiedy wiecie, że trzeba się wycofać. Słuchajcie go!

Hawke spoważniał.

– Po odbezpieczeniu pierwszych granatów błyskowo-hukowych i dymnych macie dwie i siedem dziesiątych sekundy do wybuchu. Palce ze spustów, dopóki nie wycelujecie, żeby zabić. Obserwujcie przez całą drogę strefę zagrożenia, zanim skręcicie do sali. Kiedy będziecie w środku, skoncentrujcie uwagę na broni. Zapewnijcie sobie pole ostrzału i nie schrzańcie tego, na litość boską. W porządku? Wszyscy gotowi? Wiecie, dokąd iść, ruszajcie, naprzód!

On i Stoke odsunęli się, żeby drużyny mogły wbiec po drabince i sformować się ponownie w holu na szczycie.

Stoke upewnił się, że członek załogi okrętu podwodnego wciągnie po linie na górę krzesełko, opuści Fanchę na dół i zabierze ją w razie potrzeby do izby chorych. Kapitan i pierwszy oficer mieli być również przetransportowani z gondoli na okręt na intensywne przesłuchanie.

Na szczycie głównych schodów komandosi podzielili się na dwie grupy. Stoke poprowadził Alfę w lewo środkowym korytarzem statku, by stamtąd zacząć przeszukiwanie pomieszczeń, kątów i zakamarków na każdym pokładzie.

Hawke i Bravo ruszyli w prawo.

Każdy z komandosów nauczył się na pamięć rozkładu wnętrza statku. Znali lokalizację wszystkich drzwi, zakrętów, schodów i sali balowej. Zaledwie po dwóch minutach Hawke i jego drużyna ostatni raz sprawdzali cicho broń i sprzęt przy głównym wejściu do sali poza zasięgiem wzroku kogokolwiek wewnątrz.

Hawke spojrzał na timer odliczający czas na jego zegarku, ruszył naprzód i przystanął tuż przed drzwiami. Zamontował tłumik na swoim M8 i trzymał teraz karabin na wysokości wzroku z selektorem ustawionym na ogień trzystrzałowymi seriami. Gdyby ktoś z przeciwników wyszedł teraz za próg, byłby martwy. Hawke sięgnął do „magicznej torby" i wyjął granat błyskowo-hukowy. Usłyszał w słuchawce oddech Stoke'a.

– Tu Bravo – powiedział do miniaturowego mikrofonu pod wargą.

– Odbieram cię, Bravo – odparł Stoke. – Alfa na żółtym. Proszę o pozwolenie na przejście do zielonego.

„Żółty" oznaczał, że drużyna Stoke'a jest na ostatniej osłoniętej pozycji. Na ziemi niczyjej między strefą bezpieczeństwa a pełnego zagrożenia. Mieli rozkaz nie angażować się w walkę, dopóki Hawke i jego komandosi nie rozpoczną ataku w sali balowej.

– Bravo na zielonym – odpowiedział Hawke, trzymając luźno granat w lewej ręce. – Przygotuj się, Alfa… dziesięć sekund…

Spojrzał na swoich ludzi, nawiązując z kilkoma z nich ostatni kontakt wzrokowy.

– Pamiętajcie – przypomniał jeszcze raz – patrzcie na broń, strzelajcie z chirurgiczną precyzją, myślcie z wyprzedzeniem.

Skinęli głowami. Widział, że są gotowi. Nadszedł wreszcie czas, żeby dać wszystkim poważne zajęcie.

– Alfa, masz pozwolenie na przejście do zielonego…

Hawke urwał. Wiedział, że Stoke już ruszył.

– Pięć – zwrócił się Hawke do swojej drużyny – cztery… trzy… dwa… jeden…

Cisnął pierwszy z wielu granatów ogłuszających do sali balowej. Następnie wrzucono tam granaty dymne.

Traaach!

Sto osiemdziesiąt decybeli rozpraszających uwagę poprzedziło Hawke'a, zanim wpadł w hałas, dym i huk w sali balowej, a za nim wdarła się jego drużyna.

Pociski omonowców otaczających zakładników natychmiast zagwizdały głośno nad ich głowami, pędząc z prędkością ponaddźwiękową. Potężne eksplozje zatrzęsły salą, drużyna parła naprzód przez gorącą strefę. Omijali lamentujących zakładników, rzucali przed siebie kolejne granaty błyskowohukowe i dymne i z wprawą likwidowali terrorystów stojących im na drodze strzałami w głowy, torsy, gdzie tylko mogli trafić. Z chirurgiczną precyzją, tak jak kazano.

Przeciwnicy odpowiadali ogniem niecelnie i sporadycznie, szerzyły się panika i dezorientacja. Ale nie wszyscy. Omonowcy byli najwyraźniej wyszkoleni do obrony przed antyterrorystami, tak jak to Jurin wyjawił Stoke'owi.

Hawke zobaczył, że dwaj czy trzej z jego ludzi padają ranni lub martwi. Mnóstwo ołowiu latało w powietrzu. Zaszokował go widok dwóch zakładników w starszym wieku, którzy podnieśli się z podłogi i pomogli wstać żonom. Wzięli się w czwórkę za ręce i ruszyli chwiejnie, na ślepo, przez dym w kierunku drzwi z podświetlonym napisem „Wyjście".

Nie uszli nawet dwóch metrów, gdy wszyscy zostali brutalnie zastrzeleni przez dwóch omonowców pilnujących wyjścia. Hawke nie zdążył zapobiec temu morderstwu, ale opadł na jedno kolano, uniósł M8 i wpakował jednemu z dwóch Rosjan serię w głowę. Rozejrzał się za drugim, ale tamten zniknął w dymie, kierując się w stronę estrady.

Hawke postanowił go dopaść. Za zabójstwo w tej sali należało wymierzyć karę śmierci. Nagle dostał się pod ogień z góry. Skąd? Obrócił się dookoła. W ścianie nad estradą były dwa okienka, w jednym dostrzegł błysk wysuniętej lufy. Wyglądało to na kabinę projekcyjną. Ogień stamtąd był zabójczy. Wyciągnął z torby granat ogłuszający i wrzucił do drugiego okienka. Eksplozja dźwięku i dym zneutralizowały strzelca, przynajmniej na chwilę.

62

Zaryglowane, szefie – powiedział Harry Brock do Stoke'a i przyłożył ucho do drzwi. – Coś słychać. Jakby telewizor.

Drużyna Alfa przeszukała już cały jeden pokład, zabiła dwóch przeciwników na warcie i trzech śpiących w kwaterze. Komandosi wspięli się właśnie po schodach na pokład spacerowy. Wyglądał elegancko. Mnóstwo złotych ozdób i krytych jedwabiem kanap w korytarzu.

– Rozwal to, Harry – polecił Stoke.

– Demolka! – zawołał cicho Brock i młody chudzielec z Iowa, nazwiskiem Harry Beecher, podszedł do drzwi. Miał przezwisko Demolka. Trzymał obrzyna dwunastomilimetrowego remingtona z pistoletowym uchwytem. Był załadowany dwoma specjalnymi nabojami Hatton. Demolka nosił też czterdziestkępiątkę w kaburze przypasanej do piersi i torbę pełną granatów błyskowo-hukowych.

Stoke pokazał reszcie drużyny, żeby szła naprzód i przeszukiwała dalszą część korytarza. Uznał, że oni trzej dysponują wystarczającą siłą ognia na jedno pomieszczenie. Pozostali ruszyli przed siebie i zaczęli sprawdzać pokój za pokojem, od czasu do czasu odzywał się terkot broni automatycznej.

Na znak Stoke'a Demolka przyłożył broń do zamka.

Bum, bum!

Pociski oderwały zasuwkę, Stoke otworzył kopniakiem drzwi, schylił się nisko, dał pół kroku za próg i spojrzał w lewo.

– Zakładniczka z lewej! – krzyknął do Beechera i Brocka za sobą.

Natychmiast rozpoznał żonę wiceprezydenta Toma McCloskeya. Znał ją ze zdjęć w gazetach i z telewizji. Bonnie McCloskey siedziała w fotelu ze skrępowanymi rękami na podołku, dwaj omonowcy z obłędem w oczach trzymali pistolety przy jej głowie. Wyglądała na kompletnie wykończoną, ale uśmiechnęła się do Stoke'a anielsko, jakby właśnie wpadł na herbatkę. Dla przerażonego zakładnika niewiele jest piękniejszych widoków niż naszywka amerykańskiej flagi na ramieniu przybysza.

Na prawo dwaj inni Ruscy podnosili się właśnie z kanapy, gdzie oglądali *Czarną niedzielę* na plazmie. Harry Brock, który wciąż posuwał się naprzód w półprzysiadzie, wyłączył z akcji faceta po prawej stronie trzystrzałową serią w pierś. Beecher wyciągnął czterdziestkępiątkę i zdjął typa z lewej jednym strzałem w czoło.

– Rzucić broń! – krzyknął Stoke do terrorystów, którzy nadal trzymali pistolety przy głowie żony wiceprezydenta. Zorientował się w pomyłce i powtórzył to po rosyjsku, celując z M8 raz w jednego, raz w drugiego. Zbliżał się do nich ze świerzbiącym palcem na spuście.

– Odejść od zakładniczki! Już! – rozkazał, kiedy podchodził z karabinem na wysokości twarzy. – Na ziemię!

Brock skradał się teraz wzdłuż ściany za plecami skrępowanej kobiety i jej prześladowców. Rosjanie mieli wytrzeszczone oczy z niezdecydowania i strachu. Wiedzieli, że jeśli zabiją swoją ofiarę, zginą na miejscu, a jeśli wycelują broń w wielkiego czarnego mężczyznę... Stoke był tak skoncentrowany, że widział ich palce naciskające spusty, gdy Brock zaszedł ich cicho od tyłu i w ułamku sekundy wpakował każdemu kulę z odległości pół metra, dosłownie odstrzeliwując im czubki głów.

Stoke rzucił się naprzód, chwycił zakładniczkę pod pachami i wyciągnął na zewnątrz. Nikt nie musiał oglądać jatki dłużej niż oni. Zaniósł ją przez korytarz prosto do otwartego pokoju, który sprawdzili wcześniej, posadził delikatnie na łóżku i przeciął nożem plastikowe kajdanki.

– Nic się pani nie stało? Nie potrzebuje pani lekarza? Mamy tu sanitariusza.

Spojrzała na niego bez wyrazu, jej oczy wypełniły się łzami.

Odwrócił się i krzyknął w stronę otwartych drzwi:

– Harry! Dawaj tu łapiducha, *pronto*!

Harry wetknął do pokoju uśmiechniętą twarz.

– Już się robi, szefie!

– Nie, nie, zaczekajcie – powiedziała kobieta. – Nic mi nie jest. Wyślijcie swojego sanitariusza na pomoc tamtym biednym ludziom w sali balowej. Niektórzy są bardzo chorzy i przerażeni. Zwłaszcza starsi. Proszę, nie traćcie więcej czasu na mnie. Czuję się dobrze. Może tylko napiłabym się wody i położyła na chwilę.

– Woda – zawołał Brock i rzucił Stoke'owi butelkę. – Wyślę łapiducha do sali balowej.

Harry zniknął.

– Pomogę pani z tą poduszką. Mój kolega nazywa się Harry Brock, pani McCloskey. Jest agentem CIA. Dopilnuje, żeby dotarła pani bezpiecznie do Waszyngtonu. Na Bermudach czeka samolot marynarki wojennej. Dostarczę tam panią za niecałą godzinę.

– Więc... już po wszystkim?

– Tak. Prawie.

Podniosła wzrok na Stoke'a.

– Dziękuję. – Wielkie łzy zaczęły jej spływać po policzkach i opadła na poduszkę. – Bardzo dziękuję.

– Nie ma za co. – Stoke nie puszczał jej ręki.

– Tamci biedni ludzie na dole. Ta cała strzelanina. Możecie ich uratować?

– Staramy się. Mamy tu najlepszą jednostkę antyterrorystyczną na świecie. Myślę, że wszystko będzie dobrze.

Hawke'a piekły oczy od dymu z granatów błyskowo-hukowych i ledwo zauważył samotnego terrorystę, który uciekał z miejsca rzezi. Krótko ostrzyżony blond mięśniak wykorzystał zasłonę dymną i wśliznął się za kurtynę na estradzie. Hawke dostrzegł kawałek jego profilu, kiedy facet znikał, i natychmiast go rozpoznał. To ten typ zastrzelił z zimną krwią czworo starszych zakładników. Tego skurwiela zgubił w dymie jakiś czas temu.

Tak, to musiał być ten facet z Miami, o którym opowiadał mu Stoke. Oficer OMON-u nazwiskiem Jurin, wyspecjalizowany w zabijaniu małych dzieci w Czeczenii po nalotach dywanowych na Grozny. Podczas odprawy na okręcie podwodnym Stoke nazywał go dzieciobójcą. Hawke wiedział, że tą operacją dowodzi Jurin, i jeśli utnie się wężowi głowę, to będzie koniec. Wytarł piekące oczy i pobiegł przez dym w kierunku estrady.

Wskoczył na nią i wpadł za ciężką aksamitną kurtynę. Na zapleczu sceny było zupełnie ciemno, ale usłyszał strzały w górze i zobaczył błyski światła pod drzwiami na szczycie metalowych schodów. Musiały prowadzić do kabiny projekcyjnej. Większość, jeśli nie wszyscy rosyjscy terroryści, została już wyeliminowana przez drużynę Bravo. Ale skutki ostrzału parkietu przez Jurina byłyby tragiczne. Od jego kul zginęliby starsi przerażeni ludzie, pełni teraz nadziei, biegnący szaleńczo do wyjść tylko po to, by zakończyć życie w czasie próby ucieczki.

Hawke wspiął się po stopniach, pokonując po trzy naraz.

Drzwi były lekko uchylone. Otworzył je kopniakiem i starał się zmusić do tego, żeby strzelić skurwielowi w plecy, ale nie potrafił.

– Hej, dzieciobójco! – krzyknął z karabinem wycelowanym w szerokie bary. Rosjanin zmienił magazynek w pistolecie maszynowym i nacisnął spust. Ciasne pomieszczenie wypełnił ogłuszający hałas.

– Co powiedziałeś? – zapytał facet, odwracając się od okienka i kierując lufę na Hawke'a.

– Dzieciobójco. To ty, prawda? – Hawke już zaginał palec na spuście M8, kiedy Rosjanin spojrzał mu w oczy i zobaczył jego zimny wzrok.

– Hawke?

– Tak – powiedział Alex i posiekał go serią ze swojej śmiercionośnej broni.

63

Waszyngton

Siadaj, Tom – powiedział prezydent do swojego zastępcy.

Biedny człowiek był ludzkim wrakiem – blady, roztrzęsiony, z dwudniowym zarostem na wymizerowanej twarzy. Spacerował po korytarzu przed Salą Sytuacyjną w Białym Domu przez wiele godzin, palił jednego marlboro za drugim i wypijał niezliczone dzbanki kawy. Dzieci McCloskeyów czekały na górze na wiadomość o losie matki i starały się pocieszyć ojca, ilekroć przychodził na górę, żeby dodać im otuchy.

– Niech to szlag, powinniśmy już coś wiedzieć – powiedział McCloskey od drzwi. Wielki mężczyzna przeciął pokój i zajął swoje zwyczajowe miejsce przy stole obok prezydenta McAtee. Spojrzał ponuro na duży cyfrowy zegar na przeciwległej ścianie i dodał:

– Atak rozpoczął się prawie godzinę temu. To sterowiec. Ile czasu może to trwać?

Odsunął od siebie rozmiękłe pudełko z niezjedzoną połową pizzy i przewrócił szklankę z wodą.

Prezydent wyciągnął rękę i ścisnął go za ramię, próbując – raczej na próżno – uspokoić przyjaciela.

– Tom, w tamtym statku powietrznym znajduje się najtwardszy i najbardziej profesjonalny zespół na świecie. Jeśli ktoś może uratować Bonnie i wszystkich tych biednych ludzi, to Alex Hawke i chłopcy z szóstego plutonu komandosów marynarki wojennej. Wiesz to równie dobrze jak ja.

– Ma pan rację. Przepraszam, panie prezydencie. Po prostu…

– Doskonale cię rozumiem. – Prezydent przetarł zaczerwienione ze zmęczenia oczy i skinął głową przewodniczącemu Kolegium Szefów Połączonych Sztabów, generałowi Moore'owi. – Proszę, Charlie, mów dalej. Przegrupowanie wojsk NATO w Polsce, Czechach, Słowacji i krajach nadbałtyckich. Jak to wygląda?

Było dobrze po północy czasu waszyngtońskiego, na Bermudach o godzinę później. Blade i wymizerowane twarze mężczyzn i kobiet w sali świadczyły o tym, w jakim stanie jest cały sztab zebrany w Białym Domu. Przeżyli straszny tydzień.

Mike Reiter, dyrektor FBI o chłopięcej urodzie, wyglądał wyjątkowo kiepsko. Musiał przekazać prezydentowi Stanów Zjednoczonych naprawdę złe wiadomości. Dlatego tu był.

Niecały tydzień przed Gwiazdką ludzie zgromadzeni w siedzibie głowy państwa przy Pennsylvania Avenue 1600 czuli kompleks oblężonej twierdzy. Mimo że w Sali Błękitnej ustawiono choinkę i cały budynek przystrojono czerwonymi, zielonymi i złotymi ozdobami świątecznymi, a na zaśnieżonym trawniku południowym stało wielkie oświetlone drzewko.

Nie było powodu do radości. Szaleniec opanowany manią wielkości przejął władzę w Rosji i groził wojną światową. Rosyjski szwadron śmierci przetrzymywał na pokładzie statku powietrznego nad północnym Atlantykiem czterystu przerażonych i zmęczonych zakładników, łącznie z ukochaną żoną wiceprezydenta. Cholernie Wesołych Świąt, pomyślał Jack McAtee, nagryzmolił te trzy słowa na bloczku do notatek i narysował wokół nich postrzępione liście ostrokrzewu. Generał Moore zakończył raport o przegrupowaniu wojsk NATO, spojrzał poważnie na Reitera i zwrócił się do prezydenta:

– Panie prezydencie, dyrektor Reiter chciałby pana poinformować, co ustaliło FBI podczas toczącego się śledztwa w sprawie zamachu bombowego w Salinie. Mike?

Reiter wstał.

– Panie prezydencie, nasze ustalenia wskazują niestety, że mamy do czynienia z daleko większym zagrożeniem, niż moglibyśmy sobie wyobrazić. Istnieje niebezpieczeństwo ogromnej katastrofy na światową skalę. Mam kilka zdjęć w PowerPoincie i chciałbym je pokazać, żeby zademonstrować, co...

– Panie prezydencie? – Do pokoju wkroczyła szybko dyżurująca podoficer marynarki wojennej. – Przepraszam, że przeszkadzam. Jest do pana pilny telefon z Moskwy.

– Korsakow. – Prezydent zrobił gniewną minę i podniósł słuchawkę telefonu. – Ciekawe, co ten stuknięty drań kombinuje.

Reiter i Moore tylko spojrzeli na siebie i pokręcili głowami.

– Tak? – warknął McAtee do słuchawki. – Prezydent przy aparacie.

– A, pan prezydent. To dobrze. Dziękuję, że pan odebrał. Nasze negocjacje z personelem waszej ambasady były wysoce niezadowalające. Przerwałem rozmowy. Jak pan wie, stosunki między naszymi dwoma krajami znalazły się na rozdrożu i musi zwyciężyć rozwaga.

– Nie można nazwać rozwagą inwazji na suwerenne państwa i oczekiwania, że cywilizowany świat będzie się temu przyglądał z założonymi rękami, panie Korsakow. Niech pan mnie posłucha uważnie. Stąpa pan po bardzo niebezpiecznym gruncie. Wyjątkowo niebezpiecznym.

– Uważa pan za rozważne rozmieszczenie dziesięciu dywizji wojsk NATO wzdłuż granic mojego kraju? Jak pan wie z naszej ostatniej rozmowy, staram się obecnie wynegocjować uwolnienie czterystu niewinnych zakładników, łącznie z żoną wiceprezydenta McCloskeya. Jesteśmy w delikatnej fazie tych negocjacji z sunnickimi terrorystami z Czeczenii na pokładzie mojego statku powietrznego. Pańskie groźby nie pomogą w tych rozmowach, zapewniam pana.

– Niech pan mnie przestanie obrażać. Obaj doskonale wiemy, że terroryści, którzy porwali ten statek, nie są czeczeńskimi muzułmanami. To żołnierze sił specjalnych OMON działający wyraźnie na rozkaz Kremla. I jeśli tamtym biednym ludziom stanie się coś złego, będzie pan za to osobiście odpowiedzialny.

– Niech pan myśli, co pan chce – odparł Korsakow. – Pan będzie miał ich na sumieniu. Umywam ręce od tej sprawy. Ale powiem panu jedno, panie prezydencie. To, co się stało w Kansas, może się stać wszędzie. I stanie się. Dam panu dwadzieścia cztery godziny na wycofanie wojsk amerykańskich i natowskich z ich obecnych pozycji, na spowodowanie odwrotu okrętów wojennych z Morza Czarnego i na udzielenie mi pisemnej gwarancji, że zachodni sojusznicy nie przeszkodzą mojemu narodowi w realizacji jego pragnienia, by ponownie zjednoczyć wszystkich Rosjan w granicach naszego państwa, ustanowionych w naturalny sposób.

– Naturalny? – zapytał McAtee. – A co to znaczy, do diabła? Chyba bezprawny? Potrafi pan powołać się na jakiś precedens wyjaśniający to określenie?

– Uważam tę rozmowę za skończoną, prezydencie McAtee. Niech pan spojrzy na zegarek. Jeśli moje żądania nie zostaną spełnione dokładnie za dwadzieścia cztery godziny od tej chwili, zamknę dopływ energii przez Ukrainę do Europy. Mają tam wyjątkowo zimny grudzień, który stanie się o wiele zimniejszy. Dwanaście godzin później jedno z ponadmilionowych zachodnich miast przestanie istnieć. Po następnych dwunastu godzinach przejdziemy do pięciu milionów ludności, potem do dziesięciu i tak dalej. Rozumiemy się?

McAtee odłożył z trzaskiem słuchawkę.

– Chryste! – powiedział. – To zupełny szaleniec! Grozi, że wstrzyma dostawy gazu do Europy i będzie wysadzał w powietrze jedno miasto po drugim, dopóki się nie wycofamy. Chruszczow był awanturnikiem i łobuzem, ale przynajmniej Jack Kennedy nie miał do czynienia z psychopatą. Unicestwić milionowe miasto? Pięciomilionowe? Jak on to może zrobić, Brick? Użyje brudnych bomb?

Kelly patrzył na prezydenta, dopóki się nie upewnił, że stłumił gniew i skupia na nim całą swoją uwagę.

– Nie, panie prezydencie. Użyje czegoś o wiele bardziej podstępnego. Jak mówił Mike, FBI ustaliło już, w jaki sposób Rosjanie zrównali z ziemią Salinę. Niestety, to wyjątkowo zła wiadomość. Mike, zechcesz kontynuować?

– Przerażające jest to, panie prezydencie, że to nie są czcze pogróżki. Od dziesięcioleci koncentrujemy się na dużych bombach jądrowych o sile dziesięciu do dwudziestu megaton. Tymczasem Korsakow przez wiele lat rozmieszczał na całym świecie miliony małych, nieszkodliwie wyglądających urządzeń z niewielkimi, ale niezwykle silnymi ładunkami wybuchowymi. Choć może to brzmieć niedorzecznie, zasadniczo zaminował całą kulę ziemską. Początkowo sami nie mogliśmy w to uwierzyć. Te zety są...

– Przepraszam, Mike. Zety? Oświeć mnie.

– Komputery, panie prezydencie. Prawdopodobnie zna je pan pod nazwą „specjalista". Tanie rosyjskie komputery, skonstruowane i produkowane przez należącą do Korsakowa firmę CAR, sprzedawane w dziesiątkach milionów sztuk wszędzie na świecie. W środku każdej zety jest bomba, dwieście dwadzieścia pięć gramów konwencjonalnego materiału wybuchowego o nazwie heksagon, oraz GPS, który stale podaje lokalizację komputera. Te wszystkie ładunki wybuchowe można zdetonować zdalnie. I...

Prezydent miał przerażoną minę.

– Mówisz, że ile tego jest? Miliony?

Młoda podoficer dyżurna weszła do pokoju, wypowiedziała bezgłośnie do prezydenta słowo „pilne" i wręczyła mu złożoną na pół kartkę. Prezydent przeczytał szybko wiadomość, gdy Reiter kontynuował raport.

Złożył kartkę, postawił na niej swoją szklankę z wodą i odnalazł wzrokiem pełne rozpaczy spojrzenie Toma McCloskeya. Pokazał mu uniesiony kciuk i powiedział bezdźwięcznie:

– Bonnie jest cała.

McCloskey opuścił głowę i ukrył twarz w dłoniach, jego ramionami wstrząsały konwulsje.

– Dziesiątki milionów, panie prezydencie, w każdym dużym i małym mieście na świecie. Być może setki milionów. W domach, szkołach, biurach, urzędach, portach lotniczych, kościołach, dosłownie wszędzie. W Pentagonie też, na litość boską. Miliony bomb. W każdym mieście i kraju na kuli ziemskiej. Za naciśnięciem przycisku Korsakow może unicestwić miasto, państwo, kontynent...

– Wielki Boże – powiedział prezydent i zapadł się w fotel, gdy zaczął ogarniać potworność tego, co usłyszał. Zbladł jak płótno i Kelly zaniepokoił się, że dostanie udaru.

Po kilku minutach doszedł trochę do siebie, pochylił się do przodu i położył obie dłonie na stole.

– Trzeba go powstrzymać, Brick. Ty też, Mike. Natychmiast.

– Pracujemy nad tym, panie prezydencie, proszę mi wierzyć.

– Chcę mieć raport co godzinę. Musimy zrobić, co tylko się da. Departament Stanu uważa, że inwazja na Estonię jest bliska. Jeśli choć jeden rosyjski żołnierz znajdzie się tam, gdzie nie powinien, zwrócę się do Kongresu o natychmiastowe wypowiedzenie wojny Federacji Rosyjskiej. Jesteśmy przypierani do muru, rozumiecie mnie? Wszyscy w tym pokoju wiedzą, o co mi chodzi?

– O atak wyprzedzający na rosyjskie miasta? – zapytał Moore.

– Tak jest, Charlie.

Zapadło ponure milczenie, każdy poprawiał ołówki i papiery. Widzieli w wyobraźni, jak cała kula ziemska staje w ogniu.

Koniec świata był wyraźnie widoczny.

– A ta ostatnia informacja, panie prezydencie? – odezwał się Tom McCloskey. Na jego twarzy malował się wyraz ulgi, ale nie mógł oderwać oczu od złożonej kartki pod szklanką prezydenta. – Są w niej jeszcze jakieś wiadomości o sytuacji zakładników?

Po raz pierwszy od wielu dni prezydent się uśmiechnął.

– Są, Tom. Bardzo dobre. Bonnie jest bezpieczna. W szoku, ale fizycznie nie ucierpiała. W tej chwili leci na Bermudy. Czeka tam na nią samolot marynarki wojennej. Za niecałą godzinę zabierze ją do domu, do Bethesda. Bonnie życzy tobie i dzieciom wesołych świąt i nie może się doczekać powrotu.

McCloskeyowi zabłysły oczy.

– A co z resztą zakładników, panie prezydencie?

– Zostali uratowani. Statek powietrzny jest teraz pod kontrolą Marynarki Wojennej Stanów Zjednoczonych. Jeden z naszych okrętów podwodnych holuje go na Bermudy. Niestety były ofiary śmiertelne. Zginęło niewiele osób, biorąc pod uwagę wyjątkowo niebezpieczną sytuację, tym niemniej niewinni ludzie stracili życie.

McCloskey spuścił głowę.

– Mój Boże. Biedacy. Dziękuję za wiadomość, panie prezydencie. Nie spodziewałem się...

– Myślę, że powinieneś pójść na górę do rezydencji i zawiadomić dzieci, że ich matka zdąży do domu na Gwiazdkę.

McCloskey wstał niepewnie i ruszył do drzwi.

– Życzę wszystkim wesołych świąt – powiedział zduszonym głosem i wyszedł z pokoju.

Za oknami Gabinetu Owalnego padał śnieg. McAtee był sam w pokoju, siedział za biurkiem i patrzył na telefon. Zrobił wszystko, co mógł. Jeśli Rosjanie chcą wojny, pomyślał, to będą ją mieli. Ale czegoś nie rozumiał. Jakiś ważny kawałek rosyjskiej układanki, ukryty głęboko w jego umyśle lata temu, podczas zimnej wojny, kiedy przewodniczył senackiej komisji do spraw sił zbrojnych.

Wpatrywał się w telefon, dopóki nie stracił ostrości widzenia. Nic nie przychodziło mu do głowy.

I nagle przypomniał sobie.

Brytyjczycy mieli kiedyś kreta głęboko za murami Kremla. Nie na wysokim szczeblu, ale bardzo skutecznego. Jakiegoś wojskowego. Pułkownika lub może nawet generała. Później był w KGB. Jak on się nazywał, do licha? Bardzo pomógł w sprawie samolotu południowokoreańskich linii lotniczych. Wtedy McAtee słyszał o nim po raz ostatni. Potem facet zniknął z pola widzenia. Ale jeśli jeszcze żyje i nadal jest wtajemniczony...

McAtee podniósł słuchawkę telefonu i wybrał numer domowy sir Davida Trulove'a. W Wielkiej Brytanii dochodziła siódma rano. Na pewno już wstał, mimo że to niedziela.

– Halo? – odezwał się zaspany głos na drugim końcu linii.

– David? Jack McAtee.

– Witam.

– Słyszałeś dobrą wiadomość o statku powietrznym?

– Tak, dostałem telefon z Bermudów kilka minut temu. Okręt podwodny i wszyscy uratowani są właśnie w drodze na wyspy. Dobra robota. Gratulacje.

– Chcę ci podziękować za udział Czerwonego Sztandaru w tej akcji. Twój człowiek, Alex Hawke, spisał się na medal. Zwłaszcza, jeśli weźmie się pod uwagę to, że nikt na świecie nie przeprowadził wcześniej takiej operacji. I ta kobieta... jak ona się nazywa? Ta pasażerka, która zdołała otworzyć właz dla naszych chłopców.

– Ma na imię Fancha, jak mnie poinformował szef naszej placówki. Jest piosenkarką. Nie była pasażerką, tylko występowała na pokładzie.

– Musi być niezwykła. Potrzeba szalonej odwagi, żeby zrobić to, co ona. W sumie doskonała robota.

– Panie prezydencie, uważam, że to głównie zasługa pańskiego plutonu SEAL. Wiem, że wspaniale wykonali swoje zadanie. Było mało ofiar po naszej stronie. Jeśli nadchodzi era transoceanicznych statków powietrznych, co jest możliwe, mamy już wzorzec działania w wypadku uprowadzenia któregoś z nich.

– Davidzie, dzwonię w innej pilnej sprawie. Teraz, kiedy już wyłączyliśmy z gry statek powietrzny, zamierzam zrobić to samo z przeklętymi komputerami Zeta. Przypuszczam, że wiesz, o czym mówię.

– Owszem. W nocy FBI podzieliło się wszystkimi informacjami na ten temat z MI5, MI6 i New Scotland Yardem. Dziesiątki milionów bomb połączonych ze sobą? Nie do uwierzenia, ale najwyraźniej to prawda. Ten nowy facet na Kremlu to zupełny szaleniec. Moi ludzie już pracują nad tym pełną parą. To jakiś cholerny koszmar, ale musi być sposób na unieszkodliwienie urządzeń.

– Myślałem o tym. Musimy przyjąć, że Korsakow lub ktoś z jego najbliższego otoczenia ma jakiś rodzaj nadajnika sygnału do zapalników. Nuklearną piłkę futbolową, z braku lepszego określenia. Prawda?

– Z pewnością. Coś, co spowoduje jednoczesny wybuch iluś tam małych bomb. Jak w Salinie, tylko na większą skalę.

– Właśnie. Toteż musimy znaleźć i zneutralizować ten cholerny nadajnik, zanim Korsakow lub ktoś inny zdąży go użyć. Dał nam dwadzieścia cztery godziny, potem wysadzi w powietrze któreś z milionowych miast na Zachodzie.

– O Boże. No cóż, oby dopisało nam szczęście. Na razie drepczemy w miejscu. Zajmuje się tym nasz sztab kryzysowy. Musimy to rozgryźć.

– Davidzie, w latach osiemdziesiątych miałeś wtyczkę na Kremlu. Nie pamiętam jego nazwiska, ale...

– Chodzi o Stefana Haltera? Wykładowcę w Cambridge?

– Nie, nie. Znam profesora Haltera. Ten, o którym myślę, to były wojskowy z KGB. Sprytny twardziel. Teutoński typ. Rosjanin wyglądający na Niemca. Prawie neonazista, o ile sobie przypominam, ale chętny do współpracy za duże pieniądze. Pomógł nam w sprawie południowokoreańskiego samolotu pasażerskiego, który Sowieci zestrzelili, kiedy zabłąkał się w ich przestrzeń powietrzną. Kontaktowałem się z nim przez CIA. Chciwy sukinsyn, ale przydatny.

– Opis pasuje do większości ludzi z otoczenia Iwana Korsakowa. Rozumiem, że szuka pan kogoś, kto jest blisko cara. Jego długoletniego zaufanego powiernika. Dobry pomysł. Zaraz się do tego wezmę. Spróbujemy zidentyfikować pańskiego człowieka. Ustalić, czy jeszcze żyje, a jeśli tak, to czy odgrywa jakąś ważną rolę w nowym reżimie.

– Jak szybko możesz się do mnie odezwać?

– Jak pan z pewnością pamięta, w przeszłości przez jakiś czas mieliśmy niemało podwójnych agentów KGB na usługach MI6. Zakładaliśmy im konta numerowe w Zurychu lub Genewie albo na Kajmanach czy gdzie indziej. Przydzielę kogoś do sprawdzenia, czy któreś z tych kont są nadal aktywne. To nie powinno potrwać długo.

– Minutę mogę poczekać.

– Zrobimy, co będziemy mogli. Ale uprzedzam, nie korzystaliśmy z usług tych facetów od upadku Związku Radzieckiego w 1991 roku. Jak powiedziałem, nie wiem nawet, czy któryś jeszcze żyje. Zadaniem Czerwonego Sztandaru jest odbudowanie starej moskiewskiej siatki. Niestety, dopiero zaczęliśmy.

– Masz tam kogoś, kto mógłby się szybko czegoś dowiedzieć? Liczy się każda sekunda.

– Stefan Halter może pamiętać człowieka, którego pan szuka. Działa teraz w głębokiej konspiracji w Moskwie, ale niedawno był na Bermudach i wprowadzał Hawke'a i Czerwony Sztandar w sprawę uśpionych agentów w Moskwie. Zadzwonię zaraz do niego.

– Zrób to. Nie muszę podkreślać, jakie to ważne. Jest mi natychmiast potrzebny ktoś na Kremlu, na kim można polegać. Ktoś, kto mógłby nam pomóc zbliżyć się do Korsakowa tak blisko, żeby zneutralizować światową sieć maszyn śmierci. CIA twierdzi, że Korsakow przyleci za dwanaście godzin do Sztokholmu swoim prywatnym statkiem powietrznym. Dwie godziny później pokaże się w Filharmonii Sztokholmskiej, żeby odebrać Nagrodę Nobla. Chciałbym, żeby twoi chłopcy z Czerwonego Sztandaru wzięli go na celownik, kiedy tylko wyląduje. Masz jakiś pomysł? Hawke byłby idealny.

– Obawiam się, że musi odpocząć po Energietice i operacji na Bermudach.

– Nie ma na to czasu, Davidzie. Byłbym wdzięczny, gdybyś wysłał go najbliższym samolotem do Sztokholmu. Jest nam potrzebny, bo tam będzie Korsakow. Zapewnimy mu transport. Zgoda?

– Już do niego dzwonię.

– I przekaż mu od amerykańskiego prezydenta, że od tego zależy wszystko. Wszystko.

– Załatwione. Odezwę się, gdy tylko będę wiedział coś pewnego o pańskim człowieku na Kremlu. Serwus.

Serwus?

Tam jeszcze tak mówią?

64

Kungsholm, Szwecja

Maleńka wioska Kungsholm leżała mniej więcej godzinę jazdy samochodem od centrum Sztokholmu. Była tak ukryta w głębokim, ciemnym lesie, że Hawke nie mógł jej znaleźć. Gałęzie starych sękatych drzew po obu stronach wąskiej drogi uginały się pod ciężarem świeżego grudniowego śniegu i rzucały długie cienie na ziemię. Urocze chatki, pojawiające się tu i tam, wydawały się nienaturalnie ciche.

Nic się nie poruszało, z wyjątkiem lekkiej mgiełki przepływającej nad drogą do skraju lasu. Całkowity spokój. Jakby jakiś zły czarownik machnął różdżką nad dachami i rozsypał pył, który uśpił nielicznych mieszkańców wioski na zawsze.

Hawke jechał wolno przez wieś. Z kilku kominów unosił się dym, patykowate czarne gałęzie drzew odcinały się ostro na tle różowozłocistego popołudniowego nieba. Tych kilka smug dymu było jedynymi oznakami życia. Na obrzeżach wioski widział trzy wspaniałe renifery, które stały w lesie i patrzyły na niego z bezpiecznej odległości. Nozdrza im drgały, duże czarne oczy błyszczały.

Hawke trząsł się z zimna za kierownicą wiekowego saaba z kiepsko działającym ogrzewaniem i wycieraczkami. Mimo że celowo podróżował niepozornym pojazdem, już przy wyjeździe z portu lotniczego miał ogon, ostatni model audi z ciemnymi szybami. Po zabawie w kotka i myszkę w brukowanych uliczkach Gamla Stan, sztokholmskiej starówki, zdołał ich w końcu zgubić, kimkolwiek byli. Przypuszczał, że ludźmi cara, rosyjską tajną policją. Korsakow bez wątpienia kazał swoim agentom z Trzeciego Wydziału obserwować lotniska i dworce kolejowe.

Hawke wydostał się bezpiecznie ze Sztokholmu, jechał teraz na południe przez wiejski krajobraz Szwecji do Kungsholm, szukał jakichś nie całkiem zaszronionych drogowskazów i zmagał się z mapą rozłożoną na kolanach. Nie znał dobrze szwedzkiego i mapa wcale mu nie pomagała.

Nie chciał jeszcze przyznać, że się zgubił, ale rozważał wyjęcie komórki i telefonu do Stefana Haltera, swojego kontaktu, gdy w końcu zobaczył zaśnieżoną wąską drogę, w którą zapewne powinien skręcić. Obrócił mocno kierownicę, pokonał zakręt poślizgiem i odbił się bezpiecznie od śnieżnych band po obu stronach. Drzewa nad nim splatały się i tworzyły długi ciemny tunel.

Stefan miał czekać na niego na końcu tej drogi. Dom Interpolu w Kungsholm wybrano na miejsce spotkania Hawke'a z rosyjskim podwójnym agentem, którego Halter zidentyfikował dla Białego Domu. Hawke wiedział tylko, że z tym człowiekiem o nieznanym mu nazwisku prezydent McAtee miał do czynienia w przeszłości, wyglądało więc na to, że spotkanie zorganizowano na rozkaz prezydenta.

Hawke dostał proste polecenie: dotrzeć jak najszybciej do Kungsholm w Szwecji bez zwracania na siebie zbytniej uwagi i znaleźć Haltera.

Prosty piętrowy wiejski dom pojawił się przed zaszronioną szybą samochodu. Był zbudowany z ciosanego kamienia, miał stromy dwuspadowy łupkowy dach z dwoma dużymi ceglanymi kominami po każdej stronie. Hawke pomyślał, że wygląda jak obrazek w książce dla dzieci, co wydawało się normą w tej okolicy wśród lasów.

Zaparkował saaba obok zdezelowanego mercedesa sedana na małym podwórzu przed wejściem, wysiadł i zastukał trzy razy, a potem dwa w ciężkie drewniane drzwi, tak jak go poinstruowano.

Rosyjski kret, doktor Stefan Halter, ubrany elegancko w tweed, tak jak Hawke zapamiętał go z Bermudów, otworzył drzwi. Zapachniało ładnie dymem z płonącego drewna i zmęczony brytyjski szpieg wszedł z przyjemnością do ciepłego wnętrza.

Halter nie tracił czasu na uprzejmości.

– Przygotuj się, Alex. Człowiek, którego zaraz poznasz, to generał Kuragin, szef trzeciego wydziału, prywatnej tajnej policji cara. Czeka przy stole w kuchni. Niestety jest trochę wstawiony.

– Nikołaj Kuragin? – zapytał Hawke.

– Tak. Znasz go?

– Spotkałem go przelotnie w pałacu zimowym. Jest najstarszym i najbliższym przyjacielem cara, prawda?

– No cóż, powiedzmy po prostu, że lojalność generała nigdy nie była bez zarzutu, i poprzestańmy na tym.

– Jest pijany?

– Jeszcze nie, ale pracuję nad tym.

– Zabierz mu butelkę.

– Dobry glina i zły glina, jak mówią jankesi. Ja jestem dobrym gliną. Słuchaj, on ma ze sobą zdalny detonator Beta. Jeden z dwóch, jakie istnieją. Nosi go przykuty na stałe do lewego nadgarstka. Nawet śpi z tym cholerstwem.

– Detonator Beta? A co on, do diabła, detonuje?

– Wszystko. Może wysadzić w powietrze cały świat.

– Nie mówisz poważnie?

– Śmiertelnie poważnie, Alex. Posłuchaj, nie ma teraz czasu na wyjaśnienia, ale Korsakow praktycznie zaminował cały świat ładunkami wybuchowymi w komputerach Zeta.

– Ja też mam taki komputer.

– Tak. Wiem, że to wydaje się naciągane, ale to rzeczywistość. Dowodem jest zniszczenie Saliny w Kansas.

– Wspomniałeś o dwóch detonatorach. Gdzie jest drugi?

– Zawsze u cara. Kuragin ma zapasowy jako zabezpieczenie na wypadek, gdyby Korsakowowi coś się stało.

– Czy nasz generał jest skłonny do współpracy?

– Będzie, kiedy usłyszy, ile jesteśmy gotowi zapłacić za detonator Beta.

– Ja mam negocjować? – zapytał Hawke.

– Weźmiemy się za niego we dwóch. Nie zgodziłby się tutaj przyjechać, gdyby nie był do kupienia, zapewniam cię.

– Jaki jest limit?

– Pięćdziesiąt milionów dolarów amerykańskich. Ale zaczniemy licytację od dwudziestu. Już przelałem taką kwotę na jego konto w Genewie.

Hawke uśmiechnął się cierpko.

– Wiedziałem, że wchodzę w kiepski interes. Kuchnia jest chyba tam, tak?

– Witam, lordzie Hawke – powiedział generał Kuragin, wstał nieco chwiejnie i wyciągnął rękę. – Spotkaliśmy się przelotnie w nieco przyjemniejszych okolicznościach, tydzień temu na wsi. W pałacu zimowym cara.

– Istotnie, generale – przytaknął Hawke, uścisnął kościstą dłoń Rosjanina i usiadł przy starym stole. Wspaniały czarny mundur generała, głęboko osadzone ciemne oczy i bladożółta cera upodabniały go niepokojąco do Himmlera. W każdym razie Hawke tak zapamiętał wygląd nazisty. Halter zasiadł z nimi przy stole i Kuragin ceremonialnie napełnił trzy kieliszki wódką z opróżnionej do połowy karafki. Pierwsze słowa generała sprawiły, że Hawke wyprostował się gwałtownie na krześle.

– Rozumiem, że w Energietice spędził pan trochę czasu w jednej celi z moim starym przyjacielem.

– Putin to pański przyjaciel? Przecież pomógł go pan obalić.

– Sprawy w Rosji nie zawsze przedstawiają się tak, jak na to wygląda. Są bardziej skomplikowane, lordzie Hawke, niech mi pan wierzy.

– Wierzę panu. To dla mnie czarna magia.

Kuragin skinął głową z przelotnym uśmiechem. Uznał to za komplement. Nakrył dłonią rękę Hawke'a i poklepał go jak dziecko. Kościste palce drżały, zimne jak lód.

– Zrobił pan duże wrażenie na Putinie. Wysoko pana ocenia. To on nalegał, żebym spotkał się dziś z panem.

– Naprawdę? Dlaczego?

– A jak pan myśli? Zaufał panu. Zdradził panu swoje plany na przyszłość tamtej nocy w tej swojej nędznej celi.

– Fakt – przyznał Hawke.

– I co zamierza?

– Wyeliminować cara i odzyskać władzę – odrzekł wolno Hawke i oparł się wygodnie na krześle. Wszystkie elementy tej całej rosyjskiej afery zaczęły nagle pasować do siebie jak kawałki układanki.

Churchill powiedział kiedyś, że Rosja to zagadka owiana tajemnicą, ukryta wewnątrz enigmy. Nic bardziej prawdziwego. Hawke upił łyk wódki i przyjrzał się uważnie generałowi.

To Kuragin chronił potajemnie Putina w więzieniu. I to on miał zorganizować jego powrót do władzy, kiedy car zostanie usunięty z drogi. I to Kuragin stałby się po tym przewrocie potężniejszy niż po dwóch czy trzech poprzednich.

Tak, wszystko stało się teraz jasne. Hawke wreszcie znalazł mężczyznę, którego MI6 nazwała dawno temu trzecim człowiekiem, szarą eminencję na Kremlu.

To nie był Iwan Korsakow, w co Hawke zaczynał już wierzyć.

To generał Nikołaj Kuragin.

Zakulisowe knowania miały w Rosji długą tradycję i Hawke został wplątany w tę cholerną intrygę, nawet o tym nie wiedząc. Przyjechał do Rosji pewny siebie, gotowy do wykorzystania swoich szpiegowskich umiejętności przeciwko nim, tylko po to, by się przekonać, że jest po prostu pionkiem na ich wielkiej szachownicy. A trzeci człowiek, największy mistrz szachowy z nich wszystkich, od początku używał go jako narzędzia.

Pionka do zbicia króla?

Kuragin uśmiechnął się, jego oczy za grubymi szkłami okularów zwęziły się do czarnych szparek, i Hawke odniósł niepokojące wrażenie, że Rosjanin czyta w jego myślach.

– To pan kazał mnie aresztować, generale, i zabrać do Energietiki na tę cholerną „rozmowę kwalifikacyjną"!

– Hm. Powiedzmy, że mogłem podsunąć carowi ten pomysł. Rzecz jasna Korsakow nie miał pojęcia, że pożyje pan na tyle długo, by porozmawiać na osobności z naszym ukochanym byłym premierem. Nie, Iwan Groźny zakładał, że zostanie pan wbity na pal krótko po uwięzieniu za tamtymi czarnymi murami.

Hawke uśmiechnął się do przebiegłego starego szpiega.

– Iwan Groźny? To zaskakujące, że akurat pan tak go nazwał. Jego bliski przyjaciel.

– To potwór! – odparł Kuragin z nagłą wściekłością. – Wbijanie na pal tysięcy przeciwników to dla niego dziecinna igraszka. Doprowadzenie do unicestwienia mojej ukochanej ojczyzny w wyniku sprowokowanego przez nas amerykańskiego uderzenia jądrowego jest dużo trudniejsze. A jednak właśnie wkrótce to zrobi.

– Chyba że pan go powstrzyma.

– Chyba że pan go powstrzyma, lordzie Hawke. Ja nie mogę mieć nic wspólnego z tym… z tym, co pan zamierza. Z oczywistych przyczyn. Muszę zadbać o to, żebym mógł bardzo wiarygodnie zaprzeczyć.

Hawke zerknął na Haltera. Zastanawiał się, ile wie. Czy Stefan Halter odbył długą podróż na Bermudy, żeby wyrobić sobie opinię o Hawke'u i przekazać ją Kuraginowi? Możliwe, że już wtedy wyznaczyli mu obecną rolę. Ale Halter niczego nie ujawnił. Ludzie pracujący na dwie strony musieli być w tym dobrzy, bo inaczej ginęli.

Hawke podjął decyzję.

– Myślę, że chyba się rozumiemy, generale – powiedział i uniósł kieliszek.

Putinowi dużo brakowało do doskonałości, ale był o niebo lepszy od zadufanego w sobie psychopaty, który przejął władzę w Rosji.

Pionek widział teraz całą szachownicę jakby z lotu ptaka i chciał wykonać następny ruch.

Kuragin też uniósł kieliszek.

– Za pokój na świecie.

– Za pokój na świecie – powtórzyli jak echo pozostali i wszyscy trzej wypili wódkę jednym haustem.

Hawke zerknął na zegarek.

– Generale, niech pan mi opowie o swojej pięknej bransolecie i przymocowanym do niej przedmiocie.

– Proszę bardzo. – Kuragin przysunął detonator do Hawke'a. – Co pan chce wiedzieć?

– Na początek, jak to działa? – Hawke wziął przedmiot, obrócił go w rękach i uważnie obejrzał. Detonator był po prostu mniejszą wersją komputera Zeta w kształcie ludzkiego mózgu, ale bez rdzenia przedłużonego, który służył za podstawę. Lśnił jak lustro i sporo ważył. Wokół biegła cienka szczelina wskazująca, gdzie go się otwiera.

– Dwa istniejące zdalne detonatory o nazwie Beta są połączone przez Bluetooth i inne wysokiej klasy bezprzewodowe serwery ze wszystkimi komputerami Zeta na świecie. Mogę łatwo zaprogramować moją betę tak, że spowoduje eksplozję pojedynczej zety albo na przykład stu milionów zet. Pojedynczo lub jednocześnie. Tylko na rozkaz cara, oczywiście.

– Może pan praktycznie wysadzić w powietrze cały świat tym jednym urządzeniem. Tu i teraz – stwierdził Hawke, znów patrząc na Haltera.

– W zasadzie tak, mogę, ale nie zrobię tego. Nie jestem szaleńcem. Na razie jeszcze nie zwariowałem. Natomiast car zrobiłby to z wielką przyjemnością, gdyby ktoś po drugiej stronie nieopatrznie wszedł mu w drogę.

– Niesamowite – powiedział Hawke i odłożył betę na stół. Wziął karafkę stojącą przed Kuraginem, nalał sobie wódki i popatrzył z podziwem na obu mężczyzn. – Nie składujecie bomb, nie wydajecie miliardów na reaktory, systemy przenoszenia broni jądrowej, atomowe okręty podwodne i międzykontynentalne pociski balistyczne. Nic z tych rzeczy, po prostu rozprowadzacie ładunki wybuchowe wśród waszych wrogów! Co więcej, zbijacie fortunę na tym, że sprzedajecie im ich własną zagładę. Przez lata rozmieściliście wszędzie miliony bomb. Jaki to prosty i pomysłowy sposób na to, żeby wziąć los świata w swoje ręce.

– Dziękuję – powiedział Kuragin.

– To był pana pomysł? – zapytał zdumiony Hawke. Zakładał dotąd, że szalonym geniuszem jest Iwan Korsakow.

– Tak, niestety, mnie należy winić za to szaleństwo. W każdym razie za strategię rozmieszczenia bomb. Korsakow jest genialnym naukowcem i to on zaprojektował i skonstruował zetę. Popełniłem poważny błąd, pozwalając, by mój plan zapewnienia Rosji dominacji na świecie dostał się w niewłaściwe ręce. Powinienem przewidzieć, co będzie. Nie dostrzegłem niebezpieczeństwa. Teraz zapłacę za swój błąd i naprawię go jednym ruchem.

– Mimo wszystko pomysł stworzenia tej sieci komputerów Zeta był genialny w swojej prostocie, to muszę panu przyznać – zauważył Hawke.

– Prostota to kamień węgielny geniuszu, lordzie Hawke. Słyszał pan kiedyś, żeby ktoś wykrzyknął: „Podoba mi się ten pomysł. Jest tak cholernie skomplikowany!"

Hawke się uśmiechnął. Pił wódkę z człowiekiem, który ułożył szatański plan zapanowania nad światem, i czuł do niego sympatię.

– Generale – odezwał się Halter – mówił mi pan wcześniej, że w obu detonatorach beta też jest materiał wybuchowy heksagon, zgadza się? Tak jak w każdym komputerze Zeta.

– Tak, tylko ten w betach ma podwójną siłę wybuchu. I jeden detonator może wywołać eksplozję drugiego. Ja mogę odpalić ładunek w becie Korsakowa, a on w mojej.

– Dlaczego? – spytał Hawke.

– Na wypadek, gdyby któryś z detonatorów wpadł w niepowołane ręce, oczywiście. Car chciał mieć możliwość natychmiastowego wyeliminowania takiej osoby. Nie zamierza dzielić się z nikim władzą.

– Poza panem.

Kuragin skinął głową.

– Bo jestem jedynym człowiekiem na świecie, któremu ufa.

Hawke zignorował ukrytą w tych słowach ironię.

– Więc mógłby pan wykorzystać teraz to urządzenie do zabicia cara? – zapytał.

– Mógłbym. Tylko ja znam kod. Wprowadzam go, uzbrajam detonator, naciskam przycisk odpalenia i druga beta wybucha. Jeśli car jest gdzieś w promieniu pięciuset metrów, ginie. Ale ja nie zabijam ludzi, lordzie Hawke. Każę to robić innym. Dlatego jeszcze żyję.

– Car pewnie cały czas ma swoją betę przy sobie? – spytał Hawke.

– Oczywiście. To jego nuklearna piłka. Jest przykuta do nadgarstka ochroniarza imieniem Kuba, doskonale wyszkolonego zabójcy, który jest też jego kierowcą. Kuba nigdy nie oddala się na więcej niż kilkaset metrów od swojego pana i władcy.

Kuragin wyjął z wewnętrznej kieszeni paczkę papierosów, wyciągnął jednego i zapalił tekturową zapałką. Hawke zauważył, że pali ten sam gatunek, co Putin, ukraińskie Sobranie Black Russian.

Hawke odsunął krzesło od stołu i uśmiechnął się do generała.

– Generale Kuragin, kiedy ostatni raz sprawdzał pan stan swojego konta bankowego w Genewie?

– Nie pamiętam. Chyba kilka miesięcy temu.

– I jakie było wtedy saldo?

– Zdaje się, że pięć milionów. Dolarów amerykańskich.

Hawke wyjął telefon satelitarny z kieszeni kurtki i położył go na stole przed Rosjaninem.

– Niech pan zadzwoni do swoich szwajcarskich bankierów, generale. Po prostu po to, żeby potwierdzić obecny stan konta. Według doktora Haltera powinno na nim teraz być dwadzieścia pięć milionów.

– Dwadzieścia milionów dolarów za uratowanie świata? Trudno to uznać za wystarczającą kwotę – odparł Kuragin, patrząc na nich spod ciężkich powiek.

– A gdybyśmy zaproponowali trzydzieści milionów?

– Niech pan spróbuje.

– Trzydzieści milionów.

– Mało.

– W porządku. Jesteśmy gotowi dać panu czterdzieści milionów dolarów za to urządzenie, generale. I za kod, oczywiście. Płacimy natychmiast. Doktor Halter zadzwoni do banku w Genewie i każe przelać na pańskie konto drugie dwadzieścia milionów.

– A może pan zaproponować pięćdziesiąt?

Hawke zerknął na Haltera. Stefan skinął głową. Trzymał telefon satelitarny przy uchu i rozmawiał po francusku z jakimś nieznanym bankierem w Genewie.

– Pięćdziesiąt milionów dolarów – powiedział Hawke. – To ostateczna cena.

– Zgadzam się.

Halter zamienił jeszcze kilka słów z bankierem, po czym wręczył telefon Kuraginowi.

– Ten dżentelmen potwierdzi, że na pańskie konto wpłynęło dodatkowo trzydzieści milionów dolarów, generale.

– Mówi Kuragin. Numer mojego konta to 4413789-A. Mogę prosić o podanie salda? Rozumiem. Bardzo panu dziękuję. *Au revoir, monsieur, et merci.*

Oddał telefon Halterowi i wyjął złote pióro wieczne z wewnętrznej kieszeni kurtki mundurowej.

– Zapiszę wam kod w środku kartonika zapałek. A teraz muszę poprosić was obu o wyjście z ludźmi. Najpierw jednak przynieście mi jakieś czyste ręczniki i dużą miskę lodu, dobrze? I podajcie mi z łaski swojej ten tasak do mięsa, który wisi obok kuchni. Wygląda na dość ostry.

Hawke i Halter spojrzeli na siebie zaszokowani, kiedy wykładowca z Cambridge schował do kieszeni kartonik zapałek z zapisanym w środku kodem do detonatora.

– Chyba nie zamierza pan zrobić jakiegoś głupstwa, generale?

– Wręcz przeciwnie. Gdyby w jakikolwiek sposób wyglądało na to, że oddałem dobrowolnie tę cholerną betę, nie przeżyłbym pięciu minut. Każdy agent KGB na świecie polowałby na mnie.

– Niech pan zaczeka – powiedział Hawke. – Na pewno uda nam się przepiłować tę bransoletę. Wymyślimy, jak upozorować napad na pana, a potem…

– Nie, doceniam pańskie dobre chęci, ale cały dzień piję wódkę w przewidywaniu, że to zrobię, i jestem gotowy. To jedyny sposób na to, żebym przeżył, zapewniam pana. Nawet najbardziej cyniczny Rosjanin nigdy by nie uwierzył, że ktoś mógłby sam zrobić sobie coś takiego!

Kuragin roześmiał się na tę myśl i napełnił kieliszek po brzegi.

– Będzie pan musiał wyjaśnić fakt ujawnienia kodu, generale – zauważył Hawke.

– Chwila słabości. Rzeźnik trzymał uniesiony tasak nad moją lewą ręką i zażądał podania numeru. Niewielu z nas oparłoby się pokusie zdradzenia mu tej tajemnicy, zgodzi się pan ze mną?

Hawke i doktor Halter wstali od stołu i przynieśli generałowi to, o co poprosił. Hawke nie mógł się powstrzymać od przesunięcia palcem wskazującym po krawędzi ostrza ciężkiego tasaka. Natychmiast przecięło mu skórę jak brzytwa i na opuszku pojawiła się cienka linia jaskrawoczerwonej krwi.

– Zostawcie mnie, proszę, samego, dopóki nie skończę – powiedział Kuragin. – A kiedy wrócicie, możecie mnie przywiązać do tego stołu w jakiś przekonujący sposób. Pod moim krzesłem leży zwój grubej liny. Później zadzwońcie po karetkę. Potem musicie natychmiast zniknąć. Rozumiecie? I nigdy nie mówcie nikomu, co się tu stało. Nigdy.

– Oczywiście. – Hawke otworzył przed doktorem Halterem uchylne drzwi kuchni. – To jasne.

Przeszli obaj do salonu i usiedli w dwóch drewnianych fotelach na wprost kominka. Milczeli przez kilka długich minut.

– Kończy wódkę – odezwał się wreszcie Hawke, patrząc w ogień. – Potem to zrobi.

– Naprawdę myślisz, że popełni to szaleństwo? – zapytał Halter z wyrazem niedowierzania w oczach. – Nikt nie ma tyle odwagi. Nikt.

– Niedługo się przekonamy.

Chwilę później rozległ się potworny odgłos uderzenia i zwierzęcy ryk bólu, który rozdarł Aleksowi serce. Zerwał się i popędził do kuchni.

Kuragin zrobił to.

Jaskrawoczerwona krew opryskała białą ścianę obok stołu kuchennego. Zakrwawiona lewa dłoń jeszcze drgała, odcięta od przedramienia ostrzem rzeźniczego tasaka, wbitym teraz w drewniany blat na głębokość co najmniej dwóch centymetrów. Generał upadł do przodu, kiedy zemdlał, czoło oparł na stole. Nie wydawał żadnego dźwięku. Był już w szoku i najwyraźniej nieprzytomny, krew tryskała z rany na końcu lewego ramienia.

Hawke szybko owinął krwawy kikut ręcznikiem i zanurzył w misce z lodem. Halter podniósł z podłogi przy drzwiach opryskany krwią detonator Beta i wezwał karetkę przez telefon w kuchni. Podał adres wiejskiego domu i powiedział tylko, że znaleziono ciężko rannego mężczyznę, który mocno krwawi. Poprosił, żeby lekarz zjawił się jak najszybciej. Rozłączył się, nie podając nazwiska.

– O której car odbiera nagrodę dziś wieczorem? – zapytał Hawke, kiedy unieśli ostrożnie generała i położyli na wznak na stole. Hawke wziął grubą konopną linę, którą Kuragin zostawił pod krzesłem, i związał go w pozycji wymaganej do amputacji. Cofnął się, przyjrzał swojemu dziełu i uznał, że wygląda przekonująco. Tak, jakby generała skrępowano i pozbawiono ręki ciosem tasaka rzeźniczego. Może się udać, pomyślał.

– Bankiet jest o siódmej – odrzekł Halter. – Czemu pytasz?

– Zamierzam się tam pojawić – powiedział Hawke. – Chcę dopilnować, żeby Jego Cesarska Wysokość, nowy car Wszechrosji, został powitany tak, jak na to zasługuje.

– Alex, powinieneś o czymś wiedzieć. Korsakow zagroził, że zniszczy któreś z milionowych zachodnich miast, jeśli wojska NATO rozmieszczone w Europie Wschodniej nie zostaną cofnięte od granic. Zadzwonił do Białego Domu i dał prezydentowi McAtee dwadzieścia cztery godziny na pokazanie, że Zachód się nie wtrąci, gdy Rosja będzie odzyskiwała utracone terytoria.

– Kiedy to było?

– Szesnaście godzin temu.

– A zatem musimy działać szybko.

– Delikatnie mówiąc.

– No to wsiadaj do samochodu, człowieku! Masz ten cholerny kod na zapałkach?

– Tak, w kieszeni kamizelki.

– Wygląda to na zbiór przypadkowych cyfr. Coś ci to mówi, profesorze?

Hawke przekręcił kluczyk, modląc się, żeby silnik zaskoczył. Teraz, kiedy słońce schowało się za lasem, temperatura mocno spadła. Zapowiadała się niebezpieczna droga powrotna do Sztokholmu.

– Jeden siedem zero siedem jeden dziewięć jeden osiem. Siedemnastego lipca tysiąc dziewięćset osiemnastego roku. Dokładna data śmierci Romanowów. Tamtej nocy czekiści pod dowództwem komendanta Jurokowskiego zapędzili do piwnicy domu w Jekaterinburgu i zamordowali cara Mikołaja II, carycę Katarzynę, następcę tronu, ich cztery córki i służbę.

– Jak myślisz, dlaczego Korsakow wybrał tę datę? – zapytał Hawke. Samochód zapalił za drugim razem, Alex wrzucił jedynkę i wystartował starym saabem z podwórza z wyciem silnika.

– To był koniec caratu, Alex. Może uważa się za człowieka, który daje początek nowej erze.

– Pewnie tak. – Hawke przyspieszył na zaśnieżonej drodze i znów odbił się od śnieżnych band po obu stronach. Jechał ostro, ale w wyobraźni widział spokojny obraz swojej pięknej Anastazji podczas ich ostatniego spotkania. Nie rozmawiali od kilku dni. Dziś wieczorem miała być z ojcem w Sztokholmie, kiedy będzie odbierał Nagrodę Nobla z rąk króla Szwecji. Jakoś ją znajdzie. W końcu go zaprosiła.

Wcześniej czy później – liczył na to drugie – car dowie się, że detonator Kuragina został mu siłą odebrany i wpadł w ręce wroga. Hawke wiedział, że wtedy Korsakow natychmiast zdetonuje betę generała, nie dbając o to, kto ją ma i gdzie ona jest.

Najbliższa przyszłość zapowiadała się więc interesująco. On i jego nowy przyjaciel doktor Halter dosłownie niańczyli żywą bombę.

Ktoś pierwszy wciśnie przycisk. Ktoś inny pierwszy zginie.

Hawke myślał gorączkowo, wiedząc, że będzie musiał wyeliminować cara, kiedy zostanie sam, albo przynajmniej wyprowadzić go na otwartą przestrzeń. Nie mógł dopuścić do masakry. Nie zniósłby tego, że ma na sumieniu śmierć niewinnych osób.

Takich jak kobieta, którą kochał.

Lub – serce na moment mu zamarło – ich nienarodzonego dziecka.

65

Sztokholm

Bankiet z okazji wręczenia Nagród Nobla odbywa się co roku w Stadshuset w Sztokholmie. Nawet koronacja jakiegoś monarchy nie może się równać pod względem dostojeństwa z tą imponującą uroczystością. Masywny kompleks Stadshuset ze stusiedmiometrową wieżą w jednym narożniku jest zbudowany w stylu nawiązującym do szwedzkich tradycji narodowych. Stoi na brzegach

Riddarfjarden, słodkowodnego jeziora w sercu Sztokholmu. Dzisiejszego wieczoru piękny sztokholmski ratusz był rzęsiście oświetlony.

Alex Hawke wzdrygnął się z zimna, kiedy wysiadł od strony pasażera z saaba, i pomyślał, że kompleks wygląda jak średniowieczna twierdza, ale profesor Halter powiedział mu, że ratusz wzniesiono w roku 1923.

– Nie boisz się, że zamarzniesz tu na śmierć? – zapytał profesora. Halter miał zostać w samochodzie, gdy Hawke wejdzie do środka. Stefan ubrał się na tę akcję odpowiednio do rosyjskiej zimy, włożył uszankę, futrzaną czapkę z nausznikami i długi płaszcz z niedźwiedziej skóry. Kiedy siedział za kierownicą i marszczył czoło z wyrazem koncentracji na twarzy, przypominał wielkiego niedźwiedzia. Trzymał na podołku srebrzysty detonator Beta i bawił się nim, żeby mieć pewność, że potrafi go użyć, gdy przyjdzie pora.

– Nic mi nie będzie – odrzekł. – Ale postaraj się sprężyć, dobra? Jest cholernie zimno i czas szybko ucieka. Korsakow zamierza zniszczyć pierwsze miasto na swojej liście za niecałe dwie godziny.

Hawke zerknął na zegarek.

– Załatwię to maksymalnie w pół godziny. Obserwuj tamte drzwi i trzymaj silnik na chodzie. Kiedy Korsakow wyjdzie, prawdopodobnie będzie się spieszył. Widzisz jego samochód i kierowcę, tamtego opancerzonego maybacha i faceta w liberii obok? Car na pewno pójdzie prosto do swojej limuzyny.

– Skąd, do diabła, wiesz, że to jego auto?

– Jestem brytyjskim szpiegiem, profesorze. Poza tym tamta bryka ma rosyjską rejestrację. Moskiewską. Postaraj się nie zasnąć. Może wyłącz ogrzewanie.

– Jakie ogrzewanie?

Hawke uśmiechnął się, zatrzasnął drzwi pasażera i pobiegł szybko przez zaśnieżony parking na przyjęcie. Poczuł wibracje komórki w kieszeni spodni. Anastazja? Dzwonił do niej na komórkę ze swojego pokoju, kiedy się golił. Może oddzwania do niego. Teraz nie ma czasu sprawdzać, czy to ona. Zatelefonuje do niej później. Nie rozmawiał z nią, odkąd się pocałowali na pożegnanie przed jego odlotem z Ramstein myśliwcem marynarki wojennej. Potem był bardzo zajęty. Jeśli dopisze mu szczęście, zobaczy się z nią dzisiaj. Ale czy uda im się zostać tylko we dwoje? Nie miał pojęcia.

Wiedział, że ma przed sobą mniej więcej dwie godziny na wyciągnięcie cara na otwartą przestrzeń, najlepiej na wieś, gdzie będzie mógł go wyeliminować bez narażania nikogo innego na niebezpieczeństwo. Dwie godziny mogły wystarczyć, ale był problem. Nie miał pojęcia, jak wykonać to zadanie. Co tam, coś wymyśli.

Do dzieła.

Pokazał pięknie wytłoczone zaproszenie ochroniarzom w wejściu. Będzie musiał wyłowić Korsakowa z wielkiego tłumu w sali bankietowej. Znaleźć sposób na wyprowadzenie go na dwór. I to szybko. Na tym będzie polegała sztuczka.

Na uroczystość zaproszono około tysiąca trzystu osobistości z całego świata. Na pilnie strzeżonej liście figurowali nobliści z rodzinami, szwedzka para królewska z całą rodziną, różne europejskie głowy państwa, znakomitości i grube ryby. Kolację zawsze podawano we wspaniałym wnętrzu, zwanym Błękitną Salą, i Hawke spieszył się tam teraz, a w jego głowie zaczynał powstawać plan.

Był spóźniony. On i Halter wyciskali ze starego saaba, co się dało, gdy wracali oblodzonymi północnymi drogami do Sztokholmu. Hawke zaledwie miał czas wpaść do swojego pokoju w Grand Hotelu, wziąć prysznic, ogolić się i włożyć frak. Z pomocą sir Davida Trulove'a udało mu się w ostatniej chwili dostać zaproszenie dzięki uprzejmości brytyjskiego ambasadora w Szwecji.

Kiedy dotarł na miejsce, najpierw zaskoczyło go to, że słynna Błękitna Sala wcale nie jest błękitna. Architekt planował początkowo pomalować ją na niebiesko, ale zmienił zdanie, gdy zobaczył, jak pięknie wyglądają zrobione ręcznie czerwone cegły. Nazwa jednak pozostała.

Kolacja właśnie się zaczynała. Hawke poprawił białą muszkę z piki i ruszył wzdłuż galerii z widokiem na wielką salę w dole, gdzie siedzieli goście. Odgłosy rozmów tysiąca trzystu osób, dźwięki porcelany i sztućców robiły spory hałas. Potem zabrzmiały trąbki.

Trębacze w historycznych strojach stali rzędem przy balustradzie galerii i po obu stronach głównych schodów prowadzących do sali poniżej. Lśniące blaszane instrumenty dęte miały długość amazońskich dmuchaw. Imponująca fanfara rozlegała się przed zaanonsowaniem każdego z dygnitarzy i noblistów, którzy przystawali kolejno na szczycie schodów i czekali, aż usłyszą swoje nazwisko, po czym schodzili na dół.

Poważny mężczyzna w paradnym stroju z wielką ozdobną laską stukał nią głośno w marmurowy stopień po każdej fanfarze, zanim padło czyjeś nazwisko, ten dźwięk przykuwał uwagę zebranych.

Hawke dołączył do kolejki noblistów i zastanawiał się, czy jego też powita fanfara i stuk laski. Miał taką nadzieję. Jeszcze nigdy nie obwieszczono jego przybycia fanfarą.

U stóp schodów zbudowano tymczasowe podium. Na środku przystrojonego kwiatami podwyższenia stała lśniąca mahoniowa mównica, z której starszy siwy dżentelmen, zapewne przewodniczący Komitetu Noblowskiego, przedstawiał zdobywców nagród i wybranych szwedzkich prominentów, gdy schodzili po szerokich marmurowych stopniach.

Wszędzie rozstawiono kamery telewizyjne. Hawke wiedział, że doroczną uroczystość oglądają miliony ludzi na całym świecie.

Tak ogromna widownia sprzyjała jego planom.

Prostopadle do podium ciągnął się przez całą długość sali stół bankietowy zarezerwowany dla noblistów i ich rodzin oraz oczywiście dla pary królewskiej, jej dzieci i rodziny. Przy tym stole powinien też siedzieć car. Widział jego samochód na parkingu. Czy Korsakow jest tutaj? Musi być.

Hawke wyszedł na moment z kolejki, dał nura między dwóch trębaczy, wychylił się za balustradę i popatrzył na tłum w dole. Pod nim rozciągało się falujące morze ludzi, kobiet w sukniach wieczorowych i skrzącej biżuterii, i mężczyzn wyglądających olśniewająco we frakach. Wszystkich oświetlał ciepły blask niezliczonych świec. Hawke wyjął cienką jak papieros, ale silną lunetkę Zeissa i przyjrzał się gościom siedzącym przy stole królewskim, od jednego końca do drugiego i z powrotem po przeciwnej stronie.

W połowie długości stołu zobaczył Anastazję, cudowną w diamentowym diademie. Siedziała obok ojca, który miał na piersi czerwoną szarfę i dużo odznaczeń wysadzanych klejnotami. Car Iwan mówił coś wylewnie do kogoś po drugiej stronie stołu, jego córka słuchała tego z uśmiechem na ustach. Hawke zrobił zbliżenie jej pięknej twarzy. Nie był pewien co do tego uśmiechu, ale wyglądało to na dobrą minę do złej gry. Biedne kochanie.

Bardzo chciał z nią porozmawiać. Czy wzięła ze sobą komórkę na takie przyjęcie? Może nie, ale warto spróbować.

Wyciągnął telefon i zobaczył, że sygnalizuje wiadomość. Wybrał numer Anastazji i obserwował ją przez lunetkę. Słyszał, jak komórka dzwoni, w końcu Anastazja sięgnęła po torebkę. Już miała ją otworzyć, gdy ojciec chwycił ją za nadgarstek i ścisnął mocno. Skurwiel.

Odłożyła torebkę na podłogę i znów przywołała na twarz sztuczny uśmiech. Hawke poczekał na sygnał poczty głosowej i powiedział:

– Kochanie, modlę się, żebyś to szybko odsłuchała. Jestem na bankiecie. Jeśli spojrzysz w górę na balkon, zobaczysz mnie między dwoma trębaczami, uśmiechającego się do ciebie. Słuchaj uważnie, to bardzo ważne. Nie mogę tego teraz wyjaśnić, ale musisz się oddalić od ojca. Jak najszybciej! W jego pobliżu grozi ci śmiertelne niebezpieczeństwo. Chciałbym móc ci to wytłumaczyć, ale błagam, znajdź jakiś pretekst, na przykład że źle się czujesz albo musisz iść do toalety, i uciekaj od niego przy pierwszej okazji! Kocham cię. Niedługo będziemy razem i wszystko ci wyjaśnię.

Schował komórkę do kieszeni. Przynajmniej to już załatwił. Jakoś przeżyją oboje tę noc. A kiedy będzie po wszystkim… Teraz nie pora na to.

Kolejka posuwała się szybko i topniała. Wrócił na swoje miejsce. Przedstawiono kogoś ważnego przed nim i gość zszedł na dół z żoną u boku, jej diamentowy naszyjnik i kolczyki skrzyły się w blasku reflektorów. Hawke zajął jego miejsce na szczycie schodów i czekał, kiedy skierują na niego światła.

Laska opadła i trąbki zagrały tryumfalną melodię. Donośny głos oznajmił:

– Wasze królewskie moście, panie i panowie, lord Alexander Hawke!

Hawke nie miał pojęcia, jak brytyjski ambasador to załatwił, ale był zachwycony. Fanfara jeszcze brzmiała mu w uszach, kiedy włożył ręce do kieszeni spodni i zszedł po szerokich stopniach w trochę zawadiackim stylu, udając – bez powodzenia, jak przypuszczał – nonszalancję w stylu Freda Astaire'a. Żałował, że nie widzi miny Anastazji, bo dla niej odstawił ten numer. I dla jej ojca, oczywiście. Dużo by dał za to, żeby zobaczyć jego minę.

Przewodniczący Komitetu Noblowskiego stał na podium obok starszego mężczyzny, który przedstawiał tegorocznych zdobywców nagrody w dziedzinie medycyny. W tym czasie uhonorowani szli od swoich miejsc przy stole królewskim do mównicy, by powiedzieć kilka słów. Wraz z zaproszeniem Hawke znalazł w swoim pokoju hotelowym program wieczornej uroczystości, przykleił go do lustra w łazience i przestudiował dokładnie. Wiedział, że po medycynie jest fizyka, dziedzina cara.

Czas na przedstawienie.

Zamiast przejść dalej do jednego z kilkuset okrągłych stolików dla gości po obu stronach królewskiego stołu, Hawke zatrzymał się dyskretnie na podium, przesunąwszy się uprzejmie na bok z grupą oficjeli. Czwórka zdobywców nagrody w dziedzinie medycyny wygłaszała krótkie przemówienia.

Przewodniczący podziękował wyróżnionym, kiedy zeszli z podwyższenia, po czym powiedział:

– A teraz, wasze królewskie moście, nagroda w dziedzinie fizyki. Chciałbym zaprosić na podium sir George'a Rodericka Llewellyna z brytyjskiej Królewskiej Akademii Nauk, by przedstawił tegorocznego laureata.

Hawke ruszył w kierunku przewodniczącego, który zerknął przez ramię raz, potem drugi i zasłonił dłonią mikrofon, żeby nie usłyszano go w sali.

– Pan nie jest sir George'em – szepnął, kiedy Hawke podszedł do niego.

– Rzeczywiście, przykro mi, przepraszam. Muszę z żalem zakomunikować, że sir George zachorował. Zastępuję go. Nazywam się Alex Hawke i jestem z ambasady brytyjskiej. Jak pan się ma?

Stary człowiek, wytrącony nieco z równowagi, uścisnął mu dłoń i odszedł od mównicy, mamrocząc coś gniewnie po szwedzku. Najwyraźniej nie był przyzwyczajony do zmian w programie podczas tego najważniejszego dla niego wieczoru w roku.

Hawke dopasował wysokość mikrofonu do swojego wzrostu i popatrzył na ogromny tłum.

– Zanim zacznę, chciałbym powitać znajome osoby, które tu widzę. Ci wszyscy wspaniali i odważni ludzie byli zakładnikami na pokładzie porwanego statku powietrznego „Puszkin". Dobry wieczór, panie i panowie. Cieszę się, że jesteście tutaj! Czy zechcieliby państwo wstać, żebyśmy mogli was zobaczyć?

Tłum zaczął wiwatować i bić brawo, gdy uratowani nobliści i ich rodziny podnieśli się z miejsc. Wielu z nich uśmiechało się z wdzięcznością do przystojnego Anglika na podium.

– Tegoroczna Nagroda Nobla w dziedzinie fizyki – powiedział głośno i wyraźnie Hawke – została przyznana za wybitne osiągnięcia w zgłębianiu tajemnic ciemnej materii. Czarnych dziur, obiektów we wszechświecie, tak gęstych, że nie przepuszczają żadnego promieniowania ani światła. Nie widać ich, ale wiadomo, że istnieją. Wasze królewskie moście, panie i panowie, człowiekowi, którego uhonorujemy dzisiejszego wieczoru, sprawy ciemnej materii nie są obce. Pozwólcie, że kiedy będzie tutaj szedł, opowiem wam trochę o zbrodniczej działalności tej z gruntu złej istoty ludzkiej.

W sali zapadła całkowita cisza, z wyjątkiem odgłosu tysiąca gwałtownych wdechów jednocześnie. Na podium rozległy się pomruki, którym towarzyszyło załamywanie rąk. Nowy mówca nie trzymał się uzgodnionego tekstu. W egzemplarzach, które mieli goście, nie było wzmianki o „zbrodniczej działalności" i „złej istocie ludzkiej".

– Oprócz osiągnięć naukowych nowy car Rosji ma też inne. Buduje więzienia. Takie jak Energietika ulokowana pomysłowo na składowisku odpadów radioaktywnych na małej wyspie niedaleko Sankt Petersburga. Car przywrócił tam dawną praktykę wbijania ludzi na pal. Nieobeznanym z tą średniowieczną torturą wyjaśnię, że ofiara jest rozbierana do naga i umieszczana na zaostrzonym słupie. Jego koniec wsuwa się w odbytnicę i stopniowo przedziurawia narządy wewnętrzne, dopóki...

Jakaś kobieta przy stole królewskim głośno krzyknęła. Spadła z krzesła, gdy nowy car Rosji usiłował przepchnąć się przez tłum do podium. W świetle skierowanego na niego reflektora Hawke zobaczył demoniczny wyraz furii w jego oczach.

– Przepraszam za zamieszanie – ciągnął. – Jak mówiłem, drewniany słup przebija krocze lub samą odbytnicę i powoduje śmierć ofiary po upływie około tygodnia, kiedy zagłębia się w ciele i...

– Uciszcie go! – ryknął car, gramoląc się przez krzesła i odpychając na bok wszystkich na swojej drodze, łącznie z wściekłym królem Szwecji Karolem XVI Gustawem, w desperackiej próbie dotarcia do podium, by rzucić się Aleksowi Hawke'owi do gardła. Przez cały czas wrzeszczał: – Niech ktoś uciszy tego pieprzonego szaleńca!

– Przepraszam za te ciągłe przerwy – powiedział Hawke tonem towarzyskiej rozmowy mimo gróźb wykrzykiwanych przez cara, który był coraz bliżej podium. – Pozwólcie, że wspomnę też krótko o wynalezionym przez naszego laureata komputerze Zeta. Te komputery, uważane w krajach Trzeciego Świata za dar niebios, są w rzeczywistości potężnymi bombami. Użyto ich w zeszłym tygodniu do zniszczenia całego amerykańskiego miasta. Ale Stany Zjednoczone to niejedyny cel naszego laureata. Rozmieścił wiele milionów tych sprytnie zamaskowanych ładunków wybuchowych na całym świecie, stworzył globalne pole minowe, którym grozi swoim przeciwnikom politycznym i zmusza ich, by przyglądali się biernie, jak rosyjskie oddziały wkraczają do krajów wschodnioeuropejskich, nadbałtyckich, na Ukrainę i do innych suwerennych państw, żeby przyłączyć je do Rosji i...

Hawke nie cofnął się, kiedy Korsakow wdrapał się na podium i skierował prosto do mównicy. Rosjanin dosłownie warczał, ślina pryskała mu z otwartych ust, gdy przecinał szerokie podwyższenie. Hawke uśmiechnął się i mówił spokojnie dalej, jakby nigdy nic.

– Pod rządami samozwańczego cara nowa Rosja stanie się dawnym Związkiem Radzieckim. Cyniczną tyranią, okrutnym i bezdusznym państwem bezprawia bezlitośnie depczącym podstawowe prawa człowieka i ludzką godność, ekspansjonistycznym i… O, jest już nasz laureat… Chciałbym, żebyśmy wszyscy powitali…

Korsakow sięgnął do mikrofonu, wyrwał go z mównicy i cisnął z furią na podłogę.

– Zabiję cię za to! – ryknął i wyciągnął ręce, by chwycić Hawke'a za gardło.

Hawke, wciąż za mównicą, uznał, że bójka na podium w sali, gdzie odbywa się uroczystość wręczenia Nagród Nobla, byłaby niestosowna, wyszarpnął więc małego walthera ppk z kabury pod pachą, wbił lufę carowi głęboko pod żebra i wycelował prosto w serce.

– Nie, to ja cię zabiję – odparł cicho. – Tu i teraz. Chyba że stąd wyjdziemy i załatwimy tę sprawę jak dżentelmeni. Co wybierasz, cholerny morderco?

Przystawił carowi pistolet do podbródka, złapał go za klapę i przyciągnął bliżej. Dostrzegł, że do mównicy skradają się wolno ochroniarze.

– Zrobię to – ostrzegł Hawke. – Możesz mi wierzyć.

– On ma broń! – krzyknął ktoś z oficjeli i członkowie Komitetu Noblowskiego obecni nadal na podium dali nura w tłum lub uciekli po schodach między zaskoczonymi trębaczami.

Car patrzył z bliska w niebieskie zimne oczy Hawke'a. Dyszał ciężko, miał rozdęte nozdrza, rozszerzone źrenice i twarz zaledwie centymetry od twarzy znienawidzonego Anglika. Plunął mu prosto w oczy. Potem odwrócił się i zeskoczył z podium na stół królewski, strącając porcelanę i kryształy na kamienną podłogę.

– Będziesz tego żałował – zawołał Hawke do oddalających się pleców Korsakowa, który uciekał po blacie w stronę głównego wyjścia, przewracał na bok kandelabry z płonącymi świecami, kopniakami usuwał z drogi wazy z gorącą zupą.

Hawke schował walthera do kabury, wyjął białą chusteczkę z górnej kieszonki fraka i starł z twarzy ślinę cara. Kilku ochroniarzy zbliżało się do niego, dał więc po prostu nura w rozhisteryzowany tłum i wyłonił się sto metrów dalej w kłębiącej się masie identycznie ubranych mężczyzn, którzy kierowali się do wyjść.

W sali szerzyły się panika i chaos.

Obawiał się, że zepsuł cały wieczór.

Ale w końcu na pewne rzeczy nie ma rady.

66

Maybach wypadł z parkingu na pełnym gazie, gdy Hawke pędził do saaba. Halter czekał na siedzeniu pasażera z pracującym silnikiem i otwartymi drzwiami kierowcy. Hawke wskoczył za kółko i zapiął pas. Wrzucił jedynkę, wcisnął gaz do podłogi, puścił sprzęgło i wystartował z poślizgiem za maybachem, który skręcił w prawo w aleję Hantverkargatan. Miał nadzieję dostrzec jego tylne światła, ale duża czarna limuzyna cara przejechała już przez most i zniknęła.

– Udało ci się! – powiedział Halter. – Wykurzyłeś go stamtąd!

– Tak.

– Przed czy po chwili chwały?

– Tej chwili brakowało chwały, ale za to nie brakowało dramatyzmu.

Halter się uśmiechnął.

– Dobra robota.

Hawke walnął pięścią w kierownicę.

– Nie dogonimy go, cholera. A tym bardziej nie utrzymamy się za nim. Przydałby się nam porządny samochód.

– Spokojnie, Alex. Wiem, dokąd jedzie.

Halter opierał jedną rękę na desce rozdzielczej, drugą ściskał detonator Beta na kolanach.

– Skąd wiesz?

– Słyszałem, jak krzyknął do kierowcy „Morto!", kiedy wsiadał do auta. To nazwa wyspy w archipelagu sztokholmskim. Car ma tam letni dom, jedyny na wyspie. Należał kiedyś do króla Karola XIV Jana. Zbudowano go w 1818 roku.

– Skąd to wiesz, do cholery?

– Jestem wykładowcą historii na uniwersytecie Cambridge.

– Stefan, proszę cię, powiedz mi, że był sam, kiedy wychodził.

– Nie. Była z nim Anastazja.

– Niech to szlag! Kazałem jej uciec!

– Rozmawiałeś z nią?

– Nie, zostawiłem jej wiadomość na komórce. Czy wyglądało na to, że idzie z nim dobrowolnie?

– O nie. Ciągnął ją za rękę. Krzyczała i próbowała się wyrwać. On i jego goryl-kierowca usiłowali ją wepchnąć na tylne siedzenie. Zdaje się, że uderzyła paskudnie głową w dach. Osunęła się na ziemię i potem władowali ją do samochodu. Przy okazji kierowca miał detonator przykuty do nadgarstka. Możemy ich załatwić.

Hawke odetchnął z ulgą, bo Anastazja najwyraźniej odsłuchała wiadomość, wiedział jednak, co myśli Halter.

Zegar zagłady tykał, ale mieli jeszcze dość czasu, by oddalić się od zamieszkanych terenów. Mogli wykonać zadanie, kiedy tylko znajdą się na pustym odcinku drogi za Sztokholmem. Wyślę stukniętego skurwiela prosto do piekła za pomocą detonatora Beta na przednim siedzeniu maybacha.

Obaj wiedzieli, że car za niewiele ponad godzinę zamierza pozbawić życia co najmniej milion niewinnych ludzi za naciśnięciem przycisku na straszliwym urządzeniu. Sir David Trulove poinformował Haltera, że Waszyngton weźmie odwet natychmiast. Dwanaście amerykańskich okrętów podwodnych klasy Ohio czekało w pogotowiu bojowym na Bałtyku, Morzu Barentsa i północnym

Pacyfiku. Każdy był uzbrojony w dwadzieścia dwa pociski Trident II, z ośmioma głowicami jądrowymi o sile wybuchu 3,8 megaton każda.

MI6 ustaliło ostatnio, że rosyjski system radarowy wczesnego ostrzegania jest łatwy do unieszkodliwienia. Eksplozja jednego brytyjskiego lub amerykańskiego pocisku jądrowego wysoko w atmosferze wyłączyłaby z akcji wszystkie radary wczesnego ostrzegania poniżej, co uniemożliwiłoby śledzenie następnych wystrzeleń. Widząc start tridenta, Rosja musiałaby zatem podjąć trudną decyzję. Czekać i zobaczyć, czy pocisk eksploduje i wyłączy z akcji jej radary, czy też natychmiast dokonać uderzenia odwetowego. Halter, podobnie jak sir David i prezydent w Białym Domu, nie miał wątpliwości, jak zareagowałby nowy rosyjski przywódca.

Rozpętałby trzecią wojnę światową.

Hawke zredukował bieg i wszedł poślizgiem w zakręt. Był w głębokiej rozterce. Co ma zrobić, do licha? Zadanie, jakie miał wykonać, było proste, ale serce sprzeciwiało się temu. Kochał Anastazję. Bardzo. Nosiła pod sercem jego dziecko. Musi znaleźć sposób na uratowanie jej i jednocześnie zapobiec światowej katastrofie, zabijając jej ojca. Coś wymyśli. Musi.

Zdezelowany saab zarzucił, gdy Hawke wjechał na most z pełną szybkością. Sztokholmskie ulice były miejscami oblodzone, a ten samochód nie miał napędu na cztery koła, jak maybach. Dogonienie Korsakowa wymagało pomysłowości.

– W którą stronę na tę Morto? Wciąż nie widzę tej cholernej limuzyny. Może skręciła w jakąś boczną uliczkę gdzieś na starówce.

– Alex, do morza prowadzi tylko jedna droga. Bez obaw, znajdziemy go.

– Skoro tak twierdzisz, profesorze.

Halter włączył słabą żółtą lampkę do czytania mapy i trzymał na kolanach atlas samochodowy Szwecji. W przeciwieństwie do Hawke'a nie miał problemu ze zorientowaniem się w nim.

– Jedziemy na wschód tą trasą wzdłuż fiordu. To droga numer 222. Nazywa się Varmodoleden. Trzymamy się wybrzeża aż do otwartego morza. Na wschód stąd są dosłownie tysiące wysp różnej wielkości. Na większości z nich stoi tylko kilka domów lub willi. Dojedziemy do tego miasteczka nad Bałtykiem, Dalaro. Widzę tu wykropkowane linie. Wygląda na to, że na Morto kursuje prom.

– Dobra. Zlikwidujemy go na promie.

– Nie możemy ryzykować. Spójrz na mapę. Uważam, że możemy go załatwić tutaj. Wzdłuż tego kilkukilometrowego odcinka drogi po obu stronach jest tylko las. Nie ma tam żadnych domów.

– Nie możemy go zabić w samochodzie, Stefan. Nie teraz.

– Oczywiście, że możemy, Alex. Musimy! Co ty sobie wyobrażasz? Ludzie Korsakowa mogli już znaleźć Kuragina i domyślić się wszystkiego! Jeśli tak jest, to detonator na moich kolanach eksploduje lada moment!

– Musi być sam. Przykro mi.

– Sam?

Halter spojrzał na Aleksa ze zdumieniem. Po chwili zrozumiał. Anastazja. Oczywiście. Hawke zakochał się w córce cara. To musiało się wydarzyć na Bermudach. I był z nią niedawno w pałacu zimowym. Ta dodatkowa komplikacja nawet mu się nie śniła. No cóż, w końcu to on trzyma betę w ręce. W najgorszym wypadku po prostu...

– Zrobimy to na promie, Stefanie. Nie ma innego wyjścia. Wyciągnę Anastazję z samochodu. Nie łam sobie nad tym głowy, w jaki sposób. Kiedy ona i ja będziemy bezpieczni, wciśniesz przycisk. Rozumiesz? Nie tkniemy go, dopóki jego córka nie znajdzie się poza strefą rażenia.

– Alex, zastanów się. Przecież Korsakow dojedzie do promu przed nami. I co wtedy?

– Nie zdąży.

– Alex, posłuchaj mnie. Kto jak kto, ale ty musisz wiedzieć, że żadna sprawa osobista nie może mieć wpływu na twoją decyzję. Przykro mi z powodu tej dziewczyny. To oczywiste, że coś do niej czujesz. Ale jeśli zobaczę, że kończy nam się czas, odpalę detonator. Zlikwiduję Korsakowa, żeby nie wiem co. Chyba to rozumiesz, prawda?

– Trzymaj się – powiedział Hawke, jakby nie słyszał pytania, i przyspieszył na wyjściu z zakrętu. – Postaram się jechać jak najszybciej, ale tak, żeby nas nie zabić. Ile czasu zostało do końca świata?

– Godzina i dziesięć minut.

– Powinno wystarczyć.

– Musi. Proszę cię, wysłuchaj mnie. Jeśli zobaczę, że czas mija, rozwalę Korsakowa, Alex. To mój obowiązek. Przypominam ci, że twój też. Wiem, że masz broń i możesz spróbować mnie powstrzymać. Ale przysięgam ci, że chętnie zginę, wciskając ten przycisk. Rozumiesz?

Hawke nadal go ignorował.

– Nie ma jakiegoś skrótu do tego promu? – zapytał.

– Nie.

– Cholera – zaklął Hawke, przyhamował na kolejnym łuku i samochód zatańczył. Na szczęście większość miejscowych policjantów pilnowała tego wieczoru uroczystości w Stadshuset.

Hawke prowadził saaba jak natchniony albo jak szaleniec, zależnie od punktu widzenia. Udało mu się nie wpaść do fiordu, a przynajmniej pozostawać na drodze przez większość czasu. Stale patrzył sto metrów naprzód i zmuszał auto, żeby jechało tam, gdzie chce.

Wygrzebał z kieszeni komórkę i wcisnął szybkie wybieranie numeru Azji. Modlił się, żeby odebrała. Ale usłyszał tylko pocztę głosową i sygnał.

– Cześć, to ja. Zobacz, jestem tuż za tobą. Pędzę po ciebie. Kiedy dojedziecie do promu na Morto, będziecie musieli stanąć. Wtedy uciekaj, dobrze? Wyskocz po prostu z samochodu i biegnij najszybciej jak możesz. Znajdę cię. Kocham cię. Nie bój się. Wszystko będzie dobrze.

Hawke zerkał czasami na Haltera. Profesor patrzył nieruchomo przed siebie. Wprowadził do bety kod i trzymał palec na przycisku enter. Hawke wiedział, że jeśli Halter wyczuje, że saab opuszcza drogę, kieruje się na drzewo albo do atramentowej wody w fiordzie na lewo od nich, natychmiast wciśnie przycisk. Nie miał co do tego wątpliwości. Zobaczy potężny błysk przed sobą, płomienie strzelające pod nocne niebo i car Rosji wyparuje w eksplozji, a wraz z nim jego córka Anastazja.

Jechał dalej, czekał i modlił się, żeby zobaczyć zapalające się światła stopu na drodze przed sobą. Jakiś znak, że dogania maybacha i kobietę, którą kocha.

Ale nie zobaczył.

67

Hawke zatrzymał się z poślizgiem na szczycie wzgórza obok drogowskazu do Dalaro. Dojechał tu w niecałe pół godziny. Wiele razy omal nie wypadł z drogi i ani razu nie dostrzegł czarnego maybacha. Teraz modlił się, żeby Halter miał rację co do celu podróży cara. Jeśli się mylił...

– No dobra – powiedział Hawke, zaciągnął hamulec ręczny i wysiadł z samochodu. – Gdzie jest ten cholerny prom?

Halter też wysiadł i podszedł do przodu auta. Beta w jego rękach lśniła w blasku reflektorów saaba. Przyglądał się przez chwilę maleńkiemu miasteczku u stóp wzgórza.

– Tam.

– Gdzie?

– W dole, na lewo od ciebie. Na końcu wąskiej drogi między drzewami. Widziałem tylne światła samochodu na wodzie. To musi być on, Alex. Nikt inny nie płynąłby na wyspę o tej porze.

– Prom już tam jest?

– Nie widzę. Możliwe. Za daleko.

– Wsiadaj.

Bardziej się ześlizgiwali niż zjeżdżali po wąskiej drodze, saab sunął jak tobogan przez gęsty sosnowo-świerkowy las ku morzu. Hawke cały czas hamował pulsacyjnie i przyspieszał tylko wtedy, gdy zwalniali. Nie zwracał uwagi na to, że auto obija się o drzewa po obu stronach drogi, ważne było, że jedzie.

Zobaczył rozgwieżdżone niebo przed sobą i zgasił reflektory. Car mógł zauważyć, że pędzą wzdłuż fiordu i usiłują go dogonić.

Jeśli mieli wpaść w pułapkę, to Hawke chciał, żeby ich pojawienie było dla Korsakowa zaskoczeniem. W lesie blask księżyca odbijał się od śniegu i właściwie nie potrzebował świateł.

Wydostali się spomiędzy drzew, oblodzona droga opadała prosto do czarnej wody.

Pięćset metrów w dole Hawke zobaczył w końcu rozbłyskujące wielkie czerwone światła stopu maybacha.

Limuzyna wjeżdżała powoli na mały prom przeznaczony tylko dla dwóch samochodów. Marynarz w ciemnym kombinezonie przywoływał kierowcę gestami na dziób. W żółtym blasku w oknie niewielkiej sterówki Hawke zobaczył czarną sylwetkę szypra, zauważył nawet fajkę w jego zębach. Zadziwiające, jakie rzeczy rejestruje ludzki umysł w takich momentach.

– Może być problem – powiedział Hawke do Haltera, gdy kierowali się w stronę promu. – Umiesz pływać?

– Szybciej, na litość boską, zaraz odbiją od brzegu!

Hawke nacisnął klakson o blaszanym, ale głośnym dźwięku, błysnął światłami drogowymi i wdepnął gaz do podłogi. Zjechał ze stromego wzgórza, gdy samotny marynarz rzucał pierwszą cumę na brzeg. Hawke wciąż uważał, że jeszcze zdąży, nawet gdyby musiał poszybować saabem w powietrzu, ale car otworzył gwałtownie drzwi limuzyny, wysiadł na pokład i wrzasnął coś do zdumionego marynarza.

Przewoźnik najwyraźniej nie zamierzał zaczekać na saaba, bo odczepił resztę lin cumowniczych i opuścił odblaskowy szlaban w czerwono-białe pasy z pulsującą czerwoną lampą ostrzegawczą. Prom odbił od brzegu, wypuszczając kłąb dymu z komina, i wziął kurs na czarny kształt wyspy Morto w oddali.

– Niech to szlag! – krzyknął Hawke, wbił nogę w pedał hamulca, wykonał samochodem piruet, szarpnął hamulec ręczny i zatrzymał się na suchym kawałku jezdni w samą porę, by nie stoczyć się po pochylni do lodowatej wody fiordu.

Wysiadł z samochodu i popatrzył na mały prom płynący ku wyspie Morto.

Stracił Anastazję.

– Chodźmy! – zawołał Halter, wyskakując z auta z betą wetkniętą bezpiecznie pod pachę. Hawke odetchnął z ulgą. Z jakiegoś powodu Halter postanowił rozegrać to do końca, dać mu szansę, zaczekać do ostatniej chwili z użyciem detonatora.

– Dokąd?

– Widziałem dom z przystanią na krańcu tamtego cypla. Skoro mają przystań, muszą mieć jakąś łódź.

– Ile czasu nam zostało? – krzyknął Hawke, podążając za Halterem po śliskich od glonów nabrzeżnych kamieniach.

– Czterdzieści minut! Możemy ją jeszcze uratować, Alex. W każdym razie, spróbujemy.

Zgodnie z logiką albo też szczęśliwym zrządzeniem losu na przystani była łódź, piękna, drewniana, mniej więcej ośmiometrowa motorówka. Wygląda na dość szybką, pomyślał Hawke, kiedy biegł do niej po pomoście. Sprawiała wrażenie dobrze utrzymanej i zapewne miała wbudowany duży silnik Volvo. Być może zdążą na Morto.

– Sprawdź, czy kluczyk jest w stacyjce – zawołał Hawke do Haltera, wskoczył na rufę i otworzył pokrywę włazu do przedziału silnikowego. Profesor zeskoczył do kokpitu.

– Nie ma!

– Nie szkodzi, poradzę sobie – odparł Hawke, trzymając dwa odizolowane przewody. Potężny, trzystukonny silnik nagle ożył. I równie nagle zgasł.

– Co jest, Alex?

– Nie wiem. Chyba nie dochodzi paliwo.

– Zobacz, czy zawór nie jest zamknięty.

– Ba, ale gdzie on jest? Muszę go poszukać.

– Alex, mamy trzydzieści pięć minut. Pospiesz się.

Hawke wymamrotał pod nosem jakieś przekleństwo i zniknął poniżej włazu. Halter stał w kokpicie i patrzył bezradnie, jak prom z Korsakowem na pokładzie zbliża się coraz bardziej do długiego nabrzeża wyrastającego z gęsto zalesionej wyspy, teraz niskiej czarnej sylwetki na horyzoncie.

– Rzuć wszystkie cumy oprócz rufowej – usłyszał za sobą przytłumiony głos Hawke'a. – Na wypadek, gdybym znalazł ten cholerny zawór. Czekaj, czy to to? Tak? Nie, cholera!

Pięć minut później wielki silnik znów zaryczał i Hawke wyłonił się z włazu do maszynowni. Odrzucił cumę na rufie, dołączył do Haltera w kokpicie, chwycił koło sterowe i pchnął przepustnicę. Smukła mahoniowa motorówka wystrzeliła naprzód, ciągnąc za sobą szeroki biały kilwater.

Po pięciu minutach dopłynęli z wyłączonym silnikiem do kamienistej plaży. Hawke zeskoczył z dziobu do wody z kotwicą w ręku, dobrnął do brzegu i zaklinował ją między dwoma dużymi głazami. Potem przyciągnął łódź bliżej do plaży.

– Idziesz? – zawołał do Haltera.

– Nie możesz doholować mnie jeszcze kawałek?

Profesor siedział na rufie z nogami za burtą i trzymał detonator w obu dłoniach.

Hawke miał mu właśnie powiedzieć, żeby był ostrożny, gdy nagle owiewka motorówki rozprysła się w drobny mak. Hawke odwrócił się błyskawicznie w kierunku ostrzału. Ochroniarz z owczarkiem niemieckim na smyczy biegł w ich stronę i krzyczał coś po rosyjsku. Znów wyprostował ramię i wycelował w Hawke'a pistolet maszynowy. Hawke szybko wyciągnął walthera z kabury, wziął mężczyznę na muszkę i wpakował mu kulę w głowę.

Halter brnął przez wodę do brzegu, trzymając betę nad głową. Alex pochylił się nad trupem.

– Co ty robisz, do cholery? – zapytał Stefan.

– Szukam radia, żeby wiedzieć, czy zameldował o nas.

– I co?

– Nic. Nie ma radia. W porządku. Weź jego automat. Bizon 2. Doskonała broń. Umiesz się z nią obchodzić?

– Oczywiście.

– Dobrze. Mam nadzieję, że na górze, za krawędzią urwiska nie było słychać strzałów. Tu jest parę zapasowych magazynków. Chodźmy. Widziałem z wody dom. Stoi na szczycie granitowego klifu. Zauważyłem też ścieżkę prowadzącą w górę przez las za tamtym cyplem. Lepiej się pospieszmy. Ile do końca świata?

– Dziewiętnaście minut – powiedział Halter z zaniepokojoną miną.

– Ruszajmy.

– Boże, zostało tak mało czasu.

– Mam nadzieję, że Bóg czuwa nad tą cieśniną – odparł Hawke, puścił się pędem plażą i wbiegł pod górę do lasu. Myślał gorączkowo. Musi znaleźć Anastazję i jakiś sposób na to, żeby ją zabrać od szalonego ojca, zanim on i Halter go zabiją. Co powiedział Kuragin o zasięgu niszczycielskiej siły bety? Pięćset metrów? Taki promień ma strefa rażenia? Jakoś to zrobi, wydostanie Azję z kręgu śmierci.

Ale czas szybko uciekał.

A Halter trzymał palec na przycisku detonatora.

68

Hawke pierwszy dotarł do otwartej przestrzeni na szczycie granitowego klifu. I pierwszy zrozumiał, dlaczego Korsakow tak się spieszył na wyspę Morto.

Jak na carskie standardy, dom nie był niczym nadzwyczajnym. Stara trzypiętrowa rezydencja w barokowym stylu stała na rozległym zaśnieżonym terenie, bladożółta w świetle księżyca. Ale nie ona zainteresowała Hawke'a, lecz srebrzysty statek powietrzny sto metrów nad stalowym masztem cumowniczym na dachu. Sterowiec schodził w dół. To nim Hawke i Anastazja lecieli do Moskwy.

Z dziobu rzucano już liny obsłudze naziemnej na dachu. Czerwone lampy nawigacyjne na dziobie i ogonie błyskały, na tylnej części kadłuba widniała wielka, czerwona radziecka gwiazda. Z boku ogromne, czerwone podświetlone litery tworzyły napis „Car". Wyglądało na to, że Korsakow opuszcza w pośpiechu Szwecję, by wrócić do swojej Twierdzy Rosja.

Dach był jasno oświetlony. Hawke wyjął lunetkę. Zobaczył snajperów i uzbrojonych ochroniarzy, którzy towarzyszyli obsłudze naziemnej, odbierającej liny cumownicze, zrzucane z góry na dach. Ten cholerny obiekt latający jeszcze nie wystartował z Anastazją na pokładzie, pomyślał. Musi być gdzieś w domu. Jeszcze ciągle jest szansa.

Jakoś się tam dostanie. Znajdzie sposób. Zabierze ją stamtąd. A potem...

– O rany – wysapał Halter, kiedy dołączył do niego na skraju lasu. – Ale strome to zbocze.

Hawke był zbyt zajęty kalkulowaniem szans, żeby odpowiedzieć. Tę stronę rezydencji otaczała otwarta przestrzeń. Od głównego wejścia dzieliło go jakieś sto metrów. Ale mógł okrążyć dom lasem. Może z tyłu drzewa rosną bliżej budynku? Wyciągnął walthera z kabury i sprawdził, czy magazynek jest pełny i czy nabój tkwi w komorze. Pistolet przeciwko karabinom snajperskim. Ale co mógł na to poradzić? W życiu rzadko wszystko układa się idealnie.

– Czas? – zapytał.

– Piętnaście minut.

– To cała wieczność – powiedział. – Zamierzam tam wejść i zabrać ją.

– Oszalałeś?! Z czterech stron domu jest co najmniej stumetrowa otwarta przestrzeń. To samobójstwo, Alex. Na górze są snajperzy. Zastanów się!

Wyraz zimnych niebieskich oczu Hawke'a powiedział Halterowi, że wszelka dyskusja to strata cennego czasu. Zdjął futrzany płaszcz, rozpostarł na śniegu i położył na nim ostrożnie detonator. Przyklęknął na futrze, otworzył sprawnie betę i włączył zasilanie. Potem przestawił podświetloną czerwoną dźwigienkę i uzbroił urządzenie.

– Zrób, co musisz, Stefanie. Na twoim miejscu postąpiłbym tak samo. Ale ja wchodzę do domu. Zabiorę ją. Albo nie. Jeśli nie wrócę za dziesięć minut, z Anastazją czy bez niej, wysadź w powietrze tę cholerną rezydencję. Zabij tego szaleńca i wszystkich w środku. W grę wchodzi życie miliona ludzi. Nieważne kto zginie, ważne, żeby zapobiec śmierci niewinnych ludzi.

– Alex, to koniec. Przykro mi z powodu twojej przyjaciółki, ale już nie możesz jej uratować. Nie przejdziesz nawet pięciu metrów na otwartej przestrzeni. Mają noktowizory. Nie będę mógł cię nawet osłaniać ogniem z bizona, bo mnie zastrzelą, zanim zdetonuję bombę. Zaczekaj, aż Korsakow wejdzie na pokład sterowca. Zlikwidujemy go, kiedy statek zawiśnie nad fiordem. Cholernie mi przykro, ale to koniec.

– Nie mam wyboru, Stefanie. Wolę umrzeć tu w śniegu niż żyć przez resztę życia ze świadomością, że nie spróbowałem jej uratować. Rozumiesz?

– Rozumiem. Boże, dopomóż mi.

– Urządź im piekło, kiedy nadejdzie pora. Trzymaj się, stary.

– Ty też.

– Postaram się – odparł z uśmiechem Hawke, poderwał się i pobiegł przez rozległą połać śniegu oświetloną blaskiem księżyca. Głowę trzymał nisko, biegł szybko, wymachując rękami, kryte wejście do domu było już w odległości zaledwie pięćdziesięciu metrów...

Prawie mu się udało.

Zaterkotały trzy lub cztery serie z ciężkiej broni maszynowej na dachu. Małe gejzery śniegu wykwitały wokół biegnącego zygzakiem schylonego Anglika.

Robił rozpaczliwe uniki, kulił się i pędził jak szalony do bezpiecznej kryjówki w wejściu.

Pierwszy pocisk trafił go w prawy bark i obrócił nim dookoła. Halter patrzył z przerażeniem zza linii drzew, jak czerwonoczarna krew jego nowego przyjaciela tryska obficie na biały śnieg. Ale Hawke zdołał utrzymać się na nogach i nadal zmierzał w kierunku domu. Drugi postrzał dostał w lewe udo i znów się obrócił. Lewym kolanem musnął śnieg, ale podniósł się i pokuśtykał dalej, wlokąc za sobą ranną nogę.

Halter zobaczył, jak Hawke unosi małego walthera i otwiera ogień do ludzi nad sobą, którzy go zabijają. Dosięgła go następna kula i kolejna, osunął się na ziemię. Leżał nieruchomo i patrzył w gwiazdy, wokół niego pociski wyrzucały do góry małe fontanny śniegu, niektóre chybiały, inne bez wątpienia trafiały w cel. Halter zerknął na zegarek i spojrzał w dół na detonator.

Potem znów podniósł wzrok na swojego towarzysza, samotnego na śniegu, ciężko rannego, zapewne konającego.

Jeszcze raz sprawdził czas. Jedenaście minut. Czy to wystarczy, by tam pobiec i przyciągnąć Hawke'a z powrotem w bezpieczne miejsce między drzewami? I zlikwidować cara, zanim zrobi użytek ze swojej bety i zabije milion ludzi? Czasu może jest dość. Ale on sam może zginąć, starając się uratować tego człowieka, który bez wahania zaryzykował życie, by ocalić ukochaną kobietę.

Halter pomyślał, że warto umrzeć, próbując uratować od śmierci tak szlachetną jednostkę. Mógł żyć lub zginąć, z czystym sumieniem.

Albo będzie siedział bezpiecznie w lesie i patrzył, jak Hawke kona, wykrwawia się na śmierć, ze świadomością, że pozostając w ukryciu być może ocali milion istnień ludzkich. Tego oczekiwał od niego Hawke. Powiedział mu, żeby tak zrobił. Ale czy wtedy będzie więcej wart niż potwór, którego obaj przysięgli zabić? Jeśli nie spróbuje uratować Hawke'a, czy będzie choć trochę lepszy od swojego zagorzałego wroga?

Niech to szlag, pomyślał Halter, gdy zobaczył, jak nieruchome ciało Hawke'a drga po trafieniu kolejnym pociskiem. W końcu może mu się udać. Ocali Hawke'a i w porę użyje bety.

Będzie na styk.

Profesor Stefan Halter musiał podjąć decyzję.

Hawke jeszcze żył. Ale wiedział, że jest bliski śmierci. Krwawił ze zbyt wielu ran. Zaczął prószyć śnieg. Zamknął oczy. Płatki śniegu muskały mu policzki jak skrzydła motyli. Miał świadomość, że przegrał. Ale przynajmniej spróbował. I tak to się skończy. Spełnił swój obowiązek. Nie ma już o czym myśleć ani mówić. Wreszcie jest po wszystkim.

Krzyki z sypialni na drugim piętrze słychać było w całym domu. Leciwe szwedzkie służące przystanęły, popatrzyły na siebie, pokręciły głowami i zajęły się swoją pracą. Dawno przyzwyczaiły się do tych strasznych wrzasków.

Każdego lata owdowiały hrabia przyjeżdżał na Morto ze swoją piękną córką i synami bliźniakami. I co roku, od czasu jej dzieciństwa, znajdował powód, by ją bić. Robił to, kiedy był zły. Lub przygnębiony. Albo gdy wypił za dużo wódki po kolacji. Bił ją tak mocno, że czasami musieli sprowadzać lekarza z lądu.

Pewnego wieczoru, kiedy biedne dziecko miało zaledwie dziesięć czy jedenaście lat, doktor Lundvig wyszedł z pokoju Anastazji ze smutkiem w oczach i zamknął cicho drzwi. W mrocznym korytarzu spotkał Katerinę Arnborg, gospodynię. Czekała na niego. Wyjawił jej, że widział dowód innej przemocy. Tak ohydnej, wyszeptał, że chyba powinno się zawiadomić policję.

Ale Katerina bała się gniewu hrabiego i nie pisnęła nikomu ani słowa. Stary lekarz nie pojawił się więcej na wyspie Morto. Zginął miesiąc później w wypadku na wodzie, utonął w fiordzie w niewyjaśnionych do dziś okolicznościach.

Następny lekarz był Rosjaninem i nigdy nic nikomu nie mówił po wyjściu z pokoju dziecka.

Katerina stała teraz na półpiętrze poniżej sypialni Anastazji i słuchała, jak ojciec znęca się nad nią. Wciąż nienawidziła się za swoje tchórzostwo, za to, że nikomu nic nie powiedziała przez tyle lat, teraz było już o wiele za późno.

Jeszcze nie widziała hrabiego tak pijanego jak po jego powrocie z uroczystości wręczenia Nagród Nobla. Wściekał się na córkę, wlókł ją za sobą po schodach na górę. Nagle krzyki dochodzące z jej pokoju stały się głośniejsze.

– Odejdź ode mnie, ty draniu! Dosyć tego. Jestem dorosłą kobietą! Nie twoją małą córeczką, która kuli się ze strachu…

– Zdrajczyni! Myślisz, że nie wiem, co się dzieje? Kazałem ci pozbyć się tego bękarta, którego nosisz. Posłuchałaś mnie? Nie!

– Nienawidzę cię! Rozumiesz? Zawsze cię nienawidziłam! Nawet twoi synowie gardzą tobą za to, że jesteś takim potworem! Nie masz pojęcia, jak się wszyscy wyśmiewamy z twojej głupiej arogancji, twojej wypaczonej…

– Milcz! Wiedziałaś, co on chce zrobić dziś wieczorem. Zaplanowaliście to razem, tak? Żeby mnie poniżyć przed całym światem. Jesteś zdrajczynią, Anastazjo. Zdradziłaś mnie i całą Rosję. Nie zasługujesz na to, żeby żyć.

– To nieprawda. Chociaż tak cię nie cierpię, nigdy nie spiskowałam przeciwko tobie. Za bardzo kocham Rosję.

– Wstawaj! Kładź się na łóżku.

– Nigdy! Jeśli myślisz, że to się kiedykolwiek powtórzy, naprawdę jesteś szalony. Będziesz musiał mnie zabić. Wiem, że jesteś na niego wściekły za to, co ci dzisiaj zrobił, ale kocham go, zamierzam wyjść za niego i urodzić mu dziecko!

– Może w piekle.

– Powinieneś się teraz zobaczyć. Potężny car bije swoją ciężarną córkę. Co za majestat! Jaki dzielny i szlachetny! Jaki…

Na dworze rozległy się strzały. Serie z ciężkiej broni maszynowej. Car spojrzał z uśmiechem w kierunku okna. Mały pokój Anastazji rozświetlały raz po raz jasne błyski z dachu. Rzucił trzcinę i podszedł do okna.

– Milcz, córko! Myślisz, że idzie po ciebie? Że twój wielki bohater przybywa, żeby cię uratować? Chodź tu i zobacz!

– Wyjdź. Zostaw mnie samą.

– Szpieg nie żyje, Anastazjo. Słyszysz mnie? Nie żyje. Wiedziałem, że się tu zjawi. Że mnie śledzi, arogancki brytyjski agent. I przygotowałem się na jego wizytę. Nie chcesz zobaczyć twojego martwego kochanka? Wstań i popatrz!

Złapał ją za ramię, przyciągnął do okna, chwycił za głowę trzęsącą się gwałtownie ręką i przycisnął jej twarz do szyby, zmuszając, żeby spojrzała w dół na zaśnieżony ogród.

Alex leżał na wznak z rozpostartymi szeroko ramionami. Krew była wszędzie, na jego ciele i na śniegu wokół niego, czarna w świetle księżyca. Nie ruszał się, śnieg padał mu na twarz. To prawda. Odszedł.

– O Boże, o mój Boże, zabiłeś go, ty furiacie, jedynego człowieka, jakiego kiedykolwiek kochałam!

– Włóż jakieś ubranie. Lecimy do Sankt Petersburga. Za chwilę przyjdzie tu lekarz. Da ci coś na uspokojenie. Muszę załatwić ważną sprawę w czasie podróży. Niedługo ludzie, którzy mnie upokorzyli dziś wieczorem, poczują ból. Dzisiejszej nocy rozpocznie się koniec Zachodu i tryumf Rosji. A ty, moja mała zdrajczyni, będziesz świadkiem historycznych przemian.

Drzwi trzasnęły i potwór wyszedł.

69

Halter wypadł pędem z lasu. Trzymał przy ramieniu automat ustawiony na ogień ciągły i strzelał w górę do wyraźnie widocznych sylwetek snajperów znajdujących się na dachu. Miał po swojej stronie element zaskoczenia i z tej odległości, mimo że biegł, jego serie były zabójcze. Zobaczył, jak dwaj snajperzy pochylają się do przodu i spadają z wysokości trzech pięter na zaśnieżoną ziemię. Śmierć dwóch towarzyszy spowodowała chwilowe wstrzymanie ostrzału z góry. Głowy zniknęły za balustradą.

Jego niespodziewane pojawienie się i siła ognia bizona dały mu kilka cennych sekund na dotarcie do rannego przyjaciela. Hawke leżał na plecach w rosnącej na śniegu kałuży krwi. Był przytomny, oddychał szybko i płytko, ale krwawił obficie z kilku poważnych ran. Jeszcze sekunda czy dwie i obaj będą martwi.

– Pomóż mi stary, dobra? – wydyszał Hawke głosem ochrypłym z bólu.

Halter nie mógł go nieść, ale wsunął pod niego ramię i Hawke podniósł się na zdrowej nodze w momencie nagłego przypływu sił. Obaj mężczyźni posuwali się zaskakująco szybko w kierunku lasu. Halter był silny, choć na takiego nie wyglądał, utykający Hawke starał się dotrzymać mu kroku. Znajdowali się na otwartej przestrzeni i spodziewali, że zginą, zanim dotrą do linii drzew.

Z dachu nagle znów zaczęto strzelać, pociski trafiały w ziemię naokoło nich, gdy usiłowali dobrnąć do gęstego lasu oddalonego tylko o dwadzieścia metrów.

Halter przystanął, odwrócił się i posłał kolejną serię z bizona. Pociski dużego kalibru odłupały kawałki betonu od balustrady i zabiły lub zraniły przynajmniej niektórych z przeciwników. Hawke wciąż trzymał się na nogach, wsparty na Halterze. On też opróżnił magazynek walthera, strzelając do pozostałych ochroniarzy widocznych na dachu. Dwóch spadło na dół i obaj mężczyźni pod osłoną ognia zdołali dać nura między drzewa.

Halter rozłożył płaszcz z niedźwiedziej skóry na małej polance i ostrożnie opuścił Hawke'a na ziemię. Pociski waliły w drzewa wokół i powyżej nich, gwizdały i trzaskały wśród gałęzi i strącały z nich świeży śnieg na dwóch mężczyzn. Halter obejrzał najgroźniejsze rany Hawke'a.

– Przeżyjesz, jeśli będziesz miał szczęście – powiedział. Podarł swoją białą koszulę na pasy, założył opaski uciskowe w najobficiej krwawiących miejscach i przycisnął złożony kawałek materiału do najpoważniejszej rany na barku. Udo i reszta zostały tylko draśnięte. – To powinno pomóc. Wszystko będzie dobrze, przynajmniej dopóki nie dowiozę cię do lekarza.

– Jasne – mruknął Hawke. Wiedział, że umierającemu zawsze się mówi, że nic mu nie będzie.

– Tylko trzymaj lewą ręką opatrunek na barku i przyciskaj go mocno do rany. Gdzie jest ta twoja cholerna lunetka?

Hawke zdołał poklepać się po kurtce i Halter wyciągnął lunetkę z wewnętrznej kieszeni.

– Czas? – zapytał słabo Hawke.

– Trzy minuty. Cała wieczność, co?

Halter uniósł lunetkę do oka i popatrzył na dach. Światła wygaszono, ale w blasku księżyca zobaczył, jak car biegnie nisko schylony do schodków opuszczonych z dziobu statku powietrznego, w otoczeniu obstawy. Zobaczył czapkę ubranego w liberię kierowcy maybacha, wielkiego faceta imieniem Kuba, który trzymał w ręku betę przykutą do nadgarstka. Był dwa kroki za Korsakowem, gdy wspinali się po stopniach i znikali w środku kadłuba statku.

Sekundę później jeszcze dwaj ludzie wyłonili się z domu. Nieśli nosze. Halter nie mógł rozpoznać twarzy, ale na noszach najwyraźniej leżała kobieta. Ramię jej opadło i zwisało bezwładnie, kiedy wnoszono ją do wnętrza statku. Bez wątpienia była pod wpływem narkotyków. Poznał po rękawie długiego gronostajowego futra, że to córka cara, Anastazja. Widział ją tak ubraną na uroczystości wręczenia Nagród Nobla.

– Co się dzieje? – szepnął Hawke.

– Korsakow wchodzi na pokład sterowca. Zaraz wystartuje.

– Jest… sam?

– Nie, Alex. Przykro mi. Ona leci z nim.

– Daj mi ten cholerny detonator – zażądał Hawke słabym, ale ponurym głosem.

– Alex, nie. Ja to zrobię. Tak będzie lepiej.

Halter trzymał palec wskazujący na podświetlonym czerwonym przycisku. Hawke stracił mnóstwo krwi. Mógł nie myśleć jasno. Halter przyjrzał mu się uważnie. Czy chciał w ostatniej chwili spróbować ocalić kobietę, którą kocha? Mogło tak być.

Wielki srebrzysty statek powietrzny odłączył się od masztu cumowniczego, wzniósł pięć metrów pod nad dach i wykonał powolny skręt na wschód. Prawdopodobnie miał polecieć nad Bałtykiem i maleńką Estonią do Rosji, by wylądować w Sankt Petersburgu.

Halter patrzył jak sparaliżowany. Sterowiec szybował dokładnie nad nim, wyraźnie widoczny z małej polany, gdzie on i Hawke przycupnęli na niedźwiedziej skórze.

– Chcę to zrobić, Stefanie – odezwał się Hawke. Miał teraz być może mocniejszy, ale pełen napięcia i rozpaczy głos. – To mój obowiązek. To mnie prezydent kazał wyeliminować Korsakowa. To moje zadanie.

– Bzdura. Ja zdetonuję bombę. Statek powietrzny jest już nad wodą. Nie ma niebezpieczeństwa, że jakieś płonące szczątki spadną na domy w dole. Nie można dłużej czekać.

Hawke zdołał usiąść prosto. Dłonie miał zakrwawione od ran i cały się trząsł. Wyciągnął obie ręce do Haltera, obserwując jednocześnie sterowiec.

– Proszę – powiedział.

– Dlaczego ty musisz to zrobić?

– Chyba nigdy bym nie wybaczył sobie ani tobie, gdybym tu siedział i patrzył na ciebie. Być może sobie kiedyś wybaczę. Być może. Bo to jest mój obowiązek, Stefanie.

Halter oddał mu detonator i pomógł trzymać, bo Hawke'owi trzęsły się ręce, śliskie od krwi.

Wciąż wyraźnie widzieli majestatyczny statek powietrzny między nagimi wierzchołkami drzew w lesie. Leciał nad fiordem, potężne silniki wspomagał sprzyjający wiatr. Wyglądał pięknie w blasku księżyca, jak lśniąca srebrzysta strzała. Błyskające czerwone światła odbijały się w wodzie, gdy szybował ku przeciwległemu brzegowi.

– Na co czekasz, Alex?

– Na nic – powiedział Hawke martwym głosem i przysunął palec do przycisku.

Nie myślał o Korsakowie ani o tym, jakie zło zamierzał wyrządzić światu ten szaleniec, gdy mijały ostatnie minuty i sekundy.

Myślał tylko o Anastazji, kiedy kładł palec na migającym czerwonym przycisku, który miał zakończyć jej życie.

Jak wyglądała, gdy wyłoniła się z wody tamtego słonecznego popołudnia na Bermudach tak dawno temu? Jakaż była wspaniała i pełna życia, kiedy pędziła saniami przez zaśnieżoną Syberię z lejcami trojki w rękach i wykrzykiwała komendy do swoich koni. Myślał o bliskości jej ciepłego, pachnącego perfumami ciała w ciemnej loży w Teatrze Wielkim, kiedy nachyliła się do niego i powiedziała mu szeptem, że będzie ojcem.

Nie uratował jej, nie uratował ich obojga.

A tak ją kochał.

Palec sam się poruszył i wcisnął przycisk.

Zaczęło się od trzasku pod niebem. Odgłos eksplozji był niewyobrażalny, jakby rozszczepiały się atomy. Potężny grzmot przetoczył się przez las, fala uderzeniowa gięła drzewa na swojej drodze. Na świecie zrobiło się nagle jasno jak w dzień, jakby rozbłysła oślepiająco pomarańczowa supernowa, i gałęzie nad głową Hawke'a przybrały wygląd surowego reliefu, rentgenowskiego zdjęcia szkieletu.

Pochylił się do przodu i zobaczył, jak „Car" staje w płomieniach. Pożar najpierw ogarnął dziób i rozprzestrzeniał się szybko wzdłuż kadłuba ku ogonowi. Hawke słyszał głośne trzaski, pękały zapewne prętowe wiązania wewnętrzne. Cienkie tekstylne poszycie kadłuba zewnętrznego, podobno niepalne i ogniotrwałe, zwisało wkrótce w strzępach ze szkieletu sterowca, strawione już częściowo przez gwałtowny pożar. Ubytek paliwa, które tryskało zapalone w górę ze szczytu statku powietrznego, powodował spadek ciśnienia w środku i implozję kadłuba.

Rozległ się przytłumiony huk następnego wybuchu i głuchy odgłos, gdy odłamała się część ogonowa „Cara". Wielki sterowiec pękł na pół, szybkie ujście gazu sprawiło, że resztka powłoki, opinająca ogon, sflaczała. Płomienie wciąż miały wysokość grubo ponad stu metrów.

Nikt nie mógł tego przeżyć, pomyślał Hawke. Płonące ciała i duże palące się fragmenty konstrukcji opadały do fiordu, kiedy w końcu odwrócił wzrok. Zamknął oczy i położył się na wznak na futrze.

Stefan pochylił się nad nim.

– Posłuchaj, straciłeś mnóstwo krwi, chłopie, muszę cię jak najszybciej zabrać do lekarza. Dalaro jest na tyle duże, że musi tam być przynajmniej pogotowie ratunkowe. Myślę, że najszybciej dostaniemy się do miasta motorówką. Wezwę karetkę do portu.

– Chodźmy – mruknął Hawke i uniósł głowę, żeby spojrzeć na Haltera. Tracił głos.

– Alex, nie ma mowy, żebyś zdołał dotrzeć przez las do łodzi. Pójdę po nią i przypłynę do tej części wyspy. Potem jakoś sprowadzę cię ścieżką na dół. Leż tu i odpoczywaj. Wrócę za dziesięć minut.

– Dziękuję ci za… za… – wyszeptał Hawke. Chciał podziękować Stefanowi za uratowanie mu życia, ale nie miał siły. Głowa opadła mu z powrotem na niedźwiedzią skórę i wsłuchał się w skrzypienie śniegu, gdy Halter oddalał się szybko między drzewami w kierunku wody. Spojrzał w górę na wirujące płatki śniegu i spróbował skoncentrować się na jednym. Skup się. Myśl.

Prezydent. Trzeba zadzwonić do prezydenta. Powiedzieć mu, że zagrożenie zostało zlikwidowane. Ma jeszcze swoją komórkę? Gdzie? Poklepał się po wszystkich kieszeniach.

Po chwili włożył rękę do kieszeni przesiąkniętych krwią spodni i wyciągnął telefon. Starł rękawem krew z klawiatury i przysunął trzęsącą się rękę z komórką do twarzy. Musi zadzwonić do prezydenta. Natychmiast. Zawiadomić go, że car nie żyje. Że bezpośrednie niebezpieczeństwo minęło. Że bety już nie ma. Telefon błyskał, sygnalizował wiadomość. Może prezydent zadzwonił do niego. Tak, na pewno.

Wprowadził kod odbioru wiadomości.

Przyłożył komórkę do ucha.

– Alex? Kochanie? To ja. Tak bym chciała, żebyś się zgłosił. Tak dawno nie rozmawialiśmy, a mam ci tyle do powiedzenia. Przede wszystkim że kocham cię całym sercem. Szaleńczo, głęboko, prawdziwie. Ale oczywiście już to wiesz. A teraz nowina. Dziś rano byłam u lekarza, tutaj w Sztokholmie. U położnika, wiesz. Zrobił mi USG. Będziemy mieli piękne, zdrowe dziecko, kochanie. Potrafili nawet powiedzieć, jakiej płci! Chcesz wiedzieć? Teraz? Czy mam zaczekać i powiedzieć ci później, kiedy zobaczymy się na dzisiejszej wieczornej uroczystości? Cały dzień jestem w rozterce. Co zrobić, co zrobić? Muszę ci powiedzieć, bo nie wytrzymam. Gotowy? To chłopiec, Alex. Urodzę ci syna, kochanie! Czy to nie jest najcudowniejsza wiadomość na świecie? Tak bardzo cię kocham. Nie mogę się doczekać naszego spotkania dziś wieczorem. Mam nadzieję, że przyjdziesz. Kocham cię, Aleksie Hawke. Mamy przed sobą całe cudowne życie. Jestem taka szczęśliwa. Do zobaczenia.

Hawke najpierw usłyszał psy ochroniarzy. Ludzie nadchodzili tuż za nimi. Snopy światła latarek krzyżowały się nad jego głową, kiedy przedzierali się przez las i wykrzykiwali rozkazy po rosyjsku. Przetoczył się, chwycił bizona, wcisnął nowy magazynek i odciągnął zamek. Zaczekał, aż zobaczy ślepia warczących psów, które pędziły między drzewami prosto na niego, i nacisnął spust. Strzelał do wszystkiego, co się ruszało, łzy zamazywały mu pole widzenia.

EPILOG

Poszukiwacz skarbów był zbyt długo pod wodą. Omal nie zabrakło mu powietrza w płucach. Nurkował do wraku przez większość dnia, bez akwalungu, gdyż jego cel spoczywał na głębokości zaledwie pięciu metrów. Zresztą nigdy nie przepadał za oddychaniem powietrzem z butli. Woda była przezroczysta o tej porze dnia, promienie słońca przenikały na dół przez błękit i tworzyły jasne plamy na piasku i koralowcach.

Wrak leżał na burcie wśród tuneli i małych grot, siedlisk papugoryb i lucjanów. Wszystkie wypłynęły na łowy. Unosiły się w pobliżu w nadziei na upolowanie smakowitego kąska, robaka lub maleńkiego skorupiaka, który mógł nadpłynąć w ich stronę w chmurach piasku zmąconego przez nurka.

Udokumentowano obecność ponad trzystu pięćdziesięciu wraków wokół wyspy Wielka Bermuda. Widział kilka: „Hermesa", „Iristo" i „Mary Celeste". Ten był niezbyt ceniony przez turystów czy historyków, ale krył się w nim skarb. Musiał tu być. Nurek zaczął poszukiwania wcześnie rano z wielką nadzieją i zapałem.

Już się zmęczył i postanowił, że spróbuje ostatni raz. Wydało mu się, że coś dostrzegł, ale ławica jaskrawych niebiesko-żółtych ryb przepłynęła mu przed maską i przesłoniła widok. Kiedy znów spojrzał, nie zobaczył nic. Może było to tylko załamanie światła.

Chwilę wcześniej, gdy posuwał się wzdłuż kadłuba, zauważył sporą barakudę. Smukła ryba zastygła w bezruchu, przyglądała mu się jednym czarnym okiem w białej obwódce i szczerzyła nierówne, ostre jak igła zęby. Barakudy zawsze przyprawiały go o gęsią skórkę i poczuł ulgę, kiedy ryba odpłynęła.

Paliło go w płucach, ale zmuszał się, żeby zostać pod wodą. Nie przeszukał jeszcze jednego miejsca w części dziobowej i kierował się tam tuż nad dnem, gdy uchwycił kątem oka błysk. Coś wystawało z piasku. Ogarnęło go podniecenie, skręcił w prawo.

Skarb, którego szukał, był częściowo ukryty. Dostrzegł go tylko dzięki przypadkowemu promieniowi słońca. Przedmiot leżał pod długim, grubym kawałkiem drewna, zagrzebany do połowy w piasku. Ramię nurka wystrzeliło w stronę błyskotki i jego palce zamknęły się wokół niej.

Popłynął szybko w górę, czując ogień w płucach.

Kilka sekund później zaciśnięta dłoń przebiła powierzchnię wody. Potem wynurzyła się głowa i podniósł maskę na czoło. Uśmiechnął się szeroko i wyrzucił do góry pięść w geście tryumfu. Po wielu długich godzinach nurkowania do wraku miał swój skarb.

Rozejrzał się dookoła, mrużąc oczy w palącym popołudniowym słońcu. Jego mały slup, „Gin Fizz", kołysał się na kotwicy pięćdziesiąt metrów od niego. Podpłynął do łodzi, wykonując pełne, silne ruchy ramionami i nogami, ze skarbem wciąż w zaciśniętej dłoni. Kiedy dotarł do żaglówki, wierzgnął płetwami i podciągnął się na rufę.

Wiatr wzmógł się znacznie i wiał z południowego zachodu. Nurek pociągnął w dół fał, postawił grot i po chwili „Gin Fizz" sunął w przechyle kursem północ-północny wschód w kierunku portu Saint George. Nurek zobaczył wyspę Nonsuch po lewej burcie i wkrótce potem wysoką białą wieżę z czerwonym pasem, latarnię morską na Saint David. Niebo na zachodzie ciemniało. Postukał w szybkę barometru w kokpicie. Wskazówka opadła szybko do liczby 29,5. Wysoko w oddali pełzły po niebie białe pierzaste chmury.

W zatoce Gunner pierwsze duże krople deszczu uderzyły go w twarz. Sam nie wiedział dlaczego, ale podjął decyzję. Zamiast zawinąć do portu Saint George i skierować się do stoczni na południowym krańcu wyspy Ordnance, żeby wykonano tam niezbędne prace przy starym benzynowym silniku „Gina", popłynął dalej wokół południowego krańca Saint George. Jego norton stał zaparkowany w porcie miejskim, nie martwił się więc, jak wróci do domu, nawet po zmroku.

Pół godziny potem złapał go krótki szkwał z ulewnym deszczem i następna masa ciemnych chmur nadciągała z południowego zachodu. Po chwili zastanowienia sięgnął po zakorkowaną butelkę czarnego rumu Gosling. Trzymając jedną ręką rumpel, z szotem grota owiniętym mocno wokół nadgarstka, wyciągnął zębami korek i wypił solidny łyk. Dopiero dochodziła piąta, ale co tam, do cholery.

Jak mawiał jego stary kumpel Harry Brock, „każdy biedny skurwiel, który nie pije, kiedy się budzi, wie, że to jest najlepsze, co będzie czuł przez cały dzień".

Po rekonwalescencji, której pierwsze dwa miesiące spędził w prywatnym szpitalu pod Sztokholmem, wrócił na Bermudy do Teakettle Cottage. Po prostu nie zniósłby kolejnej zimnej, deszczowej wiosny w Londynie.

Morze i słońce podziałały kojąco na jego ciało, jeśli nie na duszę. Przez jakiś czas myślał, że doszedł już do siebie. Ale stała się dziwna rzecz. Nie mógł spać. Budził się nagle w nocy o różnych godzinach, siadał prosto w łóżku, zlany potem, dysząc, z pomarańczowymi płomieniami przed oczami. Próbował znów zasnąć, leżał godzinę lub dłużej, ale na próżno.

Szedł do baru, siadał i nalewał sobie solidnego drinka. Czasem jednego, czasem dwa, czasem trzy. A potem, wreszcie senny, wracał do łóżka i czasami spał do świtu. Ale czasami nie. Co dziwne, bardzo polubił tę bezsenność. Kiedy siedział samotnie w ciemności przy barze, pił rum i słuchał jakiejś starej zdartej płyty Cole Portera na gramofonie Victrola, wszystkie duchy kryły się w mrocznych kątach i zakamarkach nad belkami stropowymi.

Kilka razy Pelham zastał go o poranku chrapiącego głośno z głową na barze i pustą butelką obok. A ostatnio raz czy dwa, co musiał ze wstydem przyznać, znalazł go rozciągniętego na podłodze.

Żeglował teraz na północny zachód wokół wschodniego krańca Wielkiej Bermudy i zbliżał się do zatoki Tobacco. A za tą piękną zatoczką, pomyślał, kiedy pociągał kolejny łyk i luzował grotszot, leży następna piękna laguna nazywana Half Moon Bay. Była dobrze ukryta wśród namorzynów, otaczających wyspę o nazwie Powder Hill.

Przycumował „Gina" do pomostu i wszedł na brzeg w ulewnym deszczu z butelką w ręku.

Spojrzał w górę na dom Anastazji i stwierdził, że różową bugenwillę na werandzie na piętrze należałoby porządnie przyciąć. Drzwi frontowe były otwarte, silny wiatr trzaskał nimi tam i z powrotem, deszcz padał do środka. Drewniane żaluzje, spłowiałe i złuszczone, hałasowały.

Wszedł do ciemnego domu i zamknął drzwi za sobą. Wspiął się po znajomych schodach jak lunatyk, zaskoczony, że znalazł się w jej mrocznej pracowni i słucha, jak deszcz bębni równo w blaszany dach.

Pozwolił, by jego wzrok przyzwyczaił się do widoku kwadratowego pokoju z wysokim sufitem – sztalug, naczyń z farbami, stosów płócien i wiklinowego szezlonga z oparciem w kształcie wachlarza, który wyglądał jak tron jakiegoś władcy. Zakręciło mu się w głowie i osunął się na najbliższy wyściełany fotel na wprost kominka. W pracowni robiło się coraz ciemniej; słońce stało już nisko. Znalazł zapałki i zapalił małą lampę naftową na stole. Rzucała chybotliwe światło na ściany.

Po chwili spojrzał w górę na obraz wiszący nad gzymsem kominka i niemal usłyszał głos:

„Zawsze rezerwowałam to miejsce dla mężczyzny, którego kocham. To znaczy, dla mojego ojca".

Anastazja przemówiła do niego. Tak. Siedziała tam, na niebieskim stołku, i malowała, ale za chwilę zniknęła.

Ale to nie portret jej ojca tkwił w złoconej ramie.

Nie, to był jego portret, wyciągniętego nago na wiklinowym szezlongu, w złocistym świetle popołudniowego słońca.

Siedział i patrzył przez chwilę na portret. Przypuszczał, że to dość wierna podobizna, tamten facet na szezlongu, ale to wcale nie był on. Nie, portret przedstawiał kogoś innego. Tamten mężczyzna miał blask w oczach, krew krążącą w żyłach, przyspieszone tętno pod skórą.

Tamten mężczyzna żył i kochał.

Wstał i pomyślał, że zdejmie obraz ze ściany i wrzuci do kamiennego kominka. Poczuje zapach starego wilgotnego drewna. Ciśnie na wierzch lampę naftową.

Popatrzy, jak portret płonie.

Stojąc przed paleniskiem z lampą w ręku, zobaczył, że w kominku jest już jakiś spalony obraz. Zauważył osmalony kawałek ciężkiej złoconej ramy, cały jej narożnik. Przyklęknął i wyciągnął go, wyjął z paleniska to, co pozostało z obrazu.

Rama i płótno nie spłonęły całkowicie. Osmalony fragment przystojnej twarzy jej ojca wciąż patrzył na świat, jego ręka trzymała cugle groźnego białego ogiera. Wielki bohater w każdym calu.

Iwan Zdobywca.

Zdmuchnął lampę i wrócił do „Gina".

Deszcz ustał. Mógł pożeglować z powrotem na wyspę Saint George, wsiąść na motocykl i zdążyć do Shadowsland na kolację.

– Aleksie Hawke, cały przemokłeś – powiedziała lady Diana Mars i wprowadziła go do biblioteki, gdzie jego przyjaciel Ambrose siedział przed kominkiem. Congreve wstał, rozpostarł ramiona i objął Hawke'a.

– Kochanie, daj mu jakiś sweter czy coś, dobrze? – poprosił Dianę. – Przeziębi się na śmierć w tym mokrym ubraniu.

– Oczywiście, kochanie – odrzekła i wyszła szybko z pokoju.

– Siadaj, Alex. Blisko ognia. Drinka?

– Wypiłem już dość, dziękuję – odparł Hawke i usiadł w fotelu obok Congreve'a.

– Wiesz, zamierzałem porozmawiać z tobą o tym. Dianę i mnie trochę martwi twoje picie i...

Hawke się uśmiechnął.

– Ambrose, proszę cię, nie teraz. Chcę, żeby to był wesoły wieczór. Nawet coś ci przyniosłem. Żebyś dał to Dianie.

– Naprawdę? Co takiego?

Hawke sięgnął głęboko do kieszeni i wyjął skarb, który znalazł zagrzebany w piasku na dnie morza.

– Co to jest, Alex?

– Zobacz – powiedział Hawke i wręczył Ambrose'owi przedmiot.

– Pierścionek mojej matki!

– Zgadza się, prawda?

– Jak go znalazłeś?

– Dość łatwo. Wiedziałem, gdzie szukać.

– Mój Boże, Alex. Nie sądziłem, że jeszcze go zobaczę. Nie wiem, jak ci dziękować. Wiesz co, dam jej to dzisiaj. Za długo zwlekałem.

– Tak, nie zwlekaj ani chwili dłużej.

– Dobrze się czujesz?

– Doskonale.

– Zobacz, jak blask ognia odbija się w kamieniu. Piękny klejnot, prawda?

– O tak.

– Diament jest wieczny, tak mówią.

– Podobno. Chyba już pójdę. Chciałem ci tylko dać pierścionek. – Hawke wstał.

– Nie zostaniesz na kolacji? Liczyliśmy na to.

– Innym razem. To wasz wieczór, twój i Diany, Ambrose. Trzy osoby to już tłum, kiedy mężczyzna daje kobiecie pierścionek z diamentem. Diament jest wieczny. To poważna sprawa.

Congreve odprowadził Aleksa do bramy wjazdowej, gdzie Hawke zaparkował motocykl.

– Nie potrafię wyrazić, ile to dla mnie znaczy. I dla Diany. Uszczęśliwiłeś nas oboje.

– Do zobaczenia wkrótce, mam nadzieję – powiedział Hawke, wsiadł na nortona i odpalił silnik.

Wyjechał ze światła w ciemność wśród drzew, deszcz kapał z ciężkich liści.

Zatrzymał się przed nadmorską drogą i zastanowił, w którą stronę skręcić.

W lewo do domu.

W prawo było pewne duszne, zadymione i hałaśliwe miejsce, gdzie człowiek mógł się w spokoju napić.

– Diament jest wieczny – powiedział głośno, jego słowa porwał wiatr, gdy wystartował ostro w prawo i pomknął wzdłuż oświetlonego blaskiem księżyca stalowoszarego morza. Odkręcił manetkę gazu i przyspieszył gwałtownie.

Nie.

Nic nie jest wieczne.

Nic.